ÉLOGE DE LA NOUVELLE CHEVALERIE

VIE DE SAINT MALACHIE

ŒUVRES COMPLÈTES

XXXI

SOURCES CHRÉTIENNES

N° 367

BERNARD DE CLAIRVAUX

ÉLOGE DE LA NOUVELLE CHEVALERIE

VIE DE SAINT MALACHIE

ÉPITAPHE, HYMNE, LETTRES

INTRODUCTIONS, TRADUCTIONS, NOTES ET INDEX PAR

Pierre-Yves EMERY
frère de Taizé

Ouvrage publié avec le concours du Centre National des Lettres
et de la Délégation Générale à la Langue Française

LES ÉDITIONS DU CERF, 29, Bd de Latour-Maubourg, PARIS 7e
1990

La publication de cet ouvrage a été préparée avec le concours de l'Institut des « Sources Chrétiennes » (U.R.A. 993 du Centre National de la Recherche Scientifique)

ISBN : 2-204-04280-3
ISSN : 0750-1978

REMERCIEMENTS

Même si elle est une œuvre personnelle, une traduction doit beaucoup à toute une solidarité intellectuelle et amicale. Qu'il nous soit permis de dire ici notre dette de reconnaissance, pour leurs conseils, leurs suggestions et la part qu'ils ont prise à l'annotation, à M. Guy Lobrichon pour les deux ouvrages ici édités, au P. Bernard de Give, moine de Scourmont, et à M. François Dolbeau pour la traduction de la *Vie de saint Malachie*. Notre gratitude va aussi à Sœur Marie-Imelda Huille, d'Igny, et à M. Jean Figuet pour les nombreuses précisions apportées aux apparats scripturaires.

C'est enfin à l'équipe des Sources Chrétiennes que s'adresse notre merci pour sa collaboration, multiforme et si disponible, au présent travail.

NOTE SUR L'ÉDITION DES ŒUVRES COMPLÈTES DE BERNARD DE CLAIRVAUX

Mise en œuvre à la demande du Centre des Textes Cisterciens, qui dépend de la conférence des Pères abbés et Mères abbesses francophones de l'Ordre Cistercien de la Stricte Observance, la présente édition des Œuvres de saint Bernard, avec traduction française, est réalisée sur les bases suivantes.

Le texte latin est repris de l'édition critique des *Sancti Bernardi Opera,* procurée par dom Jean Leclercq, assisté de MM. Henri M. Rochais et Charles H. Talbot, et publiée en huit tomes par le Saint Ordre de Cîteaux, de 1957 à 1977, à Rome, aux Éditions Cisterciennes. Depuis sa parution, ce texte a bénéficié de corrections. Une première série d'errata, colligés par l'auteur lui-même, est à la disposition du public dans le tome 4 du *Recueil d'Écrits sur saint Bernard et ses écrits* de dom Jean Leclercq (Rome, 1987, p. 409-418). Une seconde série, moins longue, a été établie par le Centre de Traitement Électronique des Documents (CETEDOC) de Louvain-la-Neuve en vue de préparer le *Thesaurus sancti Bernardi Claravallensis,* paru chez Brepols, à Turnhout, en 1987. L'édition des Sources Chrétiennes profite de ces amendements. La pagination de l'édition critique est indiquée dans la marge du texte latin ; la linéation est nouvelle.

L'apparat critique n'est pas reproduit, les principes d'édition étant rappelés dans l'introduction à chacune des œuvres ; les variantes les plus intéressantes sont indiquées dans l'annotation. En revanche, un apparat des citations scripturaires a été mis au point sur des bases nouvelles ;

dans la mesure du possible, les sources des citations par rapport à la Vulgate, à la *Vetus Latina*, à la liturgie, à la *Règle* de saint Benoît ou aux Pères ont été précisées.

A la fin de chacune des œuvres sont donnés les index habituels : index des citations scripturaires, index des noms de personnes et de lieux, et index des mots; celui-ci, étant donné le caractère exhaustif des relevés du *Thesaurus sancti Bernardi Claravallensis*, se limite à un choix de thèmes avec lemmes en français.

L'ensemble de l'édition est l'œuvre d'une équipe coordonnée par l'Institut des Sources Chrétiennes. Un tableau, à la page suivante, fournit le programme de parution des diverses œuvres.

Sources Chrétiennes

LA SÉRIE BERNARDINE DANS LA COLLECTION «SOURCES CHRÉTIENNES»

Nº SC	Nº série bernardine	Ouvrages	Date envisagée	Paru
–	I	Introduction générale	1991	–
–	II-IX	Les Lettres	1992-1999	–
–	X-XV	Sermons sur le Cantique	1993-1999	–
–	XVI-XIX	Sermons pour l'année	1994-1997	–
–	XX	Louanges de la Vierge Mère	1991	–
–	XXI	Aux clercs, sur la conversion. Sermons variés	1994	–
–	XXII-XXIV	Sermons divers	1999	–
–	XXV-XXVII	Sentences. Paraboles	1995-1997	–
–	XXVIII	Les Degrés de l'humilité et de l'orgueil. L'Amour de Dieu	1993	–
–	XXIX	La Grâce et le libre arbitre. Le Précepte et la dispense	1991	–
–	XXX	L'Apologie. Office de saint Victor Prologue de l'Antiphonaire	1992	–
367	XXXI	Éloge de la nouvelle chevalerie. Vie de saint Malachie Épitaphe. Hymnes	1990	1990
–	XXXII	La Considération	2000	–

SIGLES ET ABRÉVIATIONS

Œuvres de S. Bernard

Abb	Sermon aux abbés (S. pour l'année)
AdvA	Sermons pour l'Avent (S. pour l'année)
AdvV	Sermon pour l'Avent (S. variés)
Alt	Sermon sur l'élévation et l'abaissement du cœur (S. pour l'année)
AndN	Sermons pour la fête de saint André (S. pour l'année)
AndV	Sermon pour la vigile de saint André (S. pour l'année)
Ann	Sermons pour l'Annonciation (S. pour l'année)
Ant	Prologue à l'Antiphonaire
Apo	Apologie à l'abbé Guillaume
Asc	Sermons pour l'Ascension (S. pour l'année)
AssO	Sermon pour le dimanche après l'Assomption (S. pour l'année)
Assp	Sermons pour l'Assomption (S. pour l'année)
Ben	Sermon pour la fête de saint Benoît (S. pour l'année)
Circ	Sermons pour la Circoncision (S. pour l'année)
Clem	Sermon pour la fête de saint Clément (S. pour l'année)
Conv	Aux clercs sur la conversion
*Conv**	Aux clercs sur la conversion (version abrégée)
Csi	La Considération
Ded	Sermons pour la dédicace de l'église (S. pour l'année)
Dil	L'Amour de Dieu

Div Sermons sur différents sujets
Doni Sermon sur les sept dons du Saint-Esprit (S. variés)
Ep Lettres
EpiA Sermons pour l'Épiphanie (S. pour l'année)
EpiO Sermon pour l'octave de l'Épiphanie (S. pour l'année)
EpiP Sermons pour le 1er dimanche après l'octave de l'Épiphanie (S. pour l'année)
EpiV Sermon pour l'Épiphanie (S. variés)
Gra La Grâce et le libre arbitre
HM4 Sermon pour le mercredi de la semaine sainte (S. pour l'année)
HM5 Sermon pour la Cène du Seigneur (S. pour l'année)
Hum Les Degrés de l'humilité et de l'orgueil
Humb Sermon pour la mort d'Humbert (S. pour l'année)
Inno Sermon pour les fêtes de saint Étienne, de saint Jean et des saints Innocents (S. pour l'année)
JB Sermon pour la Nativité de saint Jean-Baptiste (S. pour l'année)
Lab Sermons lors du travail de la moisson (S. pour l'année)
MalE Épitaphe de saint Malachie
MalH Hymne de saint Malachie
MalS Sermon sur saint Malachie (S. variés)
MalT Sermon lors de la mort de Malachie (S. pour l'année)
MalV Vie de saint Malachie
Mart Sermon pour la fête de saint Martin (S. pour l'année)
Mich Sermons pour la commémoration de saint Michel (S. pour l'année)
Mise Sermon sur les miséricordes du Seigneur (S. variés)

Miss A la louange de la Vierge Mère (H. sur «Missus est»)
Nat Sermons pour Noël (S. pour l'année)
NatV Sermons pour la vigile de Noël (S. pour l'année)
NBMV Sermon pour la Nativité de la Bienheureuse Vierge Marie (S. pour l'année)
Nov1 Sermons pour le dimanche qui précède le 1er novembre (S. pour l'année)
OS Sermons pour la Toussaint (S. pour l'année)
Palm Sermons pour le dimanche des Rameaux (S. pour l'année)
Par Paraboles
*Par** Paraboles (An. S.O.C. et Cîteaux)
Pasc Sermons pour la Résurrection du Seigneur (S. pour l'année)
PasO Sermons pour l'octave de Pâques (S. pour l'année)
Pent Sermons pour la Pentecôte (S. pour l'année)
PlA Sermon pour la conversion de saint Paul (S. pour l'année)
PlV Sermon pour la conversion de saint Paul (S. variés)
PP Sermons pour la fête des saints Pierre et Paul (S. pour l'année)
PPV Sermon pour la vigile des saints Pierre et Paul (S. pour l'année)
pP4 Sermon pour le 4e dimanche après la Pentecôte (S. pour l'année)
pP6 Sermons pour le 6e dimanche après la Pentecôte (S. pour l'année)
Pre Le Précepte et la dispense
Pur Sermons pour la fête de la Purification de la bienheureuse Vierge Marie (S. pour l'année)
QH Sermons sur le psaume «Qui habite» (S. pour l'année)
Quad Sermons pour le Carême (S. pour l'année)

Rog	Sermon pour les Rogations (S. pour l'année)
SCt	Sermons sur le Cantique des Cantiques
Sent	Sentences
Sept	Sermons pour la Septuagésime (S. pour l'année)
Tpl	Éloge de la Nouvelle Chevalerie
VicO	Office de saint Victor
VicS	Sermons pour la fête de saint Victor (S. variés)
Vol	Sermon sur la volonté divine (S. variés)

Autres abréviations

An. S.O.C.	Analecta Sacri Ordinis Cisterciensis
Lit.	origine liturgique des citations bibliques
Patr.	origine patristique des citations bibliques
RB	Règle de saint Benoît (*Sc* 181-186)
SBO	Sancti Bernardi Opera, 8 t., éd. par J. Leclercq, H.-M. Rochais et C.H. Talbot, Rome 1957 à 1977
Vg	Vulgate
Vl	Vieille latine[1]
≠	Divergence entre Bernard et sa source

1. En ce qui concerne les œuvres de saint Bernard, la présente liste reprend celle du *Thesaurus sancti Bernardi Claravallensis*, p. XXIII, avec quelques minimes simplifications : suppression d'une abréviation spéciale pour les trois lettres 42, 77 et 190, supression des astérisques marquant les différences avec la liste de Jean Leclercq (*Recueil d'Études sur saint Bernard et ses écrits*, t. 2, Rome 1969, p. 9-10); en outre *Con*+ et *Par*+ ont été normalisés en *Conv** et *Par**.

ÉLOGE DE LA NOUVELLE CHEVALERIE

INTRODUCTION

Ce traité : un manifeste à l'intention des chevaliers du Temple pour les encourager; à l'intention aussi d'un vaste public pour justifier à ses yeux une nouveauté. Cependant le manifeste ne tarde pas à apparaître comme un véritable appel à la conversion et comme un chemin proposé dans ce but.

On perçoit bien vite d'ailleurs que saint Bernard ne parle pas ici des chevaliers du Temple en témoin simplement curieux et extérieur. Car il est lui-même issu du milieu de la noblesse et de la chevalerie, et le projet d'unir en une seule vie l'idéal du chevalier et la vocation du moine ne peut que le fasciner. Non pas que l'abbé de Clairvaux ait à regretter son propre cheminement : être moine, et moine cistercien, c'est vraiment, à ses yeux, le meilleur choix qu'on puisse faire! Et par ailleurs, il ne semble pas s'être beaucoup occupé du maniement des armes avant son entrée au monastère. Il n'en reste pas moins que, par toute une partie de son être, il demeure profondément lié à son milieu d'origine[1]. Beaucoup de chevaliers, de sa famille et de ses amis, sont entrés avec lui à Cîteaux, en 1112 (ou en 1113), ou l'ont rejoint plus tard à Clairvaux. Et l'on a pu montrer que, lorsqu'il parle à ses moines sans souci littéraire, il se

N.B. Les notes ou parties de notes précédées d'un astérique (*) sont dues à G. Lobrichon. Celles qui sont précédées de deux astériques (**) sont dues à J. Figuet.

1. Cf. Jacques VERGER et Jean OLIVET, *Bernard - Abélard, ou le cloître et l'école,* Paris 1982, p. 60 ss, 111 s, 124.

réfère souvent à leurs souvenirs de batailles et à leur vie à la cour des châteaux, à leur connaissance des armes, des chevaux et de l'équipement du chevalier, ceci pour appuyer sur une expérience vécue ce qu'il doit maintenant leur prêcher : le combat de l'ascèse et l'amour pour Dieu[1]. On comprend donc qu'il parle de la nouvelle chevalerie comme d'une réalisation dont il est presque partie prenante, qui fait vibrer son cœur, et qu'il saisit quasiment de l'intérieur.

Il a composé cet écrit sur la demande du fondateur et du premier Maître de cette nouvelle chevalerie, en vue d'encourager et d'exhorter celle-ci. Cette institution naissante avait-elle vraiment besoin de cet encouragment? Il semble que oui. Une lettre d'un certain Hugues[2] (non pas Hugues de Payns, le fondateur de la chevalerie du Temple, mais probablement Hugues de Saint-Victor) laisse percevoir que, face à la nouveauté de leur état et affrontés aux critiques qui leur venaient de l'extérieur à ce propos, les premiers membres de cette milice en sont venus à douter du bien-fondé de leur vocation; ils hésitaient à demeurer des soldats et se sentaient en infériorité par rapport aux moines. De fait, ils ne sont pas encore constitués en ordre, mais affiliés simplement aux chanoines du Saint-Sépulcre de Jérusalem, à l'instar de ce qu'on appellera par la suite un tiers-ordre.

Cette lettre leur répond que les moines eux-mêmes doivent bien travailler pour manger, et sont ainsi amenés à sortir de leur recueillement : l'occupation des templiers est

1. Cf. la préface de Dom Jean Leclercq in SAINT BERNARD DE CLAIRVAUX, *Les combats de Dieu,* textes choisis et traduits par H. Rochais, Paris 1981.

2. Cf. DOM J. LECLERCQ, «Un documents sur les débuts des Templiers», *Recueil d'études sur saint Bernard et ses écrits,* Rome 1966 (Storia e Letteratura, 104), t. II, p. 87 ss, qui en publie le texte.

religieuse dans son intention, elle constitue un service d'autant plus utile qu'il est plus caché; enfin, le butin que peuvent faire ces soldats est fondé sur le droit qu'ont les serviteurs de Dieu à vivre de l'autel. Que les chevaliers du Temple résistent donc au désir d'accéder à un état de vie supérieur.

Tel est sommairement le contenu de cette lettre. Avec plus de qualités littéraires, plus de richesse spirituelle, et avec des arguments en partie différents, le traité de saint Bernard ira dans le même sens.

Mais lui, Bernard, ne compose pas une lettre destinée à demeurer privée, son texte ne s'adresse pas aux seuls templiers. Il les présente au public, fait leur éloge, met en relief les caractéristiques de leur vocation et de leur style de vie, et travaille ainsi à leur renommée et à l'extension numérique de cet ordre nouveau. Il engage à leur égard son autorité morale, qui ne manque pas de poids.

Les dates limites de ce traité sont d'une part le Concile de Troyes, en 1129, qui confirme l'institution encore peu nombreuse de cette milice du Temple, et au cours duquel l'abbé de Clairvaux rencontre le fondateur des templiers; et d'autre part, la mort de ce dernier, en 1136. L'auteur a mis du temps avant de commencer son œuvre et, à le lire – même s'il exagère –, la communauté nouvelle a pris de l'ampleur et un certain renom. On peut donc penser que l'année où paraît son texte est plus proche de la seconde de ces dates que de la première[1].

1. DOM Jean LECLERCQ, Introduction au traité *De laude novae militiae,* dans SAINT BERNARD, *Opera,* t. III, p. 207. * R. Hiestand («Kardinalbischof Matthäus von Albano, das Konzil von Troyes und die Entstehung des Templerordens», dans *Zeitschrift für Kirchengeschichte* 99, 1988, 295-325) vient de rectifier la date du concile de Troyes, à situer en janvier 1129 (et non 1128). Selon D. Carlson, le *De laude novae militiae* aurait été écrit avant le concile réuni par Innocent II à Reims en octobre 1131, qui décide de sanctionner les participants aux tournois chevale-

Présentation de l'œuvre.

Le traité comporte deux parties : la première (de I, 1 à V, 10) ne se borne pas, en fait, à décrire et à louer cette nouvelle institution de moines-chevaliers, elle la justifie au nom d'arguments théologiques et moraux d'une part, au nom d'une efficacité pratique d'autre part. Sévère et critique pour ce qu'est devenu l'idéal du chevalier, dénonçant dans la noblessse de son temps l'orgueil, l'indiscipline, le luxe, et, inévitablement, une inefficacité brouillonne au combat, saint Bernard montre combien la vocation religieuse des templiers ramène l'idéal de la chevalerie à sa source, et combien elle leur donne de puissance à la guerre (I, 1 : IV, 8). L'austérité, l'obéissance, une vie réglée, des relations d'amour fraternel, et surtout une vocation spirituelle commune (IV, 7) : quoi de plus fort pour soutenir une troupe de choc, une milice d'élite? Une mystique qui considère la mort au combat comme un martyre, tout en exaltant la victoire des armes comme un service du Christ (I, 1) : quoi de plus stimulant pour une armée?

L'auteur va plus loin : quelle chance pour la chrétienté qu'une institution en même temps militaire et religieuse offre un but, une raison de vivre, un chemin de salut même, à l'agressivité de tant de mauvais garçons, qui, sinon, feraient chez eux les quatre-cents coups par désœuvrement (cf. V, 10). On le voit, la milice du Temple prend ici un petit air de Légion étrangère!

Encore faudrait-il se demander si saint Bernard pense vraiment ici à l'Ordre du Temple, ou plus généralement à la Croisade. La question est d'importance. Nous la reprendrons sans tarder.

resques; Bernard en effet ne connaît pas ce récent interdit, qui sert précisément sa démonstration (« The Practical Theology of St. Bernard and the Date of the *De Laude novae militiae* », dans *Erudition ad God's Service*, ed. J.R. Sommerfeldt, Kalamazoo, 1987, p. 133-148).

Auparavant, il faut s'en poser une autre : la guerre est-elle un but moralement et spirituellement légitime? L'auteur connaît trop les raisons futiles, l'injustice, la soif de puissance et l'esprit de rapacité, bref le péché que recouvrent tant de combats (II, 3). Il a d'ailleurs consacré une bonne partie de son temps et tout le poids de son influence personnelle à tenter de ramener la paix dans la chrétienté, notamment entre les cités de l'Italie du Nord. Il pose donc ici la question théologique de la guerre, en répondant qu'il faut bien une force de police, particulièrement en Terre Sainte, pour garantir l'accès aux lieux saints (III, 5). Et les templiers, de par leur intention originelle, ne prétendent à rien d'autre qu'à être cette police au service du droit des personnes et de la justice.

Normalement, tuer c'est commettre le péché d'homicide. Et se faire tuer en situation de combat, c'est mourir en état d'homicide (I, 2). Même la légitime défense n'est pas sans ambiguïté aux yeux de l'auteur : n'est-elle pas une manière de donner la préférence à la vie physique sur celle de l'âme (*ibid.*)?

Toute la différence, pour le templier, tient au fait qu'il se met, en tant que religieux, au service de la justice du Christ. Son but n'est pas de tuer, mais, en tuant au besoin, de défendre les justes. Son but n'est pas de massacrer les païens, mais d'empêcher qu'ils n'écrasent les justes (III, 4).

Nécessité et légitimité d'une police : l'affirmation est difficilement réfutable. On pourra cependant estimer que saint Bernard n'en voit pas assez les ambiguïtés inévitables et toujours menaçantes, même quand on se donne pour règle la stricte justice du Christ[1]. Et l'on pourra hésiter sur

1. A ce propos, Isaac de l'Étoile, pourtant si fervent admirateur de saint Bernard, se montre combien plus critique que lui, en qualifiant la nouvelle chevalerie de «nouveau monstre» : *Sermon* 48, 8 (SC 339, 159-161. Cf. aussi la note complémentaire, *ibid.*, p. 310 s).

l'assimilation un peu rapide du chrétien avec le «juste», dès lors qu'il pérégrine en Terre Sainte.

Mais cela pose tout le problème de la Croisade. Et sur ce point l'auteur est un homme de son temps. Il considère que les lieux saints sont le bien des chrétiens, un bien spirituel, qu'il s'agit sans conteste de reprendre aux mains des infidèles (III, 5). Car c'est à Dieu que ces derniers ont ravi ce bien, en le souillant, et c'est donc à l'œuvre même de Dieu, au combat spirituel du Christ, que la nouvelle chevalerie participe (I, 1 ; III, 5). Elle accomplit ainsi, dans leur dimension historique, dans leur réalité temporaire, les prophéties de l'Ancien Testament sur le rétablissement de Jérusalem (III, 6). Du Temple, qui a perdu sa magnificence matérielle d'antan, ces moines-soldats sont la beauté et l'ornement spirituel récent et nouveau, par leur liturgie, leur vie fraternelle, leur ardeur au combat (V, 10).

En sa seconde partie, le traité, sauf dans son alinéa final, ne mentionne plus du tout les templiers. Il est consacré à la Terre Sainte, dont la nouvelle milice a pris la défense. Quoi de plus stimulant pour ces hommes que de se rappeler le sens spirituel et le prix inestimable des lieux qu'ils parcourent et auxquels ils vouent leur existence?

Ce serait trop dire qu'ici l'ouvrage devient géographique. Moins encore s'offre-t-il comme un guide touristique! L'auteur n'a pas visité le pays : c'est à sa réalité spirituelle qu'il s'intéresse. De Jérusalem et de la contrée environnante est venu le salut (V, 11). Il convient donc d'évoquer ces lieux saints et la signification essentielle qu'ils gardent pour les chrétiens. Dans ce but, saint Bernard en retient un certain nombre, et, de manière succincte au point de devenir allusive, il en propose chaque fois une interprétation allégorique.

Voici d'abord *Bethléem,* qui évoque le thème du pain, et de ce pain qu'est devenu le Christ pour les hommes, les entraînant à passer avec lui de la chair à l'Esprit. Puis

Nazareth, qui évoque le thème de la fleur et de son parfum : il s'agit de passer de la fleur au fruit, du parfum à la saveur; il s'agit aussi de ne pas se laisser, comme Isaac, tromper par le parfum – de ne pas passer à côté de l'identité divine du Messie.

Et voici le *Mont des Oliviers,* dominant la *Vallée de Josaphat.* Ensemble, ils évoquent la hauteur et la bassesse, le salut et le jugement, et ils appellent l'homme à se juger soi-même et à confesser ses péchés, seule manière de s'aimer en vérité.

Ensuite, voici le *Jourdain :* consacré par le baptême de Jésus et par l'invocation de la Trinité, il symbolise la guérison spirituelle du chrétien. Pour sa part, le *Calvaire,* c'est-à-dire le mont chauve, exprime le total dénuement du Christ dans sa Passion, du Christ qui a tout donné pour nous sauver.

L'auteur nous guide alors jusqu'au saint *Sépulcre.* Et le ton se modifie absolument : l'endroit où Jésus a été enseveli fait l'objet non pas d'une nouvelle allégorie allusive et rapide, mais d'un véritable petit traité théologique du salut par la mort du Christ, un traité dont le développement forme à lui seul presque le tiers de toute l'œuvre. Nous lui consacrons ci-après un paragraphe de cette introduction. Qu'il suffise d'indiquer ici la joie, la ferveur, l'émotion toutes particulières qui, selon saint Bernard (XI, 29), étreignent le pèlerin quand il se trouve devant le tombeau où son Sauveur, mort, a été déposé durant trois jours.

Deux lieux saints sont encore évoqués pour finir : *Bethphagé,* où le mot « bouche », qu'on pensait trouver dans ce nom, donne à l'auteur l'occasion de rappeler l'importance de la parole du croyant pour exprimer la confession de son cœur, et le rôle de la parole du prêtre en vue de créer en l'homme la confiance en Dieu en même temps que le repentir. Et enfin *Béthanie,* dont le nom évoque divers thèmes hâtivement notés, et qui se regroupent autour de l'idée d'obéissance.

En fin de compte, l'œuvre comporte donc trois parties de style fort divers : la justification de la nouvelle chevalerie du Temple se présente avec la vigueur d'un plaidoyer, bien charpenté, rédigé avec soin et avec une certaine verve, un certain éclat. Le traité sur le salut par la mort du Christ emprunte le langage plus classique, le style dialectique et les raisonnements serrés de la théologie. Enfin les notations sur les divers lieux saints (à part le Sépulcre) apparaissent comme des esquisses, susceptibles d'amples développements. Elles rappellent en cela certains Sermons *de diversis,* qui n'ont pas dépassé le stade du canevas, mais peuvent avoir pour nous le charme du croquis.

En conclusion de l'œuvre, quelques lignes nous ramènent à la chevalerie du Temple : à elle sont confiés ces trésors spirituels que représentent les lieux saints. Dieu seul peut la rendre capable de garder un pareil dépôt.

Unité et originalité du traité.

Nous venons de reconnaître l'évidente et surprenante diversité de cet écrit, aussi bien dans sa forme que dans la matière dont il traite. La question se pose alors de son unité, car saint Bernard est un auteur très attentif à l'art de la composition[1]. La diversité, ici, ne serait-elle pas au service d'une unité cachée, que le lecteur doit deviner? d'une unité qui donnerait à ce traité sa véritable portée?

Ci-dessus, à propos des vives critiques que l'auteur élève contre les chevaliers de son époque, la question se posait de savoir s'il leur offrait comme idéal la vocation du templier ou plus généralement la Croisade. Question importante,

1. Il est d'ailleurs typique de cet art de ne pas développer également les différentes parties d'un ouvrage.

car elle nous oriente vers la solution d'une autre question : celle de l'unité de l'ouvrage.

De son éloge de la nouvelle chevalerie, saint Bernard fait bel et bien un traité de spiritualité qui pourrait recevoir ce sous-titre : de la conversion des chevaliers. Tout en s'adressant aux chevaliers du Temple pour les encourager, et à un vaste public pour justifier cette nouvelle vocation, il élargit considérablement son thème : c'est un itinéraire spirituel qu'il entend proposer aux hommes de guerre. Il leur demande simplement, mais avec quelle exigence, d'être chrétiens[1].

Appeler à la conversion, en préciser les conditions, en tracer les étapes : saint Bernard, finalement, a-t-il jamais fait autre chose, à travers toute son œuvre? Ses sermons se présentent comme autant de variations sur ce thème : la conversion du moine. L'un de ses écrits s'intitule : *De la conversion des clercs.* La *Vie de saint Malachie,* la longue *Épître 42* à l'archevêque de Sens, nombre de passages de lettres et de sermons, constituent autant d'appels à la conversion des évêques. Et l'on peut estimer que son *De consideratione,* adressé au pape Eugène III, traite de la conversion du pape.

Concernant le chevalier, n'est-ce pas très exactement l'itinéraire de sa conversion que l'on trouve analysé dans les esquisses allégoriques consacrées par saint Bernard à divers lieux saints de la Palestine?

Reconnaître le Christ devenu l'un de nous et trouver en lui la nourriture spirituelle *(Bethléem)* pour se mettre à le suivre en vérité *(Nazareth).* Se juger soi-même dans une

1. Voilà l'aspect typique et original de l'ouvrage, alors que les justifications de l'auteur concernant la participation des templiers à la guerre rejoignent celles des canonistes de l'époque, héritées des Pères et codifiées en particulier dans le *Décret de Gratien* (cf. l'article «Guerre», *DTC,* VI, 1912-1921).

humble repentance pour trouver en Dieu non pas sa sévérité mais sa miséricorde (*Mont des Oliviers* et *Vallée de Josaphat*) – autrement dit vivre réellement la grâce du baptême (le *Jourdain*) en acceptant d'être, avec le Christ, dépouillé de soi-même (le *Calvaire*). Car dans la mort du Christ s'opère le salut : elle est le passage obligé d'un itinéraire de conversion, comme en témoigne la relative longueur des développements de l'auteur à propos du *Sépulcre* du Sauveur. Encore faut-il, pour être sauvé par la mort du Christ, accorder notre vie à la sienne : mourir avec lui pour ressusciter avec lui. Dans une ferveur toute nouvelle, voici l'homme à même de confesser sa foi en une parole qui allie repentance et louange *(Bethphagé)*, et le voici à même d'obéir à l'évangile dans une vie qui unit action et contemplation *(Béthanie)*.

La mort du Christ, avec le passage de la mort à la vie qu'elle implique de la part du chrétien : telle est donc la clé de lecture de ce traité. Saint Bernard s'y montre fidèle à lui-même : prophète d'une réforme spirituelle de la chrétienté de son temps.

A cette lumière, l'éloge des templiers – et l'exhortation qui s'y laisse deviner – culmine dans cette affirmation qui termine la première partie (§ 10) : comme saint Paul, le chevalier du Temple est un pécheur converti, le type du chevalier en qui la victoire du Christ, d'un ennemi, a su faire un ami. Et la Terre Sainte qu'il défend est en même temps, symboliquement, «la terre de la promesse» (§ 11) puisque, en la parcourant, il passe par les étapes constitutives du salut[1].

1. * L'éloge des chevaliers chrétiens, dans le droit fil des discours sur la Paix de Dieu depuis la seconde moitié du XIe siècle, souligne une inflexion majeure de l'histoire des Croisés en Terre Sainte : celle qui conduit, dans la deuxième décennie du XIIe siècle, des fondations religieuses vouées à l'hospitalité des pèlerins à s'entourer de gens

Saint Bernard et les templiers.

L'attention, l'affection même de saint Bernard pour l'Ordre du Temple tiennent à plusieurs raisons. Pensons d'abord aux liens de famille, puisque le fondateur, Hugues de Payns, était apparenté à l'abbé de Clairvaux[1]. D'autre part, Bernard avait un oncle, du nom d'André, parmi les templiers. On a conservé la lettre qu'il lui écrit un jour en réponse aux mauvaises nouvelles de Terre Sainte qu'André lui a envoyées. Oui, répond Bernard, nos princes n'y ont rien fait de bon, et ici ils ne commettent que le mal. Il ne reste plus guère à André qu'à se tourner vers le Seigneur, en sachant que la récompense est à venir; ici-bas, ce n'est qu'un champ de bataille. Malgré tout son désir de revoir son oncle, saint Bernard le pense trop nécessaire en Terre Sainte pour souhaiter son retour. Il le charge de saluer le

d'armes affiliés. C'est le cas des Hospitaliers de Saint-Jean de Jérusalem, émancipés en 1113, des chanoines réguliers du Saint-Sépulcre en 1114, qui sont assistés de chevaliers, ou des desservants d'un hôpital fondé pour les pèlerins germaniques avant 1118, souche de l'Ordre teutonique. Les Templiers eux-mêmes ne sont guère considérés jusqu'en 1129 que comme des auxiliaires laïques; ils deviennent véritablement des chevaliers religieux entre 1129 et 1148 (R. Hiestand, *o.c.,* p. 323). Les ordres liés à la Reconquista de l'Espagne et du Portugal dans la seconde moitié du XIIe siècle sont décidément militaires : les premiers sont d'ailleurs sous influence sinon d'obédience cistercienne (Calatrava, fondé en 1158 par des cisterciens; ordre d'Avis en 1162, portugais proche de Calatrava; Alcantara, avant 1174); l'ordre de Santiago (1170) suit quant à lui la règle augustinienne. Cf. *Die geistlichen Ritterorden Europas,* ed. J. Fleckenstein et M. Hellmann, Sigmaringen 1980 (*Vorträge und Forschungen* 26); Dom Maur COCHERIL, «Les ordres militaires cisterciens au Portugal», dans *Bulletin des Études Portugaises,* 1967-1968; *Id.,* «Les ordres militaires», dans *Les ordres religieux. La vie et l'art,* Paris 1979, p. 660 ss. Plus généralement, J. FLORI, *L'essor de la chevalerie, XIe-XIIe siècles,* Genève, Droz 1986, notamment p. 191 ss.

1. Jean RICHARD, «Le Milieu familial», dans *Bernard de Clairvaux,* Paris 1953, 1-15.

Maître et tous les frères, comme aussi ceux de l'Ordre de l'Hôpital[1].

On voit donc que Bernard connaît plus ou moins personnellement tous ces hommes. D'ailleurs, auparavant, le grand Maître, alors Évrard des Barres (1147-1151), et un certain frère Jean avaient rendu visite à l'abbé de Clairvaux pour lui apporter des nouvelles de Terre Sainte. On le sait par une lettre de saint Bernard à Suger, abbé de Saint-Denis[2].

Saint Bernard aime et honore assez la nouvelle chevalerie pour pouvoir se réjouir de l'entrée d'Hugues, le fils du comte de Champagne, chez les templiers[3] : de comte, Hugues s'est fait soldat, de riche il est devenu pauvre. Et pourtant Bernard aurait tant souhaité voir souvent ce jeune homme, ce qui aurait été possible s'il était entré à Clairvaux, maison pour laquelle il s'était montré si généreux.

Plusieurs lettres de l'abbé de Clairvaux recommandent les templiers à des grands de ce monde : au patriarche de Jérusalem, Guillaume[4], à celui d'Antioche, Raoul[5], à la reine de Jérusalem, Mélusine[6]. Protéger ces intrépides défenseurs de l'Église, ces chevaliers qui se sont mis au service de leurs frères, c'est plaire à Dieu et aux hommes[7].

1. *Ép.* 288 (de 1153).
2. *Ép.* 380.
3. *Ép.* 31.
4. *Ép.* 175.
5. *Ép.* 292.
6. *Ép.* 289.
7. * *Ép.* 175. Signalons la lettre (*Ép.* 261) où saint Bernard s'entremet auprès du pape Eugène III (un ancien moine de Clairvaux) pour arranger une histoire ennuyeuse : l'abbaye cistercienne de Vaux a reçu parmi ses moines un templier, après lui avoir fait conférer l'habit monastique dans une abbaye bénédictine pour ne pas contredire à la Règle. Le Chapitre général de Cîteaux a ordonné le renvoi du templier, mais entretemps l'Ordre du Temple a obtenu du pape un bref qui enjoint à l'évêque du diocèse (Châlons-sur-Marne) d'interdire l'entrée de

Toutes ces lettres le laissent comprendre : par delà la sympathie personnelle, si l'Ordre du Temple est cher au cœur de saint Bernard, c'est à cause de la Terre Sainte, à laquelle cette chevalerie est vouée. On voit l'abbé de Clairvaux se tenir au courant de la situation de l'Église en cette région, et, comme les nouvelles sont alarmantes, elles lui percent l'âme[1]. C'est qu'il s'agit du pays que le Seigneur a honoré de sa présence, il s'agit de la ville où il a versé son sang[2].

Dans la vision symbolique qui est celle de cette époque, l'émotion que suscite la Ville sainte, l'enthousiasme que recueille sa défense, sont considérables. Et dans cette perspective, l'affection et la reconnaissance de l'abbé de Clairvaux pour l'Ordre du Temple ont la même raison que la conviction avec laquelle, plus tard, il prêchera ce qui sera la deuxième Croisade. En 1145, le roi de France, Louis VII, avait fait appel au crédit de Bernard pour appuyer cette cause. Mais ce dernier n'avait pas bougé. C'est que le pape seul peut prendre l'initiative d'une Croisade, et celle-ci n'est rien moins qu'un pèlerinage de toute la chrétienté, un vœu personnel et collectif, une démarche capable de remettre les fautes les plus graves. La Croisade est aussi le moment où la conception moyenâgeuse du rapport entre la société séculière et l'Église, entre les monarques et le pape, autrement dit entre les deux glaives, s'exprime le plus parfaitement. Dès que le pape Eugène III se sera prononcé en faveur de la Croisade, en 1146, saint Bernard en devient le prédicateur fougueux.

Ce sont d'ailleurs ces conceptions symboliques sur la

l'église à l'abbé bénédictin de Saint-Urbain (près de Joinville, Haute-Marne) qui par ignorance s'était prêté à la manœuvre. On supplie le pape de sortir cet abbé de la situation fâcheuses où on l'a mis.

1. *Ép.* 380.

2. *Ép.* 288.

Terre Sainte et sur la Croisade, ces conceptions religieuses, et donc absolues, qui seront partiellement la cause de l'échec retentissant de l'entreprise – un échec que certains retourneront contre l'abbé de Clairvaux. Il aurait fallu savoir que l'Islam était redevenu beaucoup plus redoutable qu'au siècle précédent, que le Royaume franc traversait une période d'intrigues dangereuses, que l'empereur de Byzance considérait, non sans quelque raison, les Francs comme des intrus, et le problème de Jérusalem comme de son ressort. Il aurait aussi fallu prendre la mesure des profondes divisions qui affaiblissaient l'Europe. Tous ces éléments ont été magnifiquement ignorés, du simple fait que la Croisade est l'affaire de Dieu. Du coup le réalisme, la diplomatie, l'analyse politique paraissaient nuls et non avenus[1].

La Croisade.

La conquête islamique de la Terre Sainte avait ralenti l'afflux des pèlerins mais sans le tarir. Une longue période de tolérance, de la part de l'Islam, coupée il est vrai d'actes de violence, avait permis aux chrétiens d'Occident de continuer à faire le pèlerinage des lieux saints, et de Jérusalem en particulier. Ceci jusqu'au XIe siècle, où l'envahissement de la Terre Sainte par les Turcs semble devoir rendre le pèlerinage désormais impossible. On peut penser, en fait, que l'intolérance turque aurait été passagère et qu'elle ne justifiait pas l'immense déploiement d'une Croisade[2].

1. Cf. André SEGUIN, « Bernard et la seconde Croisade », in *Bernard de Clairvaux* (ouvr. coll.), Paris 1953, p. 379 ss; Dom J. LECLERCQ, *Saint Bernard et l'esprit cistercien,* Paris 1966 (« Maîtres spirituels »), p. 73 ss.

2. F. MICHEAU, « Le monde musulman à la veille des Croisades », Dossier « Les Croisades », *2 000 ans de christianisme,* Paris 1976, t. IV, p. 15 s.

* Sur les croisades, voir Hans Eberhard MAYER, *The crusades,*

La première Croisade, lancée par Urbain II à la fin de 1095, au Concile de Clermont[1], est aussitôt considérée non seulement comme une guerre «juste», selon les définitions données par la théologie de l'époque, c'est-à-dire comme une démarche de légitime défense, mais plus encore comme une véritable guerre sainte[2]. Elle apparaissait en effet comme une suite logique de la reconquête espagnole et de la défense de l'Europe contre l'Islam. L'idéal du chevalier, celui de défendre les opprimés et les faibles, devait lancer la noblesse au secours des pèlerins de Jérusalem. Il s'agissait en outre de libérer pour Dieu cette terre qui était la sienne du fait de l'Incarnation, et de délivrer par surcroît les chrétiens du Proche Orient installés dans ce pays, et dont les églises étaient profanées[3].

Les motivations de la Croisade sont assurément complexes : outre celles que nous venons d'indiquer, il faut mentionner la volonté de répondre favorablement aux appels de l'empereur de Constantinople contre les pressions turques, à quoi s'ajoute le désir de refaire, à cette occasion, l'unité de l'Église avec l'Orient – Hélas ! sur ce

Londres, Oxford University Press 1972, et pour un concept large de croisade, Jonathan RILEY-SMITH, *The Crusades. A Short History,* New Haven-Londres, Yale University Press 1987; Michel BALARD, *Les Croisades,* Paris, MA Éditions 1988.

1. A. FLICHE, *Histoire de l'Église,* t. 8, Paris 1950, p. 283 ss.

* J. RILEY-SMITH, *The First Crusade and the Idea of Crusading,* Londres, Athlone Press, 1986.

2. A. FLICHE, *o.c.,* p. 287.

* Les livres de C. ERDMANN, *Die Enststehung des Kreuzzugsgedanken,* Stuttgart 1935 et de Paul ALPHANDÉRY (et Alphonse Dupront), *La Chrétienté et l'idée de Croisade,* Paris 1954, demeurent fondamentaux.

3. Cf. J. RICHARD, «L'esprit de la Croisade», Dossier «Les Croisades», *op. cit.,* p. 20 ss et *L'esprit de la Croisade,* Paris 1969, p. 9 ss. On trouve dans ce livre (p. 135 ss) la traduction de la première partie du traité de saint Bernard qui nous occupe.

point, de part et d'autre, on n'aurait guère pu s'y prendre plus mal... S'ajoutent à ces raisons d'autres motifs, dont on n'avait guère conscience : la nécessité de trouver un terrain d'expansion à une surpopulation en Occident, le goût de l'aventure chez nombre de cadets de familles nobles, demeurés sans terres, la possibilité de trouver un dérivatif à la brutalité d'une certaine chevalerie. Et bientôt il faudra compter avec la volonté bien arrêtée, de la part de certaines villes italiennes, d'établir de nouveaux marchés en Orient.

Pourtant, malgré toutes ces ambiguïtés, la première motivation des Croisades, en tout cas au début, demeure l'idéal chrétien du pèlerinage, particulièrement en honneur au XIe siècle[1].

Cela explique, en réponse à l'appel du pape, un enthousiasme qui a surpris, et qui n'est pas seulement le fait de la chevalerie (surtout française) mais aussi des populations d'humble condition. D'une part, à une époque où coexistaient un sens aigu du péché et une propension à pécher avec violence, le pèlerinage donnait au chrétien l'occasion de racheter ses fautes même les plus graves. Il exprimait avec force l'aventure de la foi, le risque de tout quitter pour Dieu, la démarche de la pénitence. D'autre part, on peut noter chez les chrétiens du Moyen Age un attache-

1. J. RICHARD, «Pourquoi la Croisade?», *o.c.,* p. 46 et les réflexions du même auteur dans *Les réveils missionnaires en France du Moyen Age à nos jours,* Paris Beauchesne, 1984. Cf. aussi R. PERNOUD, *Les hommes de la Croisade,* Paris, 1982, (coll. Marabout), p. 42 et *passim.*

* Entre d'innombrables travaux, voir tout particulièrement E.-R. LABANDE, «Recherches sur les pèlerins dans l'Europe des XIe et XIIe siècles», dans *Cahiers de Civilisation Médiévale,* 1, 1958, p. 159-169 et 339-347; G. CONSTABLE, «Monachisme et pèlerinage au Moyen Age», dans *Revue Historique,* 258, 1977, p. 3-27; enfin, A. VAUCHEZ, «Les Croisades ou l'entrée en scène des masses», dans *Les laïcs au Moyen Age. Pratiques et expériences religieuses,* Paris, Éd. du Cerf, 1987, p. 55-60, et les actes du colloque *Militia Christi e crociata nei secoli XI-XIII* (11. Settimana di studi, La Mendola, septembre 1989).

ment quasi physique pour la terre où vécut leur Seigneur, et un scandale profond de la voir souillée par l'«infidèle», comme on le pensait[1].

Ainsi, beaucoup de Croisés seront partis, souvent pour ne jamais revenir, et auront vécu cette immense aventure collective dans un véritable élan de générosité et un ardent désir de sanctification. Pourtant, il faut l'avouer, l'histoire des Croisades successives, même à supposer que celles-ci eussent été des guerres «justes», laisse l'impression d'un échec. Les ambiguïtés l'ont largement emporté, les rivalités, l'esprit brouillon, les retombées de l'enthousiasme ont bientôt tout perdu de cette ville et de cette terre que la première Croisade avait tout de même réussi à conquérir.

Oui, Jérusalem avait été prise par les Croisés en 1099. Mais cette première Croisade elle-même est loin d'apparaître saintement menée, si l'on pense seulement aux débandades qui ont précédé cette victoire, et au massacre affreux de la population de la ville[2].

Une véritable «colonie européenne» va s'installer alors en Terre Sainte, sous la forme de quatre États (le Royaume de Jérusalem, la Principauté d'Antioche, les Comtés d'Édesse et de Tripoli), comme aussi d'un patriarcat et d'un clergé latins[3], tout ceci au grand scandale, inévitablement, de l'Empire de Constantinople et le l'Église orientale...

La situation politique était d'ailleurs loin d'être sûre, la pression turque et égyptienne étant forte, et peu nom-

1. R. OURSEL, *Le pèlerin du Moyen Age,* Paris, 1963, p. 12.

2. A. FLICHE, *o.c.,* p. 296 ss. *Le dossier de l'affaire des Templiers,* édité et traduit par Georges Lizerand, Paris, 1964, montre avec évidence les manigances du roi de France et la faiblesse du pape en toute cette affaire.

3. *Ibid.,* p. 300.

* Cf. Joshua PRAWER, *Histoire du Royaume latin de Jérusalem,* Paris, 1969-1970.

breuses les forces occidentales qui demeurent sur place. Des renforts venus d'Europe en 1101 essuient plusieurs lourdes défaites. La conquête de la Terre Sainte continue cependant avec méthode : on bâtit des forteresses, on assure les communications vers la Méditerranée[1].

Cette chrétienté latine manque de cohésion, et son implantation reste très fragile. On se dispute l'autorité entre les princes, les chevaliers, les prélats, et bientôt les Ordres militaires. Dès la prise de Tyr par les Croisés, en 1124, la reconquête fera place à un attitude qui ne sera plus que défensive[2].

L'Ordre du Temple.

L'histoire des templiers, pourrait-on dire, commence par son terme, sous forme d'une question, et même d'une énigme : la fin lamentable de cette institution, un peu moins de deux siècles après sa création, la condamnation qu'elle s'attire en France pour hérésie secrète et turpitudes cachées, sont-elles inscrites dans son origine même? Comment Philippe le Bel, aussi frauduleux qu'ait été l'exercice de sa justice, a-t-il pu supprimer cette puissance internationale et cette institution religieuse, sans qu'elle-même puisse se défendre, ni que d'autres s'interposent sérieusement en sa faveur?

Non, la fin du Temple n'est pas inscrite dans ses origines. Non, les aveux de dizaines et de dizaines de templiers français, arrachés par des tortures sans fin, sont sans réalité dans les faits : l'entrée dans l'Ordre ne consistait pas à renier le Christ, ni à cracher sur le crucifix, ni à adorer une idole, ni à s'engager à une sodomie obligatoire. Ce qui est vrai, c'est que, en partie par leur faute, et beaucoup par le fait des événements concernant la Terre

1. A. FLICHE, *o.c.,* p. 486 ss.
2. *Ibid.,* p. 489 ss.

Sainte, les templiers avaient perdu leur raison d'être et faisaient l'objet de beaucoup d'antipathie. Face à un pape faible et en situation politique de faiblesse, les menées rapides, décidées du roi de France et de son ministre Nogaret, leur ruse et leur politique du fait accompli, ont abattu une institution déjà à demi-morte de l'intérieur, et qui demeurait pourtant considérable[1].

L'idée de la Croisade pour délivrer la Terre Sainte et en rendre l'accès plus sûr aux pèlerins datait d'environ un siècle, quand Hugues de Payns et Geoffroy de Saint Omer, avec neuf autres chevaliers comme eux, décident en 1119 de se mettre au service de la police des routes qui mènent à Jérusalem. Celle-ci a donc été prise en 1099 par les Croisés, et un petit royaume a été érigé, confié d'abord à Baudoin Ier, frère de Godefroy de Bouillon, lequel avait décliné la charge. Mais la plupart des croisés sont repartis, et la situation demeure fragile et menacée. Sous la protection de Baudoin II, qui vient d'être couronné, Hugues de Payns et ses compagnons se mettent par vocation et par vœux au service des pèlerins, avec le nom d'abord d'« Ordre des pauvres chevaliers du Christ » avant de s'intituler « Ordre du Temple », parce qu'ils occupent bientôt une partie de ce dernier – ou plutôt de la mosquée qui avait été bâtie sur cet emplacement[2].

1. Cf. L. DAILLIEZ, « Templiers », *Encyclopedia Universalis,* Paris 1968, vol. 15, p. 919 à 922; Albert OLLIVIER, *Les Templiers,* Paris 1958 (coll. « Le temps qui court »); Maur COCHERIL, « Les ordres militaires », in *Les ordres religieux - La vie et l'art,* Paris 1979, p. 660 ss.

* Cf. Marion MELVILLE, *La vie des Templiers,* Paris, 1951 (rééd. 1974); Laurent DAILLIEZ, *Les Templiers. Gouvernement et institutions,* t. I, Nice, 1980; Alain DEMURGER, *Vie et mort de l'Ordre du Temple (1118-1413),* Paris, Éd. du Seuil, 1989.

2. Bâtie en 690, dans le style byzantin, pour honorer le rocher où, disait-on, Abraham avait offert son fils, et où s'élevait dans le Temple l'autel des parfums, cette mosquée avait été reconstruite en partie en 1022. Prise par les Croisés en 1099, elle fut donnée par Godefroy de

Les débuts sont difficiles : au bout de dix ans les chevaliers du Temple ne sont encore que 14. Aussi, avec l'approbation du roi Baudoin, Hugues de Payns vient-il en Europe pour trouver des appuis et des vocations. C'est au Concile de Troyes, en 1129, que la Règle de la nouvelle milice est mise au point et approuvée[1], et que se décide aussi une nouvelle Croisade. Saint Bernard participe au Concile et, comme on l'a dit, il rencontre donc Hugues de Payns, son parent, qui lui demande alors l'appui de sa plume.

Cet appui, ajouté à celui du Concile, puis du pape, qui confirme l'Ordre et la règle, et enfin le voyage d'Hugues en France et en Angleterre, semblent avoir réussi à donner à cette institution l'élan et la notoriété dont elle avait besoin. La confirmation de l'Ordre par Innocent III, en 1139, en favorisera le développement matériel : les privilèges de l'exemption, le droit de percevoir des impôts et l'extension de ses possessions en Europe vont faire bientôt de l'Ordre une puissance financière considérable, jouant le rôle d'office des changes et de banque internationale. Il va se répartir en «provinces» : trois en Terre Sainte, et plusieurs en France, en Espagne (où la milice participera à la reconquête du pays sur les musulmans), en Allemagne, au Portugal, etc.; en toutes ces régions, les templiers

Bouillon aux chanoines réguliers de saint Augustin, qui restaurèrent le sanctuaire et bâtirent un couvent attenant. Les templiers (liés à ces chanoines comme un tiers-ordre) construisirent bientôt leur couvent dans l'enceinte du Temple, et ce dernier, avec sa coupole, fut souvent le modèle sur lequel ils édifièrent leurs églises – sur plan circulaire ou octogonal (cf. A. DIMIER, *Les moines bâtisseurs,* Architecture et vie monastique, Paris 1964, p. 164).

1. Cf. Laurent DAILLIEZ, *La règle des Templiers,* Alpes-Méditerranée - Éd. Imprésud, 1977, qui donne le *fac simile* de plusieurs manuscrits latins, et deux traductions, l'une en vieux français, l'autre en français moderne.

favorisent une grande œuvre de défrichement. En 1147, ils comptent déjà 350 chevaliers et 1200 sergents rien que pour la Palestine. A leur apogée, au XIIIe siècle, ils seront 15 000 chevaliers, et posséderont 9 000 forteresses et maisons[1]. Ils se répartissent alors en 4 provinces pour la Palestine, et en 14 provinces pour l'Europe[2]. Plus riches que n'importe quel souverain, ils seront devenus les banquiers des papes et des rois. De quoi susciter de solides jalousies, de furieuses envies...

Leur courage et leur valeur militaire sont certains et reconnus, par un Louis VII notamment, et, à la fin du XIIe siècle, leur cote d'estime et de confiance est grande, encore qu'elle ne soit pas incontestée : des signes de durcissement, d'orgueil, d'âpreté au gain et au pillage sont apparus. Pourtant les templiers demeurent relativement désintéressés au milieu de tout ce qui se trame dans ce Royaume franc du Levant.

Sous l'autorité du grand Maître et de son conseil (comprenant en particulier le sénéchal, qui secondait le Maître, et le maréchal, qui disposait des armes et des chevaux), et de toute une hiérarchie de «commandeurs» provinciaux et locaux, l'Ordre se répartissait en chevaliers, issus de la noblesse, et vêtus du manteau blanc marqué d'une croix pattée rouge, et de sergents, qui devaient être des hommes libres, soit payés, soit engagés par vœux; ils portaient un manteau brun ou noir, avec la même croix rouge.

Les vœux des templiers étaient ceux des chanoines réguliers, et comprenaient la chasteté, la pauvreté personnelle et l'obéissance – à quoi s'ajoutait l'engagement de ne pas reculer au combat et de ne pas demander grâce. Leur

1. Cf. M. COCHERIL, *op. cit.*, p. 662.
2. Cf. J.-Y. MOY, «Les Templiers», Dossier «La Croisade», *op. cit.*, p. 51.

bannière était mi-blanche mi-noire, et portait, de ce fait, le nom devenu illustre de «baussant». La règle, longue et détaillée, était sévère, exigeant une forte discipline, et prévoyant tout un ensemble de punitions, souvent humiliantes.

Des chapelains célébraient tous les offices canoniques, auxquels les templiers étaient tenus d'assister, tout en récitant, durant ce temps, des prières prescrites.

Parmi les sergents se trouvaient représentés tous les métiers nécessaires à l'entretien des armes, des harnais, des chevaux, des vêtements, des bâtiments. Des troupes légères, soldées, les turcopoles, faites de musulmans convertis et d'esclaves affranchis, servaient de force auxiliaire.

A elle seule, la vocation des templiers, cette mystique guerrière, était assurément ambiguë, et bien difficile à maintenir relativement pure. Et quelle ambiguïté, bien plus encore, dans l'idéal de la Croisade et surtout dans les réalisations qu'il reçoit au cours des XIIe et XIIIe siècles. Inévitablement, et plus qu'il n'aurait fallu, l'Ordre se trouve imbriqué dans la politique et les intrigues qui se déploient en Terre Sainte[1]. En outre, leur valeur même, leur connaissance des problèmes, leur expérience politique et militaire, mettront souvent les templiers en opposition avec la manière brouillonne et improvisée dont les Croisés mènent les affaires – un saint Louis, par exemple – comme aussi avec l'impérialisme sans limite d'un Frédéric II, empereur d'Allemagne. Ils ont pu se montrer amers et méprisants à l'égard des Croisés; ils ont pu inquiéter par leurs alliances, avec le Sultan de Damas notamment, alors qu'ils sont simplement réalistes et entendent tirer parti des

1. On trouvera de cela maint témoignage in *Les principaux textes sur les Croisades,* présentés par Jean Lavaut, Paris 1956.

dissensions du monde musulman. Ils sont en outre tolérants à l'égard de l'Islam : une si longue fréquentation n'est pas sans avoir fait naître une connaissance plus profonde et une estime. Mais rien ne prouve que, à la faveur de la recrudescence générale de la gnose, vers la fin du XIIe siècle, les templiers aient assimilé des thèmes et des idées hétérodoxes, musulmanes ou ésotériques.

Au long du XIIIe siècle, un découragement, souvent hautain, les gagne, à constater que l'Occident ne croit plus vraiment à ce Royaume du Levant. Ils apparaissent comme déprimés.

En 1187 déjà, Saladin avait repris Jérusalem, et la troisième Croisade, avec Richard Cœur de Lion, n'aboutit qu'à une trêve avec Saladin : les Francs se maintiennent sur la côte, et Jérusalem restera ouverte aux pèlerins[1].

En 1244 Jérusalem est tombée aux mains des Tartares. Les Croisades successives, menées à la légère, contre leur gré, font subir aux templiers maintes défaites et d'énormes pertes en hommes. Le Royaume s'amenuise. Lors de la prise de Saint Jean d'Acre, les templiers se battent jusqu'au dernier, mais en 1291 la Terre Sainte doit être totalement évacuée par les occidentaux. L'Ordre du Temple garde d'immenses biens et de grandes forces en Europe, mais c'est comme s'il avait perdu son sens.

Diverses raisons, parmi lesquelles leurs richesses qu'il convoite, vont faire de Philippe le Bel l'ennemi des templiers, qui lui ont rendu maint service, et avec qui d'abord il avait entretenu de bons rapports. En quelques années, de 1307 à 1314, par ruse, mensonges, coups de force, intimidation à l'égard du pape, semblants de procès, où ces soldats courageux avouent n'importe quoi sous la

1. Cf. M. BALARD, «Le film des Croisades», Dossier «La Croisade», *op. cit.*, p. 30 s.

torture, le roi de France vient à bout de tout l'Ordre en France, fait brûler le grand Maître du moment, Jacques de Molay, et amène le pape à supprimer l'Ordre. Ce dernier ne subsistera, sous un autre nom – Ordre du Christ – qu'au Portugal. Mais les biens des templiers, finalement, ne tomberont pas entre les mains de Philippe le Bel; ils reviendront à l'Ordre de l'Hôpital, lequel recueillera aussi un certain nombre de chevaliers du Temple.

A propos de la mort rédemptrice du Christ.

On l'a vu ci-dessus : dans sa géographie spirituelle de la Terre Sainte, saint Bernard, à propos de ce lieu central qu'est le Sépulcre de Jésus, développe un véritable petit traité théologique, qu'il nous faut présenter maintenant d'une manière quelque peu analytique et critique.

L'auteur part de cette affirmation : tout autant que la vie du Christ, sa mort nous sauve; sa vie à titre d'exemple, sa mort à titre de promesse, puisque le Christ est ressuscité. A quoi «s'ajoute» une troisième dimension : le pardon des péchés (XI, 18). S'ajoute? La suite, en réalité, va montrer que la mort du Christ précisément réalise ce pardon. Et c'est à ce thème théologique que l'auteur s'arrêtera plus longuement, en exposant une théorie de la rédemption, selon laquelle le Christ éteint par sa mort la dette du péché.

Comparée à celle de saint Anselme, la théorie de saint Bernard se révèle moins juridique, moins détaillée aussi, et de moindre prétention logique. Elle reprend pour l'essentiel des idées des Pères. Au point de départ, on ne trouve pas, comme chez Anselme, l'idée du droit de Dieu sur l'homme, ni celle de la satisfaction liée à une prétention du Créateur sur sa créature humaine[1]. Mais on rencontre

1. La notion de «satisfaction» se trouve par contre dans la théologie de la rédemption que saint Bernard oppose à Abélard. Cf. L. RICHARD, *Le mystère de la rédemption,* Tournai 1959, p. 139.

l'affirmation suivante : Dieu étant la vie de l'âme, si celle-ci rompt avec sa Vie par le péché, elle voit du même coup s'opérer une rupture entre elle et le corps dont elle est la vie. C'est là un effet nécessaire, mais aussi une punition : le péché a pour conséquence logique et judiciaire *(meritum)* la mort spirituelle, et pour peine la dette *(debitum)* de la mort corporelle. Assumant cette peine – la mort corporelle – mais sans la mériter, le Christ alors va éteindre la dette, supprimant ainsi et le péché et sa peine, la mort. C'est déjà ce que disait un saint Cyrille d'Alexandrie[1] ou un saint Augustin[2], et le terme de *meritum,* dans ce contexte, se trouve déjà chez un saint Grégoire le Grand[3].

Encore faut-il préciser que le thème du *meritum* négatif de l'homme, qu'annule le *meritum* positif du Christ, et le thème de la dette qu'éteint la mort innocente du Christ, demeurent en eux-mêmes trop extrinsèques. Ils doivent rendre compte du fait que la miséricorde et le pardon de Dieu ne suppriment pas sa justice, ne sont pas arbitraires[4]. Mais ils n'ont de sens que s'ils s'insèrent dans un thème théologique plus essentiel : la solidarité de Jésus-Christ avec tout homme. Cette solidarité, Jésus la réalise par son incarnation, mais plus radicalement encore en sa qualité de Verbe créateur, puisqu'en lui se concentre, et qu'à partir de

1. «Depuis que le péché a régné sur la terre, nous avons tous encouru nécessairement la peine de mort. Car la violation de la loi divine et le mépris des volontés du Seigneur ont une peine qui est la mort. Mais le Créateur a eu pitié de notre nature déchue et le Fils de Dieu se fit homme pour subir la mort qui nous menaçait par suite du péché», *De ador. in spir. et verit.,* III, cité in L. RICHARD, *op. cit.,* p. 118 s.

2. «Le Christ a pris sans culpabilité notre supplice, afin par là de dissoudre notre culpabilité et de mettre fin à notre supplice», *Contra Faustum,* XIV 4, cité in L. RICHARD, *op. cit.,* p. 119.

3. Cf. L. RICHARD, *op. cit.,* p. 125.

4. Cf. infra, *De laude nov. milit.,* XI, 23 et saint ANSELME, *Cur homo Deus,* II, 20.

lui se déploie le projet de Dieu, en particulier l'élection de l'homme.

Que le salut s'opère dans la communion du Christ, les Pères, certes l'avaient souligné[1], et saint Bernard, dans cet écrit, y insiste avec force. On remarquera même la grande beauté de ces paragraphes (XI, 23-25) où il reprend cette idée paulinienne : notre solidarité avec le Christ est encore beaucoup plus vaste et profonde que notre solidarité avec Adam. Plus radicale surtout : nous étions dans le Christ originellement, bien avant de l'être en Adam temporellement (XI, 24). En outre, notre renaissance dans l'Esprit surpasse de loin notre naissance dans la chair de péché – même si la mort et la loi du péché coexistent un temps, en nous, avec la vie de l'Esprit (*ibid.*).

Mais auparavant (XI, 21 s), saint Bernard propose des développements qui ne sont pas sans rappeler la méthode et les thèmes de saint Anselme : il s'agit de montrer pourquoi le Christ pouvait et voulait éteindre notre dette, ce qui implique de sa part aussi bien la liberté humaine que la puissance divine. Il fallait qu'il soit homme pour pouvoir mourir, qu'il soit juste pour pouvoir mourir à la place du pécheur, et qu'il soit Dieu pour que sa mort soit à elle seule plus forte que tous les péchés des hommes[2].

Abélard avait critiqué et rejeté toute cette thématique juridique traditionnelle – et on le comprend un peu ! Selon lui, la vie et la Passion du Christ nous révèlent son amour, lequel éveille et modèle le nôtre[3]. Pour le coup, c'est simplifier abusivement et réduire à peu de chose le mystère. On notera toutefois que saint Bernard, qui ailleurs critique

1. Cf. L. RICHARD, *op. cit.,* p. 119.

2. Pour Anselme, on trouve ces thèmes dans le *Cur homo Deus,* II, 11 ss.

3. Cf. la 4e proposition condamnée au concile de Sens, et *In Rom.* 3, lib. II ; L. RICHARD, *o.c.,* p. 138.

Abélard sur ce point[1], n'en développe pas moins ici (XI, 26) cette idée : conjointement à sa mort rédemptrice, la vie de Jésus nous est révélatrice et modèle de la vie authentique. Finalement c'est le «tout» du Christ qui nous sauve (XI, 27).

Que l'exposé de saint Bernard sur la mort rédemptrice du Christ ait sa source chez saint Paul et chez les Pères, c'est certain. On y relèvera, positivement, que le thème du rachat n'est présenté à aucun moment comme un châtiment que Dieu ferait tomber sur son Fils[2], et qu'il n'est pas confondu indûment avec celui du sacrifice – dont il n'est pas question ici. Depuis, on a bien souvent, et très malheureusement confondu ces trois thèmes. Or celui du châtiment est en réalité très marginal dans le Nouveau Testament. Celui de la dette, moins rare, n'a d'importance que partielle. Au contraire, le thème du sacrifice, lui, est central, et très riche – pascal, pour tout dire. Mais jamais, dans l'Écriture, il ne constitue une punition, ni le règlement d'une dette. Il ne consiste d'ailleurs pas dans la mort de la victime, mais dans l'offrande de son sang – donc de sa vie.

Ainsi cette présentation théologique du salut échappe en bonne partie aux critiques que l'on élève ajourd'hui contre la théologie de la rédemption telle que l'Occident l'héritait du passé.

Toutefois ce petit traité de saint Bernard, qui reflète la théologie courante à son époque, appellerait des réserves assez fondamentales. La mort du Christ, à titre de justification et de salut de l'humanité, y est envisagée hors de son

1. *Tract. de erroribus Abaelardi,* V, 14-VI, 15.
* *Ép.* 190, 14-15 (*SBO,* VIII, p. 28-29); voir Constant MEWS, «The lists of Heresies imputed to Peter Abelard», dans *Revue Bénédictine,* 95, 1985, p. 73-110.
2. Anselme ne le fait pas non plus : cf. L. RICHARD, *op. cit.,* p. 134.

rapport essentiel avec la résurrection, qui seul lui donne un sens pascal[1]. En outre, cette mort est considérée en elle-même – au titre de conséquence punitive du péché des hommes – et non pas dans ce que Jésus en fait : le comble de l'amour, le retournement de la suprême injustice en parfaite miséricorde. En bref : dire que nous sommes sauvés par la mort du Christ, c'est un raccourci. Nous sommes sauvés par son amour, qui a été assez puissant pour transformer la mort en don de soi, et qui a fait de cette mort – dans la résurrection – une victoire de la vie.

Certes, ces pages de saint Bernard sur le sens de la mort du Christ ne condensent pas toute sa pensée sur la rédemption. Il faut pourtant remarquer que, malgré leur ferveur et leur beauté, elles passent à côté de l'essentiel. Ce n'est d'ailleurs pas la faute de notre auteur. Cela tient plus généralement au fait que toute une tradition, occidentale en tout cas, n'a cessé d'appauvrir la perspective biblique et patristique sur la rédemption, de se concentrer exagérément et unilatéralement sur la mort du Christ, et peut-être sous l'influence de la pensée germanique du haut moyen-âge, de s'enliser dans une thématique juridique[2].

1. Précisons : la critique ne porte ici que sur la théologie de la Rédemption. Car saint Bernard, dans une autre perspective théologique, présente au contraire la séquence de la mort et de la résurrection du Christ comme la promesse même qui nous donne de mourir en paix dans l'espérance de notre propre résurrection (XI, 18).

2. Pour le mercredi saint, dans les *Sermons per annum,* l'auteur développe une tout autre théologie de la Passion du Christ, tellement plus convaincante : sans recours à ces thèmes de la dette ou de la punition que le Christ prendrait à son compte, elle montre, dans la Passion et la croix, la victoire de l'amour et la mise en œuvre de la puissance du pardon.

La division en chapitres – chiffres romains – et en paragraphes – chiffres arabes – est l'œuvre du prédécesseur de Mabillon au XVIIe siècle, Jacques Merlo Horstius (1re édition 1641). Cet éditeur avait introduit de brefs résumés en tête des chapitres; ceux-ci ont été conservés par Mabillon et Migne. Jean Leclercq les a remplacés par des titres très brefs fournis par un très ancien manuscrit qui a appartenu à Cîteaux, le *Dijon* 658.

LIBER AD MILITES TEMPLI

DE LAUDE NOVAE MILITIAE

Prologus

213 Hugoni, militi Christi et magistro militiae Christi, Bernardus Claraevallis solo nomine abbas : *bonum certamen certare*[a].

Semel, et secundo, et tertio, nisi fallor, petisti a me,
5 Hugo carissime, ut tibi tuisque commilitonibus scriberem exhortationis sermonem, et adversus hostilem tyrannidem, quia lanceam non liceret, stilum vibrarem, asserens vobis non parum fore adiutorii, si quos armis non possum, litteris animarem.

10 Distuli sane aliquamdiu, non quod contemnenda videretur petitio, sed ne levis praecepsque culparetur assensio, si quod melius melior implere sufficeret, praesumerem imperitus, et res admodum necessaria per me minus forte commoda redderetur. Verum videns me longa satis huius-
15 cemodi exspectatione frustratum, ne iam magis nolle quam non posse viderer, tandem ego quidem quod potui feci : lector iudicet, an satisfeci. Quamquam etsi cui forte aut

a. II Tim. 4, 7 ≠

1. Les titres en italiques sont traditionnels ; les sous-titres en gras sont de nous.

LIVRE A L'ADRESSE
DES CHEVALIERS DU TEMPLE

ÉLOGE DE LA NOUVELLE CHEVALERIE

Prologue [1]

A Hugues, Chevalier du Christ et Maître de la chevalerie du Christ, Bernard, Abbé de Clairvaux – de nom seulement : « Qu'il combatte le bon combat[a] ! »

Adresse : réponse à une demande

A une, à deux, et même à trois reprises, sauf erreur, mon très cher Hugues, tu as sollicité de ma part un écrit d'exhortation pour toi et tes compagnons d'armes. Tu voulais que, à défaut de lance, je brandisse ma plume contre le tyran ennemi, car tu m'affirmais que je vous serais d'un réel secours, en vous encourageant par un texte, puisque je ne puis le faire par les armes.

Certes, j'ai différé ma réponse, non point que ta demande me semblât mériter le mépris, mais je voulais éviter de passer pour coupable, en acceptant à la légère et avec précipitation : il pouvait se trouver quelqu'un de plus capable, pour s'acquitter mieux que moi de cette tâche, et je me jugeais moi-même peu apte à l'entreprendre, et dans le cas de compromettre le résultat de cette entreprise si nécessaire. Pourtant je me suis aperçu que cette assez longue attente me portait préjudice : je paraissais manifester plus encore de mauvaise volonté que d'incapacité. Aussi ai-je fini par faire ce que j'ai pu : au lecteur de juger si j'ai satisfait à la demande. Et même si ma réponse devait

minime placeat, aut non sufficiat, non tamen interest mea, qui tuae pro meo sapere non defui voluntati.

I. *Sermo exhortatorius ad milites Templi*

214 1. Novum militiae genus ortum nuper auditur in terris, et in illa regione, quam olim in carne praesens *visitavit Oriens ex alto*[b], ut unde tunc *in fortitudine manus suae*[c] tenebrarum principes[d] exturbavit, inde et modo ipsorum 5 satellites, *filios diffidentiae*[e], in manu fortium suorum dissipatos exterminet, *faciens* etiam nunc *redemptionem plebis suae, et* rursum *erigens cornu salutis nobis in domo David pueri sui*[f].

Novum, inquam, militiae genus, et saeculis inexpertum, qua gemino pariter conflictu atque infatigabiliter decer- 10 tatur, tum *adversus carnem et sanguinem,* tum *contra spiritualia nequitiae in caelestibus*[g]. Et quidem ubi solis viribus corporis corporeo fortiter hosti resistitur[h], id quidem ego tam non iudico mirum, quam nec rarum existimo. Sed et quando animi virtute vitiis sive daemoniis bellum indicitur, ne hoc 15 quidem mirabile, etsi laudabile dixerim, cum plenus monachis cernatur mundus.

Ceterum cum uterque homo suo quisque gladio potenter accingitur[i], suo cingulo nobiliter insignitur, quis hoc non aestimet omni admiratione dignissimum, quod 20 adeo liquet esse insolitum?

b. Lc 1, 78 ≠ || c. Is. 10, 13 || d. Cf. Éphés. 6, 12 || e. Éphés. 2, 2 || f. Lc 1, 68-69 ≠ || g. Éphés. 6, 12 ≠ || h. Cf. I Pierre 5, 8-9 || i. Cf. Ps. 44, 4

1. ** Ce *Novum militiae genus* répété paraît calqué sur le vers *Novum genus potentiae* (Puissance d'une espèce nouvelle) de l'hymne *Crudelis Herodes* de la fête de l'Épiphanie. Il est à remarquer que Bernard assista au concile du 13 janvier 1129, jour octave de l'Épiphanie, où fut confirmée l'institution des Templiers.

déplaire ou sembler insuffisante, cela m'importerait peu, puisque je n'ai pas manqué d'acquiescer à ta volonté, dans la mesure de mon savoir.

I. Exhortation aux chevaliers du Temple

Une nouveauté : des moines soldats

1. Une chevalerie d'une espèce nouvelle[1] – toute la terre en reçoit connaissance – vient de naître, et cela dans cette région qu'autrefois «le Soleil levant», présent dans la chair, «a visitée d'en haut[b]». «Par la puissance de sa main[c]», il en avait alors expulsé les princes des ténèbres[d]. Et maintenant, c'est leur escorte, «les fils de l'incrédulité[e]», qu'il repousse en tous sens hors de cette même région, par la main de ces hommes forts, qui lui appartiennent. Ainsi accomplit-il, aujourd'hui encore, «la rédemption de son peuple, relevant pour nous la corne du salut dans la maison de David, son serviteur[f]».

Oui, c'est là une chevalerie d'une espèce nouvelle, que les siècles passés n'ont pas connue, et par laquelle le Seigneur mène infatigablement et conjointement un double combat : «contre la chair et le sang et contre les esprits du mal dans les espaces célestes[g]». Au vrai, résister courageusement par les seules forces du corps à un ennemi[h] «corporel» d'ici-bas, ne me paraît pas tellement surprenant, d'autant que ce n'est pas une rareté. Et par ailleurs, engager la force de l'âme dans une guerre contre les vices et les démons : cela non plus n'est pas étonnant quoique digne de louange : le monde, on le voit bien, est rempli de moines.

Mais si, réunis dans la même personne, chacun de ces deux types d'hommes se ceint hardiment de son épée[i] et se pare noblement de son baudrier, qui ne considérerait cela comme vraiment digne d'une admiration sans réserve, puisque, avec évidence, c'est tellement inusité?

Impavidus profecto miles, et omni ex parte securus, qui ut corpus ferri, sic animum *fidei lorica induitur*[j]. Utrisque nimirum munitus armis, nec daemonem timet, nec hominem. Nec vero mortem formidat, qui mori desiderat. 25 Quid enim vel vivens, vel moriens metuat, *cui vivere Christus est, et mori lucrum*[k]? Stat quidem fidenter libenterque pro Christo; sed magis *cupit dissolvi et esse cum Christo : hoc enim melius*[l].

Securi ergo procedite, milites, et intrepido animo *ini-* 30 *micos crucis Christi*[m] propellite, *certi quia neque mors, neque vita poterunt vos separare a caritate Dei, quae est in Christo Iesu*[n], illud sane vobiscum in omni periculo replicantes : *Sive vivimus, sive morimur, Domini sumus*[o].

215 Quam gloriosi revertuntur victores de proelio! Quam 35 beati moriuntur martyres in proelio! Gaude, fortis athleta, si vivis et vincis in Domino; sed magis exsulta et gloriare si moreris et iungeris Domino. Vita quidem fructuosa, et victoria gloriosa; sed utrique mors sacra iure praeponitur. Nam si *beati qui in Domino moriuntur*[p], non multo magis qui 40 pro Domino moriuntur?

2. Et quidem sive in lecto, sive in bello quis moritur, *pretiosa* erit sine dubio *in conspectu Domini mors sanctorum eius*[q]. Ceterum in bello tanto profecto pretiosior, quanto et gloriosior. O vita secura, ubi pura conscientia! O, inquam,

j. I Thess. 5, 8 ≠ || k. Phil. 1, 21 ≠ || l. Phil. 1, 23 ≠ || m. Philém. 3, 18 || n. Rom. 8, 38 ≠ || o. Rom. 14, 8 || p. Apoc. 14, 13 ≠ || q. Ps. 115, 15 ≠

Voilà vraiment un soldat inaccessible à la peur, et assuré de toutes parts : tout comme son corps revêt une cuirasse de fer, son âme «endosse la cuirasse de la foi[j]». Revêtu de cette double armure il ne craint ni le démon ni l'homme. Pas plus qu'il ne redoute la mort, puisqu'au contraire il désire mourir. Effectivement, vivant ou mort, de quoi aurait-il peur, puisque «le Christ est sa vie, et que la mort, pour lui, est un gain[k]»? Oui, il tient ferme, fidèlement et de bon gré, pour le Christ. Mais «son désir serait bien davantage de quitter ce corps pour être avec le Christ : c'est en effet le meilleur[l]».

Avancez donc sans hésiter, chevaliers, et, d'un cœur intrépide, repoussez «les ennemis de la croix du Christ[m]»; vous le savez bien : «ni la mort ni la vie ne pourront vous séparer de l'amour de Dieu, qui est dans le Christ Jésus[n].» Face à tout danger, redites en vous-mêmes cette parole : «Dans la vie comme dans la mort, nous sommes au Seigneur[o].»

Quelle gloire pour ceux qui reviennent victorieux du combat! Mais quel bonheur pour ceux qui meurent martyrs au combat! Réjouis-toi, courageux athlète, si tu demeures en vie et si tu remportes la victoire dans le Seigneur. Mais exulte encore davantage, de joie et de gloire, si tu trouves la mort et si tu rejoins ainsi le Seigneur. Fructueuse est cette vie, oui, et glorieuse cette victoire. Mais sur l'une et l'autre, une mort aussi sacrée l'emporte sans conteste. En effet, si l'on proclame «heureux ceux qui meurent dans le Seigneur[p]», n'est-ce pas encore beaucoup plus vrai de ceux qui meurent pour le Seigneur?

L'assurance face à la mort

2. Qu'on meure dans son lit ou à la guerre, «précieuse, à coup sûr, sera aux yeux de Dieu la mort de ses saints[q]». Il n'empêche que mourir à la guerre est d'autant plus précieux que plus glorieux. Ô que la vie se sent

5 vita secura, ubi absque formidine mors exspectatur, immo et exoptatur cum dulcedine, et excipitur cum devotione! O vere sancta et tuta militia, atque a duplici illo periculo prorsus libera, quo id hominum genus solet frequenter periclitari, ubi dumtaxat Christus non est causa militandi.

10 Quoties namque congrederis tu, qui militiam militas saecularem[r], timendum omnino, ne aut occidas hostem quidem in corpore, te vero in anima aut forte tu occidaris ab illo, et in corpore simul, et in anima[s]. Ex cordis nempe affectu, non belli eventu, pensatur vel periculum, vel 15 victoria christiani. Si bona fuerit causa pugnantis, pugnae exitus malus esse non poterit, sicut nec bonus iudicabitur finis, ubi causa non bona, et intentio non recta praecesserit. Si in voluntate alterum occidendi te potius occidi contigerit, moreris homicida. Quod si praevales, et voluntate 20 superandi vel vindicandi forte occidis hominem, vivis homicida. Non autem expedit sive mortuo, sive vivo, sive victori, sive victo, esse homicidam. Infelix victoria, qua superans hominem, succumbis vitio et, ira tibi aut superbia dominante, frustra gloriaris de homine superato.

25 Est tamen qui nec ulciscendi zelo, nec vincendi typho, sed tantum evadendi remedio interficit hominem. Sed ne hanc quidem bonam dixerim victoriam, cum de duobus malis, in corpore quam in anima mori levius sit. Non autem quia corpus occiditur, etiam anima moritur; sed 30 *anima, quae peccaverit, ipsa morietur*[t].

r. Cf. II Tim. 2, 4 || s. Cf. Matth. 10, 28 || t. Éz. 18, 4

---

1. *Devotio*. Cf. sur ce sujet, la communication de DOM J. LECLERCQ, «La joie de mourir selon saint Bernard de Clairvaux», *Dies illae, Death in Middle Ages,* Proceeding of the 1983 Manchester Colloquium, Liverpool 1984, p. 195-207.

assurée, dès lors que la conscience est pure ! Oui, je le répète, que la vie se sent assurée, lorsqu'on attend la mort sans la craindre – davantage : lorsqu'on la souhaite avec une douce envie, et qu'on l'accueille avec un empressement spirituel[1] ! Ô chevalerie vraiment sainte et vraiment sûre, parce que dégagée absolument de ce double danger dans lequel s'enferre si facilement et si souvent l'autre genre de guerriers : ceux pour qui le Christ n'est pas la raison du combat.

De fait, quand tu marches à la bataille, toi qui fais partie d'une armée de ce monde[r], il y a tout à craindre ou bien que tu ne tues l'ennemi en son corps, certes, mais toi-même en ton âme, ou bien que lui-même ne te tue, corps et âme[s]. Car c'est en considérant les dispositions du cœur, et non pas en jugeant du résultat de la guerre, qu'il faut estimer le danger couru par un chrétien ou la victoire qu'il remporte. Si la cause du combat est bonne, son issue ne saurait être mauvaise. Au contraire, la fin ne saurait être jugée bonne, si la cause est mauvaise, et si l'intention, au départ, n'est pas droite. Dans le cas où, bien décidé à tuer l'autre, c'est toi qui es tué, tu n'en meurs pas moins en situation d'homicide. Et si tu te montres le plus fort, tuant peut-être un homme dans le dessein de vaincre ou de te venger, tu vis en situation d'homicide. Or, mort ou vivant, victorieux ou vaincu, il ne convient pas d'être un homicide. Triste victoire que celle où, pour vaincre un homme, tu succombes au vice, et où, dominé par la colère ou l'orgueil, tu te vantes bien à tort d'avoir surpassé un homme.

Il arrive cependant qu'on ne tue ni par désir de vengeance ni par orgueil de vaincre, mais parce que c'est le seul moyen de s'en tirer. Je ne saurais pour autant déclarer bonne même une telle victoire, puisque, des deux maux, la mort du corps est moins grave que celle de l'âme. C'est qu'on peut tuer le corps sans que forcément l'âme en meure, mais « l'âme qui aura péché, c'est elle qui mourra[t] ».

II. De militia saeculari

216 **3.** Quis igitur finis fructusve saecularis huius, non dico, militiae, sed malitiae, si et occisor letaliter peccat, et occisus aeternaliter perit? Enimvero, ut verbis utar Apostoli, et *qui arat, in spe debet arare, et qui triturat, in spe fructus percipiendi*[u].
5 Quis ergo, o milites, hic tam stupendus error, quis furor hic tam non ferendus, tantis sumptibus ac laboribus militare, stipendiis vero nullis, nisi aut mortis, aut criminis?

Operitis equos sericis, et pendulos nescio quos panni-
10 culos loricis superinduitis; depingitis hastas, clypeos et sellas; frena et calcaria auro et argento gemmisque circumornatis, et cum tanta pompa pudendo furore et impudenti stupore ad mortem properatis. Militaria sunt haec insignia, an muliebria potius ornamenta? Numquid forte hostilis
15 mucro reverebitur aurum, gemmis parcet, serica penetrare non poterit?

Denique, quod ipsi saepius certiusque experimini, tria esse praecipue necessaria praelianti, ut scilicet strenuus industriusque miles et circumspectus sit ad se servandum,
20 et expeditus ad discurrendum, et promptus ad feriendum; vos, per contrarium oculorum gravamen ritu femineo comam nutritis, longis ac profusis camisiis propria vobis vestigia obvolvitis, delicatas ac teneras manus amplis et circumfluentibus manicis sepelitis.

u. I Cor. 9, 10 ≠

II. *La chevalerie du siècle*

Critique du luxe, de l'indiscipline, des conflits sans motifs

3. Quel peut donc être le but ou le profit, je ne dis pas de cette milice, mais de cette malice séculière, si celui qui tue pèche mortellement tandis que celui qui est tué périt pour l'éternité? En effet, pour parler comme l'Apôtre, «celui qui laboure doit labourer dans l'espérance, comme celui qui foule le grain dans l'espérance d'en avoir sa part[u]». Y a-t-il, ô chevaliers, erreur plus stupéfiante, folie plus insupportable : dépenser tant d'argent et tant d'efforts dans la guerre pour n'en retirer d'autre profit que la mort ou le crime?

Vous couvrez vos chevaux de soie; vous revêtez sur vos cuirasses je ne sais quels oripeaux flottants; vous peinturlurez vos lances, vos écus, vos selles; vous sertissez d'or, d'argent et de pierreries les mors et les éperons. Et c'est dans une pompe de cette sorte que, avec une fureur infâme et une stupidité sans vergogne, vous vous ruez à la mort. S'agit-il là d'insignes militaires, et non pas plutôt d'accoutrements féminins? Est-ce que, par hasard, l'épée de l'adversaire respectera l'or, épargnera les pierreries, sera empêchée de traverser la soie?

En fin de compte, comme vous en avez certainement et souvent fait l'expérience, trois choses sont spécialement nécessaires à un combattant : il doit d'abord être alerte, habile et aux aguets pour se défendre; en deuxième lieu, libre de ses mouvements pour se déplacer rapidement; enfin, prompt à frapper. Vous au contraire, à la manière des femmes, vous laissez poussez vos cheveux, qui vous tombent dans les yeux et vous empêchent de voir; vous vous prenez les pieds dans les plis de vos longues tuniques; vous ensevelissez vos mains tendres et délicates dans de longues manches ondulantes.

25 Super haec omnia est, quod armati conscientiam magis terret, causa illa nimirum satis levis ac frivola, qua videlicet talis praesumitur et tam periculosa militia. Non sane aliud inter vos bella movet litesque suscitat, nisi aut irrationabilis iracundiae motus, aut inanis gloriae appetitus, aut 30 terrenae qualiscumque possessionis cupiditas[v]. Talibus certe ex causis neque occidere, neque occumbere tutum est.

III. De nova militia

217 **4.** At vero Christi milites securi praeliantur praelia Domini[w] sui, nequaquam metuentes aut de hostium caede peccatum, aut de sua nece periculum, quandoquidem mors pro Christo vel ferenda, vel inferenda, et nihil habeat 5 criminis, et plurimum gloriae mereatur. Hinc quippe Christo, inde Christus acquiritur, qui nimirum et libenter accipit hostis mortem pro ultione, et libentius praebet seipsum militi pro consolatione. Miles, inquam, Christi securus interimit, interit securior. Sibi praestat cum interit, 10 Christo cum interimit. *Non enim sine causa gladium portat : Dei enim minister est ad vindictam malefactorum, laudem vero bonorum*[x].

Sane cum occidit malefactorem, non homicida, sed, ut ita dixerim, malicida, et plane Christi *vindex in* his *qui male*

v. Cf. Gal. 5, 26 || w. Cf. I Sam. 25, 28 || x. Rom. 13, 4; I Pierre 2, 14

---

1. ** La citation presque textuelle de *Romains (Non... est)* se poursuit par une autre de *I Pierre (ad... bonorum)*. Cet amalgame, qui ne se trouve dans Bernard qu'ici, est inconnu des Pères, peut-être Bernard a-t-il cité de mémoire ces deux textes voisins par les mots et par le sens. Plus loin, le texte *vindex in his qui male agunt* est une citation presque littérale de la fin de ce v. de *Romains*.

En plus de tout cela, ce qui augmente la terreur dans la conscience du soldat, c'est la raison vraiment très légère et frivole pour laquelle on se permet de se lancer dans des campagnes aussi dangereuses. Les guerres entre vous, et les litiges, n'ont d'autres causes qu'un mouvement de colère irrationnelle, ou un appétit de vaine gloire, ou encore le désir cupide de s'adjuger quelque bien terrestre[v]. De tels enjeux ne donnent d'assurance ni pour tuer ni pour se faire tuer.

III. *La nouvelle chevalerie*

Pour le Christ, tuer ou se faire tuer

4. Au contraire, les chevaliers du Christ mènent avec assurance les combats de leur Seigneur[w], sans avoir à redouter le moins du monde de commettre un péché en tuant des ennemis, ou d'affronter le risque d'être eux-mêmes tués. En effet, la mort pour le Christ – soit qu'on la subisse soit qu'on l'inflige – n'encourt aucune accusation; elle mérite même la plus grande gloire. Dans un cas, c'est pour le Christ qu'on acquiert cette gloire; dans l'autre cas, c'est le Christ lui-même qu'on acquiert, lui qui accepte volontiers, n'en doutons pas, la mort d'un ennemi qu'il fallait punir, et qui, plus volontiers encore, se donne lui-même au chevalier, pour le consoler. Ainsi, je le répète, le chevalier du Christ donne la mort en toute sécurité, et la reçoit avec plus d'assurance encore. S'il meurt, c'est pour son bien, s'il tue, c'est pour le Christ. « Ce n'est pas sans raison, en effet, qu'il porte le glaive : il est un serviteur de Dieu pour châtier ceux qui font le mal et féliciter ceux qui font le bien[x1]. »

En tuant un malfaiteur, il ne se comporte pas en homicide, mais, si j'ose dire, en « malicide ». Il est tenu pour « justicier du Christ à l'égard de ceux qui font le mal », et

15 *agunt,* et defensor christianorum reputatur. Cum autem occiditur ipse, non periisse, sed pervenisse cognoscitur. Mors ergo quam irrogat, Christi est lucrum[y]; quam excipit, suum. In morte pagani christianus gloriatur, quia Christus glorificatur; in morte christiani, Regis liberalitas 20 aperitur, cum miles remunerandus educitur. Porro super illo *laetabitur iustus, cum viderit vindictam*[z]. De isto *dicet homo : si utique est fructus iusto ? Utique est Deus iudicans eos in terra*[a].

Non quidem vel pagani necandi essent, si quo modo 25 aliter possent a nimia infestatione seu oppressione fidelium cohiberi. Nunc autem melius est ut occidantur, quam certe *relinquatur virga peccatorum super sortem iustorum, ne forte extendant iusti ad iniquitatem manus suas*[b].

218 5. Quid enim? *Si percutere in gladio*[c] omnino fas non est christiano, cur ergo praeco Salvatoris *contentos fore suis stipendiis militibus*[d] indixit, et non potius omnem eis militiam interdixit? Si autem, quod verum est, omnibus fas est, 5 ad hoc ipsum dumtaxat divinitus ordinatis, nec aliud sane quidquam melius professis, quibus, quaeso, potius quam quorum manibus et viribus *urbs fortitudinis nostrae Sion*[e] pro nostro omnium munimine retinetur, ut depulsis divinae transgressoribus legis, secura ingrediatur *gens iusta, custo-* 10 *diens veritatem*[f]?

y. Cf. Phil. 1, 21 || z. Ps. 57, 11 || a. Ps. 57, 12 || b. Ps. 124, 3 ≠ || c. Lc 22, 49 ≠ || d. Lc 3, 14 ≠ || e. Is. 26, 1 || f. Is. 26, 2

---

1. On reconnaît ici la théorie, classique au Moyen Age, qui répartit la société en trois états, selon une hiérarchie considérée comme naturelle, et donc voulue par Dieu : par ordre de valeur décroissante, les moines et le clergé, puis les chevaliers et les hommes de guerre, enfin les paysans et les artisans dont il n'est pas question ici. Autrement dit : l'homme de Dieu, l'homme de l'ordre, l'homme du travail. Encore ne faut-il pas

pour défenseur des chrétiens. Vient-il lui-même à se faire tuer : on sait bien qu'en cela il n'est pas allé à sa perte mais qu'il est parvenu au but. La mort qu'il inflige est donc un gain pour le Christ[y], et celle qu'il reçoit, un gain pour lui-même. Dans la mort du païen, le chrétien se glorifie, car c'est le Christ qui, par elle, est glorifié. Dans la mort du chrétien, la générosité du Roi se manifeste, puisque le chevalier s'en va pour recevoir sa récompense. De la mort du païen, « le juste se réjouira, en voyant sa revanche[z] ». Et la mort du chrétien fera dire : « Y a-t-il un fruit pour le juste ? Oui, il est un Dieu qui juge les hommes sur terre[a] ? »

Non pas, d'ailleurs, qu'il faille massacrer les païens, s'il se trouvait un autre moyen d'empêcher qu'ils ne harcèlent et n'oppriment trop lourdement les fidèles. Mais, tout de même, mieux vaut les tuer que de « laisser le sceptre des pécheurs tomber sur la part des justes, au risque, pour les justes, de tendre la main vers l'impiété[b] ».

Légitimité d'une police

5. Car enfin, s'il était totalement interdit au chrétien « de frapper de l'épée[c] », pourquoi le précurseur du Sauveur ordonnait-il « aux soldats de se contenter de leur solde[d] », au lieu de leur interdire toute opération militaire ? Or ce service est bel et bien permis à tous ceux du moins qui y sont établis par Dieu et ne se sont pas voués à un meilleur état de vie[1]. A qui donc alors reconnaître ce droit, sinon d'abord à ceux qui engagent leurs mains et leurs forces pour garder « Sion, notre ville forte[e] », et nous protéger contre toute attaque ? De la sorte, grâce à la mise en fuite des transgresseurs de la loi, « la nation juste pourra entrer en toute sécurité, elle qui garde la vérité[f] ».

durcir les choses, puisque, chez les cisterciens en tout cas, les moines travaillent de leurs mains, qu'ils sont souvent issus des milieux de la noblesse, et que des hommes de toutes classes peuvent devenir prêtres.

Secure proinde *dissipentur gentes quae bella volunt*[g], *et abscidantur qui nos conturbant*[h], et *disperdantur de civitate Domini omnes operantes iniquitatem*[i], qui repositas in Ierosolymis christiani populi inaestimabiles divitias tollere ges-
15 tiunt, sancta polluere, et *hereditate possidere sanctuarium Dei*[j]. Exseratur gladius uterque fidelium in cervices inimicorum, *ad destruendam omnem altitudinem extollentem se adversus scientiam Dei*[k], quae est christianorum fides, *ne quando dicant gentes : Ubi est Deus eorum*[l]?

6. Quibus expulsis revertetur ipse in hereditatem domumque suam, de qua iratus in Evangelio : *Ecce,* inquit, *relinquetur vobis domus vestra deserta*[m], et per Prophetam ita conqueritur : *Reliqui domum meam, dimisi hereditatem meam*[n],
5 implebitque illud item propheticum : *redemit Dominus*

g. Ps. 67, 31 ≠ || h. Gal. 5, 12 ≠ || i. Ps. 100, 8 ≠ || j. Ps. 82, 13 ≠ || k. II Cor. 10, 4-5 ≠ || l. Ps. 113, 2 || m. Matth. 23, 38 ≠ || n. Jér. 12, 7

1. Il s'agit des richesses spirituelles que l'auteur va détailler dans la seconde partie de son écrit, en interprétant de manière symbolique et allégorique les noms des lieux saints les plus notables.

2. En référence à saint Paul, le premier glaive, matériel, est celui que porte l'autorité (*Rom.* 13.4); le second, spirituel, est celui de l'Esprit ou de la Parole de Dieu, qui figure parmi les armes du chrétien (*Éphés.* 6.17). – Sur le thème des deux glaives, cf. Gerard E. CASPARY, *Politics and Exegesis. Origen and the two Swords,* Berkeley, University of California Press, 1979, et pour sa relecture par saint Bernard, Y. CONGAR, «L'ecclésiologie de saint Bernard» *Saint Bernard théologien* (Anal. S. Ord. Cist., IX, 1953), Rome 1954, p. 168-171, et 188. Chez saint Bernard il ne s'agit pas encore de la symbolisation des deux pouvoirs, temporel et spirituel, de l'empereur et du pape, mais «de la puissance coactive du droit». Le glaive matériel est la force exercée par le pouvoir civil au service du glaive de l'Esprit qui, à l'époque, désigne l'excommunication, mais qui, pour saint Bernard, renvoie plus généralement à l'expression de la foi. Car il ne parle du glaive temporel qu'à

Sans hésiter, «qu'on disperse donc les peuples qui veulent la guerre[g]», «qu'on retranche ceux qui nous bouleversent[h]», «qu'on supprime de la cité du Seigneur tous les fauteurs d'iniquité[i]», puisqu'ils ont pour seul désir d'emporter les richesses inestimables du peuple chrétien, déposées à Jérusalem[1], de souiller les lieux saints et de «s'arroger l'héritage du sanctuaire de Dieu[j]». Qu'on dégaine l'un et l'autre glaive[2] des fidèles pour fendre le crâne de leurs ennemis, «afin de détruire toute puissance altière qui s'élève contre la connaissance de Dieu[k]» – autrement dit contre la foi des chrétiens. Et qu'«alors les païens ne disent plus : Où est leur Dieu[l]»?

Dieu déjà secourt sa ville

6. Une fois les païens chassés, lui-même reviendra dans son héritage et sa maison, dont il avait dit avec colère, dans l'Évangile : «Voici que votre demeure va vous être laissée déserte[m3]», alors que, par son prophète, il élève cette plainte : «J'ai abandonné ma maison, quitté mon héritage[n].» Mais il accomplira cette parole du même prophète : «Le Seigneur a racheté son peuple et l'a libéré;

propos des guerres «chrétiennes» : la Croisade, la lutte contre l'hérésie et la répression des révoltes contre le pape. Il s'agit alors de la force matérielle mise par le pouvoir civil au service de la pureté et de la pérennité de la foi. L'originalité de saint Bernard serait plutôt, en ce domaine, d'avoir distingué entre les domaines, en préservant la compétence des princes dans l'ordre temporel et en répétant que la guerre est leur affaire.

* Quelque vingt années plus tard, Bernard médite à nouveau sur les malheurs des Croisades : «L'un et l'autre glaive appartiennent à Pierre, on dédaigne l'un sur son ordre et sa main tient l'autre» (*Ép.* 256, de 1150; cf. J. FLORI, *L'essor de la chevalerie,* Genève 1986, p. 210-214).

3. ** Bernard suit ici et en VII 14, 25 (*Ép.* 2, 4) la leçon courante des mss Vulgate *relinquetur,* au futur, contre quelques rares mss anciens et les éditions critiques *relinquitur,* au présent.

populum suum et liberavit eum, et venient et exsultabunt in monte Sion, et gaudebunt de bonis Domini[o]. *Laetare, Ierusalem*[p], et *cognosce* iam *tempus visitationis tuae*[q]. *Gaudete et laudate simul, deserta Ierusalem, quia consolatus est Dominus populum suum,*
10 *redemit Ierusalem, paravit Dominus brachium sanctum suum in oculis omnium gentium*[r].

Virgo Israel, corrueras, et non erat qui sublevaret te[s]. *Surge,* iam, *excutere de pulvere, virgo, captiva filia Sion*[t]. *Surge,* inquam, *et sta in excelso, et vide iucunditatem, quae venit tibi a*
219 15 Deo tuo[u]. *Non vocaberis ultra derelicta, et terra tua non vocabitur amplius desolata, quia complacuit Domino in te, et terra tua inhabitabitur*[v]. *Leva in circuitu oculos tuos et vide : omnes isti congregati sunt, venerunt tibi*[w]. Hoc *tibi auxilium missum de sancto*[x]. Omnino per istos tibi iam iamque illa persolvitur
20 antiqua promissio : *Ponam te in superbiam saeculorum, gaudium in generatione et generationem, et suges lac gentium, et mamilla regum lactaberis*[y] ; et item : *Sicut mater consolatur filios suos, ita et ego consolabor vos, et in Ierusalem consolabimini*[z].

Videsne quam crebra veterum attestatione nova appro-
25 batur militia, et quod, *sicut audivimus, sic videmus in civitate Domini virtutum*[a]? Dummodo sane spiritualibus non praeiudicet sensibus litteralis interpretatio, quominus scili-

o. Jér. 31, 11-12 (Lit.) || p. Is. 66, 10 (Lit.) || q. Lc 19, 44 ≠ || r. Is. 52, 9-10 || s. Amos 5, 1-2 ≠ ; cf. Jér. 50, 32 || t. Is. 52, 2 ≠ || u. Bar. 5, 5 ; 4, 36 (Lit.) || v. Is. 62, 4 ≠ || w. Is. 49, 18 || x. Ps. 19, 3 ≠ || y. Is. 60, 15 ≠ || z. Is. 66, 13 (Lit.) || a. Ps. 47, 9 ≠

---

1. ** Unique citation par Bernard de ce v., c'est proprement le répons *Redemit* du lundi après le 1er dimanche de novembre.

2. ** Bernard cite Isaïe 66, 10 ou plutôt l'Introït du IVe dimanche de Carême, et il enchaîne par un v. de *Luc*.

3. ** Communion du IIe dimanche de l'Avent. Bernard modifie le *veniet* de la liturgie en *venit*. Emploi unique.

4. ** Ici, Bernard paraît mélanger le texte Vulgate de ce v. – qu'il ne

ils viendront en exultant sur la montagne de Sion, ils trouveront leur joie dans les biens du Seigneur[o1].» «Réjouis-toi, Jérusalem[p2]», et «reconnais déjà le temps où tu es visitée[q]», «car le Seigneur a consolé son peuple, il a racheté Jérusalem. Éclatez toutes en cris de joie, ruines de Jérusalem, le Seigneur a mis à nu son bras de sainteté aux yeux de toutes les nations[r].»

«Vierge d'Israël, tu t'étais écroulée, et personne ne se présentait pour te redresser[s].» Dès maintenant, «lève-toi et secoue ta poussière, vierge captive, fille de Sion[t]». Oui, je te le dis, «lève-toi, tiens-toi sur la hauteur, et vois la joie qui te vient de ton Dieu[u3]». «On ne t'appellera plus "délaissée", on n'appellera pas davantage ta terre "abondonnée", car le Seigneur a mis en toi sa joie, et ta terre sera habitée[v].» «Lève les yeux alentour et regarde : tous ceux-là se sont rassemblés et sont venus à toi[w].»

Le voilà «le secours qui t'a été envoyé du sanctuaire[x]». Par ces hommes, c'est déjà, oui déjà pour toi l'antique promesse qui s'accomplit : «Je te poserai comme l'orgueil des siècles, comme un motif de joie de génération en génération. Les nations te nourriront au sein et les rois t'allaiteront[y].» «Comme une mère console ses fils, moi aussi je vous consolerai; en Jérusalem vous serez consolés[z4].»

Vois-tu le nombre de témoignages par lesquels les anciens approuvent la nouvelle chevalerie, et comment «ce qui nous avait été annoncé, nous le voyons précisément s'accomplir dans la cité du Seigneur tout-puissant[a5]»? Mais qu'on ne privilégie pas, pour autant, l'interprétation littérale au détriment du sens spirituel. Car c'est bien clair :

cite jamais ailleurs – avec un répons du IIe dimanche de l'Avent : *Sicut mater*.

5. ** Bernard modifie le Psaume (les témoins sont unanimes pour *vidimus*) en le mettant au présent.

cet speremus in aeternum, quidquid huic tempori significando ex Prophetarum vocibus usurpamus, ne per id quod
30 cernitur evanescat quod creditur, et spei copias imminuat penuria rei, praesentium attestatio sit evacuatio futurorum. Alioquin terrenae civitatis temporalis gloria non destruit caelestia bona, sed astruit, si tamen istam minime dubitamus illius tenere figuram, *quae* in caelis *est mater nostra*[b].

IV. De conversatione militum Templi

7. Sed iam ad imitationem seu confusionem nostrorum militum, non plane Deo, sed diabolo militantium, dicamus breviter Christi equitum mores et vitam, qualiter bello domive conversentur, quo palam fiat, quantum ab invicem
5 differant Dei saeculique militia.

Primo quidem utrolibet disciplina non deest, oboedientia nequaquam contemnitur, quia, teste Scriptura, et
220 *filius indisciplinatus peribit*[c], et *peccatum ariolandi est repugnare, et quasi scelus idololatriae nolle acquiescere*[d]. Itur et reditur ad
10 nutum eius qui praeest, induitur quod ille donaverit, nec

b. Gal. 4, 26 ≠ || c. Cf. Sir. 22, 3 || d. I Sam. 15, 23

---

1. On appréciera à sa juste valeur théologique cette mise au point : l'Ancien Testament, pour les chrétiens, se réalise dans le mystère du Christ, dans le Royaume à venir, comme aussi dans le mystère de l'Église, où le Royaume se prépare. On ne saurait donc voir une effectuation des prophéties dans des événements temporaires, même s'ils se rapportent à Jérusalem, sinon comme des signes, eux-mêmes annonciateurs de l'avenir absolu que visent les prophètes.

2. ** La Vulgate écrit : « C'est la confusion d'un père qu'un fils indiscipliné. » Bernard n'a qu'une autre allusion approchante (en VI-2

nous espérons pour l'éternité toutes ces promesses des prophètes, que nous venons de rassembler en les interprétant pour ce temps-ci. Il ne faut pas que ce qu'on voit vienne dissiper ce qu'on croit, ni que la réalité présente, dans sa pauvreté, rétrécisse l'ampleur de notre espérance, ni que le témoignage des réalisations actuelles évacue celles de l'avenir. Non, la gloire présente et temporaire de la cité terrestre ne ruine pas le bonheur du ciel, elle l'édifie au contraire, si du moins nous ne doutons absolument pas de tenir, en cette cité, la figure de « celle qui, dans le ciel est notre mère[b 1] ».

IV. La vie que mènent les chevaliers du Temple

Leur vie édifiante en caserne

7. Et maintenant, pour l'édification, ou plutôt pour la confusion de nos propres chevaliers, lesquels guerroient non pour Dieu, certes, mais pour le diable, parlons brièvement de la manière dont vivent les chevaliers du Christ, comment ils se comportent tant à la guerre qu'au logis. Cela fera ressortir toute la différence entre la chevalerie de Dieu et celle de ce monde.

Pour commencer, d'aucune manière la discipline ne lui fait défaut, et l'obéissance n'y est jamais méprisée. De fait, comme en témoigne l'Écriture, « un fils indiscipliné ira à sa perte[c 2] ». De même, « tel un péché de sorcellerie, la rébellion ; tel un crime d'idolâtrie, le refus d'obéissance[d] ». On va et vient au signal du responsable, on se revêt de ce qu'il a donné, sans se permettre de chercher ailleurs vêtements ou nourriture. Dans le vivre et l'habillement on

282, 19 ; *Sent* V, 1) : « car toute maison indisciplinée est maudite ». On n'a guère trouvé qu'un texte d'Augustin, que Bernard pourrait avoir condensé : *Sermon* 13 ; *CCSL* 41, 208.

aliunde vestimentum seu alimentum praesumitur. Et in victu et in vestitu cavetur omne superfluum[e], soli necessitati consulitur. Vivitur in communi, plane iucunda et sobria conversatione, absque uxoribus et absque liberis.
15 Et ne quid desit ex evangelica perfectione, absque omni proprio habitant unius moris in domo[f] una, *solliciti servare unitatem spiritus in vinculo pacis*[g]. Dicas universae *multitudinis esse cor* unum *et animam unam*[h] : ita quisque non omnino propriam sequi voluntatem, sed magis obsequi satagit
20 imperanti.

Nullo tempore aut otiosi sedent, aut curiosi vagantur; sed semper, dum non procedunt, – quod quidem raro contingit –, ne gratis comedant panem, armorum seu vestimentorum vel scissa resarciunt, vel vetusta reficiunt,
25 vel inordinata componunt, et quaeque postremo facienda Magistri voluntas et communis indicit necessitas.

Persona inter eos minime accipitur : defertur meliori, non nobiliori. *Honore se invicem praeveniunt*[i]; *alterutrum onera portant, ut sic adimpleant legem Christi*[j]. Verbum insolens,
30 opus inutile, risus immoderatus, murmur vel tenue, sive susurrium, nequaquam, ubi deprehenditur, inemendatum relinquitur. Scacos et aleas detestantur; abhorrent venationem, nec ludicra illa avium rapina, ut assolet, delec-

e. Cf. I Tim. 6, 8 (Patr.) || f. Cf. Ps. 67, 7 || g. Éphés. 4, 3 || h. Act. 4, 32 ≠ || i. Rom. 12, 10 (RB) || j. Gal. 6, 2

1. ** *Victu... vestitu... superfluum... necessitati :* allusion ténue mais certaine à ce texte Vieille Latine de Paul, cher à Bernard (cf. *MalV*, Préface).

2. Cf. *Règle de saint Benoît,* 3, 8 : «Personne au monastère ne suivra la volonté de son propre cœur».

3. Cf. *Règle de saint Benoît,* 48, 1 et 17 : «L'oisiveté est ennemie de l'âme. Aussi les frères doivent-ils être occupés... (Les anciens) veilleront

se garde de tout superflu[e][1] et on se laisse conduire par la seule nécessité. La vie y est commune, les comportements pleins d'attention, et sobres. Point d'épouses ni d'enfants.

Et pour qu'il ne manque rien à la perfection évangélique, on renonce à toute propriété personnelle pour habiter tous ensemble une seule maison[f], «attentifs à conserver l'unité de l'Esprit par le lien de la paix[g]». «Leur multitude, dirait-on, ne forme qu'un cœur et qu'une âme[h]» : ainsi, chacun d'eux, s'abstenant absolument de suivre sa volonté propre[2], s'empresse d'obéir à celui qui est le chef.

A aucun moment ils ne restent assis sans rien faire, ni ne flânent en curieux[3]. Mais quand ils ne sont pas en campagne – ce qui, à vrai dire, est rare –, pour ne pas manger leur pain sans l'avoir gagné, ils sont toujours à réparer leurs armes et leurs vêtements déchirés, à y remplacer ce qui est usé, à y remettre de l'ordre, comme aussi à s'acquitter de tout ce que leur commandent la volonté de leur maître ou les besoins de la communauté.

Parmi eux, point d'acception de personnes : c'est le meilleur qu'on respecte, non le plus titré. «Ils rivalisent entre eux d'estime réciproque[i][4]» «et portent les fardeaux les uns des autres, accomplissant ainsi la loi du Christ[j]». Parole insolente, activité inutile, rire sans retenue, murmure, même très léger, ou chuchotement : rien de tout cela, si on le surprend parmi eux, ne reste impuni[5]. Jeux d'échecs et de dés y sont en horreur, en horreur aussi la chasse; et même cette habitude d'attraper les oiseaux par

à ce qu'ils ne se trouve pas de frère atteint d'acédie, qui vague à l'oisiveté ou au bavardage...».

4. ** Ici (unique cas), Bernard cite Paul comme le fait la Règle 72, 4), en ajoutant *se*.

5. Cf. *Règle de saint Benoît*, 4, 54 : «Ne pas aimer le rire prolongé ou aux éclats».

tantur. Mimos et magos et fabulatores, scurrilesque canti-
35 lenas, atque ludorum spectacula, tamquam vanitates et insanias falsas respuunt[k] et abominantur. Capillos tondent, scientes, iuxta Apostolum, *ignominiam esse viro, si comam nutrierit*[l]. Numquam compti, raro loti, magis autem neglecto crine hispidi, pulvere foedi, lorica et caumate
40 fusci.

8. Porro imminente bello, intus fide, foris ferro, non auro se muniunt, quatenus armati, et non ornati, hostibus metum incutiant, non provocent avaritiam. Equos habere cupiunt fortes et veloces, non tamen coloratos aut phale-
221 5 ratos : pugnam quippe, non pompam, victoriam, sed non gloriam cogitantes, et studentes magis esse formidini quam admirationi.

Deinde non turbulenti aut impetuosi, et quasi ex levitate praecipites, sed consulte atque cum omni cautela et provi-
10 dentia seipsos ordinantes et disponentes in aciem[m], iuxta quod de patribus scriptum est. *Veri* profecto *Israelitae*[n] procedunt ad bella pacifici. At vero ubi ventum fuerit ad certamen, tum demum pristina lenitate postposita, tamquam si dicerent : *Nonne qui oderunt te, Domine, oderam, et*
15 *super inimicos tuos tabescebam*[o]? Irruunt in adversarios, hostes velut oves reputant, nequaquam, etsi paucissimi, vel saevam barbariem, vel numerosam multitudinem formidantes. Noverunt siquidem non de suis praesumere viribus, sed de virtute Domini Sabaoth sperare victoriam,
20 cui nimirum facile esse confidunt, iuxta sententiam Mac-

k. Cf. Ps. 39, 5 || l. I Cor. 11, 14 ≠; cf. Sir. 22, 3 || m. Cf. I Macc. 4, 41; 6, 40; II Macc. 15, 20 || n. Jn 1, 47 ≠ || o. Ps. 138, 21

ruse ne leur dit rien. Ils repoussent avec mépris mimes et mages et conteurs, bouffonneries et chansons, jeux et spectacles, comme autant de vanités et de stupidités sans valeur[k]. Ils se coupent les cheveux, sachant bien, comme le dit l'Apôtre, que « c'est une honte pour l'homme de laisser pousser sa chevelure[l] ». Jamais soignés, rarement lavés, la tignasse et la barbe négligemment hirsutes, ils sont couverts de poussière, et noircis par le haubert et par la chaleur.

Leur détermination au combat

8. Que la guerre menace, ils se bardent alors intérieurement de foi, et extérieurement de fer – et non pas d'or. Armés, et non pas ornés, c'est la crainte qu'ils suscitent chez l'ennemi, et non la cupidité. Les chevaux, ils les désirent forts et rapides, et non pas bariolés et caparaçonnés. Ils se préoccupent du combat, non de l'apparat ; ils pensent à la victoire, non à la gloire, ils se soucient de semer la terreur plutôt que l'admiration.

Par ailleurs, au lieu de se précipiter en désordre, avec impétuosité et à la légère, en quelque sorte, ils s'organisent avec réflexion, vigilance et prévoyance et se disposent en ordre de bataille[m], selon ce qui est écrit des ancêtres. « En vrais Israëlites[n] », ils marchent au combat le cœur en paix. Mais lorsqu'est venu le moment de l'attaque, quittant pour le coup leur tranquillité première, c'est comme s'ils s'écriaient : « N'avais-je pas en haine, Seigneur, ceux qui te haïssent, en dégoût ceux qui se déclarent tes ennemis[o] ? » Ils se précipitent alors sur leurs adversaires ; ils voient les ennemis comme un troupeau de moutons, et même en petit nombre, ils ne redoutent en rien leur cruelle barbarie ni leur multitude. C'est qu'ils ont effectivement appris à ne pas présumer de leur propres forces mais à compter sur la puissance du Seigneur Sabaoth pour espérer la victoire. Ils se confient en Celui qui peut facilement

chabaei, *concludi multos in manus paucorum, et non esse differentiam in conspectu Dei caeli liberare in multis, et in paucis, quia non in multitudine exercitus est victoria belli, sed de caelo fortitudo est*[p]. Quod et frequentissime experti sunt, ita ut plerumque quasi *persecutus sit unus mille, et duo fugarint decem millia*[q].

Ita denique miro quodam ac singulari modo cernuntur et agnis mitiores, et leonibus ferociores, ut pene dubitem quid potius censeam appellandos, monachos videlicet an milites, nisi quod utrumque forsan congruentius nominarim, quibus neutrum deesse cognoscitur, nec monachi mansuetudo, nec militis fortitudo. De qua re quid dicendum, nisi quod a *Domino factum est istud, et est mirabile in oculis nostris*[r]?

Tales sibi delegit Deus, et collegit a finibus terrae ministros *ex fortissimis Israel, qui veri lectulum Salomonis sepulcrum* vigilanter fideliterque *custodiant*[s], *omnes tenentes gladios, et ad bella doctissimi*[t].

V. De Templo

222 **9.** Est vero templum Ierosolymis, in quo pariter habitat, antiquo et famosissimo illi Salomonis impar quidem struc-

p. I Macc. 3, 18-19 ≠ || q. Deut. 32, 30 ≠ || r. Ps. 117, 23 ≠ || s. Cant. 3, 7 ≠ || t. Cant. 3, 8

1. ** Tout ce § 9 renferme de nombreuses allusions ténues au culte dans le Temple, puisées dans l'Ancien ou le Nouveau Testament, avec des transpositions : ainsi le *funiculis*, « (petites) cordes », de *Jean* 2, 15, est devenu *resticulis*. C'est à dessein que Bernard, qui décrit le mode de vie et le rôle, dans la chrétienté, de ces moines-soldats et glisse dans sa description des conseils tout en nuances, atténue les citations en allusions à peine discernables. Le dernier tiers du §, quant à lui, évoque plusieurs passages de l'A.T. en même temps que les chap. 9 et 10 d'*Hébreux*, entre autres... Un peu plus loin (§ 11), un morceau semblable

– comme le déclarait Judas Maccabée – « faire tomber une multitude aux mains d'un petit nombre ; et il est égal, au regard du Dieu du ciel, d'opérer la libération par un grand ou un petit nombre d'hommes, car à la guerre la victoire ne dépend pas de l'importance de la troupe, mais de la puissance qui vient du ciel[p] ». Très souvent ils ont fait cette expérience qu'« un seul homme, ou presque, en a poursuivi mille, et que deux en ont mis en fuite dix mille[q] ».

Ainsi, d'une manière étonnante et singulière, ils se montrent tour à tour plus doux que des agneaux et plus féroces que des lions. Au point que j'hésiterais presque devant le nom qui leur convient le mieux : moines ou chevaliers, s'il ne m'apparaissait pas plus adéquat de leur attribuer l'un et l'autre de ces noms. On peut s'en rendre compte en effet : il ne leur manque ni la bonté du moine, ni le courage du chevalier. Que dire à ce propos, sinon que « c'est là l'œuvre du Seigneur, une merveille à nos yeux[r] » ?

Voilà les hommes que Dieu s'est choisis et qu'il a rassemblés des extrémités de la terre comme ses serviteurs « d'entre les plus courageux en Israël, eux qui montent la garde auprès du lit – c'est-à-dire du sépulcre – du vrai Salomon[s] » avec vigilance et fidélité, « tous habiles à manier l'épée, et experts dans l'art de la guerre[t] ».

V. Le Temple

Ils sont la gloire du Temple actuel

9.[1] C'est le Temple de Jérusalem qu'ils habitent ensemble – un temple qui, par sa construction, n'est certes pas comparable à l'édifice ancien et de grand renom

culmine dans une brève citation textuelle; là, le ton est non plus descriptif, mais enflammé et entraînant.

tura, sed non inferius gloria[u]. Siquidem universa illius magnificentia in *corruptibilibus auro* et *argento*[v], in quadratura lapidum et varietate lignorum continebatur; huius autem omnis decor et gratae venustatis ornatus, pia est habitantium religiositas et ordinatissima conversatio. Illud variis exstitit spectandum coloribus; hoc diversis virtutibus et sanctis actibus venerandum : *domum* quippe *Dei decet sanctitudo*[w], qui non tam politis marmoribus quam ornatis moribus delectatur, et puras diligit mentes super auratos parietes.

Ornatur tamen huius quoque facies templi, sed armis, non gemmis, et pro antiquis coronis aureis[x], circumpendentibus clypeis paries operitur; pro candelabris, thuribulis atque urceolis, domus undique frenis, sellis ac lanceis communitur.

Plane his omnibus liquido demonstrantibus eodem pro domo Dei fervere milites zelo[y], quo ipse quondam militum Dux, vehementissime inflammatus, armata illa sanctissima manu, non tamen ferro, sed flagello, quod fecerat de resticulis, introivit in templum, negotiantes expulit, nummulariorum effudit aes et cathedras vendentium columbas evertit, indignissimum iudicans orationis domum huiuscemodi forensibus incestari[z].

Talis proinde sui Regis permotus exemplo devotus exercitus, multo sane indignius longeque intolerabilius arbitrans sancta pollui ab infidelibus quam a mercatoribus infestari, in domo sancta cum equis et armis commoratur,

u. Cf. Aggée 2, 10 || v. I Pierre 1, 18 ≠ || w. Ps. 92, 5 ≠ || x. Cf. I Macc. 4, 57 || y. Cf. Jn 2, 17 || z. Cf. Matth. 21, 12-13; Jn 2, 14-16

qu'avait bâti Salomon, mais qui ne lui est pas inférieur quant à la gloire[u]. Toute la splendeur du premier résidait dans « des objets corruptibles d'or et d'argent[v] », les pierres de taille et la variété des bois. Le second doit toute sa beauté et l'élégance de son ornementation à l'exigence religieuse de ses habitants et à leur vie parfaitement soumise à une règle. Le premier offrait le spectacle de ses couleurs variées, le second appelle la vénération par les diverses vertus et les actions saintes qui le constituent. « La sainteté convient en effet à la maison » de Dieu[w], car Dieu apprécie moins les marbres polis que l'ornement d'une belle conduite : il préfère la pureté du cœur à des murs plaqués d'or.

La façade du Temple actuel est d'ailleurs, elle aussi, décorée, mais par des armes et non des pierres précieuses; en lieu et place des anciennes couronnes d'or[x], des boucliers recouvrent les murs tout alentour, tandis que les candélabres, les encensoirs et les vases sacrés sont remplacés par les harnachements, les selles et les lances dont la demeure est munie de tous côtés.

Au vrai, tous ces objets démontrent clairement que nos chevaliers brûlent pour la maison de Dieu du même zèle[y] qui s'était manifesté autrefois, lorsque le Chef des chevaliers, enflammmé d'une très violente colère, entra dans le Temple, tenant dans sa main très sainte non pas, certes, une arme de fer, mais un fouet de cordes. Il chassa les marchands, dispersa la monnaie des changeurs et renversa les tables des vendeurs de colombes, estimant parfaitement indigne de prostituer la maison de la prière par une foire de ce genre[z].

L'exemple d'un tel Roi galvanise cette armée qui lui est consacrée. Aussi juge-t-elle encore beaucoup plus indigne et infiniment plus intolérable de laisser les infidèles souiller le saint lieu que de voir des marchands l'infester. Elle demeure donc dans cette sainte maison avec armes et

30 tamque ab ipsa quam a ceteris sacris omni infidelitatis spurca et tyrannica rabie propulsata, ipsi in ea die noctuque tam honestis quam utilibus officiis occupantur. Honorant certatim Dei templum sedulis et sinceris obsequiis, iugi in eo devotione immolantes, non quidem veterum ritu 35 pecudum carnes, sed vere hostias pacificas[zz], fraternam dilectionem, devotam subiectionem, voluntariam paupertatem.

223 **10.** Haec Ierosolymis actitantur, et orbis excitatur. *Audiunt insulae, et attendunt populi de longe*[a], et ebulliunt ab Oriente et Occidente[b], tamquam *torrens inundans gloriae gentium*[c] et tamquam *fluminis impetus laetificans civitatem* 5 *Dei*[d].

Quodque cernitur iucundius et agitur commodius, paucos admodum in tanta multitudine hominum illo confluere, nisi utique sceleratos et impios, raptores et sacrilegos, homicidas, periuros[e] atque adulteros, de 10 quorum profecto profectione, sicut duplex quoddam constat provenire bonum, ita duplicatur et gaudium, quandoquidem tam suos de suo discessu laetificant, quam illos de adventu quibus subvenire festinant.

Prosunt quippe utrobique, non solum utique istos 15 tuendo, sed etiam illos iam non opprimendo. Itaque *laetatur Aegyptus in profectione eorum*[f], cum tamen de protec-

zz. Ex. 24, 5 || a. Is. 49, 1 ≠ || b. Cf. Matth. 8, 11 || c. Is. 66, 12 ≠ || d. Ps. 45, 5 ≠ || e. Cf. I Tim. 1, 9-10 || f. Ps. 104, 38 ≠

---

1. Le passage en Terre Sainte des chevaliers qui deviennent membres de la milice du Temple est ici comparé à l'exode du peuple d'Israël vers la Terre promise; du même coup tous les lieux que quittent ces

chevaux, la débarrasse – comme aussi les autres lieux saints – de toute immondice des infidèles et de la rage des tyrans, s'adonnant ainsi nuit et jour à un service aussi noble qu'utile.

A l'envi, les chevaliers honorent le Temple de Dieu par un service zélé et sincère. Dans la ferveur de leur vœu, ils immolent en ce lieu non pas la chair des bestiaux, selon le rite des anciens, mais des sacrifices réellement pacifiques[zz] : leur amour fraternel, leur obéissance empressée, leur pauvreté volontaire.

La vengeance du Christ : faire de mauvais garçons des consacrés

10. Voilà ce qui se passe à Jérusalem, et la terre entière s'en émeut. «Les îles en reçoivent la nouvelle, les peuples lointains y prêtent l'oreille[a].» D'orient et d'occident, c'est un véritable bouillonnement[b] : «le débordement d'un torrent, celui de la gloire des nations[c]», «le cours impétueux du fleuve qui réjouit la cité de Dieu[d]».

Et pour comble d'aise et de succès : dans cette multitude accourant à Jérusalem, il en est relativement peu qui n'aient pas été des criminels et des impies, des ravisseurs et des sacrilèges, des homicides, des parjures[e] et des adultères. Aussi leur démarche suscite-t-elle une double joie, laquelle correspond à un double avantage : leurs proches sont heureux de les voir s'en aller, tout comme sont heureux ceux qui les voient accourir à leur aide.

Ils sont donc utiles de deux manières : non seulement en protégeant ces derniers, mais déjà en renonçant à opprimer les premiers. Voilà pourquoi «l'Égypte[1] se félicite de leur départ[f]», alors que c'est de leur protection que «le Mont

chevaliers deviennent symboliquement l'Égypte, soulagée de se voir libérée de leur présence.

tione eorum nihilominus *laetetur mons Sion et exsultent filiae Iudae*[g]. Illa quidem se de manu eorum, ista magis in manu eorum liberari se merito gloriatur. Illa libenter amittit 20 crudelissimos sui vastatores, ista cum gaudio suscipit sui fidelissimos defensores, et unde ista dulcissime consolatur, inde illa aeque saluberrime desolatur.

Sic Christus, sic novit *ulcisci in hostes suos*[h], ut non solum de ipsis, sed per ipsos quoque frequenter soleat tanto 25 gloriosius, quanto et potentius triumphare. Iucunde sane et commode, ut quos diu pertulit oppugnatores, magis iam propugnatores habere incipiat, faciatque de hoste militem, qui de Saulo quondam persecutore fecit Paulum praedicatorem[i]. Quamobrem non miror, si etiam superna illa curia, 30 iuxta testimonium Salvatoris, exsultat magis super uno peccatore paenitentiam agente, quam super plurimis iustis qui non indigent paenitentia[j], dum peccatoris et maligni tantis procul dubio prosit conversio, quantis et prior nocuerat conversatio.

11. Salve igitur civitas sancta, quam ipse *sanctificavit sibi tabernaculum suum Altissimus*[k], quo tanta in te et per te generatio salvaretur. Salve *civitas Regis magni*[l], ex qua nova et iucunda mundo miracula nullis paene ab initio defuere 224 5 temporibus. Salve *domina gentium, princeps provinciarum*[m], Patriarcharum possessio, Prophetarum mater et Apostolorum, initiatrix fidei, gloria populi christiani, quam Deus

g. Ps. 47, 12 ≠ || h. Nah 1, 2 ≠ || i. Cf. Act. 9, 20-21 || j. Cf. Lc 15, 7 || k. Ps. 45, 5 ≠ || l. Ps. 47, 3 || m. Lam. 1, 1

1. L'auteur s'adresse ici à la ville de Jérusalem, mais en tant qu'elle symbolise l'Église, et d'abord et plus particulièrement (la suite immédiate le montre) l'Église naissante, telle qu'elle a rayonné de Jérusalem au temps des apôtres.

Sion se félicite et que les filles de Juda exultent[g]». L'Égypte se glorifie d'être libérée de leur main, et le Mont Sion plus encore de l'être par leur main. L'une perd volontiers ses plus cruels dévastateurs, et l'autre reçoit avec joie ses plus fidèles défenseurs. Ce qui déserte l'une pour son plus grand bien est aussi ce qui réconforte l'autre pour son plus grand soulagement.

Voilà comment le Christ sait «se venger de ses ennemis[h]», non pas seulement en triomphant d'eux, mais aussi souvent en triomphant par eux, d'autant plus glorieusement que sa puissance s'affirme ainsi davantage. Quel bonheur et quel succès de le voir commencer à transformer en défenseurs ceux qu'il a longtemps subis comme oppresseurs! De l'ennemi, il fait son chevalier, comme il a fait de Saul, l'ancien persécuteur, Paul le prédicateur[i]. Aussi je ne m'étonne pas que, selon le témoignage du Sauveur, il y ait plus de joie dans la cour céleste pour un seul pécheur qui fait pénitence que pour une quantité de justes qui n'ont pas besoin de repentance[j]. C'est qu'en effet la conversion du pécheur et du méchant profite – on n'en saurait douter – à d'autant plus de gens que sa conduite antérieure avait fait davantage de victimes.

La Terre Sainte : lieu d'où rayonne le salut

11. Aussi, salut à toi, sainte Cité[1], «toi que le Très-Haut a sanctifiée pour lui comme son tabernacle[k]»; par toi et en toi il sauve une si grande foule d'hommes. Salut, «cité du grand Roi[l]» : de chez toi des miracles nouveaux et merveilleux n'ont presque jamais cessé de se réaliser dans le monde, depuis le commencement. Salut, «maîtresse des nations, princesse des provinces[m]», possession des patriarches, mère des prophètes et des apôtres, prémices de la foi, gloire du peuple chrétien. Si Dieu, dès le début, a toujours supporté qu'on t'assiège, c'était afin que tu sois pour les hommes

semper a principio propterea passus est oppugnari, ut viris fortibus sicut virtutis ita fores occasio et salutis.

Salve *terra* promissionis, quae olim *fluens lac et mel*[n] tuis dumtaxat habitatoribus, nunc universo orbi remedia salutis, vitae porrigis alimenta. Terra, inquam, bona et optima[o], quae in fecundissimo illo sinu tuo ex arca paterni cordis caeleste granum suscipiens, tantas ex superno semine martyrum segetes protulisti, et nihilominus ex omni reliquo fidelium genere fructum fertilis gleba tricesimum, et sexagesimum, et centesimum[p], super omnem terram multipliciter procreasti.

Unde et de *magna multitudine dulcedinis tuae*[q] iucundissime satiati et opulentissime saginati, *memoriam abundantiae suavitatis tuae* ubique *eructuant*[r] qui te viderunt, et *usque ad extremum terrae*[s] *magnificentiam gloriae tuae loquuntur*[t] eis qui te non viderunt, et *enarrant mirabilia*[u] quae in te fiunt. *Gloriosa dicta sunt de te, civitas Dei*[v]. Sed iam ex his quibus *affluis deliciis*[w], nos quoque pauca proferamus in medium, ad laudem et gloriam[x] nominis tui.

n. Ex. 3, 8 etc. ≠ || o. Cf. Deut. 8, 10; Lc 8, 15 || p. Cf. Matth. 13, 8 || q. Ps. 30, 20 ≠ || r. Ps. 144, 7 ≠ || s. Act. 13, 47 || t. Ps. 144, 5 ≠ || u. Sir. 36, 10 ≠ || v. Ps. 86, 3 || w. Is. 66, 11 ≠ || x. Cf. I Pierre 1, 7

---

1. Ici à nouveau le salut adressé à la Terre Sainte vise, à travers elle, l'Église, telle qu'elle a essaimé par le monde entier à partir de la Judée.
2. ** *Satiati... saginati... :* ce jeu de mots s'insère dans une phrase très travaillée, au milieu de réminiscences bibliques entrecroisées. *Satiati,* mot de la Vulgate que l'on trouve 4 fois dans les *Psaumes,* est un mot cher à Bernard, qui l'utilise pour dire comment Dieu «comble» l'attente

forts une occasion aussi bien de manifester leur courage que de trouver le salut.

Salut, «terre de la promesse[1], qui ruisselais autrefois de lait et de miel[n]» pour tes habitants : tu offres maintenant à l'univers entier les remèdes du salut, les aliments de la vie. Oui, terre bonne et excellente[o], toi qui, dans ton sein très fécond, reçois le grain céleste sorti de l'arche, c'est-à-dire du cœur du Père, tu as produit, à partir de cette semence d'en-haut, de si riches moissons de martyrs! Et en même temps, de toutes les autres sortes de fidèles, comme un sol fertile, tu as fait naître en abondance, sur toute la terre, un fruit de trente, soixante, cent pour un[p].

Aussi, joyeusement nourris et largement comblés[2] de «l'abondance de ta douceur[q]», ceux qui t'ont vue rappellent partout «la largesse de tes délices[r]», et «jusqu'aux extrémités de la terre[s]» «ils proclament la magnificence de ta gloire[t]» à ceux qui ne t'ont pas vue, et «ils annoncent les merveilles[u]» qui s'opèrent en toi. «On parle de toi pour ta gloire, cité de Dieu[v].»

Mais, ces «délices dont tu ruisselles[w]», mettons-nous à notre tour à en proclamer quelques-unes au milieu de toi, à la louange et à la gloire[x] de ton nom.

de l'âme. La Vulgate ne connaît guère *saginatus* qu'au chap. 15 de *Luc* : c'est «le veau gras» de l'Enfant prodigue, expression qui revient 13 fois dans Bernard; celui-ci suggère plutôt par là la *présence* de la joie spirituelle, joie «palpable» que la bonne chère dit mieux que toute autre image, joie communautaire du festin, joie «opulente» du fils royalement traité par le Père. On touvera les deux mêmes mots associés en IV 347, 6-14 (*Sept* 3) et en VI-2 38, 8 (*Sent* 63, à propos des Anges!), ainsi que des contextes typiques de Bernard autour de *Ps*. 16, 15 cité en III 127, 26 (*Dil* 11) et en V 276, 15 (*NBMV* 3). Parmi les diverses sortes de jeux de mots, le nôtre est du type «qui rapproche les sens avec les sons» : «repus tout autant que replets».

VI. De Bethleem

12. Habes ante omnia *in refectione animarum sanctarum*[y] Bethleem domum panis, in qua primum is qui *de caelo descenderat,* pariente Virgine, *panis vivus*[z] apparuit. Monstratur piis ibidem iumentis praesepium, et in praesepio[a] 5 fenum de prato virginali, quo vel si *cognoscat bos possessorem suum et asinus praesepe Domini sui*[b]. *Omnis* quippe *caro fenum, et omnis gloria eius ut flos feni*[c]. Porro *homo* quia suum, *in* quo factus est, *honorem non intelligendo, comparatus est iumentis* 225 *insipientibus* et *similis factus est illis*[d], Verbum panis 10 angelorum[e] factum est cibaria iumentorum, ut habeat carnis fenum quod ruminet, qui verbi pane vesci penitus dissuevit, quousque per hominem Deum priori redditus dignitati, et ex pecore rursus conversus in hominem, cum Paulo dicere possit : *Etsi cognovimus Christum secundum* 15 *carnem, sed nunc iam non novimus*[f].

Quod sane non arbitror quempiam dicere posse veraciter, nisi qui prius cum Petro ex ore Veritatis illud item audierit : *Verba quae ego locutus sum vobis, spiritus et vita sunt; caro autem non prodest quidquam*[g].

y. Sag. 3, 13 ≠ || z. Jn 6, 51 ≠ || a. Cf. Lc 2, 7 || b. Is. 1, 3 ≠ || c. Is. 40, 6 ≠ || d. Ps. 48, 13 ≠ || e. Cf. Ps. 77, 25 || f. II Cor. 5, 16 ≠ || g. Jn 6, 64 ≠

---

1. ** Au début de ce développement sur Bethléem, Bernard donne l'étymologie traditionnelle de ce nom à partir de l'hébreu. Il fait d'autre part allusion à un passage de la *Sagesse,* selon un texte biblique corrompu qui ajoute *sanctarum* à *animarum* et modifie *in respectione* (eu égard à) en *in refectione* (pour la réfection); cf. I 238, 17, III 137, 23 et VII 331, 22 (avec son apparat critique).

2. Cf. de l'auteur, des passages parallèles, in *De div.,* S. 12, 1; *NatV,* I, 6; *Circ.,* III, 2. Le thème est patristique : esquissé chez un saint Augustin, *Sermon pour le jour de Noël, P.L.* 38, 1015, repris et développé

VI. Bethléem

Dans la «maison du pain» le Pain du ciel se fait même fourrage pour les bêtes

12. Tu possèdes avant tout, «pour la réfection des âmes saintes[y]», Bethléem, la «maison du pain[1]». C'est là qu'apparut d'abord, «descendu des cieux, le Pain vivant[z]», mis au monde par la Vierge. C'est là aussi qu'à de braves bêtes se montre la crèche, et dans la crèche[a] un foin issu du pré virginal : au moins, de cette manière, «le bœuf pourra reconnaître son maître, et l'âne la crèche de son Seigneur[b]». De fait, «toute chair est comme foin, et toute sa gloire comme fleur de foin[c]». Et «l'homme, puisqu'il n'a pas compris l'honneur» en vue duquel il a été créé, «fut comparé à des bêtes sans intelligence; et il leur est devenu semblable[d]». C'est bien pourquoi le Verbe, qui est le pain des anges[e], s'est fait fourrage pour les bêtes[2]. Ainsi l'homme aurait à ruminer le foin de la chair, lui qui avait complètement perdu l'habitude de se nourrir du pain du Verbe. Ceci en attendant le moment où il serait rendu, par l'Homme-Dieu, à sa dignité première, et où, de bête redevenu homme, il pourrait dire avec Paul : «Même si nous avons connu le Christ selon la chair, ce n'est plus ainsi que nous le connaissons[f].»

Cette parole, à mon sens, personne ne peut la prononcer en toute vérité, sinon celui qui, d'abord, en compagnie de Pierre, aura entendu la Vérité elle-même déclarer : «Les paroles que je vous ai dites sont esprit et vie; car la chair ne sert de rien[g].»

chez un saint GRÉGOIRE le GRAND, *Hom. pour le jour de Noël, P.L.* 76, 1103. A propos du *Ps.* 77, 25, voir un commentaire différent, où saint Augustin explique l'incarnation comme le passage du «pain des anges» à l'état de lait pour les enfants : *Enarr. in Ps.,* 33, I, 6.

20 Alioquin qui in verbis Christi vitam invenit[h], carnem iam non requirit, et est de numero *beatorum, qui non viderunt et crediderunt*[i]. Nec enim opus est vel lactis poculum, nisi utique parvulo[j], vel feni pabulum, nisi utique iumento. *Qui* autem *non offendit in verbo, ille perfectus est vir*[k], solido plane 25 vesci cibo[1] idoneus, et, licet *in sudore vultus sui, panem* verbi *comedit*[m] absque offensione. Sed et securus ac sine scandalo loquitur Dei sapientiam dumtaxat inter perfectos[n], *spiritualibus spiritualia comparans*[o], cum tamen infantibus sive pecoribus cautus sit pro captu quidem eorum proponere 30 tantummodo *Iesum, et hunc crucifixum*[p]. Unus tamen idemque cibus ex caelestibus pascuis suaviter quidem et ruminatur a pecore, et manducatur ab homine, et viro vires, et parvulo tribuit nutrimentum.

VII. De Nazareth

13. Cernitur et Nazareth, quae interpretatur flos, in qua is qui natus in Bethleem erat, tamquam fructus in flore coalescens, nutritus est[q] Deus infans, ut floris odor fructus

h. Cf. Prov. 8, 35 || i. Jn 20, 29 ≠ || j. Cf. I Cor. 3, 1-2; Hébr. 5, 12 || k. Jac. 3, 2 ≠ || l. Cf. Hébr. 5, 12 || m. Gen. 3, 19 ≠ || n. Cf. I Cor. 2, 6-7 || o. I Cor. 2, 13 ≠ || p. I Cor. 2, 2 ≠ || q. Cf. Lc 4, 16; Matth. 2, 1

---

1. La distinction est inévitable entre les spirituels qui ont mûri dans la foi, dont l'intelligence est éclairée par l'Esprit, et ceux qui ne sont pas encore développés spirituellement, dont la foi est ténébreuse, la compréhension infantile. Pour le Nouveau Testament, cf. Hébr. 5.12 ou I Cor. 3.1 ss. Mais c'est là une distinction relative, qui ne préjuge pas du salut – à la différence des systèmes gnostiques, selon lesquels la perfection et le salut sont affaire d'initiation. Sans penser d'ailleurs aux Cathares – dont l'explosion est plus tardive – saint Bernard tient ici à répéter ce que dit toute la tradition depuis saint Paul. Néanmoins, comme ses contemporains, Bernard invoque une prédication plus

Par ailleurs, celui qui trouve la vie[h] dans les paroles du Christ ne recherche plus la chair; il est du nombre «des bienheureux qui ont cru sans avoir vu[i]». Le lait ne s'avère nécessaire que pour l'enfant[j] et le fourrage pour le bétail seulement. Mais «celui qui ne pèche pas en parole est un homme accompli[k]», capable de se nourrir d'aliments solides[l]. Même si c'est encore «à la sueur de son visage qu'il mange le pain de la Parole[m]», du moins est-ce sans commettre de faute. Pour pouvoir parler avec assurance, et sans avoir à redouter le scandale, c'est avec les parfaits seulement qu'il s'entretient de la sagesse de Dieu[n], «dans des échanges entre spirituels sur les réalités spirituelles[o]». Quant aux enfants, ou aux hommes qui ressemblent à des animaux, pour tenir compte des limites de leur compréhension, il a la prudence de ne leur proposer que «Jésus, et Jésus crucifié[p]». C'est là pourtant un même et unique aliment[1], issu des pâturages célestes – un aliment propre à nourrir pour leur plus grand bien, le bétail qui le rumine, et l'homme qui le mange. A l'homme fait, cette nourriture apporte des forces; à l'enfant la croissance.

VII. Nazareth

Du parfum de la fleur à la saveur du fruit

13. Sur cette terre, voici encore Nazareth, dont le nom signifie «fleur[2]». C'est là que l'Enfant-Dieu, né à Bethléem, a été nourri[q], à la manière dont le fruit se forme et

réaliste à l'intention du peuple : «aux petites gens il faut prêcher l'Incarnation et des vérités de ce niveau, mais aux gens plus élevés, on prêchera l'unité de la Trinité» (Ps. ANSELME DE LAON, *PL* 162, 1539).

2. C'est le premier sens que proposait saint Jérôme *(Lib. de nom. hebr.*, *PL* 23, 841 s.) : *Nazareth : flos, aut virgulum ejus, vel munditiae, aut separatus, vel custodia,* «Nazareth, la fleur ou sa tige, ou encore la parure (ou la toilette), ou bien : mis à part, ou enfin : la garde» (= *CCSL*, 72, 137).

saporem praecederet, ac de naribus Prophetarum faucibus se Apostolorum liquor sanctus infunderet, Iudaeisque tenui odore contentis, gustu solido reficeret christianos.

226 Senserat tamen hunc florem Nathanael, quod *super omnia aromata*[r] suave redoleret. Unde et aiebat : *A Nazareth potest aliquid boni esse*[s]*?* Sed nequaquam sola contentus fragrantia[t], respondentem sibi : *Veni et vide*[u], Philippum secutus est. Immo vero mirae illius suavitatis admodum respersione delectatus, haustuque boni odoris factus saporis avidior, odore ipso duce, ad fructum usque sine mora pervenire curavit, cupiens plenius experiri quod tenuiter praesenserat, praesensque degustare quod odoraverat absens.

Videamus et de olfactu Isaac, ne forte aliquid, quod pertineat ad haec ipsa quae in manibus sunt, portenderit. Loquitur de illo Scriptura sic : *Statimque ut sensit vestimentorum eius fragrantiam* – haud dubium quin Iacob – : *Ecce,* inquit, *odor filii mei sicut odor agri pleni, cui benedixit Dominus*[v]. Vestimenti fragrantiam sensit, sed vestiti praesentiam

r. Cant. 4, 10 || s. Jn 1, 46 || t. Cf. Gen. 27, 27; Cant. 1, 2 || u. Jn 1, 46 || v. Gen. 27, 27 ≠

---

1. ** Bernard semble faire allusion à *Job* 27, 3 : «... tant que l'esprit de Dieu demeure en mes narines» – c.-à-d. à la connaissance préalable, subtile et incertaine, que «les Prophètes» ont eue du Christ – et fait allusion à la voix (ou au rugissement : jeu de mots, *voces et fauces)* des apôtres qui s'est étendue «aux extrémités de la terre» (*Rom.* 10, 12), connaissance orale et certaine, celle de la foi.

2. ** Ce *fragrantia* est à la fois celui de *Cantique* 1, 2 (Bernard vient de citer le *Cantique)* et celui de *Genèse* 27, 27 (qui va être citée); c'est *fragrantia,* orthographe de la Vulgate Clémentine, que Bernard emploie toujours. Au texte de la *Genèse,* il ajoute 8 fois *pleni* à *agri,* comme de nombreux mss Vg (et comme le répons *Ecce odor* du 2e dimanche de Carême). – De la l. 11 à la l. 42, Bernard va tisser dans son texte les fils de l'épisode d'Isaac bénissant Jacob : l. 12 : *haustu... odoris* (vv. 25 et 27);

grandit dans la fleur. Ainsi le parfum de la fleur précéderait la saveur du fruit : ce dont les prophètes[1] avaient respiré l'odeur a coulé dans la gorge des apôtres comme une sainte liqueur, les Juifs en sont restés à ses effluves légères, mais, par sa puissante saveur, elle a refait les forces des chrétiens.

Nathanaël, pour sa part, avait senti le parfum de cette fleur, parce qu'elle embaumait «plus que tous les aromates[r]». Ce qui lui fait dire : «De Nazareth, peut-il venir quelque chose de bon[s]?» Mais au lieu d'en rester simplement au parfum[t] [2], quand Philippe lui répond : «Viens et vois[u]», il le suit. Plus encore : enchanté par ces effluves qui répandent leur merveilleuse douceur, il devient plus impatient de passer de l'odeur au goût; il se laisse guider par le parfum, dans sa volonté arrêtée de parvenir sans retard jusqu'au fruit, et dans son désir d'expérimenter plus pleinement ce que son odorat avait pressenti encore vaguement. Il s'agit pour lui de goûter à une réalité devenue présente, et dont l'arôme lui est parvenu alors qu'elle était encore absente.

Isaac s'est arrêté au parfum

Voyons aussi ce qu'il en était de l'odorat d'Isaac : peut-être cela n'est-il pas sans rapport avec le sujet qui nous occupe[3]. Voici ce qu'en dit l'Écriture : «Aussitôt qu'il eut respiré l'odeur de ses vêtements» – il s'agit bien sûr de ceux de Jacob – Isaac s'écria : «Oui, l'odeur de mon fils est comme celle d'un champ fertile, que le Seigneur a béni[v].» Il sentait l'odeur qui se dégageait du vêtement, mais

l. 30 : *palpans hoedi pellem* (vv. 16 et 22-23); l. 39 : *attrectat manibus* (v. 12). La citation du v. 27 est au centre; de multiples autres fils s'entrecroisent : lettre, esprit; Synagogue, Église; odeur et connaissance incertaine, oreille et foi; saveur et plaisir spirituel, vue et vision divine...

3. Cf. à ce propos, saint AMBROISE, *De Jacob vita,* II, II, 9, *PL* 14, 618 B.

non agnovit, soloque vestis, tamquam floris odore, forinsecus delectatus, quasi fructus interioris dulcedinem non
25 gustavit, dum et electi filii simul et sacramenti fraudatus cognitione remansit.

Quo spectat hoc? Vestimentum profecto spiritus, littera est et caro Verbi. Sed ne nunc quidem Judaeus in carne[w] Verbum, in homine scit deitatem, nec sub tegmine litterae
30 sensum pervidet spiritualem, forisque palpans hoedi pellem, quae similitudinem maioris, hoc est primi et antiqui peccatoris, expresserat, ad nudam non pervenit veritatem. Non sane *in carne* peccati, sed *in similitudine carnis peccati*[x], *qui peccatum non facere*[y], sed tollere[z] veniebat,
35 apparuit, ea scilicet de causa, quam ipse non tacuit[a], *ut qui non vident videant, et qui vident caeci fiant*[b].

Hac ergo similitudine deceptus Propheta, caecus hodieque, quem nescit benedicit, dum quem lectitat in libris, ignorat et in miraculis, et quem propriis attrectat
40 manibus, ligando, flagellando, colaphizando[c], minime tamen vel resurgentem intelligit. *Si enim cognovissent, numquam Dominum gloriae crucifixissent*[d].

Percurramus succincto sermone et cetera loca sancta, et si non omnia, saltem aliqua, quoniam quae digne admirari

w. Cf. Rom. 2, 28-29; Jn 6, 64 || x. Rom. 8, 3 ≠ || y. I Pierre 2, 22 ≠ || z. Cf. Jn 1, 29 || a. Cf. Mc 14, 61 || b. Jn 9, 39 || c. Cf. Matth. 26, 67 || d. I Cor. 2, 8

1. La toison est ici identifiée symboliquement aux tuniques de peaux données par Dieu à Adam (et à Ève), pécheurs chassés du paradis (*Gn* 3, 21) : ainsi symbolise-t-elle la chair du péché. S'arrêtant à elle, les Juifs prennent Jésus pour un pécheur, comme tout homme.

2. L'allégorie qui oppose la peau nue et lisse de Jacob, figure du Christ, à la peau velue d'Ésaü, type du pécheur, est traditionnelle. Cf. par ex. HIPPOLYTE DE ROME, *Bénédiction d'Isaac et de Jacob,* I, *PO,* 27, fasc. I et II, p. 9; AUGUSTIN, *Hom.* 4, 14 ss, *PL* 38, col. 33 ss.

sans reconnaître qui portait ce vêtement. Seul le parfum du vêtement, comme celui de la fleur, venant du dehors, l'a charmé, sans qu'il ait goûté, de l'intérieur, la saveur du fruit, puisqu'il continuait à se tromper sur l'identité du fils élu, comme aussi sur la signification de ce mystère.

En quoi cela éclaire-t-il notre sujet? Le vêtement de l'esprit, c'est la lettre, et c'est aussi la chair du Verbe. Mais, maintenant encore, le Juif ne reconnaît même pas dans la chair[w] le Verbe, dans l'homme la divinité, il ne perçoit pas sous l'écorce de la lettre le sens spirituel. Il tâte de l'extérieur la toison du chevreau, qui est à la ressemblance du fils aîné, c'est-à-dire du premier et de l'antique pécheur[1]; mais il ne parvient pas à la vérité dans sa nudité[2]. Effectivement, ce n'est pas «dans la chair du péché, mais dans une chair semblable à celle du péché[x]», que le Verbe s'est manifesté, «lui qui était venu non pour commettre le péché[y]», mais pour l'ôter[z]. Et dans quel but? Il n'a pas gardé le silence à ce sujet, quant à lui [a] : c'était «afin que voient ceux qui ne voient pas, et que ceux qui voient deviennent aveugles[b]».

Trompé par cette ressemblance, le prophète[3], aveugle aujourd'hui encore, bénit celui qu'il ne connaît pas, et continue d'ignorer jusque dans ses miracles celui dont lui parlent les livres de l'Écriture; il le touche de ses propres mains, en le liant, en le flagellant, en le souffletant[c], sans rien comprendre même quand il ressuscite. «Si en effet ils l'avaient connu, ils n'auraient jamais crucifié le Seigneur de la gloire[d].»

Parcourons encore, dans ce court exposé, d'autres lieux saints : non pas tous, bien sûr, mais au moins quelques-

3. De manière remarquable, le peuple juif est identifié ici dans son rôle au cours de l'histoire du salut : il est *prophète,* et il le reste. Mais c'est un prophète semblable à Isaac : aveugle, et incapable de reconnaître le véritable héritier de la bénédiction.

45 per singula non sufficimus, libet vel insigniora, et ipsa breviter recordari.

VIII. De monte Oliveti et valle Iosaphat

227 **14.** Ascenditur in montem Oliveti[e], descenditur in vallem Iosaphat[f], ut sic divitias divinae misericordiae cogites[g], quatenus horrorem iudicii nequaquam dissimules, quia etsi *in multis miserationibus suis*[h] multus est
5 ad ignoscendum[i], *iudicia* tamen eius nihilominus *abyssus multa*[j], quibus agnoscitur valde omnino *terribilis super filios hominum*[k].

David denique qui montem Oliveti demonstrat, dicens : *Homines et iumenta salvabis, Domine, quemadmodum multipli-*
10 *casti misericordiam tuam, Deus*[1], etiam iudicii vallem in eodem Psalmo commemorat : *Non veniat*, inquiens, *mihi pes superbiae, et manu peccatoris non moveat me*[m], cuius et praecipitium se omnino perhorrescere fatetur, cum in alio Psalmo ita loquitur, orans : *Confige timore tuo carnes meas : a iudiciis*
15 *enim tuis timui*[n].

Superbus in hanc vallem corruit, et conquassatur; humilis descendit, et minime periclitatur. Superbus excusat peccatum suum, humilis accusat, sciens quia *Deus non*

e. Cf. Matth. 26, 30 || f. Cf. Joël 3, 2 || g. Cf. Rom. 9, 23; Jér. 29, 11 || h. Dan. 9, 18 ≠ || i. Is. 55, 7 || j. Ps. 35, 7 ≠ || k. Ps. 65, 5 ≠ || l. Ps. 35, 7-8 || m. Ps. 35, 12 || n. Ps. 118, 120

---

1. Josaphat, en hébreu : «Dieu juge»; cf. saint JÉRÔME, *Lib. de nom. hebr.*, *CCSL* 72, 107, 111 et 136. Lieu symbolique où l'on attendait le jugement de Dieu, et qui sera tardivement – au IVe siècle après J.-C.

uns, et puisque nous n'arriverions pas à les admirer un à un, comme ils le méritent, plaisons-nous au moins à rappeler brièvement les plus remarquables.

VIII. Le Mont des Oliviers et la Vallée de Josaphat

Se juger soi-même pour n'être pas jugé

14. On gravit le Mont des Oliviers[e] et l'on descend dans la Vallée de Josaphat[1]. Et c'est ainsi que l'on médite sur la richesse de la miséricorde de Dieu[g], sans pour autant perdre de vue l'horreur du jugement. Car si «les miséricordes de Dieu sont multiples[h]» et s'«il multiplie l'oubli de nos fautes[i]», «ses jugements n'en sont pas moins comme l'Abîme sans fin[j]» et, par eux, il nous fait souvenir qu' «il est absolument terrible à l'égard des fils des hommes[k]».

David désigne le Mont des Oliviers quand il dit : «L'homme et le bétail, tu les sauveras, Seigneur; c'est ainsi, Dieu, que tu as multiplié tes miséricordes[l].» Et, dans le même Psaume, il rappelle aussi la vallée du jugement en ces termes : «Que le pied de l'orgueilleux ne vienne sur moi, que la main du pécheur ne me pousse[m].» Il avoue encore sa peur terrible du précipice lorsque, dans un autre Psaume, il prie ainsi : «Grave ta crainte dans ma chair, j'ai craint tes jugements[n].»

Dans cette vallée, l'orgueilleux se précipite et s'écrase, mais l'homme humble y descend sans courir de risque. C'est que l'orgueilleux cherche des excuses à son péché, tandis que l'homme humble s'en accuse, sachant bien que

seulement – identifié à la Vallée du Cédron, laquelle se creuse entre le Temple de Jérusalem et le Mont des Oliviers.

iudicat bis in idipsum[o], et *quod si nosmetipsos iudicaverimus, non*
20 *utique iudicabimur*[p].

15. Porro superbus non attendens quam *horrendum sit incidere in manus Dei viventis*[q], facile prorumpit *in verba malitiae ad excusandas excusationes in peccatis*[r]. Magna revera malitia, tui te non misereri, et solum post peccatum
5 remedium confessionis a te ipso repellere, ignemque in sinu tuo involvere[s] potius quam excutere, nec praebere aurem consilio Sapientis qui ait : *Miserere animae tuae placens Deo*[t]. Proinde *qui sibi nequam, cui bonus*[u]*? Nunc iudicium est mundi, nunc Princeps huius mundi eicietur foras*[v], hoc est de
10 corde tuo, si te tamen ipse humiliando diiudicas.

Erit iudicium caeli, quando ipsum *vocabitur caelum*
228 *desursum et terra discernere populum suum*[w], in quo sane timendum, ne proiciaris tu cum ipso et angelis eius[x], si tamen inventus fueris iniudicatus. Alioquin *spiritualis homo,*
15 *qui omnia diiudicat, ipse a nemine iudicabitur*[y]. Propter hoc ergo *iudicium incipit a domo Dei*[z], ut suos, quos novit iudex, cum venerit, inveniat iudicatos, et iam de illis nil habeat tunc iudicare, quando videlicet iudicandi sunt hi qui *in labore hominum non sunt, et cum hominibus non flagellantur*[a].

o. Nah. 1, 9 (Patr.) || p. I Cor. 11, 31 (Patr.) || q. Hébr. 10, 31 ≠ || r. Ps. 140, 4 || s. Cf. Prov. 6, 27 || t. Sir. 30, 24 || u. Sir. 14, 5 (Patr.) || v. Jn 12, 31 || w. Ps. 49, 4 ≠ || x. Cf. Matth. 25, 41 || y. I Cor. 2, 15 (Patr.) || z. I Pierre 4, 17 ≠ || a. Ps. 72, 5 ≠

---

1. ** Ici, comme en 5 autres lieux, Bernard cite *Nahum* selon une tradition Vieille Latine toute différente de la Vulgate; sa source peut être Jérôme, *In Nahum* (*PL* 25, 1238) où Jérôme écrit successivement *iudicabit* et *vindicabit* (il tirera vengeance); Bernard ne connaît que *iudicabit;* ce peut être aussi Cassiodore, *Expos. in Ps.* 37, 75 (*CCSL* 97, 344).

2. ** Ici comme 6 autres fois, Bernard emploie ce texte avec *iudicare,* comme Augustin et Jérôme; il se conforme à la Vulgate 3 fois seulement (1er : *diiudicare).* Inversement, 11 fois sur 12 Bernard écrit *diiudicat* à la

«Dieu ne juge pas deux fois la même cause[o1]» et «que, si nous nous sommes jugés nous-mêmes, nous ne serons pas jugés par Dieu[p2]».

15. «Qu'il soit terrible de tomber entre les mains du Dieu vivant[q]», l'orgueilleux n'en a cure. Sans hésiter, il se lance «dans des paroles de perversité pour inonder d'excuses ses péchés[r]». Grave perversité vraiment : tu es sans pitié pour toi-même, tu repousses le seul remède qui te reste après avoir péché, la confession. Tu laisses couver le feu dans ton sein[s] au lieu de le jeter au loin, et tu ne prêtes pas l'oreille à ce conseil de la Sagesse : «Aie pitié de ton âme en plaisant à Dieu[t].» «En effet, envers qui serait-il bon, celui qui est mauvais pour lui-même[u3]?» «C'est maintenant le jugement de ce monde : maintenant le Prince de ce monde va être jeté dehors[v]», c'est-à-dire hors de ton cœur, pour autant que tu en décides, en t'humiliant toi-même.

Le ciel lui-même passera en jugement, quand «il sera appelé d'en haut, ainsi que la terre en vue du discernement à exercer au sein de son peuple[w]». Il est fort à craindre qu'alors tu ne sois jeté dehors avec le diable et ses anges[x], si l'on te trouve encore non jugé. Au contraire, «l'homme spirituel, qui juge de tout, n'est lui-même jugé par personne[y]». C'est bien pourquoi «le jugement commence par la maison de Dieu[z]», afin que le Juge, qui connaît les siens, les trouve déjà jugés à son arrivée. Ainsi ne découvrira-t-il en eux plus rien à juger, quand il s'agira de faire comparaître ceux qui «sont exempts de la peine des hommes et ne sont pas frappés avec les hommes[a]».

place du *iudicat* de Vg pour *1 Cor.* 2, 15, suivant en cela de nombreux Pères.

3. ** Bernard cite 9 fois ce v., toujours en omettant le *alii* de la Vulgate et presque toujours en omettant le verbe «être». Augustin et Grégoire le Grand ont ce texte.

IX. De Iordane

16. Quam laeto sinu Iordanis suscipit christianos, qui se Christi gloriatur consecratum baptismate! Mentitus est plane Syrus ille leprosus, qui nescio quas Damasci aquas aquis praetulit Israelis[b], cum Iordanis nostri devotus Deo
5 famulatus toties probatus exstiterit, sive quando Eliae[c], sive quando Elisaeo[d], sive etiam, ut antiquius aliquid recolam, quando Iosue et omni populo simul impetum mirabiliter inhibens, siccum in se transitum praebuit[e].
Denique quid in fluminibus isto eminentius, quod ipsa
10 sibi Trinitas sui quadam evidenti praesentia dedicavit? Pater auditus, visus Spiritus Sanctus, Filius est et baptizatus[f]. Merito proinde ipsam eius virtutem, quam Naaman[g] ille consulente Propheta sensit in corpore[h], iubente Christo universus quoque fidelis populus in anima experitur.

b. Cf. IV Rois 5, 12 || c. Cf. IV Rois 2, 7-8 || d. Cf. IV Rois 2,13-14 || e. Cf. Jos. 3, 14-17 || f. Cf. Matth. 3, 16-17 || g. Cf. IV Rois 5, 14 || h. Cf. Lc 8, 46

---

1. La consécration du Jourdain, et plus généralement des eaux baptismales par la descente en elles de Jésus lors de son baptême, est un

IX. Le Jourdain

La consécration des eaux du baptême

16. Avec quelle joie le Jourdain ne reçoit-il pas dans ses eaux les chrétiens, lui qui se glorifie d'avoir été consacré par le baptême du Christ[1] ! Il a vraiment menti, ce lépreux syrien, qui préférait je ne sais quelles eaux de Damas à celles d'Israël[b]. Car le service dans lequel notre Jourdain s'est voué à Dieu a pu se vérifier à maintes reprises : qu'il s'agisse d'Élie[c], qu'il s'agisse d'Élisée[d], ou, pour remonter plus haut dans le temps, qu'il s'agisse de Josué et de tout le peuple, chaque fois le fleuve a merveilleusement retenu son cours, offrant un passage à pied sec[e].

Enfin, y a-t-il fleuve plus glorieux que celui-ci, puisque la Trinité elle-même l'a consacré à son service en y manifestant pour ainsi dire sa présence ? Le Père s'y est fait entendre, l'Esprit Saint s'y est fait voir, et le Fils y a été baptisé[f]. La vertu de ces eaux, que Naaman[g], suivant le conseil d'Élisée, a éprouvée dans son corps[h], c'est à juste titre que le peuple entier des fidèles, sur l'ordre du Christ, la ressent dans son âme.

thème patristique et liturgique traditionnel. On peut citer l'*Eucologe de Sérapion* (prière de consécration des eaux du baptême), la préface consécratoire des eaux baptismales de la *Liturgie romaine* de la nuit pascale; saint BASILE, *In Psalm.* 28, *PG* 29, 289; Saint JEAN CHRYSOSTOME, *Hom. in Epiph.*, *PG* 49, 365; CYRILLE DE JÉRUSALEM, *Cat. myst.*, 3, 12 *PG* 33, 444; MAXIME DE TURIN, *In Epiph.*, *PL* 57, 249.

X. De loco Calvariae

229 **17.** *Exitur* etiam *in Calvariae*[i] locum, ubi verus Elisaeus ab insensatis pueris irrisus[j], risum suis insinuavit aeternum, de quibus ait : *Ecce ego et pueri mei, quos mihi dedit Deus*[k]. Boni pueri, quos per contrarium illorum malignan-
5 tium[l] ad laudem excitat Psalmista, dicens : *Laudate, pueri, Dominum, laudate nomen Domini*[m], quatenus in *ore* sanctorum *infantium et lactentium perficeretur laus*[n], quae ex ore defecerat invidorum, eorum utique, de quibus queritur ita : *Filios enutrivi et exaltavi; ipsi autem spreverunt me*[o].
10 Ascendit itaque crucem calvus noster, mundo pro mundo expositus et, *revelata facie*[p] ac discooperta fronte, *purgationem peccatorum faciens*[q], probrosae et austerae mortis tam non erubuit ignominiam quam nec poenam exhorruit, ut nos opprobrio sempiterno[r] eriperet, restitueret gloriae.
15 Nec mirum : quid enim erubesceret, qui ita *lavit nos a peccatis*[s], non quidem ut aqua diluens et retinens sordes, sed

i. Jn 19, 17 ≠ || j. Cf. IV Rois 2, 23 || k. Is. 8, 18 ≠ || l. Cf. Ps. 21, 17 || m. Ps. 112, 1 || n. Ps. 8, 3 ≠ || o. Is. 1, 2 || p. II Cor. 3, 18 || q. Hébr. 1, 3 || r. Cf. Jér. 23, 40 || s. Apoc. 1, 5 ≠

---

1. Double allusion d'une part à la montée qu'entreprend Élisée du Jourdain vers l'Horeb (*IV Rois* 2, 23), et d'autre part au cheminement de Jésus sortant de Jérusalem pour gagner le Calvaire en portant sa croix (*Jn* 19, 17). Ce parallélisme entre Élisée et Jésus se prolonge dans les lignes qui suivent et en explique le sens, en particulier à propos des enfants moqueurs (*IV Rois* 2, 23).

2. «Lieu du crâne» (*Lc* 23,33) est la traduction que donnent du nom de Golgotha *Matth.* 27, 33; *Mc* 15, 22; *Jn* 19, 17. *Calvariae locus* en sera la traduction latine, qui évoque d'emblée un mont chauve, puisque «chauve» se dit *calvus*. De là l'allégorie qui va suivre.

X. Le Calvaire

Sur le mont chauve, le dépouillement du Christ

17. Et l'on se rend encore[1] vers le «Lieu du crâne[i2]». C'est là que le véritable Élisée, sous les rires moqueurs d'enfants insensés[j3], a introduit un rire éternel parmi les siens, ceux dont il dit : «Me voici, moi, et les enfants que Dieu m'a donnés[k].» Au contraire des précédents, remplis de méchanceté[l], ce sont ici de bons enfants, que le Psalmiste invite vivement à la louange, en disant : «Louez le Seigneur, enfants, louez son nom[m].» C'est effectivement dans «la bouche des» saints «enfants et des nourrissons que s'accomplit la louange[n]», alors qu'elle s'était anéantie dans la bouche des envieux, ceux dont le Seigneur se plaint en ces termes : «J'ai élevé et fait grandir des fils, mais ils m'ont rejeté[o].»

Voilà pourquoi il est monté sur la croix, celui qui pour nous a le crâne chauve[4]; en faveur du monde, il a été exposé au monde, et, «à visage découvert[p]», le front mis à nu, «il a accompli la purification des péchés[q]». D'une mort ignominieuse et terrible il n'a pas refusé la honte ni repoussé le châtiment, afin de nous arracher à l'opprobre éternel[r] et de nous rendre à la gloire. Rien d'étonnant à cela : de quoi rougirait-il de honte, «lui qui nous a lavés de nos péchés[s]», non pas à la manière de l'eau, qui dissout et garde en elle les souillures, mais comme le rayon du soleil,

3. «Tondu», crient les enfants à Élisée, ce que la Vulgate traduit par *calve*, «chauve». Mais le rire moqueur des incrédules est changé par le Christ en un rire de joie éternelle, pour ceux qui se reconnaissent en lui.
4. La suite va expliquer cette image inattendue : la calvitie de Jésus consiste dans le dépouillement total, qui fait de lui un spectacle pour le monde, et par lequel il accomplit le salut du monde.

veluti solis radius desiccans et retinens puritatem? E
quippe *Dei sapientia*[t] *ubique attingens propter munditia*
suam[u].

XI. De Sepulcro

18. Inter sancta ac desiderabilia loca sepulcrum ten
quodammodo principatum, et devotionis plus nescio qu
sentitur, ubi mortuus requievit, quam ubi vivens *conversat*
est[v], atque amplius movet ad pietatem mortis quam vita
5 recordatio. Puto quod illa austerior, haec dulcior videatu
magisque infirmitati blandiatur humanae quies dormition
quam labor conversationis, mortis securitas quam vita
rectitudo.

230 Vita Christi vivendi mihi regula exstitit, mors[w] a mor
10 redemptio. Illa vitam instruxit, mortem ista destruxit
Vita quidem laboriosa, sed *mors pretiosa*[y]; utraque ver
admodum necessaria.

Quid enim Christi prodesse poterat, sive mors nequit
viventi, sive vita damnabiliter morienti? Numquid deniqu
15 aut mors Christi etiam nunc male usque ad morte
viventes a morte aeterna liberat, aut mortuos an

t. I Cor. 1, 24 ≠ || u. Sag. 7, 24 ≠ || v. Bar. 3, 38 ≠ || w. C
Phil. 1, 21 || x. Cf. II Tim. 1, 10 || y. Ps. 115, 15 ≠

1. Pour ce thème du rayon de soleil qui purifie sans être lui-mêr
touché par l'impureté, l'auteur nous renvoie au Livre de la Sagess
Celle-ci y est comparée à la lumière : elle rayonne de Dieu et reflète
splendeur; et c'est sans sortir d'elle-même qu'elle renouvelle toute cho
(7, 26 s).

2. ** L'allusion à *Baruch* – allusion fréquente au long de l'œuvre
Bernard – est un clin d'œil aux chevaliers du Temple; Bernard évoq
discrètement les circonstances concrètes, palestiniennes, de la vie

qui dessèche tout en restant pur[1]? Car c'est lui «la Sagesse de Dieu[t]», «qui parvient en tout lieu grâce à sa pureté[u]».

XI. Le Sépulcre

La mort du Christ, et sa vie, se conjuguent pour notre salut

18. Parmi tous les lieux saints qu'on désire visiter, le Sépulcre de Jésus tient d'une certaine manière la première place. On ressent en ce lieu où, mort, il a reposé, je ne sais quelle ferveur plus grande que dans les lieux où, «vivant, il a fréquenté les hommes[v2]». Le souvenir de sa mort, plus encore que celui de sa vie, active notre amour. Je pense que sa mort paraîtra plus austère, sa vie plus douce. Par ailleurs notre faiblesse humaine pourrait bien préférer le repos de la dormition aux peines de la vie, la tranquillité de la mort à la rectitude de l'existence.

La vie du Christ est pour moi règle de vie, et sa mort[w] me rachète de la mort. Sa vie construit ma vie, sa mort détruit ma mort[x]. Vie peineuse que la sienne, mais «mort précieuse[y]» : elles sont nécessaires l'une et l'autre, chacune à sa manière.

De fait, en quoi la mort du Christ pourrait-elle être utile à celui qui mène une vie de rien, et en quoi la vie du Christ pourrait-elle servir à celui qui meurt dans la condamnation? Sa mort va-t-elle libérer de la mort éternelle ceux qui, maintenant encore, mènent jusqu'à leur mort une vie

Christ, par exemple ces «lieux saints qu'on désire visiter». Mais il ne manque pas de relier ces notations à la «théologie de l'Incarnation» et surtout de la Rédemption. Il évoquera aussi la conversion des mœurs et la règle de vie avec des termes empruntés à la Règle de saint Benoît.

Christum sanctos Patres vitae sanctitas liberavit, sicu scriptum est : *Quis est homo qui vivet et non videbit morten eruet animam suam de manu inferi*[z] ?

20 Nunc ergo quia utrumque nobis pariter necessariur erat, et pie vivere, et secure mori, et vivendo vivere docui et mortem moriendo securam reddidit, quoniam quider resurrecturus occubuit, et spem fecit morientibus resu gendi. Sed addidit et tertium beneficium, cum etiar 25 peccata donavit, sine quo utique cetera non valebant. Qui enim – quantum quidem ad veram summamque beatitu dinem spectat – quantalibet vitae rectitudo seu longitud prodesse poterat illi, qui vel solo originali peccato ten retur adstrictus? Peccatum quippe praecessit, ut sequeretu 30 mors, quod sane si cavisset homo, *mortem non gustasset i aeternum*[a].

19. Peccando itaque vitam amisit et mortem inveni quoniam quidem et Deus ita praedixerat, et iustum pro fecto erat, ut si peccaret homo, moreretur[b]. Quid namqu iustius poterat quam recipere talionem? Vita siquider 5 Deus animae est, ipsa corporis. Peccando voluntari volens perdidit vivere; nolens perdat et vivificare. Spon repulit vitam cum vivere noluit; non valeat eam dare cu vel quatenus voluerit. Noluit regi a Deo; non queat reger corpus. Si non paret superiori, inferiori cur imperet 10 Invenit Conditor suam sibi rebellem creaturam; inveni

z. Ps. 88, 49 || a. Jn 8, 52 ≠ || b. Cf. Gen. 2, 17

1. Le thème est augustinien. Sur l'âme, animatrice du corps trouvant elle-même en Dieu son âme et sa vie, cf. saint BERNARD, *D* S. 10, 1 ; S. 116. L'âme a ainsi deux lieux, l'un inférieur, l'autre sup rieur, le corps et Dieu. Elle ne doit quitter ni l'un ni l'autre : *D* S. 84, 1.

mauvaise? Et par ailleurs, nos pères, morts avant le Christ, ont-ils été libérés par la sainteté de leur vie? Il est écrit au contraire : «Quel est l'homme qui vivra et ne verra la mort, qui soustraira son âme à la poigne de l'enfer[z]?»

En fait, puisqu'il nous était également nécessaire de vivre dans la piété et de mourir dans la paix, Jésus par sa vie nous a enseigné à vivre, et par sa mort a rendu notre mort paisible. En effet, c'est pour ressusciter qu'il s'est couché dans la mort, donnant ainsi à ceux qui meurent l'espérance de ressusciter. Mais à ces deux bienfaits, il en a ajouté un troisième, sans lequel les autres seraient vains : il a remis les péchés. En effet, pour ce qui concerne le bonheur véritable et définitif, que vaudrait la vie la plus droite et la plus longue qu'on voudra, si l'on demeure enchaîné, serait-ce seulement par le fait du péché originel? Car c'est bien le péché qui est venu d'abord, en sorte que la mort a dû le suivre. Si l'homme s'était gardé du péché, «il n'aurait pas à goûter la mort pour l'éternité[a]».

Le péché, mort de l'âme, entraîne la mort du corps

19. En péchant, il a donc perdu la vie et trouvé la mort. Dieu avait effectivement déclaré d'avance – comme de juste, assurément – que si l'homme venait à pécher, il mourrait[b]. Quoi de plus juste pour l'homme que de recevoir le talion? Or Dieu est la vie de l'âme, et celle-ci la vie du corps[1]. En péchant volontairement, l'âme s'est privée de vivre – en le voulant bien; qu'elle perde donc, sans le vouloir, la capacité de susciter la vie. De son plein gré, elle a écarté la vie en refusant de vivre; qu'elle soit donc incapable de donner la vie à qui elle veut et autant qu'elle le veut. Ayant refusé d'être gouvernée par Dieu, qu'elle ne puisse gouverner le corps. Puisqu'elle n'obéit pas à qui lui est supérieur, comment se ferait-elle obéir de qui lui est inférieur? Le Créateur a trouvé sa créature en rébellion

anima suam sibi rebellem pedissequam. Transgressor inventus est homo divinae legis[c]; *inveniat* et ipse *aliam legem in membris suis, repugnantem legi mentis suae, et captivantem se in legem peccati*[d]. Porro *peccatum,* ut scriptum est, *separat inter* 15 *nos et Deum*[e]; separat proinde etiam mors inter corpus nostrum et nos. Non potuit dividi a Deo anima nisi peccando, nec corpus ab ipsa nisi moriendo.

Quid itaque austerius pertulit in ultione, id solum passa 231 a subdito, quod praesumpserat in auctorem? Nihil pro- 20 fecto congruentius, quam ut mors operata sit mortem[f], spiritualis corporalem, culpabilis poenalem, voluntaria necessariam.

20. Cum ergo hac gemina morte secundum utramque naturam homo damnatus fuisset, altera quidem spirituali et voluntaria, altera corporali et necessaria, utrique Deus homo una sua corporali ac voluntaria benigne et potenter 5 occurrit, illaque una sua nostram utramque damnavit. Merito quidem : nam ex duabus mortibus nostris, cum altera nobis in culpae meritum, altera in poenae debitum

c. Cf. Jac. 2, 11 || d. Rom. 7, 23 ≠ || e. Is. 59, 2 (Patr.) || f. Cf. Rom. 7, 13

1. ** Voir *infra* § 28, note 1.

2. ** Bernard cite 4 fois et fait 5 fois allusion à des textes sous cette forme (mais ici, par exception, avec le singulier). Jérôme et Augustin ont un texte semblable, bien démarqué de la Vulgate. Toutefois, Bernard emploie toujours – et seul – la première personne : «nos... nous...», alors que les Pères (et Vg) écrivent : «vos... vous...».

3. «Résultat», ici, ou «conséquence entraînée par», ou encore, dans la perspective inverse, «cause», traduisent le latin *meritum*. Ce terme, dans le présent contexte, est pris en son sens négatif. Positivement ou négativement, *meritum* exprime la portée morale et la conséquence quasi juridique que comporte intrinsèquement un acte. Il est rare que le terme

contre lui. Que l'âme, en conséquence, se heurte à la rébellion de son esclave. C'est en transgresseur de la loi[c] que l'homme s'est manifesté, si bien qu'il va lui-même «trouver en ses membres une autre loi qui contredise celle de son esprit et le tienne captif dans la loi du péché[d1]». Puisque «le péché, selon l'Écriture, crée une séparation entre nous et Dieu[e2]», la mort, pour sa part, met une séparation entre notre corps et nous. Sans le péché, notre âme n'aurait pas perdu son unité avec Dieu, pas plus que, sans la mort, notre corps n'aurait pu être séparé de notre âme.

Pourquoi ressent-elle comme une lourde peine et une punition ce que lui fait subir son subordonné, alors que c'est simplement ce qu'elle s'est permis d'infliger à son Créateur? Oui vraiment, rien de plus normal : la mort a produit la mort[f]; celle de l'esprit a entraîné celle du corps, celle qu'est le péché a provoqué celle qu'est la punition, celle dont on est responsable a pour effet celle qu'on subit comme une nécessité.

La mort du Christ, victorieuse de la faute et de la mort

20. Ainsi donc, l'homme, conformément à sa double nature, a été condamné à cette double mort : l'une spirituelle et volontaire, l'autre corporelle et forcée. Et c'est pourquoi, à l'une comme à l'autre, le Dieu fait homme est venu, avec bonté et puissance, opposer sa propre mort, en même temps corporelle et volontaire. Par cette mort unique il a condamné notre double mort. Et à juste titre, en vérité : car, de nos deux morts, dont l'une est considérée comme le résultat[3] de la faute et l'autre comme la dette de la peine, il

français «mérite» en soit la traduction adéquate. Cf. notre étude à ce sujet : *Le Christ, notre récompense,* Neuchâtel 1962, en particulier p. 137 ss.

reputaretur, suscipiens poenam et nesciens culpam, dum sponte et tantum in corpore moritur, et vitam nobis et
10 iustitiam promeretur. Alioquin si corporaliter non pateretur, debitum non solvisset; si non voluntarie moreretur, meritum mors illa non habuisset. Nunc autem si, ut dictum est, mortis meritum est peccatum et peccati debitum mors, Christo remittente peccatum et moriente pro peccatoribus,
15 profecto iam nullum est meritum, et solutum est debitum.

21. Ceterum unde scimus, quod Christus possit peccata dimittere[g]? Hinc procul dubio, quia Deus est, et quidquid vult potest. Unde autem et quod Deus sit? Miracula probant : *facit* quippe *opera, quae nemo alius facere*[h] possit, ut
5 taceam oracula Prophetarum, nec non et *paternae vocis* testimonium *elapsae* caelitus *ad ipsum a magnifica gloria* [i].
Quod *si Deus pro nobis, quis contra nos*[j]? *Deus qui iustificat, quis est qui condemnet*[k]? Si ipse est et non alius, cui quotidie confitemur dicentes : *Tibi soli peccavi*[1], quis melius, immo
10 quis alius remittere potest quod in eum peccatum est? Aut quomodo ipse non potest, qui omnia potest? Denique ego, quod in me delinquitur, valeo, si volo, donare, et Deus non queat in se commissa remittere? Si ergo peccata remittere et possit omnipotens, et solus possit, cui soli
15 peccatur, *beatus* profecto, *cui non imputabit* ipse peccatum[m].

g. Cf. Matth. 9, 6 || h. Jn 15, 24 ≠ || i. II Pierre 1, 17 ≠ || j. Rom. 8, 31 || k. Rom. 8, 33-34 || l. Ps. 50, 6 || m. Ps. 31, 2 ≠

1. Cf. note précédente.
2. *Ibid.*

a, lui aussi, assumé la peine, mais en restant indemne de la faute. Ainsi, en mourant de son plein gré et dans son corps seulement, il a mérité pour nous et la vie et la justice. Autrement, s'il n'avait pas souffert dans son corps, il n'aurait pas éteint notre dette; et s'il n'était pas mort en vertu d'une décision volontaire, sa mort n'aurait pas comporté de mérite. Or maintenant, si – comme on vient de le dire – le péché est la cause[1] de la mort et la mort la dette du péché, voici que le Christ, en remettant le péché et en mourant pour les pécheurs, a vraiment supprimé la cause[2] et éteint la dette.

Le Christ pouvait-il remettre les péchés?

21. Mais d'où savons-nous que le Christ peut remettre les péchés[g]? Assurément, de ce qu'il est Dieu et qu'il peut tout ce qu'il veut. Et d'où savons-nous qu'il est Dieu? Les miracles en sont la preuve : «il fait des œuvres que personne d'autre ne pourrait faire[h]» – et encore je ne dis rien des oracles des prophètes à son sujet, ni du témoignage que, «du ciel, la voix du Père lui rendait, venant de la Gloire pleine de majesté[i]».

Alors, «si Dieu est pour nous, qui sera contre nous[j]?» «C'est Dieu qui justifie, qui nous condamnera[k]?» Si c'est bien à lui, et non à un autre, que chaque jour nous exprimons cette confession : «Contre toi, toi seul, j'ai péché[l]», alors, qui mieux que lui – plus : qui d'autre que lui – peut remettre le péché commis contre lui? Ou encore : comment lui-même en serait-il incapable, alors qu'il peut tout? En fin de compte, je puis bien, moi, si je le veux, remettre les offenses qu'on m'a faites; et Dieu ne pourrait pas remettre celles qu'on a commises contre lui? Si donc le Tout-Puissant, et lui seul, peut remettre les péchés, puisque c'est contre lui seul qu'on pèche, alors vraiment «heureux celui à qui Dieu n'impute pas son

Itaque cognovimus quod peccata Christus divinitatis suae potentia valuit relaxare.

22. Porro iam de voluntate quis dubitet? Qui enim
232 nostram et induit carnem, et subiit mortem, putas suam nobis negabit iustitiam? Voluntarie incarnatus, voluntarie passus, voluntarie crucifixus, solam a nobis retinebit iusti-
5 tiam? Quod ergo ex deitate constat illum potuisse, ex humanitate innotuit et voluisse.

Sed unde rursum confidimus quod et mortem abstulit? Hinc plane quod eam ipse, qui non meruit, pertulit. Qua enim ratione iterum exigeretur a nobis quod pro nobis ille
10 iam solvit? Qui peccati meritum tulit, suam nobis donando iustitiam, ipse mortis debitum solvit et reddidit vitam. Sic namque mortua morte revertitur vita, quemadmodum ablato peccato redit iustitia. Porro mors in Christi morte fugatur[n] et Christi nobis iustitia imputatur.

15 Verum quomodo mori potuit qui Deus erat? Quoniam nimirum et homo erat. Sed quo pacto mors hominis illius pro altero valuit? Quia et iustus erat. Profecto namque cum homo esset, potuit mori; cum iustus, debuit non gratis.

20 Non quidem peccator mortis sufficit solvere debitum pro altero peccatore, cum quisque moriatur pro se. Qui

n. Cf. I Cor. 15, 54-55

---

1. Cf. note 3, p. 102.
2. Cf. Saint ANSELME, *Cur homo Deus,* 1, 23 : «Un pécheur ne peut pas justifier un pécheur».

péché[m]». Voilà donc la raison pour laquelle nous savons que le Christ, par la puissance de sa divinité, a été capable de délier les péchés.

Le Christ voulait-il remettre les péchés?

22. D'autre part, qui pourrait douter qu'il en ait eu la volonté? De fait, lui qui a assumé notre chair et enduré notre mort, penses-tu qu'il nous refusera sa justice? Alors qu'il s'est incarné volontairement, qu'il a été crucifié volontairement, nous exclura-t-il de sa justice, et d'elle seule? Puisque, de par sa divinité, sans nul doute, il avait le pouvoir de pardonner, on ne saurait douter non plus que, de par son humanité, il en a eu la volonté.

Le Christ pouvait-il supprimer la mort?

Mais alors, d'où pouvons-nous affirmer dans la foi qu'il a supprimé la mort? Tout simplement par le fait qu'il l'a endurée sans l'avoir méritée. Pour quelle raison, en effet, nous réclamerait-on ce que lui-même a déjà acquitté pour nous? Lui qui a supprimé la conséquence entraînée par le péché[1], en nous faisant don de sa justice, est aussi celui qui a acquitté la dette de la mort et nous a rendu la vie. En effet, la mort étant morte, la vie reparaît, de même que, le péché une fois ôté, la justice s'en revient. Oui, dans la mort du Christ la mort est chassée[n], et la justice du Christ nous est attribuée.

Mais comment a-t-il pu mourir, lui qui était Dieu? C'était qu'il était aussi homme. Et pour quelle raison la mort de cet homme a-t-elle pu valoir pour un autre? Du fait qu'il était juste. Assurément, en tant qu'homme, il a pu mourir, et en tant que juste, rien ne l'y obligeait.

Au vrai, ce n'est pas un pécheur qui pourrait suffire à éteindre la dette de la mort en faveur d'un autre pécheur[2],

autem mori pro se non habet, numquid pro alio frustra debet? Quanto sane indignius moritur qui mortem non meruit, tanto is iustius, pro quo moritur, vivit.

23. «Sed quae», inquis, «iustitia est, ut innocens pro impio moriatur[o]?» Non est iustitia, sed misericordia. Si iustitia esset, iam non gratis, sed ex debito moreretur. Si ex debito, ipse quidem moreretur, sed is pro quo moreretur 5 non viveret. At vero si iustitia non est, non tamen contra iustitiam est; alioquin et iustus et misericors simul esse non posset.

«Sed etsi iustus non iniuste pro peccatore satisfacere valeat, quo tamen pacto etiam unus pro pluribus[p]? Etenim 10 satis esse videretur ad iustitiam, si unus uni moriens vitam restituat.»

Huic iam respondeat Apostolus : *Sicut enim,* inquit, *per unius delictum, in omnes homines in condemnationem, sic et per unius iustitiam, in omnes homines in iustificationem vitae. Sicut* 15 *enim per inoboedientiam unius hominis peccatores constituti sunt multi, ita et per unius hominis oboedientiam iusti constituentur multi*[q].

Sed forte unus pluribus iustitiam quidem restituere 233 potuit, vitam non potuit? *Per unum,* ait, *hominem mors, et per* 20 *unum hominem vita. Sicut enim in Adam omnes moriuntur, ita et*

o. Cf. Rom. 5, 6 || p. Cf. Rom. 5, 15 ≠ || q. Rom. 5, 18-19

puisque chacun doit mourir pour soi-même. Mais celui qui n'a pas à mourir pour soi-même, devrait-il mourir en vain pour autrui? Plus injuste est la mort de celui qui n'a pas mérité de mourir, plus justifiée aussi sera la vie de celui pour qui il est mort.

Qu'est-ce que cette justice?

23. Mais, diras-tu, qu'est-ce que cette justice où l'innocent doit mourir pour l'impie[o]? Non, ce n'est pas de la justice, c'est de la miséricorde. Si c'était de la justice, on n'y mourrait pas gratuitement, mais pour un dû. Or si c'était pour un dû que lui, le Christ, mourait, celui pour qui il meurt ne vivrait pas. Pourtant, s'il ne s'agit pas là de justice, ce n'est pas non plus en contradiction avec la justice; sinon il ne pourrait pas être en même temps juste et miséricordieux.

Un seul pour tous

Cependant, même si un juste peut, sans injustice, satisfaire à la place d'un pécheur, pour quelle raison un seul pourrait-il le faire à la place d'une multitude[p]? En effet, il semblerait suffisant, en bonne justice, qu'un homme mourant pour un autre lui rende la vie, à lui seul.

Que l'Apôtre réponde à cette objection! «Ainsi donc, dit-il, comme la faute d'un seul a entraîné sur tous les hommes une condamnation, de même l'œuvre de justice d'un seul entraîne pour tous les hommes une justification qui donne la vie. Comme, en effet, par la désobéissance d'un seul homme la multitude a été constituée pécheresse, ainsi, par l'obéissance d'un seul homme, la multitude sera-t-elle constituée juste[q].»

Mais il pourrait se faire qu'un seul soit capable de restituer la justice à une multitude, sans pour autant pouvoir lui rendre la vie? «Par un homme la mort est venue, par un homme aussi la vie, répond l'Apôtre; car,

in Christo omnes vivificabuntur[r]. Quid enim? Unus peccavit et omnes tenentur rei, et unius innocentia soli reputabitu innocenti? Unius *peccatum* omnibus *operatum est mortem*[s], e unius iustitia uni vitam restituet? Itane Dei iustitia magi
25 ad condemnandum quam ad restaurandum valuit? Au plus potuit Adam in malo quam in bono Christus? Ada peccatum imputabitur mihi, et Christi iustitia non pertinebit ad me? Illius me inoboedientia perdidit, et huiu oboedientia non proderit mihi?

24. «Sed Adae», inquis, «delictum merito omne contrahimus, *in quo* quippe *omnes peccavimus*[t], quoniam cun peccavit, in ipso eramus, et ex eius carne per carni concupiscentiam geniti sumus.»
5 Atqui ex Deo multo germanius secundum spiritun nascimur, quam secundum carnem ex Adam, secundun quem etiam spiritum *longe* ante *fuimus in Christo*[u] quan secundum carnem in Adam, si tamen et nos inter illo numerari confidimus, de quibus Apostolus : *Qui elegit nos,*
10 inquit, *in ipso* – haud dubium quin Pater in Filio – *ant mundi constitutionem*[v].

Quod autem etiam ex Deo nati sunt, testatur evangelist Ioannes, ubi ait : *Qui non ex sanguinibus, neque ex voluntat carnis, neque ex voluntate viri, sed ex Deo nati sunt*[w]; item ipse

r. I Cor. 15, 21-22 ≠ || s. Rom. 7, 13 ≠ || t. Rom. 5, 12 ≠ | u. Éphés. 2, 13 ≠ || v. Éphés. 1, 4 ≠ || w. Jn 1, 13

1. ** Bernard cite formellement la Vulgate, en remplaçant *resurrectio mortuorum* par *vita*. Aucun témoin d'un tel texte. Ce peut être une citation de mémoire, mélangeant ce v. à *Rom.* 5, 12 et 18.

comme tous meurent en Adam, de même tous revivront dans le Christ[r1].» Quoi donc, en effet? Alors qu'un seul a péché et que tous sont tenus pour coupables, l'innocence d'un seul ne vaudrait qu'à lui seul le droit d'être tenu pour innocent? «Le péché d'un seul a entraîné la mort[s]» de tous, et l'innocence d'un seul ne rendrait la vie qu'à lui seul? La justice de Dieu aurait-elle, de la sorte, plus de force pour condamner que pour rétablir? Adam aurait-il plus de pouvoir dans le mal que le Christ dans le bien? Le péché d'Adam me sera-t-il imputé, alors que la justice du Christ ne me concernera pas? La désobéissance du premier m'a perdu, et l'obéissance du second ne me servira de rien?

Nous étions dans le Christ avant d'être en Adam

24. Mais, diras-tu encore, tous à juste titre, nous avons part au péché d'Adam : «en celui-ci nous avons tous péché[t]», puisque, au moment de son péché, nous étions en lui, et que c'est de sa chair, par la convoitise de la chair, que nous avons été engendrés.

Oui, mais c'est de Dieu que, selon l'Esprit, nous sommes nés, bien plus véritablement que nous ne sommes nés d'Adam selon la chair. Et même «nous étions dans le Christ spirituellement bien avant[u]» d'être en Adam charnellement – si du moins nous avons la certitude d'appartenir au nombre de ceux dont l'Apôtre parle en ces termes : «Il nous a élus en lui» – pas de doute : il s'agit du Père, qui nous a élus dans le Fils – «dès avant la création du monde[v].»

Qu'ils soient même nés de Dieu, l'évangéliste Jean l'atteste en ces termes : «Eux qui ne sont pas nés du sang, ni de la volonté de la chair, ni de la volonté d'un homme, mais qui sont nés de Dieu[w].» Et de même dans son

15 in epistola : *Omnis qui natus est ex Deo, non peccat, quia generatio caelestis conservat eum*[x].

«At carnis traducem», ais, «carnalis testatur concupiscentia, et peccatum, quod in carne sentimus, manifeste probat quod secundum carnem de carne peccatoris descen-
20 dimus.»

Sed enim nihilominus spiritualis illa generatio, non quidem in carne, sed in corde sentitur, ab his dumtaxat qui cum Paulo dicere possunt : *Nos autem sensum Christi habemus*[y], in quo et eatenus profecisse se sentiunt, ut et ipsi cum
25 omni fiducia dicant : *Ipse enim Spiritus testimonium reddit spiritui nostro quod sumus filii Dei*[z], et illud : *Nos autem non*
234 *spiritum huius mundi accepimus, sed Spiritum qui ex Deo est, ut sciamus quae a Deo donata sunt nobis*[a]. *Per Spiritum* ergo qui ex Deo est, *caritas diffusa est in cordibus nostris*[b], sicut et per
30 carnem, quae est ex Adam, manet concupiscentia nostris insita membris. Et quomodo ista quae a progenitore corporum descendit, numquam in hac vita mortali a carne recedit, sic illa procedens ex Patre spirituum[c], ab intentione filiorum, dumtaxat perfectorum, *numquam excidit*[d].

25. Si ergo ex Deo nati et in Christo electi sumus, quaenam iustitia est, ut plus noceat humana atque terrena

x. I Jn 5, 18 (Patr.) || y. I Cor. 2, 16 || z. Rom. 8, 16 ≠ || a. I Cor. 2, 12 ≠ || b. Rom. 5, 5 ≠ || c. Cf. Hébr. 12, 9 || d. I Cor. 13, 8

1. ** *Generatio caelestis* avec le seul Grégoire le Grand, au lieu de *generatio Dei* avec la Vulgate, Bernard écrit toujours (6 fois, dont *infra*, au début du § 25) ainsi; mais il écrit d'ordinaire *conservat* (Vg) et 2 fois *servat*, «garde» (avec Grégoire et quelques Pères).

2. «Projet bien arrêté» traduit ici *intentio*, qui signifie en général l'élan, le dynamisme de la volonté, sa détermination.

3. «Parfait», ici, au sens biblique non pas d'une perfection atteinte et achevée, mais d'un but ardemment poursuivi et devenant le principe de la conduite, dans une existence qui se sait appelée à imiter Dieu

Épître : « Quiconque est né de Dieu ne pèche pas, car l'origine céleste le préserve[x] [1]. »

Mais, diras-tu, la convoitise charnelle témoigne de la transmission en nous de la chair, et le péché, que nous éprouvons dans la chair, montre à l'évidence que, selon la chair, nous descendons de la chair d'un pécheur.

Oui, et pourtant, leur origine spirituelle, ils la perçoivent bel et bien non certes dans leur chair, mais dans leur cœur, ceux qui peuvent dire avec Paul : « Nous l'avons, nous, l'intelligence du Christ[y]. » En elle, ils perçoivent même leur progrès, au point de pouvoir, eux aussi, affirmer en toute confiance : « L'Esprit lui-même rend témoignage à notre esprit que nous sommes enfants de Dieu[z] » ; et encore : « Quant à nous, nous n'avons pas reçu l'esprit de ce monde, mais l'Esprit qui vient de Dieu, afin de connaître les dons que Dieu nous a faits[a]. » Ainsi, « par l'Esprit qui vient de Dieu, l'amour a été répandu dans nos cœurs[b] », de même que, par la chair qui vient d'Adam, la convoitise demeure inscrite dans nos membres. Et, de même que celle-ci descend de l'aïeul des corps et jamais ne se retire de la chair durant cette vie mortelle, de même l'amour, qui procède du Père des esprits[c], « jamais ne déserte[d] » le projet bien arrêté[2] des fils – du moins s'ils sont parfaits[3].

La vie dans le Christ, bien plus forte que la mort en Adam

25. Si donc nous sommes nés de Dieu et si nous avons été élus dans le Christ, qu'est-ce que cette justice selon laquelle notre origine humaine et terrestre aurait plus de force dans le mal que notre origine divine et

(cf. Matth. 5.48 ; 19.21 ; I Cor. 2.6 ; Phil. 3.15 ; Jac. 1.4 ; 3.2 ; I Jn 4. 18). A cette détermination du croyant, la vie monastique entend donner forme. C'est pourquoi, au Moyen Age, et souvent chez saint Bernard, la perfection est synonyme de vie monastique.

quam valeat divina caelestisque generatio[e], Dei electionem vincat carnalis successio, et aeterno eius proposito carnis
5 praescribat temporaliter traducta concupiscentia?

Quinimmo, si per unum hominem mors, cur non multo magis per unum, et illum hominem, vita[f]? Et si *omnes in Adam morimur,* cur non longe potentius *in Christo omnes vivificabimur*[g]?

10 Denique *non sicut delictum, ita et donum*[h]*; nam iudicium ex uno in condemnationem, gratia autem ex multis delictis in iustificationem*[i].

Christus igitur et peccata remittere potuit, cum Deus sit, et mori, cum sit homo, et mortis moriendo solvere
15 debitum, quia iustus, et omnibus unus ad iustitiam vitamque sufficere, quandoquidem et peccatum, et mors ex uno in omnes processerit.

26. Sed hoc quoque necessarie omnino provisum est, quod dilata morte homo inter homines dignatus est aliquamdiu conversari[j], quatenus crebris et veris locutionibus ad invisibilia excitaret, miris operibus adstrueret
5 fidem, rectis mores instrueret. Itaque in oculis hominum

e. Cf. I Jn 5, 18 (Patr.) || f. Cf. Rom. 5, 12.17 || g. I Cor. 15, 22 ≠ || h. Rom. 5, 15 || i. Rom. 5, 16 || j. Cf. Bar. 3, 38

céleste[e] dans le bien? cette justice où la solidarité des générations humaines l'emporterait sur l'élection de Dieu? cette justice où le projet éternel de Dieu se verrait évincé par la convoitise de la chair, dont la transmission n'est que temporelle?

Bien plutôt, si par un seul homme est venue la mort, pourquoi ne serait-ce pas à plus forte raison par un seul homme – et par cet homme-là, précisément – que vient la vie[f]? Et si «tous nous mourons en Adam, pourquoi ne serait-ce pas avec beaucoup plus de puissance que tous nous serons vivifiés dans le Christ[g]»?

C'est qu'en fin de compte «il n'en va pas de la faute comme du don[h]», «car le jugement, à partir du péché d'un seul, mène à la condamnation, tandis que la grâce, à partir d'un grand nombre de fautes, mène à la justification[i].»

Conclusion

Ainsi donc, le Christ a pu remettre les péchés parce qu'il était Dieu; et il a pu mourir, parce qu'il était homme. Il a pu, par sa mort, acquitter la dette de la mort, parce qu'il était juste; et il a pu, à lui seul pour tous, suffire à procurer la justice et la vie, puisqu'un seul homme aussi avait entraîné en tous et le péché et la mort.

Mais d'abord le Christ nous sauve par sa vie

26. Mais voici ce qui avait encore été prévu comme absolument nécessaire : c'est que, repoussant sa mort à plus tard, cet homme accepte de vivre parmi les hommes[j] un certain temps; et durant ce temps, il fallait que, par de nombreux entretiens, en toute vérité, il les éveille aux réalités invisibles; que par des œuvres étonnantes il construise leur foi, et que, par sa droiture de vie, il façonne leur manière de vivre. De la sorte, si Dieu fait homme a vécu sous les yeux

Deus homo *sobrie, et iuste, et pie*[k] conversatus, vera locutus, mira operatus, indigna passus, in quo iam nobis defuit ad salutem? Accedat et gratia remissionis peccatorum, hoc est ut gratis peccata dimittat, et opus profecto nostrae salutis
10 *consummatum est*[l].

Non autem metuendum, quod donandis peccatis aut potestas Deo, aut voluntas passo, et tanta passo pro peccatoribus desit, si tamen solliciti inveniamur digne, ut oportet, et imitari exempla, et venerari miracula, doctrinae
15 quoque non exsistamus increduli, et passionibus non ingrati.

235 **27.** Itaque totum nobis de Christo valuit, totum salutiferum totumque necessarium fuit, nec minus profuit infirmitas quam et maiestas, quia, etsi ex deitatis potentia peccati iugum iubendo submovit, ex carnis tamen infirmi-
5 tate mortis iura moriendo concussit. Unde pulchre ait Apostolus : *Quod infirmum est Dei, fortius est hominibus*[m].

Sed et illa eius *stultitia, per quam* ei *placuit salvum facere mundum*[n], ut *mundi confutaret* sapientiam, *confunderet sapientes*[o], quod videlicet, *cum in forma Dei esset, Deo aequalis*
10 *semetipsum exinanivit formam servi accipiens*[p], quod, *dives cum esset, propter nos egenus factus est*[q], de magno parvus, de celso humilis, infirmus de potente, quod *esuriit*[r], quod *sitiit*[s],

k. Tite 2, 12 || l. Jn 19,30 || m. I Cor. 1, 25 || n. I Cor. 1, 21 ≠ || o. I Cor. 1, 27 ≠ || p. Phil. 2, 6-7 ≠ || q. II Cor. 8, 9 ≠ || r. Matth. 4, 2 || s. Jn 19, 28 ≠

les hommes «dans la sobriété, la justice et la piété[k]», exprimant la vérité, opérant des miracles, supportant l'injustice, en quoi n'a-t-il pas déjà accompli notre salut? Que vienne s'ajouter à cela la grâce du pardon des péchés - autrement dit : qu'il remette gratuitement le péché – et alors, sans aucun doute, l'œuvre de notre salut «est achevée[l]».

Point de crainte à avoir : il ne peut manquer à Dieu ni le pouvoir de remettre les péchés, ni la volonté de le faire, lui qui a souffert, et tant souffert, pour les pécheurs. Encore faut-il que, de toute nécessité et en toute justice, nous manifestions notre souci d'imiter son exemple et de vénérer ses miracles, tout en même temps que nous éviterons de nous montrer dépourvus de foi à l'égard de son enseignement et sans reconnaissance pour ce qu'il a souffert.

Le Christ s'est fait pour nous faiblesse et puissance, folie et sagesse, vie et justice

27. Ainsi le tout du Christ nous concerne, le tout du Christ nous a été salutaire et nécessaire : non moins sa faiblesse que sa grandeur. Car si c'est bien par la puissance de sa divinité qu'il a écarté, de manière impérative, le joug du péché, c'est pourtant par la faiblesse de sa chair qu'en mourant il a détruit les droits de la mort. Aussi l'Apôtre dit-il très bien : «Ce qui est faiblesse de Dieu est plus fort que les hommes[m].»

En outre, «cette folie du Seigneur, par laquelle il lui a plu de sauver le monde[n]» pour «réfuter la sagesse du monde et confondre les sages[o]»; cette folie qui l'a conduit à «quitter la condition divine et l'égalité avec Dieu pour s'anéantir lui-même en prenant la condition d'esclave[p]»; cette folie par laquelle, «de riche qu'il était il s'est fait pauvre pour nous[q]», de grand il s'est fait petit, d'élevé il s'est fait humble, de puissant il s'est rendu faible; cette folie

quod *fatigatus* est in *itinere*[t], et cetera quae passus e
voluntate, non necessitate, haec ergo ipsius quaedar
15 stultitia, nonne fuit nobis via prudentiae, iustitiae form
sanctitatis exemplum? Ob hoc item Apostolus : *Qu*
stultum est, inquit, *Dei sapientius est hominibus*[u].

Mors igitur a morte, vita ab errore, a peccato grati
liberavit. Et quidem mors per iustitiam suam pereg
20 victoriam, quia iustus, *exsolvendo quae non rapuit*[v], iu
omnino, quod amiserat, recepit. Vita vero, quod ad s
pertinuit, per sapientiam adimplevit, quae nobis vitae
disciplinae documentum ac speculum exstitit. Porro grati
ex illa, ut dictum est, potestate pecata remisit, qua *omni*
25 *quaecumque voluit, fecit*[w].

Mors itaque Christi, mors est meae mortis, quia il
mortuus est, ut ego viverem. Quo pacto enim iam no
vivat, pro quo moritur Vita? Aut quis iam in via moru
seu rerum notitia errare timebit, duce Sapientia? Aut und
30 iam reus tenebitur, quem absolvit Iustitia?

Vitam quidem se ipse perhibet in Evangelio : *Ego sum*
inquiens, *vita*[x]. Porro duo sequentia testatur Apostolu
dicens : *Qui factus est nobis iustitia et sapientia a Deo Patre*

28. Si ergo, *lex spiritus vitae in Christo Iesu liberavit nos*
lege peccati et mortis[z], ut quid adhuc morimur, et non stati

t. Jn 4, 6 ≠ || u. I Cor. 1, 25 || v. Ps. 68, 5 ≠ || w. Ps. 113, 3
x. Jn 14, 6 ≠ || y. I Cor. 1, 30 ≠ || z. Rom. 8, 2 ≠

1. Lat. *prudentia,* laquelle consiste en une sagesse concrète, l'art de s
déterminer, au sein des circonstances, en fonction de la vérité et de l
justice.

2. Traduction de *vitae et disciplinae.*

3. ** Bernard ajoute 9 fois *Patre (a Deo Patre)* sur 14 emplois d
cette partie de verset; seul Jérôme paraît le faire. L'ordre des mots e
assez bouleversé, chez Bernard comme chez beaucoup.

ıi l'a entraîné à endurer «la faim[r]», «la soif[s]», «la fatigue
: la route[t]», et tout ce qu'il a souffert non par nécessité
ais volontairement; bref, cette sorte de folie qui fut la
enne n'a-t-elle pas été pour nous le chemin d'un compor-
ment avisé[1], l'image même de la justice, l'exemple de la
inteté? C'est pourquoi le même Apôtre dit encore : «Ce
ıi est folie de Dieu est plus sage que les hommes[u].»
La mort nous a donc libérés de la mort, la vie de l'erreur,
grâce du péché. Oui, la mort, par sa justice, a remporté la
ctoire, car le Juste, «en acquittant ce qu'il n'avait pas
:robé[v]», a recouvré de plein droit ce qu'il avait perdu.
uant à la vie, c'est par sa sagesse qu'elle a accompli ce qui
:pendait d'elle : et cette sagesse s'est révélée pour nous la
férence et le miroir d'une vie qui se prend en main[2].
nfin la grâce a remis les péchés, en déployant cette
ıissance dont il a été question et dans laquelle le Christ «a
it tout ce qu'il a voulu[w]».
Ainsi la mort du Christ est-elle la mort de ma mort, car il
t mort pour que je vive. Et comment ne vivrait pas déjà
lui pour qui meurt la vie? De même qui craindra encore
errer dans la conduite de sa vie ou dans la connaissance
: la réalité, alors qu'il a pour guide la Sagesse en
:rsonne? De même, comment considérer comme encore
›upable celui que la Justice elle-même a absous?
Effectivement, dans l'Évangile Jésus se nomme lui-
ême la vie : «Je suis la vie[x]», dit-il. Quant aux deux
ıtres attributs, l'Apôtre en parle en ces termes : «Il
t devenu pour nous, de par Dieu le Père, justice
sagesse[y][3].»

Pourtant la mort subsiste encore...

28. Si donc «la loi de l'esprit de vie dans le Christ Jésus nous a libérés de la loi du péché et de la mort[z]», comment se fait-il que nous
'ons encore à mourir, au lieu d'être aussitôt revêtus de

immortalitate vestimur[a]? Sane ut Dei veritas impleatu
Quia enim *misericordiam et veritatem diligit Deus*[b], necesse es
mori quidem hominem, quippe quod praedixerat Deu
sed a morte tamen resurgere[c], ne *obliviscatur misereri Deus*
Ita ergo mors, etsi non perpetuo dominatur[e], mane
tamen *propter veritatem Dei*[f] vel ad tempus in nobi
quemadmodum *peccatum*, etsi iam *non regnat in nostro morta
corpore*[g], non tamen deest penitus nobis. Proinde Paulus e
parte quidem *liberatum se a lege peccati et mortis*[h] gloriatu
sed rursum se utraque nihilominus lege aliqua ex part
gravari conqueritur, sive cum adversus peccatum miserab
liter clamat : *Invenio aliam legem in membris meis, et cetera*
sive cum *ingemiscit gravatus*[j], haud dubium quin lege morti
redemptionem exspectans corporis sui[k].

29. Sive itaque haec, sive alia quaecumque in hun
modum, prout in talibus *in suo quisque sensu abundat*[l], e
occasione sepulcri christianis sensibus suggerantur, put
quod non mediocris dulcedo devotionis infunditur qu
minus intuenti, nec parum proficitur cernendo, etiar
corporalibus oculis, corporalem locum dominicae quieti
Etsi quippe iam vacuum sacris membris, plenum tame
nostris et iucundis admodum sacramentis. Nostri

a. Cf. I Cor. 15, 53 ; II Cor. 5, 4 || b. Ps. 83, 12 || c. Cf. Gen. 3, 19
Lc 9, 22 || d. Ps. 76, 10 ≠ || e. Cf. Rom. 6, 9 || f. Rom. 15,
|| g. Rom. 6, 12 ≠ || h. Rom. 8, 2 ≠ || i. Rom. 7, 23 ≠ || j. II Cor. 5,
≠ || k. Rom. 8, 23 ≠ || l. Rom. 14, 5 ≠

---

1. ** Bernard cite toujours (3 fois) et fait toujours allusion (8 fois)
ce v. avec *invenio,* jamais avec le *video* (je vois) de la Vulgate. Est-ce à
suite de certains Pères ? ou bien a-t-il lui-même amalgamé à ce v. le déb
du v. 21 ? Il hésite, d'autre part, entre le *captivantem* (*supra* § 26) de Vg

l'immortalité[a]? C'est bien sûr pour que la vérité de Dieu s'accomplisse. En effet, «Dieu aime la miséricorde et la vérité[b]» : il faut donc que l'homme passe par la mort, car c'est bien ce que Dieu avait déclaré, mais il faut pourtant que l'homme ressuscite[c], de telle manière que «Dieu n'oublie pas de faire miséricorde[d]».

Ainsi la mort, même si sa domination n'est pas éternelle[e], n'en demeure pas moins parmi nous pour le moment, «en vue de faire droit à la véracité de Dieu[f]». Il n'en va pas autrement du péché : «même s'il ne règne plus dans notre corps mortel[g]», il n'en est pas totalement absent pour autant. Voilà pourquoi Paul se glorifie d'«être libéré de la loi du péché et de la mort[h]», tout en se plaignant par ailleurs d'être – en partie encore – alourdi par l'une et l'autre de ces lois. Ceci lorsque, dans sa lutte contre le péché, il pousse ce cri de lamentation : «Je trouve une autre loi dans mes membres[i][1]...»; ou encore lorsqu'«il gémit accablé[j]» – et ce ne peut être que par la loi de la mort – dans l'attente où il est de la rédemption de son corps[k].

Voir de ses yeux le saint Sépulcre

29. Que ce soient ces réflexions, ou d'autres du même genre – «au gré de l'inspiration de chacun[l]» en cette matière – voilà ce que le Sépulcre suggère à l'intelligence des chrétiens. Aussi je me figure qu'une ferveur d'une grande douceur envahit celui qui le contemple de ses yeux. Ce n'est pas un maigre avantage que de voir, avec les yeux du corps, le lieu où le Seigneur a reposé corporellement. Et même si ce lieu ne contient plus ces membres sacrés, il est cependant rempli pour nous de mystères – et de mystères extrêmement heureux. Pour nous, dis-je, oui, pour nous,

captivum ducentem de certains Pères, formes bien différenciées mais de sens presque identique.

inquam, nostris, si tamen tam ardenter amplectimur quam
10 indubitanter tenemus quod Apostolus ait : *Consepulti enim sumus per baptismum in mortem, ut quomodo surrexit Christus a mortuis per gloriam Patris, ita et nos in novitate vitae ambulemus. Si enim complantati facti sumus similitudini mortis eius, simul et resurrectionis erimus*[m].

15 Quam dulce est peregrinis, post multam longi itineris fatigationem, post plurima terrae marisque pericula, ibi tandem quiescere, ubi et agnoscunt suum Dominum quievisse! Puto iam prae gaudio non sentiunt viae laborem nec gravamen reputant expensarum, sed tamquam laboris prae-
20 mium cursusve bravium assecuti[n], iuxta Scripturae sententiam, *gaudent vehementer cum invenerint sepulcrum*[o].

Nec casu vel subito, aut veluti lubrica popularis favoris opinione, id tam celebre nomen sepulcrum nactum esse putetur, cum hoc ipsum tantis retro temporibus Isaias tam
237 25 aperte praedixerit : *Erit,* inquit, *in die illa radix Iesse, qui stat in signum populorum; ipsum gentes deprecabuntur, et erit sepulcrum eius gloriosum*[p]. Revera ergo impletum cernimus quod legimus prophetarum, novum quidem intuenti, sed legenti antiquum, ut sic adsit de novitate iucunditas, ut de
30 vetustate non desit auctoritas. Et de sepulcro ista sufficiant

m. Rom. 6, 4-5 ≠ || n. Cf. I Cor. 9, 24 || o. Job 3, 22 || p. Is. 11, 10 ≠

---

1. «Sépulcre» est un choix délibéré de saint Jérôme pour traduire le grec ἀνάπαυσις de la LXX. Ce terme signifie «repos» et se traduit normalement par *requies,* comme l'explique Jérôme. Mais, parce que ce dernier entend le passage d'Isaïe comme prophétie de la mort du Christ plutôt que des autres mystères de l'Incarnation, il choisit, au lieu des termes de «repos» ou de «dormition», celui de «sépulcre» – «c'est-à-dire un autre mot, mais de même signification», pour que le sens de

du moins nous embrassons et retenons avec autant
ardeur que de foi ces paroles de l'Apôtre : « Il y a donc eu
ur nous un même ensevelissement par le baptême dans la
ort, afin que, comme le Christ ressuscité des morts par la
oire de Dieu, nous vivions, nous aussi, dans une vie
uvelle. Car si c'est un même être avec le Christ que nous
mmes devenus par une mort semblable à la sienne, nous
serons aussi par une résurrection semblable[m]. »

Quel bonheur, pour des pèlerins, après les multiples
tigues d'un long voyage, après les dangers sans nombre
la terre et de la mer, que de pouvoir enfin se reposer là
ils savent qu'a reposé leur Seigneur ! Dans leur joie, ils
sentent déjà plus, je pense, la peine de la route, et il ne
mptent plus pour un dommage tout ce qu'elle a coûté.
ont obtenu comme la récompense de leur labeur et le
ix de la course[n], et, pour reprendre une expression de
Écriture, « ils sont saisis d'une joie intense en découvrant
Sépulcre[o] ».

Mais ce n'est ni par hasard ni tout soudain, comme par
e mode ou un emballement populaire, que le Sépulcre
est acquis une telle célébrité. Car, dans des temps très
culés, Isaïe l'avait clairement prédit en ces termes : « Il
viendra en ce jour-là que la racine de Jessé se dressera
mme le signal des peuples, les nations lui adresseront
ur prière, et son sépulcre[1] sera glorieux[p]. » Nous consta-
ns donc l'accomplissement de la prophétie que nous
sons. Le fait est nouveau pour celui qui regarde, mais
tique pour celui qui lit. Et de la sorte, la nouveauté
scite le bonheur, sans que pourtant la légitimité du fait
anque d'une référence ancienne.

Mais voilà qui peut suffire, à propos du Sépulcre.

ssage « soit plus évident au lecteur » (*Comment. in Isaiam* l. IV, ch. XI,
v. 10, *PL* 24, 149).

XII. De Bethphage

30. Quid de Bethphage dicam, viculo sacerdotum
quem pene praeterieram, ubi et confessionis sacramentum
et sacerdotalis ministerii mysterium continetur? Bethphag
quippe domus buccae interpretatur. Scriptum est autem
5 *Prope est verbum in ore tuo et in corde tuo*[q]. Non in alter
tantum, sed simul in utroque verbum habere memineri
Et quidem verbum in corde peccatoris operatur salut
feram contritionem, verbum vero in ore noxiam toll
confusionem, ne impediat necessariam confessionem. A
10 enim Scriptura : *Est pudor, adducens peccatum, et est pud*
adducens gloriam[r]. Bonus pudor, quo peccasse aut cer
peccare confunderis, et omnis licet humanus arbit
forte absit, divinum tamen quam humanum tanto ver
cundius revereris aspectum, quanto et verius Deu

q. Rom. 10, 8 || r. Sir. 4, 25

---

1. Cette interprétation est l'une de celles que propose saint Jérôm (*Liber de nom. hebr. PL* 23, 839 s; *CCSL* 72, 135) : *Bethphage : domus or vallium, vel domus buccae,* «Maison de l'ouverture des vallées, ou maiso de la bouche». Mais Jérôme précise que cette signification est syriaqu et non hébraïque. Puis il ajoute que certains pensent devoir tradui *Bethphage* par *Domus maxillarum,* «Maison des joues». Le même aute écrit ailleurs (*Comment. in Matth.,* l. III, ch. XXI) : «Lorsqu'il (Jésu vint à Bethphagé, à la maison des joues, qui était un village de prêtres qui portait le type de la confession». Dans le même sens, cf. sai BERNARD, *Sent.* III, 24. En fait, ce nom signifiait en hébreu : «Maiso des figues» (cf. O. ODELAIN et R. SÉGUINEAU, *Dict. des noms propres de Bible,* Paris 1978, p. 77).

2. Sur la pénitence durant le haut Moyen Age et au XIIe siècl cf. B. POSCHMANN, *Pénitence et onction des malades,* Paris, Éd. du Cer 1966, p. 122 ss. et 137 ss., ainsi que les travaux du Groupe de Bussière, *Pratiques de la confession. Des Pères du Désert à Vatican II,* Pari Éd. du Cerf, 1983. En considérant essentiellement la pénitence comm

XII. Bethphagé

Confesser non seulement du cœur, mais de la bouche

30. Que dire de Bethphagé, ce village de prêtres, que j'allais presque laisser de côté, et qui contient le sacrement de la confession et le mystère du ministère sacerdotal? Bethphagé signifie en effet «la maison de la bouche[1]». Or il est écrit : «Proche est la parole, dans ta bouche et dans ton cœur[q].» Ce n'est pas dans l'un des deux seulement, mais dans les deux ensemble qu'il faut garder la parole : souvenez-vous-en. Et, de fait, la parole accomplit dans le cœur du pécheur une contrition salutaire, mais dans sa bouche elle supprime une confusion nuisible, qui ferait obstacle à la confession nécessaire[2]. Comme le dit l'Écriture : «Il est une honte qui conduit au péché, et une honte qui conduit à la gloire[r3].» Heureuse honte, celle qui te laisse confus d'avoir péché et de pécher encore. Même en l'absence de tout témoin humain, elle t'entraîne à révérer le regard de Dieu avec plus de gêne encore que le regard d'un homme, dans la mesure même où, en toute vérité, tu sais

un repentir du cœur *(contritio)* s'exprimant nécessairement dans l'aveu des fautes au ministre de la Parole et des sacrements, saint Bernard est le témoin d'une évolution qui s'est produite peu à peu durant le haut Moyen Age et se précisa dès le XIe siècle. Au départ, la pénitence privée avait consisté avant tout dans la satisfaction : l'accomplissement des actes de réparation. L'accent va se déplacer sur la confession elle-même – l'aveu –, et sur l'humiliation qui l'accompagne, comme aussi sur le mouvement intérieur de repentir qui la précède et la fonde. Et la réconciliation, liée d'abord à l'accomplissement – du moins partiel – du devoir pénitentiel, le sera dès lors à la confession. Cf. un développement de saint Bernard sur ce sujet in *De div.,* S. 40.

3. ** Bernard, 4 fois sur 7, remplace le *confessio* de la Vulgate par *pudor,* et jamais il n'exprime *et gratiam*. Aucun précédent n'a été trouvé.

15 quam hominem cogitas puriorem, tantoque eum gravius offendi a peccante, quanto constat longius ab illo esse omne peccatum. Huiuscemodi procul dubio pudor fugat opprobrium, parat gloriam, dum aut peccatum omnino non admittit, aut certe admissum et paenitendo punit, et 20 confitendo expellit, si tamen *gloria* etiam *nostra haec est, testimonium conscientiae nostrae*[s].

Quod si quispiam confiteri confunditur id quoque, unde compungitur, talis pudor peccatum adducit, et gloriam de conscientia perdit, quando malum quod ex profundo 25 cordis compunctio conatur expellere, pudor ineptus, obs- 238 truso labiorum ostio, non permittit exire, cum eum exemplo David dicere potius oporteret : *Et labia mea non prohibebo : Domine, tu scisti*[t]. Qui et seipsum redarguens, puto super huiusmodi stulto et irrationabili pudore : *Quo-* 30 *niam tacui,* inquit, *inveteraverunt ossa mea*[u]. Unde et optat *ostium poni circumstantiae labiis*[v] suis, ut oris ianuam et aperire confessioni, et defensioni claudere norit. Denique et aperte hoc ipsum orans petit a Domino, sciens nimirum qui *confessio et magnificentia opus eius*[w]. Et quod videlicet 35 nostram malitiam, et quod aeque divinae bonitatis et virtutis magnificentiam minime tacemus, magnum quidem geminae confessionis bonum, sed *Dei est donum*[x]. Ait itaque : *Non declines cor meum in verba malitiae, ad excusandas excusationes in peccatis*[y]. Quamobrem ministros verbi sacer- 40 dotes caute necesse est ad utrumque vigilare sollicitos, quo

s. II Cor. 1, 12 || t. Ps. 39, 10 ≠ || u. Ps. 31, 3 || v. Ps. 140, 3 ≠ || w. Ps. 110, 3 || x. Éphés. 2, 8 ≠ || y. Ps. 140, 4

1. Sur l'obstacle que peut constituer pour la confession la honte de l'aveu, cf. de saint BERNARD, *Div,* S. 104.

2. Cette double visée, ce double sens de la confession, en même temps aveu des fautes et célébration de l'amour et de la gloire de Dieu,

que Dieu est plus pur que l'homme, et que le pécheur offense Dieu d'autant plus gravement que Dieu est plus éloigné du péché. Une honte de cette sorte, on n'en saurait douter, met en fuite l'opprobre et prépare la gloire. Car, ou bien elle exclut tout-à-fait le péché, ou bien, si elle l'a laissé s'introduire, elle le punit par la pénitence et le chasse par la confession. Encore faut-il pour cela que «notre gloire réside dans le témoignage de notre conscience[s]».

Mais si quelqu'un se sent trop confus pour confesser cela même qui lui point le cœur, une telle honte conduit au péché, et elle entraîne pour la conscience la perte de la gloire, puisque le mal que des profondeurs du cœur la componction s'efforce de chasser, une honte absurde, en obstruant la porte des lèvres, l'empêche de sortir[1]. Un tel homme devrait bien plutôt suivre l'exemple de David et s'écrier : «Je ne fermerai pas mes lèvres, Seigneur, tu le sais[t].» Et c'est encore David qui se reproche une honte à mon sens stupide et irrationnelle, du même genre, en disant : «Je me suis tu, et mes os se consumaient[u].» En conséquence il souhaite «que soit posée sur ses lèvres une porte de circonspection[v].» Ainsi, l'entrée de sa bouche saura s'ouvrir à la confession et se fermera à l'autojustification. Enfin, c'est cela même que, de manière explicite, il demande à Dieu dans la prière, sachant bien que «confession et splendeur, voilà son œuvre[w]».

Oui, ne rester muet ni sur le mal qui est en nous, ni sur la splendeur de la bonté de Dieu et de sa puissance, c'est là vraiment le grand bien de la confession, en sa double visée[2]; et «c'est un don de Dieu[x]». De là cette parole du Psalmiste : «N'incline pas mon cœur vers des paroles de perversité pour trouver des excuses à mes péchés[y].»

Voilà pourquoi il est nécessaire que les serviteurs de la

est classique chez saint Augustin. Cf. par ex. *Enarr. in Ps.* 94, 4. Chez saint BERNARD, cf. en particulier *Div,* S. 40, 2.

videlicet delinquentium cordibus tanto moderamine verbum timoris et contritionis infligant, quatenus eos nequaquam a verbo confessionis exterreant, sic corda aperiant, ut ora non obstruant, sed nec absolvant etiam compunctum,
45 nisi viderint et confessum, quoniam quidem *corde creditur ad iustitiam, ore autem confessio fit ad salutem*[z]. Alioquin *a mortuo, tamquam qui non est, perit confessio*[a]. Quisquis igitur verbum in ore habet et in corde non habet, aut dolosus est, aut vanus; quisquis vero in corde et non in ore, aut superbus
50 est, aut timidus.

XIII. De Bethania

31. Sane non omnino, etsi multum festinem, debeo transire silenter domum oboedientiae, Bethaniam videlicet, castellum Mariae et Marthae, in quo et Lazarus est resuscitatus[b], ubi nimirum et utriusque vitae figura, et Dei erga

z. Rom. 10, 10 ≠ || a. Sir. 17, 26 (Patr.) || b. Cf. Jn 11, 1-11

1. Dans un contexte légèrement différent, on trouve en *Div,* S. 95, un rappel semblable adressé au ministre de la Parole : il doit adoucir ce qui, dans son discours, pourrait effrayer et faire fuir celui qui l'écoute.

2. ** Bernard, qui a cité 7 fois ce verset, toujours selon la Vieille Latine (après Augustin, qui lui-même le cite 8 fois à peu près ainsi), tire le sens, ici en particulier, vers la «confession auriculaire»; il en fait autant pour le texte célèbre de Paul qui précède. Un peu plus haut, il a joué sur les deux sens de *confessio.*

3. Cette interprétation vient de saint Jérôme (*Liber de nom. hebr., PL* 23, 840; *CCSL* 72, 135) : *Bethania : domus afflictionis ejus, vel domus oboedientiae.* En réalité, ce nom peut signifier tout simplement «Maison d'Ananie», ou encore «Maison du pauvre» (cf. O. ODELAIN et R. SÉGUINEAU, *Dict. des noms propres de la Bible,* p. 271).

4. La symbolisation par Marthe et Marie des deux types de vie, active et contemplative, est classique. Pour saint BERNARD, cf. par ex. *Div,* S. 3, 4; S. 9, 4; S. 48 : et surtout l'ensemble des sermons sur l'Assomp-

Parole, les prêtres, avec prudence, consacrent tous leurs soins à une double vigilance : qu'ils incitent les cœurs des coupables à la crainte et à la contrition, mais avec suffisamment de modération pour ne les détourner en rien de la parole exprimant la confession[1]. Ainsi doivent-ils ouvrir les cœurs de manière à ne pas fermer les lèvres; et par ailleurs se garder d'absoudre celui que saisit le repentir, s'ils n'ont pas constaté qu'il s'est confessé.

De fait, «c'est par le cœur que l'on croit à la justice, mais ce sont les lèvres qui expriment la confession en vue du salut[z]». Autrement, si «elle émane d'un mort, de quelqu'un qui n'existe pas, la confession perd toute valeur[a2]».

De la sorte, avoir sur les lèvres une parole sans l'avoir aussi dans le cœur, c'est se montrer ou bien fourbe, ou bien futile; mais l'avoir dans le cœur sans l'avoir aussi sur les lèvres est le fait soit de l'orgueilleux, soit du pusillanime.

XIII. Béthanie

La valeur suprême et normative : l'obéissance de la foi

31. Vraiment je ne dois pas – même si c'est en toute hâte – traverser sans en rien dire du tout la «maison de l'obéissance[3]», c'est-à-dire Béthanie, le bourg de Marie et de Marthe, dans lequel aussi Lazare est ressuscité[b]. C'est là en effet qu'ont été mises en lumière et la figure des deux types de vie[4], et l'admirable clémence de Dieu à l'égard des

tion, dans les *Sermons per annum*. En fait, la pensée de l'auteur à ce propos est subtile et nuancée : dans la mesure où Marthe symbolise la charité fraternelle, et en cela la responsabilité abbatiale dans la communauté, on ne peut simplement choisir la voie de Marie à l'exclusion de celle de Marthe. Pour un bon exposé de la pensée de saint Bernard sur le sujet, cf. Thomas MERTON, *Marthe, Marie et Lazare,* Desclée De Brouwer, Bruges 1956.

5 peccatores mira clementia[c], necnon et virtus oboedientiae[d] una cum fructibus paenitentiae commendatur. Hoc ergo in 239 loco breviter intimatum sufficiat, quod nec studium bonae actionis[e], nec otium sanctae contemplationis[f], nec lacrima paenitentis[g] extra Bethaniam accepta esse poterunt illi, qui 10 tanti habuit oboedientiam, ut vitam quam ipsam perdere maluerit, *factus oboediens Patri usque ad mortem*[h].

Hae sunt illae profecto divitiae, quas sermo propheticus ex verbo Domini pollicetur : *Consolabitur,* inquiens, *Dominus Sion, consolabitur omnes ruinas eius, et ponet desertum* 15 *eius quasi delicias, et solitudinem eius quasi hortum Domini; gaudium et laetitia invenietur in ea, gratiarum actio et vox laudis*[i]. Hae igitur orbis deliciae, hic thesaurus caelestis, haec fidelium hereditas populorum, vestrae sunt, carissimi, credita fidei, vestrae prudentiae et fortitudini commendata. 20 Tunc autem caeleste depositum secure et fideliter custodire[j] sufficitis, si nequaquam de ipsa vestra vel prudentia, vel fortitudine, sed de Dei tantum adiutorio ubique praesumitis, scientes *quia non in fortitudine sua roborabitur vir*[k], et ideo dicentes cum Propheta : *Dominus firmamentum meum, et* 25 *refugium meum, et liberator meus*[l], et illud : *Fortitudinem meam ad te custodiam, quia Deus susceptor meus*[m]; *Deus meus,*

c. Cf. Matth. 26, 6; Lc 7, 36-50 || d. Cf. Jn 11, 40 || e. Cf. Matth. 26, 10 || f. Cf. Lc 10, 42 || g. Cf. Lc 7, 44 || h. Phil. 2, 8 ≠ || i. Is. 51, 3 ≠ || j. Cf. I Tim. 6, 20 || k. I Sam. 2, 9 ≠ || l. Ps. 17, 3 || m. Ps. 58, 10

1. Selon une tradition devenue classique, l'auteur fait ici allusion à deux récits différents, qu'il confond en un seul événement : l'onction de Béthanie (*Jn* 12, 1 ss) où il s'agit de Marie, sœur de Lazare, mais sans mention du pardon des péchés ni de la miséricorde de Jésus, et le récit de *Lc* 7, 36 ss, où il n'est question ni de Marie ni de Béthanie, mais bien de la remise des péchés que Jésus annonce et accorde à une pécheresse.

pécheurs[c1], comme aussi la vertu d'obéissance[d] unie aux fruits de la pénitence[2].

Qu'il suffise ici de mentionner brièvement que ni le zèle pour les bonnes œuvres[e], ni le loisir d'une sainte contemplation[f], ni les larmes de la pénitence[g] ne sauraient être agréés hors de Béthanie par Celui qui a vécu l'obéissance au point de la préférer à la perte de sa vie, puisqu'«il s'est fait obéissant au Père jusqu'à la mort[h3]».

Exhortation finale aux templiers : ne compter que sur Dieu

Voilà quelles sont les richesses promises par ce passage d'un prophète qui parle au nom du Seigneur : «Le Seigneur consolera Sion, il consolera toutes ses ruines; de son désert il fera un lieu de délices, et de sa solitude le jardin du Seigneur. On y trouvera la joie et l'allégresse, l'action de grâce et les cris de louange[i].»

Ces délices de l'univers, ce trésor céleste, cet héritage des peuples croyants sont confiés, très chers, à votre foi et recommandés à votre sagesse et à votre force. Or vous ne serez capables de garder ce céleste dépôt[j] en toute sécurité et fidélité que si vous ne comptez en rien sur votre propre sagesse ou sur votre propre force, mais uniquement sur le secours du Seigneur. Vous saurez ainsi que «ce n'est pas par sa force que l'homme reprendra vigueur[k]», et vous direz, avec le Prophète : «Le Seigneur est mon soutien, et mon refuge, et mon libérateur[l]»; et encore : «Je garderai pour toi ma force, car Dieu est mon soutien[m]»; «il est mon

2. Lazare, par sa résurrection du tombeau, symbolise la pénitence (cf. en particulier *Assp.*, S. 4), laquelle est mise ici en rapport avec l'obéissance puisqu'elle a pour cadre Béthanie.

3. ** Bernard utilise 19 fois la deuxième partie de ce v., très librement. Il ajoute 6 fois *Christus*, peut-être avec le graduel du Jeudi Saint; il ajoute 11 fois *Patri*, sans source connue.

misericordia eius praeveniet me[n], et item : *Non nobis, Domine, non nobis, sed nomini tuo da gloriam*[o], ut in omnibus sit ipse *benedictus, qui docet manus* vestras *ad proelium et digitos* vestros
30 *ad bellum*[p].

n. Ps. 58, 11 ≠ || o. Ps. 113, 1 || p. Ps. 143, 1 ≠

Dieu, sa miséricorde viendra au-devant de moi[n]». Et de même : «Non pas à nous, Seigneur, non pas à nous, mais à ton nom donne la gloire[o]», afin que «soit béni en tout Celui qui instruit» vos «mains pour le combat et» vos «doigts pour la bataille[p]».

VIE DE SAINT MALACHIE

INTRODUCTION

C'est à un genre littéraire particulier, celui de l'hagiogra-
›hie, que s'adonne ici saint Bernard. Il adopte sans
·éticence les lois du genre, notamment l'accumulation des
'aits merveilleux. Cependant son récit demeure circons-
ancié et personnel; il sait être évocateur sans se perdre
lans les détails. A l'égard de Malachie, d'ailleurs, il
'acquitte en quelque sorte d'une dette d'amitié : il parle
l'un homme qu'il a bien connu et beaucoup aimé[1].

Le plan d'ensemble de l'ouvrage est clair, et son but est
›ien déterminé : il s'agit, à travers le déroulement d'une vie
'iche en événements, de faire percevoir une réalité spiri-
uelle, le déploiement de la grâce dans la personnalité d'un
ıomme de Dieu. Mais il s'agit aussi, et tout autant,

N.B. : La partie des notes précédée d'un astérisque (*) est due à Guy
.obrichon qui a bénéficié des conseils inestimables de François Dol-
eau. Les notes précédées de deux astérisques (**) sont dues à Jean
'iguet.

1. Sur saint Malachie, cf. en particulier *Vie des saints et bienheureux
elon l'ordre du calendrier,* par les PP. bénédictins de Paris, t. XI,
ıovembre, Paris, 1954, p. 112 ss. (3 nov.); A. DIMIER, *Catholicisme,* t. 8,
ol. 237 s.; M. O'CARROL, *Dictionnaire de spiritualité,* t. 10, col. 136 s.;
. CONWAY, *Bibliotheca sanctorum,* t. 7, col. 576 ss.

Aubrey GWYNN, « St Malachy of Armagh », dans *The Irish Ecclesias-
ical Record,* 70 (1948), 961-978; 71 (1949), 130-148 et 317-331; Gerard
MURPHY, « St Malachy of Armagh », dans *The Month,* 204, New series,
VII, nº 4, 1957.

de proposer un modèle d'évêque vraiment digne de sa charge, un type de pasteur authentiquement apostolique. Ici comme ailleurs dans son œuvre, saint Bernard ne cesse jamais de prêcher la conversion ni de travailler à la réforme de l'Église de son époque.

L'existence de saint Malachie comporte une certaine ascension d'ordre hiérarchique, puisque d'évêque il devient primat d'Irlande, puis légat du pape pour l'ensemble du pays. Mais Bernard a soin de montrer que pour son héros, là n'est pas l'essentiel. Plus exactement Malachie a vu croître ses responsabilités en les envisageant sous le seul angle du service de Dieu et de l'Église. A travers tout ce qu'il a vécu, il n'a cessé d'être un moine autrement dit un homme qui a renoncé au monde pour donner la primauté à la quête de Dieu dans la prière, et qui vit dès lors une authentique pauvreté dans une communauté. Tout au long du récit, on le voit entouré et escorté par un groupe de frères et de disciples. Il apparaît par ailleurs comme un pasteur qui ne choisit jamais la facilité qui ne cherche pas la popularité ni ne court vers les honneurs, puisque son ministère aura pour accent constant la réforme de l'Église irlandaise.

Saint Bernard entend montrer que la sainteté de ce pasteur réside en particulier dans son humilité : dès qu'il a remis en état le siège primatial, Malachie se démet de cette charge pour reprendre la tête de son premier diocèse. Cette sainteté se manifeste aussi dans une disponibilité incessante, où l'on devine qu'un certain goût celtique pour le voyage a su devenir une forme d'itinérance et de vigilance apostoliques. Sainte et spirituelle apparaît l'autorité de Malachie : comme le récit le souligne, elle refuse de s'imposer par la force. L'épisode où l'évêque affronte désarmé et presque seul, un groupe de comploteurs en armes, ou encore le moment où, avec quelques disciples, il recourt à la prière et à la grève de la faim pour défendre u homme contre un tyran, ne sont pas les pages les moins impressionnantes de cette histoire.

La profondeur et l'ampleur de la sainteté de Malachie ont pour preuves les miracles qui marquent sa vie. Le récit en est parsemé, mais il tend à les regrouper et à les ordonner pour montrer, à travers leur diversité même, la plénitude des dons charismatiques qui habitait Malachie : non seulement les dons de guérison, mais aussi de prophétie, de discernement, de réconciliation, d'autorité. Cependant l'auteur a bien soin d'insister sur ce fait : le premier et le plus grand des miracles qui marquent cette vie, c'est Malachie lui-même, dans sa manière d'être. Sa présence à Dieu a remodelé et unifié l'ensemble de sa personne; elle s'exprime constamment dans ses réactions psychologiques, et jusque dans ses attitudes physiques. A cet égard, le portrait que saint Bernard brosse de l'homme puis de l'évêque, par la place centrale qu'il occupe dans l'œuvre, prend tout son relief. C'est une manière, de la part de l'auteur, de laisser entendre que le merveilleux des miracles, tout en ayant sa valeur de signe et de manifestation extérieure, doit conduire à leur signification intérieure et spirituelle : la présence de Dieu et la puissance d'amour dont cet homme est tout imprégné[1].

1. Une certaine conception de l'histoire de l'Église se profile derrière la manière dont le récit situe le ministère du saint irlandais : l'histoire chrétienne se subdivise en quatre périodes : 1. les persécutions, 2. les hérésies; 3. la décadence de la fonction ecclésiastique, 4. la pression de l'Anti-Christ pour détruire l'Église par l'hérésie et le schisme. Saint Bernard situe son époque à la charnière de la 3e et de la 4e période. Cf. B.W. O'DWYER, Introd. à la *MalV.*, in *Opera di San Bernardo,* Milan, 1984, t. I, p. 591 s.

* Bernard de Clairvaux, sans être un spécialiste de l'hagiographie, est un familier de ces moines qui recomposent en Bourgogne le légendier à l'usage cistercien. Et à ce titre, il est parfaitement au fait des règles qui enserrent le genre littéraire de la *Vita,* de son plan normatif et de ses lieux-communs. Il y a là toute une étude à mener, d'une part en exposant

La fin du récit rapporte assez longuement la mort de Malachie : il a marché vers elle consciemment comme vers un passage pour lequel et dans lequel tout son être s'est rassemblé. Mourant, il entrait dans la vie : c'est ce que le récit suggère avec art et émotion. De fait, en ces pages finales on retrouve à plus d'une reprise le génie littéraire de l'auteur, sa capacité de laisser entendre plus de choses qu'il n'en dit, un frémissement contenu, de brusques sauts, un style qui peut devenir haletant.

Soudain, en effet, saint Bernard parle en témoin oculaire : c'est lui qui a assisté Malachie en ses derniers jours,

le conformisme bernardin aux modèles hagiographiques du temps, d'autre part en soulignant les libertés que prend l'abbé de Clairvaux à l'égard du genre littéraire. Sur la composition hagiographique de saint Bernard, voir J.S. MADDUX, «St Bernard as hagiographer», dans *Cîteaux,* 27, 1976, 85-108; T.J. RENNA, «St Bernard and Abelard as Hagiographers», dans *Cîteaux,* 29, 1978, 41-59; B.W. O'DWYER, «St Bernard as an Historian : the *Life of St Malachy of Armagh*», dans *Journal of Religious History,* 10, 1978-1979, 128-141. Voir aussi les jugements de Dom J. LECLERCQ, «Nouveaux aspects littéraires de l'œuvre de saint Bernard», dans *Cahiers de Civilisation médiévale,* 8, 1965, 320-322. Au dire de l'auteur de la *Vie de saint Étienne d'Obazine* (écrite vers 1166-1180), la *Vie de saint Malachie* par Bernard «est d'une telle distinction de pensée et de style qu'elle n'est pas inférieure aux œuvres des meilleurs auteurs anciens» (*Vie de saint Étienne d'Obazine,* texte établi et traduit par M. AUBRUN, Clermont-Ferrand, 1970, p. 40-41). De cet art de la prose latine chez saint Bernard, Fr. CHATILLON a brossé quelques traits dans ses remarques sur «Les premières pages de la *Vita sancti Malachiae*», dans *Revue du Moyen Âge latin,* 19, 1963, 319-352; 20, 1964, 347-358; 23, 1967, 138-142; 24, 1968, 86-91. Enfin T. JANSON, dans son beau *Prose Rythm in medieval latin from the IXth to the XIIIth century,* Stockholm, 1975 (*Acta Universitatis Stockholmiensis. Studia latina stockholmensia,* XX), a rappelé l'importance de la prose rythmée au XIIe siècle, particulièrement dans les écrits monastiques destinés à la lecture en public. Il y a encore une étude à mener sur l'usage constant par saint Bernard dans la *MalV.* du cursus et de la séquence rimée, sans rien oublier des figures traditionnelles du discours : sur celles-ci, cf. D. SABERSKY, «*Nam iteratio affectionis expressio est.* Zum Stif Bernhards von Clairvaux», dans *Cîteaux,* 36, 1985, p. 5-20.

c'est lui qui a présidé ses funérailles, car c'est à Clairvaux que Malachie a achevé sa vie terrestre et qu'il a été enseveli. Et voilà un trait du récit dont l'auteur entend souligner qu'il n'est pas fortuit, mais au contraire providentiel, en réponse à un désir profond de Malachie. Ce dernier meurt dans le lieu et à la date qu'il souhaitait : à Clairvaux, le jour de novembre où l'on fait mémoire des défunts. Et s'il se trouve à Clairvaux à ce moment-là, c'est par un concours de circonstances où saint Bernard reconnaît la grâce de Dieu.

Passant par Clairvaux quand il était jeune encore, lors d'un voyage qu'il faisait vers Rome, Malachie avait souhaité y revenir définitivement. Et il est évident que le lien affectif et spirituel qui, depuis lors, unit Malachie au monastère de Clairvaux et à son abbé fait profondément partie, aux yeux de ce dernier, de la sainteté de son héros. On retrouve ici la conscience passionnée, naïve et un peu exclusive que saint Bernard a de la grâce particulière que constitue son monastère. Que Malachie ait dû renoncer, par obéissance au pape et pour le bien de l'Église d'Irlande, à se retirer dans un monastère, c'est déjà là une marque importante de son humilité, la preuve qu'il ne cherche pas l'honneur ni le pouvoir, et qu'il remplit sa charge comme un service. Mais que ce monastère auquel Malachie a dû renoncer soit celui de Clairvaux, voilà qui en dit infiniment plus encore sur sa sainteté ! A quoi n'a-t-il pas renoncé de la sorte ? quel prix n'a-t-il pas payé par souci de disponibilité pastorale ? Mais on devine que la déception a dû être grande aussi chez saint Bernard, de ne pouvoir accueillir et faire vivre définitivement auprès de lui un homme qu'il a beaucoup aimé.

Si Malachie n'a pu vivre à Clairvaux, du moins aura-t-il pu venir y mourir. Mais entre-temps il aura envoyé des moines irlandais se former dans le monastère de saint

Bernard, et il aura favorisé des fondations cisterciennes en Irlande.

Comme il le précise lui-même, saint Bernard écrit ce récit à la demande d'un abbé cistercien d'Irlande, Congan, dont le monastère semble bien avoir été fondé par Malachie, l'année de sa mort[1]. C'est très probablement ce Congan qui a fourni à l'abbé de Clairvaux la documentation sur laquelle repose son récit – une documentation conforme à la tradition hagiographique irlandaise. On ne saurait d'ailleurs pas en retrouver les traces précises et évidentes, dans le présent écrit, sauf peut-être quand elle suppose, pour les faits qui ont lieu en Irlande, un témoin oculaire[2].

Si saint Bernard, qui ne connaissait quasiment rien de l'Irlande, est tributaire des sources rapportées par Congan, on peut estimer qu'il s'en distancie cependant en trois domaines. D'abord, nous venons de le voir, en ce qui concerne la mort de Malachie; à ce propos, l'auteur ne se contente pas d'apporter un témoignage direct, mais il fait de cette mort le type même de la mort chrétienne, tout imprégnée d'espérance[3].

Ensuite, on doit bien remarquer que le récit concernant l'enfance et la jeunesse de saint Malachie n'est pas sans rappeler ce que Guillaume de Saint-Thierry, dans sa *Vita prima,* rapporte de la jeunesse de saint Bernard. On devine, dans les deux cas, une référence à des schèmes conventionnels[4].

1. Cf. *MalV., Praef.* et XXIX, 65.
2. B.W. O'DWYER, Introd. à la *MalV*, in *Opera di San Bernardo*, p. 586 ss.
3. *Ibid.,* p. 596.
4. *Ibid.,* p. 593.

Enfin, le modèle de l'évêque, tel qu'il le décrit en la personne de Malachie est bien propre à saint Bernard[1]. Nous aurons à y revenir.

Peut-on dater cet écrit de saint Bernard?

Saint Malachie étant décédé en 1148, ce doit être entre 1150 et 1152 que l'auteur rédige cette œuvre, car en mars 1152 le Concile de Kells met fin à un conflit concernant le *pallium* pour les deux sièges primatiaux d'Irlande. Or notre récit connaît cette difficulté, mais sans encore faire état de sa solution[2].

Il nous reste par ailleurs la lettre[3] par laquelle l'abbé de Clairvaux annonça la mort de saint Malachie aux moines et religieux irlandais dont ce dernier était le pasteur. On conserve aussi le sermon qu'il a prononcé le jour des funérailles de son saint ami, mais qu'un autre que lui a rédigé et dicté[4]. A cela s'ajoute un second sermon, dont l'authenticité n'a pas à être mise en doute[5], et qui célèbre, lors d'un anniversaire de sa mort, la grâce divine dont rayonna Malachie. Enfin saint Bernard a composé, en son honneur, une épitaphe[6] et une hymne[7]. Nous rassemblons ces diverses pièces à la suite de la *Vie* : elles complètent le récit de la mort de l'évêque, ou plutôt de son

1. *Ibid.*, p. 594.
2. Cf. *MalV.*, XVI, 38 et la note; et J. LECLERCQ, Introd., *SBO* III, p. 297.
3. N° 374, *SBO* VIII, p. 335.
4. Cf. J. LECLERCQ, *SBO* III, p. 298.
5. Dom J. Leclercq l'édite à part, à la fin d'un lot de « Sermons variés » qui ne figurent pas dans le *corpus* des sermons *per annum* : *SBO* V, p. 50 ss.
6. *SBO* III, p. 517 ss.
7. *SBO* III, p. 521 ss.

entrée dans la vie véritable, et elles officialisent son souvenir[1].

La lettre et le premier sermon ont entre eux, et avec le récit de cette mort une réelle parenté de thèmes et de tonalité. Quelques lignes leur sont même textuellement communes. L'auteur y redit qu'on ne saurait pleurer Malachie sans se réjouir tout aussitôt de ce qu'il a été et de ce qu'il est devenu. Le sermon évoque le personnage, tel trait de sa vie, la grandeur de sa mort, l'honneur que constitue pour Clairvaux le fait d'être le lieu où il repose. La lettre exprime la sympathie de saint Bernard pour l'Église d'Irlande, dans son deuil, et laisse percer le besoin de justifier que le corps de leur saint pasteur repose à Clairvaux.

Quant au second sermon, il ne répète pas le premier. On y retrouve assurément certains thèmes : pleurer, et pourtant se réjouir, puisque le saint qui nous a quittés nous précède au ciel et nous représente devant Dieu. Mais, tandis que le premier sermon développe longuement une théologie de la mort, le second rappelle avec plus de détails ce que fut le ministère de Malachie. Puis il s'adresse au saint lui-même, dans une invocation, avant d'évoquer avec lyrisme ce qu'il est maintenant : une lumière, un lis, un olivier, une aurore.

Pour ce qui est de l'épitaphe et de l'hymne, force sera de constater que saint Bernard est plus grand poète en prose qu'en vers.

1. D'autres documents fondent et illustrent la place que prend saint Malachie dans la vénération et la liturgie de l'Église. Dom J. Leclercq mentionne un récit de miracles, donné par deux manuscrits, mais demeuré inédit; une épitaphe de 29 strophes en son honneur; sa mention dans les livres liturgiques de Clairvaux, en relation avec l'amitié qui le liait à saint Bernard, et tout un office à sa mémoire («Documents on the cult of St Malachy», *Recueil d'études sur saint Bernard et ses écrits*, t. II, Rome, 1966 (*Storia e Letteratura*, 104), p. 131 ss).

A cela il convient d'ajouter quatre lettres que saint Bernard a envoyées à Malachie entre 1140 et 1145. Elles éclairent un événement de la *MalV.* (XVI, 39), la décision prise en commun par l'évêque irlandais et l'abbé de Clairvaux d'instaurer une vie cistercienne en Irlande. D'une part, Malachie, revenant de Rome vers sa patrie et repassant par Clairvaux, y laisse un compagnon, Christian, pour se former à la vie monastique : et bientôt des frères venus d'Irlande le rejoindront dans ce stage d'initiation (cf. *Ep.* 341).

D'autre part, des moines de Clairvaux partent pour l'Irlande, fonder le monastère de Mellifont : ils ne sont pas aussi nombreux que Malachie le souhaitait et que Bernard semble l'avoir envisagé (*Ep.* 356), d'autant plus que certains d'entre eux s'en reviendront, mécontents – comme le montre l'*Ep.* 357 – d'une certaine indiscipline irlandaise. Christian, accompagné d'un moine de Clairvaux (*Ep.* 357), et, semble-t-il, ses compagnons irlandais, quitteront à leur tour Clairvaux pour Mellifont : saint Bernard les considère quasiment comme ses fils, puisqu'ils sont moines d'une fondation de Clairvaux (*Ep.* 545).

La quatrième de ces lettres (*Ep.* 545) est une épître de confraternité : une manière d'associer formellement Malachie à la grâce que Dieu fait et fera fructifier dans la prière, les vertus, les miracles, bref tous les biens spirituels qui peuvent se manifester dans l'Ordre cistercien.

Plus généralement, ces quatre lettres expriment l'affection et la vénération de saint Bernard pour son ami, et la joie pour tous deux d'être unis dans une œuvre commune : celle d'une fondation monastique. Mais elles laissent percevoir aussi une certaine liberté de ton, et la conscience qu'en matière monastique, c'est lui, Bernard, qui doit décider, organiser, et donner des conseils, sinon des ordres. Car, en fin de compte, c'est lui le responsable de la fondation.

Un idéal d'évêque

La *Vie de saint Malachie,* nous l'avons dit, relève du genre hagiographique : son intention, sa composition, son style, sans exclure l'attention aux détails et le souci de la vérité, visent à promouvoir l'exemple et l'idéal d'un véritable évêque[1]. Saint Bernard n'a cessé de se préoccuper de la qualité spirituelle des évêques, de leur fidélité à leur ministère. Ce souci s'exprime négativement par des critiques acerbes, positivement par des exhortations pressantes, dans nombre de lettres[2] et plusieurs sermons[3], il culmine dans son *De consideratione* adressé au pape. Ce dernier ouvrage, en particulier, avait-il l'ambition de proposer pour son époque l'équivalent du traité de saint Grégoire le Grand intitulé le *Livre pastoral*? On peut le penser[4].

1. Cf. à ce sujet l'étude approfondie de J.S. MADDUX, « St Bernard as Hagiographer », *Cîteaux. Commentarii cistercienses,* XXVII, 1976, p. 85 ss.

2. Très particulièrement l'*Ép.* 42, adressée à Henri, archevêque de Sens, mais aussi les *Ép.* 8, 9, 23, 25, 28, 238, 392, 393.

3. *SCt.,* S. 12, 18, 23, 25, 33, 44, 46, 76 et 77; *Conv,* XVIII à XXII; *PP,* I, (*SBO* V, p. 188 ss.); *PIA,* 3, (*SBO* IV, p. 328 ss.); *Abb.* (*SBO* V, p. 292). Cf. aussi B. JACQUELINE, *Papauté et épiscopat selon saint Bernard de Clairvaux,* Saint-Lô, 1963, et Y. CONGAR, « L'ecclésiologie de saint Bernard » in *Saint Bernard théologien* (*Anal. S. Ord. Cist.,* IX, 1953), Rome, 1954, p. 171 ss. en particulier.

4. Cf. J. LECLERCQ, *Recueil d'études sur saint Bernard et ses écrits* (*Storia e Letteratura,* 114), t. III, Rome, 1969, p. 99 s. et B. JACQUELINE, « Saint Grégoire et l'ecclésiologie de saint Bernard », *Collectanea cisterciensia,* 1974, p. 73. *La Vie de saint Martin,* par Sulpice Sévère, a pu aussi inspirer quelque peu saint Bernard. On y trouve l'opposition entre la sainteté de l'évêque Martin et le comportement de l'épiscopat contem-

Si l'anthropologie spirituelle de saint Bernard peut se caractériser comme le passage d'une «volonté propre» à une «volonté commune» par la connaissance de soi dans l'humilité et la connaissance d'autrui dans la compassion, on peut dire que cette anthropologie est sous-jacente à la présentation de Malachie. A la volonté propre qui, chez un évêque, se manifeste dans la cupidité et l'ambition, et qui transforme la charge épiscopale en occasion de dominer, d'écraser, de se faire valoir, s'opposent chez Malachie la chasteté et la charité, laquelle procède d'un cœur pur, d'un amour ordonné de Dieu, de soi, du prochain[1]. Pour l'évêque, la pureté du cœur vise très précisément à rendre transparent son office, puisqu'il est celui d'une médiation symbolique du Christ Pasteur.

Qu'est-ce qu'un «pontife», sinon celui qui joue le rôle d'un pont entre Dieu et le prochain[2], dans une foi qui cherche la seule gloire de Dieu et un amour qui veut le seul bien du prochain? Ministère de prière auprès de Dieu et de bénédiction envers les hommes, d'intercession pour les pécheurs, mais aussi de rigueur pour combattre les péchés de ceux dont on a la charge.

Comme il l'est pour tout chrétien, le Christ est le modèle de l'évêque, mais avec ceci de particulier que ce dernier doit être le modèle du troupeau, et, dans son rôle de chef, l'image du Christ. Il doit affronter toutes les tentations de ceux dont il porte la responsabilité[3], et leur donner l'exemple d'un total oubli de soi, d'un amour sacrificiel qui

porain. Mais chez saint Bernard, cette opposition prend tout son relief et devient le ressort de son écrit. Les intentions hagiographiques de Sulpice Sévère, dans son récit, sont finalement très différentes de celles de l'abbé de Clairvaux. Cf. J.S. MADDUX, *art. cit.*, p. 88, n. 13.

1. Cf. *Ép.* 42, III, 10.
2. Cf. *ibid.*
3. Cf. *ibid.*, IV, 13.

se veut tout à tous[1]. Son autorité n'a de sens que tout entière au service de celle du Christ, dans une parfaite humilité. C'est en cela que son ministère a aussi pour modèle celui des apôtres, dont il est ainsi l'héritier.

Telle est, en résumé, la vision que saint Bernard se fait de l'évêque. Or elle va modeler son récit de la vie de Malachie[2]. Tout en obéissant à la convention selon laquelle un saint l'est depuis sa naissance, l'auteur évite de donner de cette vie et de cette sainteté une représentation statique. Son héros va apparaître dans une conformité progressive à son image, le Christ : son histoire est celle d'une manifestation toujours plus évidente de la présence de Dieu en lui. En outre, si saint Bernard, dans la première partie du récit, fait alterner si régulièrement les périodes monastiques et les périodes épiscopales, c'est pour souligner qu'il faut avoir accédé à une vertu personnelle avant de pouvoir la déployer de manière exemplaire, dans un ministère d'Église. « Malachie n'aurait pu être un évêque parfait s'il n'avait préféré être un moine »[3].

C'est toujours à son corps défendant et uniquement par obéissance qu'il accepte une charge nouvelle. Il faut être humble en soi-même pour accéder en vérité à un office ecclésiastique; il faut être pacifié (humble et miséricordieux) pour devenir ouvrier de paix parmi les hommes. De même, il faut être pauvre, avoir renoncé, comme Malachie, à toute propriété personnelle, avoir tout mis en commun avec des frères, pour mourir vraiment, comme évêque, à sa volonté propre. Et il faut avoir atteint la pureté du cœur pour savoir être, dans la charge pastorale, un serviteur, et non un dominateur[4].

1. Cf. *ibid.*, III, 11 et IV, 13.
2. Cf. J.S. Maddux, *art. cit.*, p. 96 ss.
3. J.S. Maddux, *ibid.*, p. 99.
4. Cf. J.S. Maddux, *ibid.*, p. 106 ss.

Modèle dynamique, Malachie est présenté comme allant de choix en choix. Bien que saint dès l'enfance, il passe par une conversion en se découvrant fragile de par sa condition humaine, et en se décidant pour la vie monastique (ch. III). Nouvelle «crise» spirituelle lorsque, évêque de Connor, au lieu de fuir, il opte pour l'oubli de soi en faisant face aux violents qui s'opposent à son ministère, et en s'apprêtant à donner sa vie par fidélité au Christ (ch. VIII).

* Le modèle épiscopal que Bernard de Clairvaux veut diffuser par le canal de cette *Vita* est issu des directives et des décrets lancés depuis Rome et rappelés obstinément par tous les légats romains depuis le troisième quart du XIe siècle. En France capétienne, la réforme qu'on a trop vite appelée «grégorienne» prend un tour décisif au début du XIIe siècle, quand Louis VI et surtout Louis VII s'avisent de l'utilité pour le royaume et le pouvoir royal, de faire place au modèle romain. Ce modèle se fonde sur l'exclusion des simoniaques et des nicolaïtes, c'est un modèle de pureté, qui a des effets dramatiques dans le clergé et l'épiscopat (cf. P. TOUBERT, *Les Structures du Latium médiéval. Le Latium méridional et la Sabine du IXe siècle à la fin du XIIe siècle,* Rome, École Française de Rome, 1973, qui a mis au clair les mécanismes de la réforme; une bonne démonstration des difficultés à réaliser la réforme dans J. DALARUN. *L'Impossible Sainteté. La vie retrouvée de Robert d'Arbrissel (v. 1045-1116),* Paris, Éd. du Cerf, 1985). Dans ces temps difficiles, la pratique subit un sérieux retard vis-à-vis de la norme. Aussi la mort d'un archevêque contesté par les princes de son pays est-elle une occasion rêvée pour Bernard de prêter à la réforme tout son pouvoir spirituel, de fustiger l'emprise aristocratique et royale sur les institutions d'Église : la démonstration hagiographique en effet, diffusée par le canal puissant des *scriptoria* monastiques, permet d'agir sans brusquer les princes du royaume capétien. Bernard n'oublie pas d'autre part que le monachisme doit faire face à une opposition permanente (cf. T.J. RENNA, «St Bernard's defense of monks in historical perspective, with emphasis on England», dans *Studia monastica,* 29, 1987, 1-17). Les enjeux sont compliqués cependant par la lutte à fleurets mouchetés qui oppose encore au milieu du XIIe siècle le monachisme réformé et les tenants des formes traditionnelles : la *MalV* peut fort bien témoigner de la nécessité qu'il y a partout de verser un vin neuf dans les outres du vieux monachisme. La portée de cette *Vie* sans nul doute outrepasse les fins propres de l'hagiographie, mais elle nous échappe encore à vrai dire, faute d'avoir été lue comme un document à usage continental.

Crise à nouveau, identique mais plus radicale, lorsque, archevêque d'Armagh, il s'avance au-devant de ceux qui veulent le tuer : à l'imitation du Christ, le service de ses frères se veut chez lui sans limite (ch. XII).

Plus qu'un exemple monastique, saint Bernard a donc voulu faire de la vie de saint Malachie l'idéal épiscopal : tous les éléments de sa spiritualité pastorale s'y retrouvent, en grand relief. Seul le dernier chapitre, qui raconte la mort du saint, fait exception : sans référence particulière à son ministère, la fin de Malachie est celle d'un contemplatif, et c'est peut-être pour les moines d'abord qu'elle est racontée[1].

1. * On ne peut esquiver la difficile question de la destination réelle de la *MalV*. Qu'elle soit adressée à l'abbé Congan – et pour autant qu'il ne soit pas un utile prête-nom, par convention littéraire – n'implique nullement une diffusion irlandaise qui n'a laissé aucune trace au demeurant (on ne connaît actuellement aucun témoin médiéval provenant d'Irlande pour la *MalV*.); cet argument du silence doit être pondéré néanmoins par la rareté des manuscrits médiévaux originaires de l'Irlande. Destiné aux monastères irlandais, cisterciens ou non, ou encore aux chanoines réguliers dont Malachie s'est entouré, cet écrit de saint Bernard aurait fait l'objet d'une toilette le purifiant de ses erreurs et inexactitudes. Les Irlandais du moins auront apprécié à sa juste mesure la discrétion de la *MalV*. sur l'entrée de la réforme ecclésiastique grâce aux archevêques de Canterbury, Lanfranc et Anselme (l'influence de leurs disciples, l'évêque de Waterford et Gilbert de Limerick est saluée néanmoins : *MalV*. IV, 8 et X, 20). On ne saurait donc tenir pour assuré que la *MalV*. ait été reçue facilement en Irlande. En revanche le continent l'a connue très tôt et très vite : elle a circulé sous forme de livret avant d'entrer dans quelques légendiers cisterciens et pas seulement chez les moines blancs, puisque F. DOLBEAU en a tout récemment noté la présence dans les bibliothèques bénédictines de Marchiennes et de Hasnon dès le troisième quart du XIIe siècle («La bibliothèque de l'abbaye d'Hasnon, o.s.b., d'après un catalogue du XIIe siècle», dans *Revue des Études Augustiniennes,* 34, 1988, p. 237-246). Deux raisons suffisent à expliquer cette célébrité : l'immense réputation de saint Bernard sûrement, et aussi le modèle épiscopal façonné par lui d'après la figure de Malachie au temps où l'ordre cistercien installe les siens sur de nombreux sièges d'évêchés. L'abbé de Clairvaux a certainement voulu

L'Irlande et son Église

Pour autant que l'on puisse se faire une idée de l'Irlande dans les siècles qui précèdent sa christianisation, on devine que la population y vit très dispersée dans des fermes fortifiées ou des îlots artificiels au bord de lacs et de marécages. Elle se répartit en familles, en clans, et en petits royaumes, lesquels semblent en luttes continuelles.

Restée en marge de l'Empire romain, échappant à sa loi, mais sans l'ignorer ni rester tout à fait étrangère à son influence, l'Irlande présente un cas exceptionnel : celui d'une culture celtique qui a pu se développer dans toute son originalité sans être étouffée par une colonisation ni se sentir honteuse d'elle-même.

D'une manière générale – et même si l'initiateur de la foi en Irlande rencontra de fortes oppositions – le christianisme semble avoir été accepté assez facilement, sans persécutions ni martyrs. Et, pour leur part, les missionnaires ont su accueillir largement et avec tolérance la structure sociale, les croyances, la culture et l'art qui caractérisaient cette terre[1].

traiter la vie de Malachie d'Armagh comme un cas exemplaire. On sait en effet que Bernard s'emploie ces années-là à forger la théorie du bon gouvernement de l'Église dans son traité *De consideratione* (entre 1148 et 1153); ici, il s'efforce, sur un ton parfois polémique, de définir les règles d'une réforme ecclésiastique dont les moines et les chanoines réguliers sont le fer de lance (c. 17, 19, 20). Or les réformateurs affrontent, sur le continent non moins qu'en Irlande, les résistances acharnées des chapitres cathédraux et des pouvoirs laïques (c. 32, 44).

1. Cf. l'introduction historique de Fr. HENRY, *L'art irlandais,* La Pierre-qui-Vire, 1963, (Zodiaque), t. I, p. 19 ss.

* Dans *Le Monde irlandais. Histoire et civilisation du peuple irlandais,* sous la dir. de B. DE BREFFNY, Anvers-Paris, 1978, voir les synthèses de Kathleen HUGUES, «L'Église primitive irlandaise. De l'avènement du christianisme à la fin de l'époque Viking», p. 47-69, et de R. STALLEY, «Le long Moyen Age. Du douzième siècle à la Réforme», p. 71-97. A quoi l'on ajoutera M. RICHTER, *Irland im Mittelalter. Kultur und*

C'est au début du Ve siècle que saint Patrick, alors âgé de 16 ans, est victime d'un raid irlandais en Grande-Bretagne, avec nombre de ses compatriotes[1]. Il est emmené captif et restera six ans à garder le bétail dans un domaine d'Irlande, avant de s'enfuir et de regagner sa patrie. Durant ces six ans il se tourne vers Dieu, profondément. Cette captivité le prépare, sans qu'il le sache vraiment, à revenir évangéliser ce pays.

Né vers 490, en Grande-Bretagne romanisée, dans une famille chrétienne – son père est diacre, propriétaire d'un domaine et occupe une charge dans l'organisation civile – Patrick ne semble pas avoir reçu de formation chrétienne, et son instruction demeure sommaire. Revenu de captivité, il va se former en Gaule en vue du sacerdoce, et pendant son absence on décide de l'ordonner à son retour et d'en faire un évêque missionnaire qu'on enverra en Irlande[2].

Il y a alors en ce pays une petite chrétienté à laquelle le pape avait envoyé un évêque, Palladius. Mais Patrick va immédiatement aux païens, et parcourt surtout le nord du pays pour y apporter l'évangile : il baptise, confirme, ordonne des prêtres locaux, consacre des moines et des moniales, à partir d'un quartier général, qui est aussi lieu de formation, et qui paraît bien avoit été Armagh (le futur

Geschichte, Stuttgart, 1983. T.W. MOODY, F.W. MARTIN et F.J. BYRNE, *A new history of Ireland,* Oxford, 1976, ainsi que le catalogue de l'exposition *Trésors d'Irlande* (Paris, Grand Palais, octobre 1982 - janvier 1983), Paris, 1982. Sur les sources, sont à consulter J.F. KENNEY, *The Sources for the early history of Ireland : Ecclesiastical,* New York, 1929 (reprint Shannon, 1968) et K. HUGUES, *Early Christian Ireland : Introduction to the Sources,* Londres, 1972.

1. Cf. Richard P.C. HANSON, Introduction, in SAINT PATRICK, *Confession et Lettre à Coroticus,* Paris, 1978 (*SC* 249), p. 7 ss.

2. Beaucoup de détails traditionnels de la vie de saint Patrick, en particulier ses séjours à Lérins, sa formation et son ordination à Auxerre, sont actuellement considérés comme sans fondement par la critique.

siège primatial de l'Église irlandaise). Cette mission fut certainement un succès, mais elle n'est pas allée sans toutes sortes de difficultés pour l'évêque : insultes, captivité, pillages, risque constant d'être assassiné.

En outre, une campagne de dénigrement l'atteint, à partir des milieux de Grande-Bretagne où il a été ordonné évêque. C'est pour se disculper, comme aussi pour justifier l'utilisation missionnaire des dons reçus autrefois, qu'il écrit sa *Confession,* récit de sa vie, qui se veut à la gloire de Dieu. L'autre écrit qui nous reste de lui est une *lettre* adressée *à Coroticus* et à ses soldats. Coroticus est un chef de bande anglais venu massacrer ou capturer (pour les revendre) des Irlandais, nouveaux convertis de Patrick. Celui-ci s'insurge solennellement, excommunie les coupables, et les somme de se repentir et de réparer ce qui peut l'être.

Saint Patrick fut-il moine lui-même? Peut-être, dans la mesure où les gens qui entouraient un évêque pouvaient vivre avec lui une certaine vie communautaire et cénobitique[1].

Ce n'est pas du temps de saint Patrick, mais par la suite, que l'Église d'Irlande s'organise en grande partie autour des monastères, lesquels seront très nombreux et comprendront souvent des centaines de moines. C'est la structure la mieux adaptée à un pays qui ne connaît pas de villes, mais des clans et des familles. Le monastère y forme une sorte de clan, dont l'abbé est le chef en tous domaines, y compris celui qui relève de l'évêque, car ce dernier n'est souvent qu'un moine entièrement dépendant de l'abbé[2].

Les moines irlandais alliaient souvent à un extraor-

1. Cf. R.P.C. HANSON, *op. cit.*, p. 166 ss.
2. Cf. J. DÉCAREAUX, *Les moines et la civilisation,* Paris, 1962, p. 165 ss. et 194 s.; R. FRÉCHET, *Histoire de l'Irlande,* 3e éd., Paris, 1970 (*Que sais-je?,* 394), p. 18.

dinaire esprit missionnaire une certaine propension à changer de lieu. Cela les conduira en Islande, en Grande-Bretagne, puis en Gaule et en Germanie. Le plus grand d'entre eux, saint Colomban, eut, de Luxeuil, une influence considérable pour redonner un souffle évangélique aux Églises de la Gaule. Il alla jusqu'à Bobbio, en Italie du Nord, où il fonda son dernier monastère.

Par ailleurs, dès le VIIe siècle, l'Irlande et ses monastères jouissent d'une grande réputation de culture et attirent beaucoup d'étrangers. Ils sont à cette époque le lieu où se conserve la tradition de la culture latine, alors qu'elle s'abâtardit en Gaule. Cela tient au fait que le latin, en Irlande, demeura toujours une langue d'érudits, sans se mélanger à la langue locale ni tenter de la remplacer[1].

Ainsi, durant les siècles de décadence de la culture et du christianisme sur le continent, l'Irlande connaît une brillante période : elle est l'« île des saints », le refuge des humanités, le centre de la mission chrétienne. En conséquence, on trouvera de nombreux moines et savants irlandais sur le continent dans tous les centres de la Renaissance carolingienne, dès la fin du VIIIe et au long du IXe siècles. Citons, pour la cour de Charlemagne, le grammairien Clément, le géographe et computiste Dicuil, le théologien Dungal. Ils sont souvent itinérants, et l'école cathédrale de Laon voit passer beaucoup d'entre eux. Le plus grand, Jean Scot Érigène, qui vivait dans le cercle de Saint-Denis et l'entourage de Charles le Chauve, vers 850, a su assez de grec pour initier l'Occident aux écrits du Pseudo-Denys[2].

Longtemps, dans ce pays d'Irlande qui ne connaît pas de

1. Cf. Fr. HENRY, *L'art irlandais*, p. 36; R. FRÉCHET, *op. cit.*, p. 13 s.
2. Cf. J. DÉCAREAUX, *Moines et monastères à l'époque de Charlemagne*, Paris, 1980, p. 90, 127, 151 ss., 154 ss.

villes ni de bourgades, les monastères demeureront les centres de la culture intellectuelle et artisanale[1].

Malgré d'incessantes petites guerres, accompagnées de pillages, la vie religieuse et culturelle s'était donc développée au cours des VIIe et VIIIe siècles. Ces guerres restaient en effet assez limitées. Mais les choses se gâtent tout à fait, et pour longtemps, avec les invasions des Vikings, qui vont durer environ deux siècles. Elles commencent par une suite de raids qui détruisent tout sur leur passage, et répandent la terreur. Bangor, le monastère que relèvera saint Malachie, est détruit vers 821. Peu à peu les envahisseurs s'installent en Irlande, et la colonisent, non sans une violente concurrence entre Danois et Norvégiens. Ce sont eux qui construiront les villes marchandes et portuaires, alors que, longemps encore, les Irlandais de souche demeureront dispersés dans les campagnes[2].

Après une accalmie relative, de 870 à 910, les invasions destructrices reprennent de plus belle. Mais une résistance se dessine et s'accentue dans le Munster (au Sud-Ouest de l'Irlande), autour d'un chef, Brian Borou. En 1014 elle écrase les troupes de Vikings présentes sur l'île, au moment où d'autres forces scandinaves s'apprêtaient à débarquer. C'est la victoire de Clontarf, au Nord de Dublin, qui met fin à la domination des Vikings, même si leurs villes subsistent. Leurs habitants d'ailleurs se christianisent progressivement.

Les Vikings étaient en contact étroit avec le monde méditerranéen et ont introduit en Irlande des gens du sud, qui se mêleront à la population autochtone. Par ailleurs, les échanges culturels de l'Irlande avec l'Angleterre et le continent n'ont pas été interrompus par les invasions. Il n'en reste pas moins que, si beaucoup de monastères ont

1. Cf. Fr. HENRY, *op. cit.*, t. II, p. 15.
2. Cf. Fr. HENRY, *op cit.*, p. 18 ss.

été réédifiés après leur destruction (on bâtissait en bois, le travail était rapide), d'autres avaient disparu. Cela entraînait dans certaines contrées une grave démoralisation et une régression culturelle et spirituelle[1].

C'est à partir du milieu du XIe siècle que la vie reprend vraiment : les monastères se relèvent, et autour d'eux toute l'Église dont ils demeurent la structure. Ils attirent à nouveau des étudiants étrangers[2].

Le XIIe siècle marque un tournant : les villes, d'abord résidences d'étrangers, s'intègrent peu à peu dans l'organisation du pays. En conséquence, l'Église va progressivement s'organiser sur le modèle du continent, avec des évêchés territoriaux et des sièges épiscopaux liés à des cités plutôt qu'à des abbayes. Le premier évêché territorial est celui de Dublin, fondé en 1036, et dont l'évêque, longtemps, ira recevoir sa consécration à Cantorbéry. Un synode important, celui de Rathbreasail en 1110 ou 1111, répartira le territoire entre les diocèses et reconnaîtra deux sièges principaux : Armagh et Cashel. Un autre synode, celui de Kells en 1152 (quatre ans après la mort de saint Malachie) remaniera cette répartition et ajoutera deux autres sièges primatiaux : Dublin et Tuam[3].

C'est à cette époque aussi que les ordres monastiques et religieux du continent se mettent à fonder des maisons en Irlande – à commencer par les cisterciens, et plus précisément Clairvaux.

Jusqu'au XIIe siècle – et c'est encore le cas ici ou là sous la plume de saint Bernard – *Scottia* (avec *Hibernia*) désigne l'Irlande, et *Scotti* les Irlandais. C'est plus tard seulement que ces noms seront réservés à cette région colonisée par

1. Cf. Fr. HENRY, *op. cit.,* p. 30 ss.
2. Cf. Fr. HENRY, *op. cit.,* t. III, p. 15 ss.
3. Cf. Fr. HENRY, *op. cit.,* p. 18 ss.; R. FRÉCHET, *op. cit.,* p. 23.

les Irlandais qu'est l'Écosse, dénommée antérieurement Calédonie.

A l'époque de Malachie l'Irlande se répartit en quatre grandes régions. Au nord-est l'Ulster – *Ulidia* en latin, Uladh en irlandais – qui comprenait trois provinces : Ulidie, Aileach, Airghialla. Au sud-est le Leinster – *Lagina* en latin, Laighin en irlandais, comportant au nord la province de Bregia et au sud celle d'Ossory. Au nord-ouest le Connaught (ou Connacht), dont il n'est pas question dans la *MalV*. Enfin, au sud-ouest, le Munster – *Mummonia* en latin, Mumhan en irlandais – qui comportait deux provinces : Thomond et Desmond, ces noms signifiant simplement Munster du nord et Munster du sud.

Ces régions, et leurs rois, sont en constantes rivalités. Depuis le XIe siècle, avec Brian Borou, c'est le Munster qui avait peu à peu étendu son hégémonie sur les autres régions, au détriment du Meath (à l'Est, entre l'Ulster et le Leinster). Un roi va dominer la première moitié du XIIe siècle : Turlough O'Connor, du Connaught, qui affaiblit le Munster en le répartissant entre deux pouvoirs : le Thomond remis à Conor O'Brien, et le Desmond laissé à Cormac Mac Carthy, à qui le tout aurait dû revenir. Malachie, nous le verrons, prendra part à l'événement en accueillant Cormac et en devenant son ami.

Mais, de son côté, le roi du Leinster, Dermot Mac Murrough, qui avait pris le pouvoir en 1026, devenait un concurrent menaçant. Vaincu par le fils de Turlough, Rory O'Conor, il fera appel aux Normands et provoquera ainsi la perte, pour toute l'Irlande, de son autonomie. En effet, les Normands, installés en Angleterre dès 1066, conquièrent l'Irlande de 1168 à 1170, la pillent sans vergogne, et leurs barons s'en répartissent le territoire[1]. Les Normands

1. Cf. Fr. HENRY, *op cit.*, p. 27 ss.

apporteront à l'Irlande l'organisation politique qui lui manquait, comme aussi une économie basée sur la monnaie et une agriculture plus systématique. Mais l'Irlande ne fut qu'à demi conquise, et l'affrontement entre autochtones et envahisseurs n'a jamais cessé. Il demeurera l'arrière-fond dramatique de toute l'histoire subséquente de ce pays[1].

Malachie, réformateur et artisan d'une romanisation

La tradition irlandaise d'une Église organisée autour des monastères, centres de la mission et de la pastorale, tradition où, en particulier, les ministères d'abbé et d'évêque peuvent se confondre, apparaît très nettement dans la *MalV*, notamment dans la manière qu'a Malachie d'exercer son ministère. Mais si saint Bernard laisse percevoir cette tradition particulière, il ne semble pas l'avoir comprise. Il connaît sur le continent une tout autre situation qui, pour lui, est certainement normative : choisi comme évêque, un abbé cesse dès lors d'être abbé; un monastère est un lieu à l'écart du monde, et un moine reste dans sa clôture, il ne part pas en tournées missionnaires. Voilà probablement la raison pour laquelle l'abbé de Clairvaux, à plusieurs reprises, semble considérer que l'Irlande a ignoré jusque là la vie monastique. Les moines irlandais ne seraient-ils pas, à ses yeux, un genre de chanoines réguliers autour de leur évêque?

Cependant, même s'il demeure très irlandais, saint Malachie prend nettement place parmi les homme d'Église qui travaillent à aligner peu à peu les structures de l'Église irlandaise et ses coutumes originales sur l'organisation et le droit d'une Église d'Occident de plus en plus centralisée autour du siège romain. Il se présente ainsi dans la lignée d'un Gilbert, évêque de Limerick et premier légat du pape

1. Cf. R. FRÉCHET, *Histoire de l'Irlande*, p. 27 ss.

pour l'Irlande, d'un Cels (ou Cellach), évêque d'Armagh, d'un Malch, évêque de Waterford. Davantage : le synode de Rathbreasail, en 1111, pour appliquer à l'Irlande la réforme grégorienne, avait décidé que chaque région aurait son organisation et sa hiérarchie diocésaines[1].

On notera par ailleurs, chez saint Bernard, un net préjugé culturel : par ses coutumes, par sa langue, l'Irlande lui paraît une terre barbare[2], dont il s'étonne qu'elle ait pu produire un homme de la classe humaine et sprirituelle de saint Malachie. Et c'est en raison de ce même préjugé que Bernard envisage et présente comme des réformes simplement chrétiennes et évangéliques tout cet effort de Malachie, où l'on peut déceler en fait une romanisation des rites, des coutumes, et de la législation caractéristiques du christianisme irlandais[3]. Ceux-ci, au regard de l'Abbé de Clairvaux, ne peuvent être que sauvages, impies et barbares.

C'est là d'ailleurs un thème classique de l'hagiographie continentale : la douceur de l'Église et de ses saints, en particulier douceur qui triomphe des barbares lors de l'évangélisation de la Frise, de la Germanie, de l'Europe de l'Est. Il fallait donc, en quelque sorte, que la sainteté de Malachie soit elle-même aux prises avec la barbarie. Une certaine rhétorique l'exigeait[4].

En s'adaptant à la dissémination du pouvoir dans les *tuatha* (ou tribus) et en se développant autour de formes monastiques très anciennes, l'Église d'Irlande revêtait des caractéristiques incompréhensibles pour un homme du continent, comme saint Bernard. Il allait de soi, en particulier, que les biens du monastère et de l'Église locale

1. B.W. O'DWYER, Introd. à la *MalV*, in *Opera di san Bernardo*, p. 603 s.
2. *MalV.*, I, 1 et XX, 46.
3. Cf. *ibid.*, III, 6 et 7; XIII, 16 et 17.
4. B.W. O'DWYER, *op cit.*, p. 588 ss.

demeurent la propriété de la tribu et de son chef. Il paraissait normal aussi que le ministère abbatial et celui du chef de clan se confondent facilement, et qu'ainsi tel siège abbatial et épiscopal soit le bien propre d'une famille durant des générations.

Au XIIe siècle, il est indéniable que les inconvénients de ce système sont flagrants : une certaine sécularisation de l'Église monastique et l'emprise de la loi irlandaise rendaient indispensable une réforme où l'Église aurait à retrouver – difficilement – son autonomie[1]. Mais un Malachie ne se contente pas de réformer ces abus, il poursuit une romanisation du christianisme irlandais et ce n'est pas sans raison qu'il se rend à Rome pour chercher auprès du pape une confirmation de son ministère[2]. On peut donc penser que les oppositions violentes auxquelles il se heurte en Irlande expriment aussi une part de fidélité à des particularismes locaux et, sur certains points, une diversité qui aurait peut-être été compatible avec une catholicité authentique.

Une conception de l'eucharistie

Il ne sera pas sans intérêt de réserver quelques lignes de cette introduction à un thème particulier : la manière dont la *MalV* présente l'eucharistie et dont on parle de celle-ci au XIIe siècle.

En général saint Bernard parle peu des sacrements, et moins encore de l'eucharistie[3] que du baptême. Or la

1. B.W. O'DWYER, *op. cit.*, p. 599 ss.
2. Cf. *MalV.*, XV, 33.
3. Dom R.-J. HESBERT («Saint Bernard et l'eucharistie», *Mélanges saint Bernard,* XXIVe Congrès, Dijon, 1953, p. 156 ss.) a dressé l'inventaire des passages de saint Bernard sur l'eucharistie : *Palm,* S. 3, 4; *Ded,* S. 3, 2; *Tpl,* VI, 12; *NatV,* S. 1, 6; *Ép* 190, 9, 25; *SCt,* S. 23; *Mart,* 10; *QH,* S. 3, 3; *HM 5,* 3; *Pre,* XIX, 58; *Ép* 69; *SCt,* S. 50, et la *MalV*. Il

mention de l'eucharistie revient à plusieurs reprises dans la *MalV*. et les deux sermons qui la complètent.

Par deux fois, quand il est question de la communion, il s'agit du viatique qui précède la mort[1]. Donc d'une communion hors de la messe. En outre un passage du récit laisse percevoir la discipline réglant la communion à l'autel, dans la liturgie : les pécheurs publics restent à la porte, ceux qui font pénitence peuvent entrer dans l'église, mais sans être admis à s'approcher de l'autel; enfin, accèdent à l'autel ceux qui peuvent communier[2].

Par ailleurs, d'une manière qui semble habituelle, l'eucharistie est envisagée comme le sacrifice ou les saints mystères que l'évêque ou le prêtre offre à l'autel, l'offrande qu'il présente, l'offrande de la messe[3]. A l'occasion, il est précisé qu'on offre le sacrifice pour un défunt (lors des funérailles de Malachie[4]), ou qu'on présente l'offrande salutaire du corps du Seigneur pour les pécheurs[5]. Ce

n'y a guère qu'une demi-douzaine de ces passages qui dépassent la simple allusion pour offrir un bref développement doctrinal ou spirituel. Ils parlent de l'eucharistie en général sous l'angle du fruit de la communion : en liaison avec la Parole, nous sommes par l'eucharistie nourris du Verbe de Dieu; par rapport aux apôtres nous ne nous trouvons pas défavorisés, puisque nous recevons la substance de la chair du Christ; comme l'apparence du pain et du vin pénètre nos corps, ainsi le Christ vient habiter en nous par la foi; l'eucharistie est une force, elle affaiblit notre concupiscence dans les tentations ordinaires et elle nous retient de consentir aux grandes tentations; mais elle n'est que figure par rapport à la réalité du Royaume à venir. L'auteur de l'article ne cache pas une certaine déception : on ne peut certes nier que saint Bernard dise l'essentiel sur ce sacrement; mais on ne peut prétendre ni qu'il y revient souvent ni qu'il s'y étend volontiers. La mention de l'eucharistie n'est chez lui qu'occasionnelle, et le mystère n'est pas présenté dans toutes ses dimensions.

1. Cf. *MalV*, XXI, 47 et XXXI, 71.
2. Cf. *id.*, V, 11.
3. Cf. *id.*, XV, 38; XXIX, 65; XXXI, 75.
4. Cf. *id.*, XXXI, 75.
5. Cf. *MalT*, 3.

sacrifice est ainsi l'« obole » que saint Malachie, quarante jours de suite, offre pour l'âme de sa sœur défunte, jusqu'à ce que cette dernière soit sauvée[1].

En outre, lorsqu'il est dit que, pour les péchés des fidèles qui lui sont confiés, Malachie couvrait « les autels de vœux et d'offrandes pacifiques »[2], on peut penser qu'il s'agit aussi de l'eucharistie ; de même quand il est dit qu'il a souvent fait monter des sacrifices de paix[3].

De ces mentions de l'eucharistie on ne peut certes tirer toute une théologie : elles sont trop rares, et surtout trop occasionnelles. Ce n'est d'ailleurs pas tellement une théologie, mais une pratique qu'elles supposent. Il est vraiment étrange que, au XIIe siècle, un homme comme saint Bernard considère l'eucharistie sous l'angle d'un sacrifice propitiatoire, en particulier pour le salut des morts, sans qu'apparaisse une seule fois dans tous ces passages le lien entre sacrifice et repas, entre sacrifice et mémorial, ou entre sacrifice et action de grâce. Quel rétrécissement par rapport à l'époque apostolique et à l'Église des Pères...

C'est à propos du problème de la présence du Christ dans les espèces que l'on rencontre encore l'eucharistie dans la *MalV*[4]. A toutes les époques il a été difficile d'accorder autour d'une même formulation de la foi les esprits plus empiriques et les esprits plus métaphysiques, les uns soulignant que, phénoménologiquement, le pain et le vin restent ce qu'ils sont, les autres affirmant que, substantiellement, les espèces sont changées en ce qu'elles nous présentent, comme l'attestent les paroles de Jésus.

Malachie doit arbitrer un cas d'hérésie : un de ses clercs soutient que « dans l'eucharistie ne se trouve que le

1. Cf. *MalV,* V, 11.
2. Cf. *id.,* XIX, 44.
3. Cf. *MalS,* 6.
4. Cf. *MalV,* XXIV, 57.

sacrement, non la réalité sacramentelle, autrement dit qu'elle consiste seulement dans la sanctification, non dans la vérité du corps». C'est en tout cas le résumé que saint Bernard donne de la pensée de ce clerc; il l'a peut-être simplifiée, car ce n'est pas le problème théologique comme tel qui l'intéresse ici, mais la manière dont se clôt la controverse.

Ainsi libellée, cette négation de la réalité sacramentelle dépasse nettement les formulations restrictives qu'on peut trouver à ce propos chez un Bérenger de Tours (né vers l'an 1000, et condamné par plusieurs conciles). Au XIe siècle Bérenger fut le chef de file et la grande référence de ceux qui refusaient un réalisme sacramentel trop net. Parmi ses disciples il s'en trouve de plus radicaux que lui. Peut-être notre clerc de Lismore était-il du nombre? On sait en tout cas qu'au XIIe siècle – donc à l'époque qui nous intéresse ici – cette controverse autour du sacrement de l'autel n'était pas close. Abélard en effet constate qu'à son époque on n'a pas fini de discuter sur le problème de savoir «si ce pain tel qu'on le voit *(qui videtur)*, est seulement la figure du corps du Seigneur, ou aussi la vérité de la substance même de la chair du Seigneur»[1].

1. *Theol. christ.*, IV. Sur le problème, cf. art. «Eucharistie», *DTC*, V, col. 1217 ss., 1239.

* On lira avec profit tout ce que J. PELIKAN dit de l'eucharistie dans son livre, *The Christian Tradition. A History of the Development of Doctrine. The Growth of Medieval Theology (600-1300)*, Chicago, the University of Chicago Press, 1978. Un bon témoin de ce qui se dit au temps de saint Bernard est Pierre LOMBARD, dans ses *Sententiae*, IV, 8-13 (t. II, Grottaferrata, 1981, p. 280-315). Plusieurs études sur l'eucharistie aussi dans *Segni e Riti nella Chiesa altomedievale occidentale*, Spoleto, 1987. Un autre thème, celui de la *peregrinatio*, est fondamental dans la *MalV* et mériterait une belle étude.

Plan et résumé de l'œuvre

Dans son *préambule*, l'auteur noircit l'état de l'Église et la médiocrité des évêques de son temps pour faire ressortir la sainteté de Malachie; puis il expose les raisons qui le déterminent à écrire la vie du saint.

Ce récit se laisse diviser en trois grandes parties :
I. les étapes d'un ministère de plus en plus important;
II. le portrait spirituel du personnage puis, à travers le témoignage de maints miracles, l'évocation de ses multiples charismes;
III. le cheminement du saint vers la mort et son passage à la vie véritable.

I. Étapes d'un ministère

L'hagiographe évoque l'enfance studieuse et sainte de Malachie (1-2), sa vocation monastique (3-5), son accession au diaconat puis au presbytérat, et le zèle réformateur de ce prêtre (6-7), le complément de formation qu'il reçoit auprès de l'évêque de Lismore – où Malachie devient l'ami d'un roi irlandais (8-10). C'est alors qu'il sauve l'âme de sa sœur défunte par une célébration quotidienne de l'eucharistie (11). Le voici ensuite abbé de Bangor, monastère ancien qu'il reconstruit (12-15), puis évêque de Connor, diocèse qu'il réforme, mais dont une invasion le chasse bientôt (16-18).

Commence alors la description du processus lent et houleux par lequel Malachie accédera au siège primatial d'Armagh, où il a été appelé, et qu'il accepte dans la seule intention d'y ramener l'ordre (19-21). Il lui faut plusieurs années de péripéties dramatiques pour venir à bout du clan qui s'est arrogé ce siège et entend le garder (22-29). Son autorité enfin reconnue, la réforme amorcée et une épidémie de peste évitée, il se trouve un remplaçant et retourne à son premier diocèse, ou plus exactement au siège de Down, qui constitue la moitié méridionale de ce diocèse (30-31).

Le récit aborde alors l'étape qui va conduire Malachie à la charge de légat du pape pour toute l'Irlande. Évêque de Down, il désigne son remplaçant et prépare son voyage pour Rome : il désire obtenir le *pallium* pour le siège primatial et faire confirmer par le pape son ministère réformateur (32-34). Par l'Écosse (36-37), puis Clairvaux (où il souhaite revenir pour toujours) (37), il gagne Rome, où le pape fait de lui son légat (38). Son retour s'effectue par Clairvaux (39) puis l'Écosse (40-41). Nombre de miracles parsèment ces étapes.

II. *L'homme de Dieu*

A partir de son monastère de Bangor, où il est revenu, Malachie inaugure un ministère itinérant à travers l'Irlande, sa prédication et son zèle de légat réformateur étant accrédités par de nombreux miracles (42). Dès ce moment le récit cesse d'être chronologique. Il fait place à un portrait de l'homme et de l'évêque (43). Puis il rassemble toutes sortes de miracles accomplis par Malachie, en les classant de manière à montrer que ce dernier avait tous les charismes : exorcismes (45-46), guérisons de muets (47), punitions de pécheurs (48), guérisons de paralysés (49-51), résurrection d'une agonisante puis d'une morte (52-53), guérisons spirituelles (54-55), pêches miraculeuses (55-56), triomphe sur un hérétique (57), missions de réconciliation avec interventions surnaturelles (58-60), don de prophétie et victoire sur des adversaires, à propos de la construction d'une chapelle (61-63), don de discernement et de prophétie en diverses occasions (64-65). Bref, tous les charismes (66).

III. Une mort qui est passage à la vie

Si l'existence de saint Malachie est un motif d'admiration et une invitation à l'imitation, elle fournit aussi une raison d'espérance, par la qualité spirituelle de sa fin (66). Le récit redevient chronologique : le saint pressent sa mort et en indique – dans un souhait – le lieu et la date. Il se fait déléguer auprès du pape, alors en voyage en France, et prend congé de ses frères (67). Une tempête providentielle lui permet de tenir la promesse qu'il a faite imprudemment de revenir (69). Un autre contre-temps providentiel retarde son arrivée à Clairvaux (69). Au moment d'en repartir pour rejoindre le pape retourné en Italie, il tombe malade (70) et se prépare à la mort (71). Célébrant encore, à sa manière, la fête de tous les saints (72), il prononce alors ses dernières paroles (73). Sa mort est son passage à la vie véritable (74). Comment pleurer un vivant? Et quel privilège pour Clairvaux d'hériter ainsi de son corps, gardé en dépôt pour le Christ (75)!

Tant et tant de miracles?

A la suite de ce résumé, une question mérite qu'on s'y arrête quelque peu.

Dans la *Vie de saint Malachie* par saint Bernard, les miracles abondent : ils représentent une très large part du récit. Ils appartiennent évidemment au genre hagiographique où un certain merveilleux – comme déjà dans les cycles de l'Ancien Testament concernant Élie et Élisée – devait célébrer la gloire de Dieu et la sainteté de son serviteur, mais peut-être aussi captiver le lecteur, sinon le délasser comme un roman d'aventures.

La présentation de Malachie par son biographe correspond largement à ce qu'on a pu dire, en général, du miracle dans la société médiévale[1], et des vies de saints en particulier[2]. Saint Bernard ne se verra guère attribuer moins de miracles, dans sa *Vita prima* ou dans l'histoire de son périple en Germanie[3].

La sainteté, pour le Moyen Age, se manifeste avant tout dans des guérisons et des guérisons relativement normales ou naturelles[4] : non pas tellement des membres qui repoussent, par exemple, mais des aveugles recouvrant la vue, des muets la parole, des sourds l'ouïe. Guérisons de tumeurs, de paralysie, de blessures... Les miracles concernent aussi souvent des accouchements difficiles et des cas de stérilité[5]. Ils peuvent encore consister en une protection dans un danger, ou dans le châtiment d'un voleur, d'un sacrilège, etc. Nombreux, en outre, sont les cas de visions, de précognition, de discernement spirituel[6].

Saint Bernard se conforme donc sans problème aux lois de ce genre qu'est l'hagiographie. Il se plaît à énumérer des miracles dont le nombre et la variété doivent témoigner de la sainteté de Malachie. Notons toutefois qu'il ne parle pas de ces événements longtemps après. Il a bien connu celui dont il célèbre la vie. Il se dit témoin, et beaucoup plus que témoin, du miracle de guérison opéré par Malachie sitôt après sa mort[7]. Pour répondre au souci exprès des commanditaires du récit, il n'est pas sans se porter solennellement garant de la vérité de tout ce qui est raconté[8]. En

1. Cf. P.-A. SIGAL, *L'homme et le miracle dans la société médiévale,* Paris, 1985.
2. *Ibid.,* p. 11.
3. *Ibid.,* p. 18. *Vita prima, PL,* 185, 225 ss.; *Fragmenta de vita et miraculis,* BHL 1207, *Ann. bolland.,* 1932, t. L, p. 89 ss.; *Historia miraculorum S. Bernardi in itinere patratorum, PL,* 185, 385 ss.
4. P.-A. SIGAL, *op. cit.,* p. 227.
5. *Ibid.,* p. 255.
6. *Ibid.,* p. 280 s.
7. *MalV,* XXXI, 75.
8. *Ibid., Praef., (in fine).*

outre – on l'a dit – ses récits, en général, ne versent pas dans le stéréotype ou la généralisation. Ils demeurent circonstanciés, personnels, vivants.

Sans se montrer hypercritique, on doit bien reconnaître, dans cet écrit de saint Bernard, des épisodes qui paraissent relever du merveilleux et qu'on aurait de bonnes raisons de mettre en doute. Mais la plupart des miracles consistent en des guérisons physiques ou psychiques, et quelquefois en des retours à la vie; s'y ajoutent des faits qui relèvent du discernement des esprits, de la prophétie, de la prémonition. Sous prétexte qu'il y en a vraiment beaucoup, va-t-on tout mettre en doute?

On peut répondre d'abord que, dans les récits de miracles du Moyen Age – et ceci vaut pour saint Bernard – l'imagination n'apparaît pas débridée : elle s'abandonne rarement au merveilleux fantastique. Les faits sont généralement récents, connus souvent à travers peu d'intermédiaires[1]. Et l'on rencontre assez fréquemment, en particulier dans les sanctuaires de pélerinages, le souci de vérifier l'authenticité des miracles, en interrogeant les témoins et en mettant à l'épreuve celui qui a été guéri[2]. En généralisant, on peut donc conclure que les miracles, au Moyen Age, reflètent souvent des faits réels, mais interprétés en fonction d'une certaine vision des choses et d'un niveau de connaissances qui ignore les causes secondes et ne s'y intéresse pas[3]. Au contraire, on croit très fort à la justice immanente[4], laquelle devient principe normal d'interprétation.

Nous ajouterons quelques remarques pour proposer une

1. Cf. P.-A. SIGAL, *op. cit.*, p. 311.
2. *Ibid.*, p. 151.
3. *Ibid.*, 311.
4. *Ibid.*, p. 280, qui renvoie à P. ROUSSET, «La croyance en la justice immanente à l'époque féodale», *Le Moyen Âge*, t. IV, 1948, p. 228 s

clé de lecture en même temps intellectuelle et spirituelle, de telle manière que la *Vie de saint Malachie* ne demeure pas en quelque sorte étrangère à son lecteur actuel. Ces remarques viseront à éclairer ce qui différencie de nous l'homme ancien dans la manière de considérer et de percevoir la réalité, et plus spécialement de rendre compte de l'enchaînement des causes et des effets.

En raison d'une certaine maîtrise scientifique et technique, nous partons aujourd'hui de l'idée que les choses doivent réussir. Que l'on entreprenne un voyage, il est absolument normal d'arriver au but sans encombre. Que l'on tombe malade, il va quasiment de soi que, adéquatement soigné, on se guérisse. Il serait au contraire anormal – et ressenti comme injuste – de ne pas se rétablir. Ce qui nous frappe, en général, c'est le malheur consécutif à tel enchaînement de lois physiques, et il nous faut immédiatement des responsables à attaquer en justice. Nous demeurons beaucoup moins impressionnés par les cas où ces lois jouent de manière heureuse. Nous disons alors, comme en passant : c'était de la chance ! Par contre, lorsque l'occurrence joue contre nous, nous ne parlons pas de simple malchance : nous dramatisons le malheur, nous nous sentons frustrés. La sécurité, le respect, la vie, le succès de ce que nous entreprenons nous apparaissent comme des droits. Du même coup, d'ailleurs, la mort est ressentie comme un démenti à l'égard de tout cela, comme l'anomalie par excellence, l'échec et l'injustice suprêmes, et ce qu'il faut reléguer le plus loin possible.

L'homme ancien, celui du XIIe siècle par exemple, a plutôt pour expérience que tomber malade, c'est être bien près de mourir ; l'étonnant sera d'en réchapper. Dans les autres domaines de la vie aussi, les réussites ne vont guère de soi. On se perçoit dépendant, et ce sont les occurrences heureuses qui surprennent et réjouissent. La mort toujours est proche : on a si peu de pouvoir contre elle. Comment ne pas crier au miracle si l'on revient sain et sauf d'un voyage ou si l'on guérit d'une maladie ? Et comment, dans ces conditions, concevoir la vie comme un droit, et la réussite des projets comme un dû ?

En outre, la rationalité de l'approche scientifique nous entraîne à rejeter l'idée que Dieu interviendrait dans l'enchaînement des causes. Nous avons un sens plus aigu de la consistance propre du monde. Ce qui nous retient de conclure au miracle. Davantage : ce dernier s'oppose en quelque manière à l'idée que nous voulons nous faire de Dieu et de son rapport au créé. L'homme ancien voyait volontiers des miracles partout ; les chrétiens d'aujourd'hui sont portés à désirer, en quelque sorte, qu'il y en ait le moins possible, non tellement par manque de foi que parce que le prodige constitue une anomalie dont le sens théologique leur demeure étranger. Finalement il nous répugne d'appeler miracles les circonstances heureuses, car il nous semble – à juste titre – irrecevable d'appeler punition de Dieu, ou négligence de sa part, sinon impuissance, les circonstances malheureuses.

Il est cependant possible de lire la plupart des miracles de la *Vie de saint Malachie* non comme des inventions mais comme une certaine manière d'aborder la réalité, de considérer les faits, d'interpréter leurs sens. Une manière qui n'est plus la nôtre, mais qui peut nous inviter, sans renoncer à l'idée d'une consistance propre du monde ni rien abandonner de notre rationalité moderne, à porter sur les événements heureux, sur les occurrences positives, un regard plus émerveillé, plus capable de discerner en tout cela des symboles de la grâce de Dieu. Le miracle n'est pas forcément en marge des lois scientifiques, il peut être dans leur jeu et dans l'attention délibérément subjective que l'on porte sur ce jeu.

Du même coup, nous nous sentirons beaucoup moins étrangers, beaucoup plus accordés spirituellement à ce miracle pour ainsi dire permanent de l'existence et du ministère d'un Malachie, tel que saint Bernard a voulu nous les montrer.

La manière dont saint Bernard, dans la partie centrale de son écrit, rassemble et organise le récit des miracles de saint Malachie, obéit à une visée théologique et spirituelle : le saint doit être considéré en quelque sorte comme un autre Christ. C'est là ce qui, en lui, est précisément admirable, merveilleux et miraculeux : l'évangile modèle vraiment sa vie et son être. Du même coup les miracles et le merveilleux, bien loin de retenir l'attention par leur aspect anecdotique, prennent tout leur sens évangélique, celui d'un signe. Les actes du Christ et de ses saints attestent en effet que la création nouvelle se trouve déjà à l'œuvre en ce monde, comme une force de vie qui ne détruit pas la nature, mais la restaure et la mène à son achèvement. Une force d'avenir, cachée certes, mais qui ne manque pas d'affleurer et de se révéler, ici ou là, à ceux qui ont des yeux pour voir et une certaine conception du monde et de l'histoire pour interpréter.

*
* *

Les *capitula* (ou sous-titres) imprimés en italiques proviennent d'un manuscrit ancien originaire de Clairvaux (cf *Opera S. Bernardi*, t. III, p. 304 s). Tous les autres sous-titres sont proposés par nous. Nous avons conservé la double numérotation accompagnant le texte critique : on l'a vu pour l'*Éloge de la Nouvelle Chevalerie*, cette double numérotation remonte à Horstius. Les *SBO* ont seulement supprimé les titres des chapitres, indiqués par des chiffres romains, que cet éditeur avait introduits et que Mabillon et Migne avaient conservés. Les trois grandes parties, que nous avons mises en relief par de grands intertitres, sont clairement indiquées par saint Bernard dans le texte.

En ce qui concerne les nombreux noms propres, nous avons adopté le principe suivant : pour les noms de personnes nous francisons la forme latine (ex. : Malch pour *Malchus*, Gilbert pour *Gilbertus*) ; pour les noms de lieux nous utilisons le nom usuel anglais (ex. : Ulster pour *Ulidia*) ; mais dans les deux cas nous donnons en note le nom irlandais.

Les notes, en grande partie, s'inspirent directement de celles que le P. Aubrey Gwynn, spécialiste du sujet, a rédigées pour l'édition critique. Nous avons aussi largement emprunté aux notes qui accompagnent la récente traduction américaine : BERNARD OF CLAIRVAUX, *The life and death of saint Malachy, the Irishman*, translated and annotated by Robert T. Meyer, Kalamazoo, Michigan, 1978. Un certains nombre de renseignements historiques nous été communiqués par deux cisterciens irlandais, le P. Colmcille Conway et le P. Cornelius Justice, que nous remercions vivement.

VITA SANCTI MALACHIAE EPISCOPI

Praefatio

307 Semper quidem operae pretium fuit illustres sanctorum describere vitas, ut sint in speculum et exemplum, ac quoddam veluti condimentum *vitae hominum super terram*[a]. Per hoc enim quodammodo apud nos etiam post mortem
5 vivunt, multosque ex his, *qui viventes mortui sunt*[b], ad veram provocant et revocant vitam.

Verum nunc maxime id requirit raritas sanctitatis, et nostra plane aetas inops virorum. Quam sane inopiam super nos adeo invaluisse videmus, ut nulli sit dubium illa
10 sententia nos feriri : *Quoniam abundabit iniquitas, refrigescet caritas multorum*[c]. Et, ut suspicor ego, aut praesto, aut prope est, de quo scriptum est : *Faciem eius praecedet egestas*[d]. Ni fallor, Antichristus est iste, quem fames ac sterilitas totius boni et praeit, et comitatur. Sive igitur
15 nuntia iam praesentis, sive iamiamque adfuturi praenuntia, egestas in evidenti est. Taceo vulgus, taceo vilem filiorum

a. Job 7, 1 || b. I Tim. 5, 6 || c. Matth. 24, 12 || d. Job 41, 13

LA VIE DE L'ÉVÊQUE SAINT MALACHIE

Préambule

Un saint alors qu'il n'est plus de saints

Vraiment, on a toujours accompli œuvre utile et précieuse en racontant la vie illustre des saints avec l'intention d'en faire un miroir, un exemple, et même une sorte de piment pour «la vie des hommes sur la terre[a]». C'est une manière pour les saints de vivre encore parmi nous après leur mort, une manière aussi pour eux d'inviter et de rappeler à la vie véritable beaucoup d'hommes «qui, quoique vivants, sont morts[b]».

Mais c'est maintenant surtout qu'un tel travail s'impose : si rare est la sainteté; et notre époque est si pauvre en hommes. Quelle indigence nous voyons s'établir parmi nous : si grande, que nous nous trouvons – nul ne peut en douter – sous le coup de cette sentence : «Par suite de l'iniquité croissante, l'amour se refroidira chez le grand nombre[c].» Et, comme je le soupçonne pour ma part, voici réalisée, ou prête à l'être, cette parole : «L'indigence le précédera[d].» Sauf erreur, c'est l'Anti-Christ, que précèdent et accompagnent la faim et la privation de tout bien. Soit donc qu'elle révèle déjà sa présence, soit qu'elle apporte la nouvelle de sa venue à brève échéance, cette privation règne à l'évidence. Pour ne rien dire du commun des hommes, pour ne rien dire de la vile multitude des fils de ce

huius saeculi[e] multitudinem : in ipsas Ecclesiae columnas volo[f] oculos leves. Quem mihi ostendas vel de illorum numero, qui videntur *dati in lucem gentium*[g], non magis de
20 sublimi fumantem quam flammantem ? Et *si lumen quod in te est,* inquit, *tenebrae sunt, quantae sunt tenebrae*[h] *?* Nisi tu illos forte, quod non credo, lucere dixeris, qui quaestum aestimant pietatem[i], qui in hereditate Domini, non quae Domini, sed magis quae sua sunt, quaeritant[j]. Quid dico :
25 quae sua sunt ? Perfectus sit et sanctus etiam sua quaerens suaque retinens, si ab alienis cor manusque contineat. Meminerit tamen, qui sibi usque huc forte pervenisse
308 videtur, eumdem exigi sanctitatis gradum et ab ethnico. Annon *milites* suis iubentur *contenti* fore *stipendiis*[k], ut salvi
30 fiant ? Magnum vero Ecclesiae doctori, si sit sicut unus militum : aut certe – quod ad illorum improperium propheta loquitur –, si *ut populus*, ita et *sacerdos*[1] fuerit. O deformitatem ! Ita ne summus merito reputandus erit, qui, summo corruens gradu, haerebit infimo, ne abysso absor-
35 beatur ? Quam rarus tamen iste ipse in clero ? Quem item das mihi contentum necessariis, contemptorem superfluorum ? Lex est tamen praefixa ab apostolis apostolorum successoribus : *Victum et vestitum habentes,* inquiunt, *his contenti simus*[m]. Ubi forma haec ? In libris cernimus eam, sed
40 non in viris. Habes vero de iusto, quia *lex Dei eius in corde*

e. cf. Lc 16, 8 || f. cf. Gal. 2, 9 || g. Is. 49, 6 || h. Matth. 6, 23 || i. cf. I Tim. 6, 5 || j. cf. Phil. 2, 21 || k. Lc 3, 14 || l. Is. 24, 2 || m. I Tim. 6, 8 (Patr.)

---

1. *Sacerdos :* ce terme, à l'époque, pouvait encore désigner aussi bien l'évêque que le prêtre. Ici, d'après le contexte, il semble s'agir du prêtre.
2. ** Bernard utilise toujours (14 fois; allusions ténues aussi bien que citations) ce texte Vieille Latine pour ce verset; ainsi, *infra,* II, 43, note z.
3. *Forma,* qui évoque en même temps la règle et la beauté.

siècle[e], c'est vers les colonnes mêmes de l'Église[f] que je veux diriger ton regard.

Du nombre même de ceux qui paraissent «donnés comme la lumière des nations[g]», lequel pourrais-tu me désigner qui, dans son élévation, ne soit une mèche fumante plutôt qu'une flamme? «Si la lumière qui est en toi est ténèbres, quelles ténèbres ce sera[h]!» A moins peut-être – mais je ne saurais le croire – que toi, tu n'appelles lumière ceux qui considèrent la piété comme une source de profit[i], et qui, dans l'héritage du Seigneur, ne cherchent pas l'intérêt du Seigneur, mais leur propre intérêt[j]? Que dis-je : leur propre intérêt? Celui qui cherche son propre intérêt et le garde pour soi tout seul passerait encore pour parfait, et même pour saint, si du moins il retenait son cœur et ses mains éloignés des biens d'autrui. Qu'il s'en souvienne pourtant, cet homme, s'il se flatte peut-être d'être parvenu jusque là : il aura tout juste atteint le degré de sainteté qui est exigé du païen. Les soldats, pour être sauvés, ne reçoivent-ils pas l'ordre de «se contenter de leur solde[k]»? Mais est-ce beaucoup, pour un docteur de l'Église, d'être comparable à l'un de ces soldats? Est-ce vraiment beaucoup, «pour le prêtre[1], d'être comme le peuple[l]» – et dans la bouche du prophète, cette parole est un reproche. Ô quelle honte! Ainsi l'on considère réellement comme occupant le premier rang celui qui, basculant du plus haut degré, se cramponne de justesse au dernier, pour ne pas disparaître dans l'abîme? Et pourtant, quelle rareté qu'un tel homme, dans le clergé!

De même, quel homme me présentes-tu qui se contente du nécessaire et qui méprise le superflu? Les apôtres ont cependant fixé d'avance cette loi pour les successeurs des apôtres : «Lors donc que nous avons nourriture et vêtement, sachons être satisfaits[m2].» Mais où trouver un tel idéal[3]? Dans les livres, oui, mais non parmi les hommes. Cependant, tu sais bien à propos du juste, que «la loi de

ipsius[n], et non in codice. Nec perfectionis is gradus Perfectus carere et necessariis paratus est. At gratis istud Utinam superfluis ponatur modus! Utinam non cupiamus in infinitum! Sed quid? Forte reperias qui hoc possit? Id quidem difficile; sed vide quid egimus. Quaerebamus virum optimum, multorum liberatorem : et ecce laboramus in inveniendo qui seipsum salvum facere possit[o]. Optimus hodie est, qui non est nimis malus.

Unde, *quoniam* a terra *defecit sanctus*[p], videor mihi non supervacue ex his, *qui empti sunt de terra*[q], revocare ad medium episcopum Malachiam, virum vere sanctum, e nostrorum quidem temporum, singularis sapientiae et vir tutis. Iste *lucerna ardens et lucens*[r]; nec exstincta est tamen sed submota. Quis mihi iure succenseat, si readmovere eam? Immo vero non est, quod mihi ingrati esse me saeculi homines debeant, et omnis deinceps *generatio ven tura*[s], si quem condicio tulit, revocem stilo; si mundo restituam, quo *dignus non erat mundus*[t]; si servem memoriae hominum hominem, *cuius memoria in benedictione*[u] si omnibus qui legere dignabuntur; si me excitante amicum dormientem[v], vox turturis audita fuerit in terra nostra[w] dicens : *Ecce ego vobiscum sum omnibus diebus usque ad consum mationem saeculi*[x]. Deinde sepultus apud nos est : nobi specialiter hoc opus incumbit. Quid quod me inter spe

n. Ps. 36, 31 || o. cf. Matth. 27, 42 || p. Ps. 11, 2 || q. Apoc. 14, 3 r. Jn 5, 35 || s. Ps. 21, 32 || t. Hébr. 11, 38 || u. Sir. 45, 1 || v. Cf. Jn 11, 11 || w. Cant. 2, 12 || x. Matth. 28, 20

Dieu est dans son cœur[n]», non pas dans un livre. Encore ce degré-là n'est-il pas celui de la perfection. Le parfait est prêt à manquer même du nécessaire. Ne rêvons pas! Si seulement l'on mettait une limite au superflu! Si seulement nos désirs n'étaient pas sans fin! Mais quoi? Peut-être trouveras-tu un homme qui soit capable de cela? A vrai dire, c'est difficile. Or vois où nous en sommes : nous étions en quête d'un homme accompli, apte à en libérer beaucoup d'autres; et nous avons peine à en trouver un qui soit capable de se sauver lui-même[o]. Le plus accompli, de nos jours, est celui qui n'est pas trop mauvais.

Les raisons d'écrire ce récit

En conséquence, «puisqu'il n'est plus de saints[p]» sur terre, il ne me paraît pas superflu de rappeler, d'entre ceux «qui ont été rachetés de la terre[q]», de rappeler au milieu de nous l'évêque Malachie – un homme vraiment saint et, pour notre temps, d'une sagesse et d'une vertu exceptionnelles. C'était «une lampe qui brûle et qui luit[r]» – elle ne s'est d'ailleurs pas éteinte, elle a seulement été retirée. Qui pourrait, à bon droit, m'en vouloir, si je ramène cette lampe? Ou plutôt : il n'y a pas de raison que les hommes de mon temps, et après eux toutes «les générations à venir[s]», puissent, à mon égard, se montrer ingrats si je rappelle par ma plume celui que sa condition humaine [nous] a enlevé; si je rends au monde celui dont «le monde n'était pas digne[t]»; si je maintiens présent à la mémoire des hommes un homme «dont la mémoire sera en bénédiction[u]» pour tous ceux qui voudront bien me lire; si enfin, alors que je réveille un ami qui dort[v], «la voix de la tourterelle se fait entendre sur notre terre[w]», disant : «voici, je suis avec vous tous les jours, jusqu'à la fin du monde[x].»

De plus, c'est chez nous qu'il a été enseveli; c'est donc à nous tout particulièrement que cette tâche incombe. Ce

ciales amicos sanctus ille habebat, et eo loci, ut nulli in hac parte gloriae secundum fuisse me credam? Nec mercede vacat mihi tantae familiaritas sanctitatis : primitias iam accepi. In extremis positus erat, immo in principiis, iuxta illud : *Cum consummatus fuerit homo, tunc incipit*[y]. Accucurri ego, ut benedictio morituri super me veniret. At ille, cum iam membra alia movere non posset, fortis ad dandam benedictionem, elevatis sanctis manibus super caput meum, benedixit[z] mihi, et *benedictionem hereditate possideo*[a] : et quomodo ego illum silere queam?

Postremo tu id mihi, abba Congane, iniungis, reverendus frater et dulcis amicus meus, ac te cum pariter, ut ex Hibernia scribis, vestra illa *omnis ecclesia sanctorum*[b]. Libens oboedio, praesertim quod non eloquium exigitis, sed narrationem. Dabo vero operam, ut ea sit pura et luculenta, devotos informans, fastidiosos non onerans. Sane narrationis veritas secura apud me est, intimata a vobis, haud alia procul dubio protestantibus, quam quae certissime comperta sunt vobis.

y. Sir. 18, 6 || z. cf. Lc 24, 50 || a. I Pierre 3, 9 || b. Sir. 31, 11

1. Abbé du monastère cistercien de Shuri (Inish Connaght, à l'ouest de Clonmel, district de Tipperary), l'une des 5 filles de Mellifont.

saint ne me comptait-il pas parmi ses amis les plus chers, et à un tel degré que je crois n'être devancé par personne dans cette part de gloire? La fréquentation d'une telle sainteté n'est pas pour moi sans récompense : j'en ai déjà reçu les prémices. Il était au bout de sa vie, ou plutôt à son début, selon cette parole : «Lorsqu'un homme est consommé, c'est alors qu'il commence[y].» J'ai accouru, moi, pour que vienne reposer sur moi la bénédiction de celui qui allait mourir. Et lui, incapable déjà de mouvoir ses autres membres, mais assez fort pour donner sa bénédiction, de ses saintes mains, élevées au-dessus de ma tête, il me bénit[z]; et cette bénédiction, je la possède en héritage[a] : comment pourrais-je garder le silence au sujet d'un tel homme?

Enfin, abbé Congan[1], c'est aussi ce que tu m'enjoins de faire, toi mon vénérable frère[2] et mon doux ami, et avec toi – comme tu me l'écris d'Irlande – toute votre «assemblée de saints[b]». De grand cœur, j'obéis, d'autant plus que vous n'exigez pas un discours, mais un récit. Je m'efforcerai de le rendre limpide et alerte, de manière à instruire les gens pieux sans ennuyer ceux qui en ont vite assez. Quant à la vérité du récit, de ma part elle est garantie : vous l'avez réclamée, en affirmant sans ambage accepter seulement les faits que vous teniez pour très certains.

premier monastère fondé par Clairvaux en Irlande, cf. *infra*, XXIX, 64. Ce monastère semble bien avoir été fondé en 1148, donc encore du vivant de saint Malachie, et par lui – et non en 1151, comme on l'a prétendu.

2. *Reverendus frater* est le titre que saint Bernard utilise pour s'adresser aux abbés cisterciens.

De provincia et parentibus et sancta pueritia sancti Malachiae

I. 1. Malachias noster, ortus Hibernia *de populo barbaro*[c], ibi educatus, ibi litteras edoctus est. Ceterum de natali barbarie traxit nihil, non magis quam pisces maris de sale materno. Quam vero suave, quod inculta nobis barbaries
5 tam urbanum protulit *civem Sanctorum et domesticum Dei*[d]?
310 Qui producit *mel de petra oleumque de saxo durissimo*[e], ipse fecit hoc.

Parentes tamen illi fuere genere et potentia magni, *iuxta nomen magnorum qui sunt in terra*[f]. At mater mente quam
10 sanguine generosior, satagebat *in* ipso *initio viarum suarum*[g] *notas* parvulo *facere vias vitae*[h], hanc pluris illi existimans ventosa scientia litteraturae saecularis. Ad utramque tamen huic non defuit ingenium pro aetate. In scholis litteras, domi *timorem Domini docebatur*[i], et quotidianis profectibus
15 respondebat ambobus satis, magistro et matri.

c. Ps. 113, 1 || d. Éphés. 2, 19 || e. Deut. 32, 13 || f. II Sam. 7, 9 || g. Prov. 8, 22 || h. Ps. 15, 10 || i. Ps. 33, 12

---

1. Puisque, à sa mort, le 2 novembre 1148, Malachie sera dans sa 54e année (cf. *infra*, XXXI, 74), il doit être né en 1094.

2. *Educatus - edoctus :* jeu de mots comme les aiment saint Bernard et son époque. *Litteras :* la *littera,* comme quelques siècles auparavant, doit surtout consister à savoir le latin : cf. J. DÉCARREAUX, *Moines et monastères à l'époque de Charlemagne,* Paris, 1980, p. 74 s.

3. Le père de Malachie, Mugron Ua Morgair, était lecteur principal à l'école de l'Église d'Armagh : il meurt en 1102. A cette famille traditionnellement liée à l'Église avait appartenu Mael Brigte, fils de Torman, qui fut abbé de l'église d'Armagh; à sa mort, en 925, on le vénérait comme un saint.

I. ÉTAPES D'UN MINISTÈRE

La province, les parents et la sainte enfance de saint Malachie

Double formation, spirituelle et littéraire

I. 1. Notre Malachie est né[1] en Irlande, «d'un peuple barbare[c]». C'est là qu'il a été élevé, là qu'il a été instruit dans les lettres[2]. Mais de sa barbarie natale, il n'a gardé aucune trace – pas plus que les poissons de la mer ne retiennent le sel de l'eau maternelle. Vraiment, comme il est doux de voir une barbarie sans culture nous offrir «un concitoyen des saints et un membre de la maison de Dieu[d]», si plein d'urbanité. Qui a réalisé cela, sinon Celui qui tire «le miel du rocher et l'huile de la pierre la plus dure[e]»?

Ses parents[3] étaient de grande lignée et très influents, «à la manière de ceux que l'on appelle grands sur la terre[f]». Sa mère, en particulier, plus généreuse encore par l'âme que par la race, prenait grand soin, au moment où l'enfant était «au seuil de sa route[g]» de lui «faire connaître les chemins de la vie[h]». Elle estimait pour lui ce savoir préférable à la vaine science que représente la littérature profane. Dans l'une et l'autre voie, cependant, l'enfant se montrait doué pour son âge. A l'école[4], on lui enseignait la lecture et l'écriture; à la maison, «la crainte du Seigneur[i]». Et ses progrès quotidiens répondaient largement aux deux enseignements, du maître et de sa mère.

4. L'auteur semble ignorer que le père de Malachie enseignait dans cette école, et même la dirigeait.

Nempe a principio spiritum sortitus est bonum, per quem erat puer[j] docilis et amabilis valde, mire admodum omnibus per omnia gratiosus. Bibebat autem pro lacte de pectore materno *aquas sapientiae salutaris*[k], et fiebat in 20 dies seipso prudentior. Prudentior, dicam, an sanctior? Utrumque si dixero, non me paenitebit : veritatem enim dicam[l]. Agebat senem moribus, annis puer, expers lasciviae puerilis. Cumque ex hoc cunctis esset reverentiae et stupori, non tamen inde, ut assolet, insolentior invenie- 25 batur, sed magis quietus et subditus in omni mansuetudine.

Non impatiens magisterii, non fugitans disciplinae, non lectionis fastidiens, non ludorum denique appetens, quod vel maxime illa aetas dulce ac familiare habere solet. Et 30 *proficiebat supra* omnes *coaetaneos*[m] suos in ea quidem litteratura, quae illi competebat aetati. Nam in disciplina morum profectuque virtutum, etiam super omnes docentes se[n] in brevi enituit, non tam matre tamen quam unctione[o] magistra. Hac sollicitante, haud segniter et in divinis 35 exercebatur petere secretum, anticipare vigilias, meditari in lege[p], refici parcius, orare frequentius. Et quia ecclesiam frequentare nec vacabat propter studium, et pro verecundia non libebat, *levare puras manus in omni loco*[q], ubi tamen secrete id posset. Iam tunc siquidem cautus fuit 40 declinare virus virtutum, *inanem gloriam*[r].

j. cf. Sag. 8, 19 || k. Sir. 15, 3 || l. cf. Rom. 9, 1 || m. Gal. 1, 14 || n. cf. Ps. 118, 99 || o. cf. I Jn 2, 20 || p. cf. Ps. 1, 2 || q. I Tim. 2, 8 || r. Phil. 2, 3

---

1. Saint Grégoire le Grand disait déjà cela de saint Benoît (*Dial.*, II, *Prol.*). Cf. aussi A.-J. FESTUGIÈRE, «Lieux communs littéraires et thèmes de folklore dans l'hagiographie primitive», *Wiener Studien*, 73 (1960), p. 137 ss. *(senex-puer)*.

2. ** Cf. *RB* 4, 56.

C'est que, dès le départ, il avait hérité d'un heureux caractère, qui faisait de lui un enfant[j] docile et très aimable : ainsi se montrait-il en tout d'une grâce surprenante aux yeux de tous. En guise de lait, il buvait, du sein maternel, «les eaux de la sagesse salutaire[k]», il devenait de jour en jour plus avisé. Plus avisé, dirai-je, ou plus saint? En disant l'un et l'autre, je n'aurai pas à me repentir : je ne dirai en effet que la vérité[l]. Enfant par le nombre des années, il se conduisait à la manière d'un ancien[1], sans rien des déréglements de l'enfance. Et, tout en faisant l'admiration et l'étonnement de tous, il ne s'en montrait pas plus insolent pour autant, comme il arrive d'ordinaire; non, mais au contraire calme et soumis dans une parfaite douceur.

Il ne manifestait aucune impatience à l'égard de l'enseignement reçu, aucune propension à fuir la discipline scolaire, aucun dégoût pour la lecture; il ne recherchait pas non plus les jeux, alors qu'à cet âge c'est en général ce qu'on trouve agréable et qu'on a toujours en tête. Il progressait plus que tous ses condisciples[m] dans l'étude qui convenait à son âge. Car, pour ce qui est de la maîtrise personnelle et du progrès de la vertu, il surpassa bientôt, par son éclat, tous ceux qui l'enseignaient[n] – ceci non tellement sous la conduite de sa mère, du reste, que de l'onction spirituelle[o] qui le guidait.

Sous l'influence de cette onction, il s'appliquait avec ardeur à la vie spirituelle, s'exerçant à rechercher la solitude, à devancer les veilles, à méditer la loi de Dieu[p], à se nourrir de peu, à prier fréquemment[2]. Et puisque l'étude ne lui permettait pas d'être constamment à l'église, et qu'il s'en abstenait par discrétion, il élevait «en tout lieu des mains pures[q]», pour autant qu'il pouvait le faire sans être vu. A ce moment déjà, il se tenait sur ses gardes pour éviter ce poison des vertus qu'est «la vaine gloire[r]».

311 **2.** Est vicus prope civitatem, in qua discebat puer, quo magister eius frequenter pergere solitus erat, ipso solo comite. Illo euntibus ambobus pariter, ipse, ut postea referebat, retrahebat pedem, sistebat gradum, et stans a 5 tergo magistri, illo quidem non comperiente, expansis ad caelum manibus[s], raptim quodammodo ac veluti iaculatam emittebat orationem, et sic dissimulans, magistrum denuo sequebatur. Istiusmodi pio furto puer saepius eludebat comitem pariter et magistrum.

10 Non est dicere omnia, quae eius principia colore bonae indolis decoravere : ad maiora atque utiliora currendum. Unum tamen refero adhuc, quod hoc, meo quidem iudicio, non modo bonae, sed et magnae in puero dederit insigne spei. Excitus aliquando opinione cuiusdam magistri – erat 15 enim famosus in disciplinis quas dicunt liberales –, adivit illum discendi cupiditate. Quippe extrema iam pueritiae captans, ad eas litteras anhelabat. Intrans vero domum, vidit virum ludentem subula crebrisque fulcantem tractibus, nescio quo notabili modo, parietem. Et solo visu 20 offensus puer serius, quod levitatem redoleret, resilivit ab eo, ac deinceps illum nec videre curavit. Ita cum esset studiosissimus litterarum, prae honesto tamen sprevit eas virtutis amator.

Tali quodam praeludio puer praeparabatur ad eum, qui

s. cf. III Rois 8, 22

---

1. Armagh, qui déjà du temps de saint Patrick, était, du point de vue ecclésiastique, la primatiale de toute l'Irlande.

2. Les arts libéraux constituent, à cette époque, l'enseignement préparant aux études plus spécialisées : droit, médecine, et surtout théologie. Ils comprenaient deux cycles : le *trivium* (grammaire, rhétorique, dialectique) et le *quadrivium* (arithmétique, géométrie, astronomie, musique). Sur les études de saint Bernard, essentiellement littéraires, cf. J. VERGER et J. JOLIVET, *Bernard-Abélard ou le cloître et l'école,* Paris, 1982, p. 63.

Un enfant pieux et sérieux

2. Près de la cité[1] où l'enfant allait à l'école se trouve un village. Son maître avait l'habitude de s'y rendre fréquemment, avec lui pour seul compagnon. Comme tous deux faisaient route ensemble, lui – il le racontait plus tard – ralentissait le pas et prenait du retard pour se trouver derrière le maître. Alors, à l'insu de ce dernier, il tendait les mains vers le ciel[s], et vivement, comme une flèche, il décochait sa prière; puis, mine de rien, il rejoignait de nouveau son maître. C'est ainsi que, par une pieuse dissimulation, l'enfant se jouait souvent de son maître et compagnon.

Impossible de détailler, sous toutes ses couleurs, la beauté dont un si heureux caractère a orné les débuts de cette existence. Il faut aller d'emblée à des faits plus marquants et plus utiles. Il est une anecdote cependant, que je vais rappeler, car, à mon avis, elle aura manifesté non seulement la légitime mais la grande espérance que l'on pouvait mettre en cet enfant.

Poussé un jour par la réputation d'un maître – célèbre, en effet, dans les disciplines qu'on appelle libérales[2] – Malachie se rendit vers cet homme, avide d'apprendre. De fait, au sortir de l'enfance, il aspirait à ce genre d'études. Entrant dans la maison, il vit l'homme jouer avec un poinçon, labourant la paroi de nombreux traits, selon une règle particulière que j'ignore. A cette seule vue, qui l'offensait, l'enfant si sérieux, flairant la légèreté, s'enfuit loin de cet homme, qu'il ne se soucia plus de revoir par la suite. Ainsi, quel que fût son zèle pour les lettres, il n'en méprisa pas moins cet art, tant il honorait et aimait la vertu.

Par un tel prélude, l'enfant se préparait à ce combat qui

* Voir aussi P. Riché, *Écoles et enseignement dans le haut Moyen Age (fin du Ve siècle - milieu du XIe siècle)*, Paris, 1989.

25 se manebat in fortiori aetate, conflictum, iamque ipse adversarium provocabat. Et Malachiae quidem pueritia sic erat. Porro adolescentiam simili transivit simplicitate et puritate, nisi quod, crescente *aetate, crescebat* simul illi *sapientia et gratia apud Deum et homines*[t].

Quod magistrum habuit Deum, et tamen, sancti Imarii inclusi factus discipulus, multos conuertit, sorore sibi exprobrante, et, ordinatus presbyter, cantare in ecclesiis fecit, quod antea non fiebat

3. Hinc iam, id est ab ineunte adolescentia eius, coepit manifestius apparere *quid esset in homine*[u], et gratia Dei in illo vacua non videri[v].

Videns enim industrius adolescens quam *in maligno* 312 5 *mundus positus sit*[w], et cogitans qualem spiritum accepisset, dicebat intra se : « Non est spiritus huius mundi[x] iste. Quid isti et illi ? Non est societas alteri ad alterum, non plus quam luci ad tenebras[y]. Meus *ex Deo est*, et *scio quae* in illo *donata sunt*[z] mihi. Inde mihi interim adhuc innocentia 10 mea vitae, inde continentiae decus, inde iustitiae fames[a], inde quoque illa eo securior, quo secretior, *gloria* est, *testimonium conscientiae meae*[b]. Nil horum mihi tutum sub principe mundi[c]. Deinde *habeo thesaurum hunc in fictili*

t. Lc 2, 52 et 2, 40 || u. Jn 2, 25 || v. cf. I Cor. 15, 10 || w. I Jn 5, 19 || x. cf. I Cor. 2, 12 || y. cf. II Cor. 6, 14 || z. I Cor. 2, 12 || a. cf. Matth. 5, 6 || b. II Cor. 1, 12 || c. cf. Jn 12, 31

---

1. ** Dans cette phrase, Bernard mêle et remodèle deux versets de saint Luc. Usant du principe d'exemplarité, il attribue à Malachie ce qui

l'attendait en son âge mûr, et déjà c'est lui qui provoquait l'adversaire. Telle fut, à la vérité, l'enfance de Malachie. Puis il traversa l'adolescence avec une même simplicité, une même pureté, à ceci près que, avec la croissance en âge, croissaient aussi en lui «sagesse et grâce devant Dieu et les hommes[t1]».

Comment il eut pour maître Dieu lui-même,
bien qu'il soit devenu disciple de saint Imar, le reclus;
comment il fit nombre de conversions malgré les critiques
de sa sœur; et comment, ordonné prêtre, il fit chanter
dans les églises – ce qui, auparavant ne se faisait pas

Une vie toute remise à Dieu

3. A partir de ce moment, c'est-à-dire dès les débuts de sa jeunesse, commença à se révéler plus manifestement «ce qu'il y avait dans cet homme[u]», et la grâce de Dieu en lui à ne pas se montrer stérile[v].

Adolescent zélé, voyant à quel point «le monde gît au pouvoir du Mauvais[w]» et pensant à l'esprit qu'il avait reçu, il se disait intérieurement : "Cet esprit n'est pas celui du monde[x]. Quel rapport ont-ils entre eux? Il n'y a pas plus d'union possible de l'un à l'autre qu'entre la lumière et les ténèbres[y]. Le mien vient de Dieu, et je sais quels dons me sont faits en lui[z]. Je lui dois présentement l'innocence de ma vie, l'honneur de la continence, la faim de la justice[a]. Je lui dois aussi une gloire d'autant plus sûre qu'elle est plus secrète : «le témoignage de ma conscience[b].» Rien de tout cela ne m'est assuré sous le prince de ce monde[c]. Or je

est écrit de Jésus enfant. En outre, alors que c'est Jésus qui est dit faire des progrès, ici ils ont lieu «en lui», Malachie; car cette transformation humano-divine est avant tout l'œuvre de la grâce, comme l'enseignait vingt ans auparavant Bernard (*Gra* 49-50; III, p. 201-203).

vase[d]. Verendum ne impingat et frangatur, et effundatur[e]
15 *oleum laetitiae*[f] quod porto : et quidem non impingere inter saxa et scopulos distortae et anfractuosae viae et vitae huius difficillimum. Itane in momento perdam simul omnes, quibus ab initio *praeventus sum, benedictiones dulcedinis*[g] ? Resigno illi potius, a quo sunt, et me pariter. Et ego
20 enim ipsius. Perdo ipsam ad tempus animam meam, ne perdam[h] in aeternum. Et quod sum, et quae habeo omnia, ubi mihi aeque salva, uti in manu Auctoris? Quis ita ad servandum sollicitus, ad retinendum potens, ad restituendum fidelis? Servabit tuto, restituet opportune. Sine
25 retractatione me do ad serviendum illi de donis suis. Non potest mihi perire ex omnibus, quae in opus pietatis expendero. Forte et sperare plus aliquid licet : solet reddere cum usura qui dat gratis. Ita est : etiam cumulabit, et *multiplicabit in anima mea virtutem*[i]. »

30 Haec cogitavit et fecit, sciens absque facto vanas esse cogitationes hominum[j].

II. 4. Erat homo in civitate Ardmacha – ipsa est, in qua alitus est Malachias –, et homo ille sanctus, et austerae admodum vitae, inexorabilis castigator corporis sui[k], cellam habens iuxta ecclesiam. In ea manebat, *ieiuniis et*
5 *obsecrationibus serviens die ac nocte*[l].

Ad hunc se contulit Malachias, formam vitae accepturus

d. II Cor. 4, 7 || e. cf. Mc 14, 3 || f. Ps. 44, 8 || g. Ps. 20, 4 || h. cf. Matth. 10, 39 || i. Ps. 137, 3 || j. cf. Ps. 93, 11 || k. cf. I Cor. 9, 27 || l. Lc 2, 37

---

1. ** Cf. *RB Prol.* 6.
2. Imar, dont il sera question *infra,* II, 5.

ossède « ce trésor dans un vase d'argile[d] ». Il est fort à
raindre que ce vase, sous un choc, ne se brise et ne laisse
e répandre[e] « l'huile d'allégresse[f] » que je porte. En vérité,
serait bien difficile qu'il ne subisse aucun choc parmi les
ochers et les écueils dressés au travers de cette route et de
ette vie si tourmentées, si cahotiques. Ne vais-je pas
erdre ainsi, en un instant, toutes « les bénédictions de
louceur dont j'ai été prévenu[g] » depuis le début? Mieux
aut pour moi les remettre, et me remettre du même coup,
Celui dont elles me viennent. Car moi aussi, je suis à lui.
e perds jusqu'à mon âme, pour un temps, mais c'est afin
le ne pas la perdre[h] éternellement. Ce que je suis, tout ce
ue j'ai, où cela sera-t-il plus en sûreté pour moi que dans
a main de mon Créateur? Qui, sinon lui, a le souci de
onserver, le pouvoir de retenir, la fidélité à restituer? Il
onservera à l'abri, il restituera au moment opportun. Sans
éserve je me donne à lui pour le servir de ses dons[1]. Rien
our moi ne peut se perdre de tout ce que je dépenserai
lans la mise en œuvre de la piété. Peut-être même est-il
ermis d'espérer davantage : Dieu a l'habitude de rendre
vec un large intérêt, lui qui donne gratuitement. Oui
ssurément; et même il accumulera et « multipliera la vertu
lans mon âme[i] »."

Voilà ce qu'il pensa, et qu'il mit à exécution, sachant que
ans les actes, vaines sont les pensées des hommes[j].

L'entrée dans la vie monastique

II. 4. Dans la cité d'Armagh – c'est là précisément que Malachie avait grandi – il y avait un homme, et cet homme était un saint[2] : d'une
vie très austère, châtiant son corps[k] de manière inexorable;
l habitait une cellule tout à côté de l'église. Il y demeurait,
« servant Dieu jour et nuit dans les jeûnes et les supplica-
ions[l] ».

C'est vers lui que Malachie se rendit, pour recevoir une

ab eo, qui vivum se tali damnaverat sepultura. Et vide humilitatem : a primaeva aetate in sancta arte magistrum, 313 quod dubium non est, habuerat Deum; et ecce factus est 10 denuo discipulus hominis, *homo mitis et humilis corde*[m]. Si nesciebamus, hoc vel solo nobis ipse probavit. Legant hoc, qui docere quae non didicere conantur, discipulos sibi coacervantes[n], qui numquam discipuli exstitere, caeci duces caecorum[o]. Malachias doctus a Deo, doctorem 15 nihilominus quaesivit hominem, et quidem caute, et sapienter. Quid simile, quaeso, afferre quibat, in quo aeque daret caperetve experimentum profectus sui?

Si Malachiae exemplum eis pro minimo est, Pauli opus attendant. Nonne evangelium suum, quod non ab homine 20 acceperat, sed a Christo[p], cum hominibus tamen censuit *conferendum, ne forte in vacuum curreret aut cucurrisset*[q]? Ubi ille securus non est, nec ego. Si quis hoc sit, viderit ne non tam securitas sit quam temeritas. Sed haec alterius temporis.

5. Nunc vero sonuit in civitate quod factum erat, et commota est universa[r] ad inopinatam novitatem. *Stupebant autem omnes et mirabantur*[s] virtutem, eoque amplius quo minus usitatam in gente fera. Videres tunc *revelari ex*

m. Matth. 11, 29 || n. cf. II Tim. 4, 3 || o. Matth. 15, 14 || p. cf. Gal. 1, 11-12 || q. Gal. 2, 2 || r. cf. Matth. 21, 10 || s. Act. 2, 12

---

1. Sur la nécessité de se former soi-même à l'obéissance avant de commander, cf. JEAN CASSIEN, *Inst.*, 2, 3, 1-4.

2. Le plus surprenant, ici, ce n'est ni la démarche de Malachie ni l'émotion de la population, mais la manière dont l'auteur présente cette démarche comme une nouveauté, alors que, en Irlande, la vie monastique, dès le début, et plus que partout ailleurs, a marqué l'évangélisation et influé sur l'Église au point de structurer celle-ci pour des siècles. Saint Bernard connaît d'ailleurs cette tradition monastique irlandaise (cf. par ex. *infra*, IV, 12). Peut-être faut-il mettre ce qu'il dit ici sur le compte des clichés hagiographiques : par sa précocité spirituelle, et la

règle de vie de la part d'un homme qui, bien que vivant, s'était condamné à une telle sépulture. Considère l'humilité dont il faisait preuve : dès son plus jeune âge, on ne saurait douter que, dans l'art de la sainteté, il avait eu pour maître Dieu lui-même. Or voici qu'il s'est fait à nouveau disciple d'un homme, en homme «doux et humble de cœur[m]». Si nous ignorions son humilité, lui-même, par ce seul acte, nous en donnerait la preuve. Qu'ils lisent ce récit, ceux qui s'efforcent d'enseigner ce qu'ils n'ont pas appris, et qui s'entourent de disciples[n] sans l'avoir jamais été eux-mêmes, «ces aveugles qui conduisent des aveugles[o][1]». Malachie, lui, qui était instruit par Dieu, se mit pourtant en quête d'un homme apte à l'enseigner; il agissait ainsi de manière avisée et sage. Quelle meilleure preuve de ses progrès, je vous le demande, pouvait-il en même temps donner et recevoir?

Mais si l'on tient l'exemple de Malachie pour négligeable, qu'on prête au moins attention à l'attitude de Paul. Son évangile, qu'il n'avait pas reçu des hommes mais du Christ[p], n'a-t-il pas estimé nécessaire d'en discuter pourtant avec des hommes, «de peur de courir ou d'avoir couru pour rien[q]»? Là où un tel homme n'est pas sûr de lui, moi non plus je ne le suis pas. Et si quelqu'un l'était, qu'il se demande s'il ne s'agit pas davantage de témérité que d'assurance. – Mais ce n'est pas le moment de nous y arrêter.

Des frères le rejoignent

5. Or voici que la démarche de Malachie retentit dans la cité, laquelle, tout entière, s'est émue[r] de cette nouveauté surprenante. «Tous en restaient stupéfaits et admiraient[s]» cette vertu, d'autant qu'elle était plus rare dans cette nation encore sauvage[2]. On aurait pu voir alors

étermination de son choix, un saint doit, en quelque sorte, étonner et candaliser son entourage.

5 *multorum cordibus cogitationes*[t]. Plerique humano affectu pensantes factum, plangere et dolere, quod dilectus omnibus delicatusque adolescens duris se adeo laboribus mancipasset. Alii suspicati levitatem propter aetatem, diffidere de perseverantia, timere de casu. Nonnulli temeri-
10 tatem causantes, indignari et fremere in eum, quod supra aetatem et vires inconsulte rem arduam fuisset aggressus.

Verum ille *egit sine consilio nihil*[u]. Nam habuit consilium a Propheta, qui ait : *Bonum est homini, si portaverit iugum ab adolescentia*[v]; et addit : *Sedebit solitarius et tacebit, quia levavit*
15 *se supra se*[w]. Sedebat sibi iuvenculus secus pedes[x] Imarii,
314 – hoc enim nomen viro –, et aut discebat oboedientiam, aut se didicisse docebat. Sedebat, ut quietus, ut mansuetus, ut humilis. *Sedebat et tacebat*[y], sciens secundum prophetam *cultum iustitiae esse silentium*[z] : sedebat ut perseverans,
20 tacebat ut verecundus, nisi quod suo illo silentio in Dei auribus loquebatur cum sancto David : *Adolescentulus sum ego et contemptus; iustificationes tuas non sum oblitus*[a].

Et sedebat interim solitarius, quia et sine socio, et sine exemplo. Quis enim ante Malachiam districtissimum viri

t. Lc 2, 35 || u. Sir. 32, 24 || v. Lam. 3, 27 || w. Lam. 3, 28 || x. cf. Act. 22, 3 || y. Lam. 3, 28 || z. Is. 32, 17 || a. Ps. 118, 141

1. ** Bernard utilise ce texte une dizaine de fois, certaines allusions devenant à peine discernables. La tradition manuscrite de la Vulgate hésitait au XIIe siècle entre *se super se* et *super se;* Bernard a toujours la première formule, que rejetteront le «texte parisien» du XIIIe siècle, la Vulgate Clémentine et l'édition critique de la Vulgate. Bernard interprète ici ce texte en un «sens moral», ailleurs en un sens moral opposé à celui-ci (*Ép* 87, 12; VII 231, 4), ailleurs en un «sens mystique» (*SCt* 40, 4; II 26, 27-30). Cf. H. ROCHAIS et J. FIGUET, «Le jeu biblique de Bernard», in *Collectanea Cisterciensia,* 47 (1985), p. 123.

2. Imar (Imar Ua h-Aedacain) figure dans les *Annales* d'Ultonie, en 1126, année où il devint abbé du monastère des saints Pierre et Paul, dans l'église d'Armagh. Il meurt à Rome en 1134.

«se révéler les pensées des cœurs, chez beaucoup[t]». La plupart considéraient l'événement dans un élan d'émotion humaine : ils pleuraient et se lamentaient sur ce jeune homme délicat, aimé de tous, qui se livrait à des efforts aussi durs. D'autres, que la légèreté propice à son âge rendait méfiants, ne croyaient pas à sa persévérance et craignaient un échec. Quelques-uns même, l'accusant de témérité, s'indignaient violemment contre lui, estimant qu'il s'était attaqué inconsidérément à une difficulté bien au-delà de son âge et de ses forces.

En réalité, «lui n'avait rien entrepris sans demander conseil[u]», puisqu'il avait reçu d'un prophète le conseil suivant : «Il est bon pour l'homme de porter le joug dès sa jeunesse[v]», et encore : «Il s'assiéra, solitaire et silencieux, car il s'est élevé au-dessus de lui-même[w][1].» Le jeune homme se tenait assis aux pieds[x] d'Imar[2] – c'est le nom de ce personnage – et là soit il apprenait l'obéissance, soit il démontrait qu'il l'avait apprise[3]. Oui, il se tenait assis, paisible, doux et humble. «Il se tenait assis en silence[y]», sachant, comme le dit le prophète, que «le culte de la justice consiste dans le silence[z]». Il se tenait assis, en signe de persévérance, et il se taisait, en signe de modestie, à moins que ce silence ne fût sa manière de parler à l'oreille de Dieu, avec David le saint : «Si jeune, je suis, et méprisé : je n'ai pas oublié tes justices[a].»

Et durant tout ce temps il se tint assis solitaire[4], c'est-à-dire sans compagnon et sans modèle. Qui, en effet, avant Malachie, aurait imaginé de se lancer dans un projet

3. L'obéissance de Malachie est en même temps la voie de ses progrès et le signe de ses progrès. Mais les verbes ici employés veulent laisser entendre qu'un disciple si zélé a déjà tout d'un maître.

4. Il semble donc que Malachie aura vécu en ermite, près d'Imar, un certain temps.

25 propositum vel cogitaret attentare? Nempe mirabile omnibus habebatur, non imitabile. Malachias imitabile persuasit, sedendo dumtaxat et tacendo. Intra paucos dies habuit imitatores non paucos, provocatos exemplo sui. Ita qui primo solitarius sedit et unicus patris sui, fit iam unus 30 ex multis, fit ex unigenito *primogenitus in multis fratribus*[b]. Et ut prior in conversione, ita in conversatione sublimior; et qui ante omnes venit, omnium iudicio supra omnes eminuit in virtute. Et dignus visus est episcopo pariter et magistro, qui ad diaconii gradum promoveretur. Et coege- 35 runt eum.

III. 6. Hinc iam levita Domini publice se ad omne opus pietatis accinxit, plus vero ad eas res, in quibus aliqua iniuria videretur. Denique cura erat ei maxima in sepeliendis defunctis pauperibus, quod hoc sibi non minus 5 humilitatem saperet quam humanitatem. Nec defuit novo nostro Tobiae rediviva a muliere tentatio, immo a serpente per mulierem[c]. Germana eius indignitatem, ut sibi videbatur, officii exhorrens : « Quid facis, inquit, o insane?

b. Rom. 8, 29 || c. cf. Tob. 1 et 2; Gen. 3, 1-6

---

1. *Prior in conversione... in conversatione sublimior. Conversio,* ici, comme dans toute une tradition qui remonte au moins à Cassien pour l'Occident, signifie l'entrée dans la vie monastique, et *conversatio,* la manière de se comporter dans cette vie.

2. L'évêque d'Armagh, de 1106 à 1129, fut Celse (Cellach), élu abbé en 1105, et consacré comme évêque l'année suivante. Il en sera question plusieurs fois dans la suite du récit.

3. Dans le rite romain de l'ordination, à la question de l'évêque concernant les ordinands : « Sais-tu s'ils en sont dignes? », c'est le maître qui répondait, en se portant garant de la formation intellectuelle et morale des candidats.

4. Dans l'Ancien Testament, les lévites assistaient les prêtres dans le service de l'autel et du temple (cf. Nombr. 3. 9; 8. 19; 18. 6, etc.). D'où l'assimilation du diaconat à ce ministère lévitique.

aussi exigeant que celui d'Imar? Tous considéraient ce projet comme admirable, certes, mais non pas comme imitable. Malachie, pour sa part, les persuada que cette imitation était possible, uniquement en restant assis en silence. En peu de jours il eut des imitateurs – et pas seulement en petit nombre – incités par son exemple. Ainsi, celui qui, d'abord, s'était assis solitaire, fils unique de son père spirituel, devint bientôt un parmi beaucoup d'autres; de fils unique, il devint «l'aîné d'une multitude de frères[b]». Et comme il avait été le premier dans la conversion, il fut le plus accompli dans la vie qui en découle[1]; venu avant tous, de l'avis de tous, il les dépassa tous en vertu. Aussi son évêque[2], de même que son maître[3], estimèrent-ils qu'il était digne d'accéder au diaconat. Et ils l'y forcèrent.

Consécration diaconale, puis sacerdotale

III. 6. Désormais, le lévite[4] du Seigneur, qu'était devenu Malachie, s'adonna publiquement à toutes les œuvres qui relèvent de l'amour, et plus particulièrement à celles qui paraissent comporter une certaine humiliation. Ainsi avait-il le souci tout spécial d'ensevelir les pauvres, parce que cette tâche revêtait pour lui un sens d'humilité non moins que d'humanité. Notre nouveau Tobie[5] ne manqua même pas d'endurer à son tour l'épreuve de la part d'une femme, ou plutôt de la part du serpent, à travers une femme[c]. Sa sœur, offusquée par ce qu'elle considérait comme l'indignité d'un tel office, lui

5. C'est plutôt du père de Tobie, Tobit, que l'Écriture souligne le souci d'ensevelir les morts (Tob. 1. 17; 2. 4). Mais c'est bien Tobie qui, en se mariant, affronte le démon, présent en sa femme (Tob. 6 et 8).
* B. O'Dwyer a observé des similitudes entre le récit des premières expériences religieuses de Malachie et la *Vita Prima Bernardi* de Guillaume de Saint-Thierry (dans *Journal of Religious History* 10, 1978-79, 137).

Dimitte mortuos sepelire mortuos suos[d] ». Et hoc illi quotid
exprobrans ingerebat. Sed *respondebatur* mulieri *stultae iux*
stultitiam suam[e] : « Misera, tu *eloquii casti*[f] vocem tenes, se
virtutem ignoras. » Ita ministerium, ad quod coactus acce
serat, devotus tenuit, indefessus exercuit. Unde et censu
runt etiam sacerdotale officium imponendum illi. *Et factu*
est ita[g]. Erat autem, cum sacerdos ordinatus est, ann
natus quasi viginti quinque. In qua eius utraque ord
natione, si quid praeter canonum formam processis
videtur, ut vere videtur, – siquidem infra vicesimu
quintum annum leviticum ministerium, infra tricesimu
adeptus est sacerdotii dignitatem –, donandum sane tu
zelo ordinatoris, tum meritis ordinati. Ego vero istud n
in sancto redarguendum, nec usurpandum consulo ei q
sanctus non fuerit. Nec contentus episcopus etiam vic
suas commisit ei, *seminare semen*[h] sanctum in *gente n*
sancta[i], et dare rudi populo, et sine lege viventi[j], *legem vit*
et disciplinae[k]. Suscepit ille mandatum in omni alacritat
sicut erat *spiritu fervens*[l], nec talentis incubans, sed inhia
lucris[m]. Et ecce linguae sarculo coepit *evellere, destrue*
dissipare[n], de die in diem factitans *prava in directa et aspera*
vias planas[o]. *Exsultabat ut gigas ad discurrendum*[p] ubiqu
Diceres *ignem urentem*[q] in consumendo criminum vepre

d. Matth. 8,22 || e. Prov. 26, 5 || f. Ps. 11, 7 || g. Gen. 1, 7.11 || h.
8, 5 || i. Ps. 42, 1 || j. cf. I Cor. 9, 21 || k. Sir. 45, 6 || l. Rom. 12, 1
m. cf. Matth. 25, 14 s. || n. Jér. 1, 10 || o. Is. 40, 4 || p. Ps. 18, 6 || q.
103, 2

---

1. Malachie devint prêtre aux environs de 1119.
2. Référence au 4e canon du Concile de Melfi (pr. de Potenza), 1089, qui prescrit l'âge d'au moins 24 ou 25 ans pour la consécrati diaconale, et d'au moins 30 ans pour l'accession à la prêtrise (MAN *Concilia,* XX, 723).
3. A partir de 1121, et durant une courte période, Celse fut évêque Dublin. Malachie le remplaça alors dans sa fonction pastorale.

iait : “Que fais-tu, insensé? «Laisse les morts ensevelir urs morts[d].»” Et c’est chaque jour qu’elle lui exprimait nsi sa réprobation. Mais lui, à cette femme «insensée, isait une réponse conforme à sa sottise[e]» : “Malheureuse, sait-il, tu cites «une sainte parole[f]», mais tu en ignores la ortée”. De la sorte, ce service, auquel il avait été forcé accéder, il le porta avec l’élan de l’amour et l’exerça fatigablement.

C’est pourquoi on estima qu’il fallait le charger du inistère sacerdotal. «Et il en fut ainsi[g][1].» Lors de son rdination au sacerdoce, il avait tout juste vingt-cinq ans. our l’une et l’autre de ces ordinations, on paraît avoir rocédé réellement à l’encontre des règles canoniques : de it, c’est à moins de vingt-cinq ans qu’il reçut l’office du vite et à moins de trente ans le ministère sacerdotal[2]. ais il faut tenir compte du zèle de celui qui ordonnait et es mérites de celui qui était ordonné. Pour ma part, estime qu’il ne faut ni critiquer une telle pratique dans le s d’un saint, ni y recourir pour qui ne le serait pas.

Un prêtre infatigable

Son évêque, sans se contenter de cela, lui confia même le soin de «semer à sa place[3] la sainte mence[h]» dans «une population fort peu sainte[i]», et de onner à un peuple inculte, et qui vivait sans loi[j], «une loi vie et de discipline[k]» spirituelle. Malachie accueillit tte mission avec grande joie, tant il était «fervent esprit[l]», et tant il désirait ne pas enterrer ses talents, mais ur faire porter des intérêts[m]. Le voici donc qui, muni du rcloir de sa parole, se mit à «arracher, renverser et terminer[n]», «redressant de jour en jour ce qui allait de avers, et aplanissant les chemins rocailleux[o]». «Il exultait omme un géant qui fonce[p]» dans toutes les directions. On rait dit «un feu ardent[q]», qui consumait les épines des auvaises actions. On aurait dit «une hache ou une

Diceres *securim vel asciam*[r] in deiciendo plantationes mala exstirpare barbaricos ritus, plantare ecclesiasticos. Vete nosas omnes – neque enim paucae inveniebantur –, abo
35 lebat superstitiones, seu quaslibet, ubicumque depreher disset, malignitates immissas per angelos malos[s].

7. Denique quidquid incompositum, quidquid indeco rum, quidquid distortum obvium habuisset, non parceba oculus eius; sed velut grando grossos e ficubus et sicu pulverem ventus a facie[t] terrae, sic coram facie su
5 eiusmodi nitebatur totum pro viribus exturbare ac *delere populo suo*[u]. Et pro his omnibus tradebat iura caelest optimus legislator. Leges dabat plenas iustitiae, plena
316 modestiae et honesti. Sed et apostolicas sanctiones a decreta sanctorum Patrum, praecipue consuetudines san
10 tae romanae ecclesiae, in cunctis ecclesiis statuebat.

Hinc est, quod hodieque in illis ad horas canonica cantatur et psallitur iuxta morem universae terrae. Na minime id ante fiebat, ne in civitate quidem. Ipse vero i adolescentia cantum didicerat, et in suo coenobio mo
15 cantari fecit, cum necdum in civitate seu in episcopat universo cantare scirent vel vellent. Deinde usum salube rimum confessionis, sacramentum confirmationis, contra

r. Ps. 73, 6 || s. cf. Ps. 77, 49 || t. cf. Ps. 17, 43 || u. Gen. 17,

---

1. Dès le siècle précédent les relations s'étaient resserrées et l voyages multipliés entre l'Irlande et Rome. Et, comme on le verra, Siège romain, en 1111, avait désigné parmi les évêques d'Irlande légat pour tout le pays (cf. *infra,* X, 20 et la note). D'une maniè générale, saint Bernard est d'accord avec le mouvement centralisate issu de la réforme de Grégoire VII, mais il en critique les excès : recours à Rome pour toutes sortes d'affaires qui ne sont pas de compétence du pape et de sa curie, et tout ce qui fait du Siège roma

cognée[r] » qui jetterait à bas les mauvaises plantations, pour déraciner les rites barbares et planter à leur place la liturgie de l'Église. Il extirpait toutes les anciennes superstitions - qui n'étaient pas peu nombreuses - et toutes les perversions, partout où il les rencontrait, introduites par les anges mauvais[s].

Un souci de romanisation

7. Enfin, rien de ce qui se présentait de désordonné, de laid, de distordu, ne trouvait grâce à ses yeux. Telle la grêle, qui abat les fruits avortés du figuier, tel le vent qui soulève la poussière[t] de la terre, ainsi, fonçant devant lui, il mettait toutes ses forces à arracher et supprimer de son peuple[u] » tout ce qui devait l'être. Et à sa place, cet excellent législateur transmettait le droit céleste. Ce sont des lois pleines de justice, pleines de modération et d'honnêteté, qu'il promulguait. Ce sont aussi les décisions apostoliques, les décrets des saints Pères, et tout spécialement les usages de la sainte Église romaine[1], qu'il instituait dans toutes les Églises.

Voilà pourquoi, aujourd'hui encore, on y chante et psalmodie aux heures canoniales de la même manière que sur toute la terre[2]. C'est qu'auparavant cela ne se faisait pas, même dans la cité. Mais il avait appris à chanter dans sa jeunesse, et il fit bientôt chanter dans son monastère, alors que dans la cité, comme dans tout le diocèse, on ne savait ni ne voulait encore le faire. C'est aussi l'usage très salutaire de la confession, le sacrement de confirmation,

héritier de l'Empire. Cf. Y. CONGAR, « L'ecclésiologie de saint Bernard », *Saint Bernard théologien, Analecta S. Ord. cist.*, IX, Rome 1954, p. 181 ss.

2. Les églises monastiques d'Irlande connaissaient dès l'origine le chant des psaumes et des hymnes, mais on ne sait presque rien de ce chant, ni des rites liturgiques. Comme le note le P. Congar, la fin de la phrase est sujette à caution, car elle néglige toutes les traditions non latines, et donc non romaines, des Églises d'Orient (*op. cit.*, note précédente, p. 182, n. 3).

tum coniugiorum, quae omnia aut ignorabant, aut negligebant, Malachias de novo instituit. Et de his ista pro
20 exemplo sufficiant.

Nam et per totum historiae textum, brevitatis studio plurima praeterimus.

Quomodo episcopum Malchum requisiuit, et regem fugientem suscepit et regno restituit

IV. 8. Cum esset illi studium et zelus maximus circa cultum divinorum et venerationem sacramentorum, ne forte de his aliquid constitueret vel doceret secus quam ritus haberet universalis Ecclesiae, subiit animum adire
5 episcopum Malchum, qui se plenius de omnibus infor-
317 maret. Hic erat *senex plenus dierum*[v] et virtutum, et *sapientia Dei erat in*[w] illo. Natione quidem Hibernus, sed in Anglia conversatus fuerat in habitu et proposito monachali Wintoniensi monasterio, de quo assumptus est in episcopum in
10 Lesmor civitatem Mumuniae : et ipsa nobilior inter cetera regni illius. Ibi tanta ei desuper collata est gratia, ut non modo vita et doctrina, sed et signis clareret. Quorum du

v. Gen. 35, 29 || w. III Rois 3, 28

1. Ici, comme souvent ailleurs, saint Bernard exagère, par go rhétorique, les abus qu'il dénonce. Il n'en reste pas moins que d auteurs contemporains dignes de foi expriment des critiques analogu sur l'état de l'Église d'Irlande.

2. *Ritus,* au XIIe siècle, a tantôt, comme ici, le sens global de « faç de faire » *(consuetudo),* tantôt un sens plus précis : celui d'un a particulier du culte. Cf. Y. CONGAR, *Diversité et communion,* Paris 19 p. 116, qui renvoie à ce passage de saint Bernard.

'engagement mutuel du mariage, toutes choses ignorées
u négligées[1], que Malachie institua de nouveau.

Mais ces exemples suffisent, puisque, à travers toute la
rame de l'histoire, nous passons sur la plupart des détails,
ar souci de brièveté.

Comment il se renseigna auprès de l'évêque Malch, et comment il accueillit le roi en fuite et le remit en possession de son royaume

Stagiaire
le l'évêque Malch

IV. 8. Si grands étaient son souci et son zèle à l'égard du culte divin et de la vénération des sacrements, que,
our ne pas risquer d'instituer et d'enseigner en cette
atière quelque chose d'étranger aux usages[2] reçus par
Église universelle, il eut l'idée de se rendre auprès de
évêque Malch[3], qui saurait le renseigner plus exactement
ır tout cela. Malch était «un vieillard comblé de jours[v]»
: de vertus, et «la sagesse de Dieu habitait[w]» en lui. De
ationalité irlandaise, c'est en Angleterre qu'il était entré
ans la vie monastique et qu'il avait fait profession au
ıonastère de Winchester. De là il fut élevé à l'épiscopat
our la ville de Lismore, en Munster : la cité la plus illustre
armi toutes celles de ce royaume. Et là, si grande fut la
râce qui lui vint d'en-haut qu'elle resplendit non seule-
ıent dans sa vie et son enseignement, mais aussi dans ses

3. Malchus (Mael Iosa Ua h-Ainmire) fut élevé au siège épiscopal de
'aterford par saint Anselme en 1096. Il intervient au synode de
athbreasail en 1111, au titre d'archevêque de Cashel. On s'aperçoit
›nc que, peu après, il a été transféré au siège épiscopal de Lismore. Il
eurt en 1135. Il a environ 75 ans quand Malachie vient se former
ıprès de lui.

pono exempli causa, ut omnibus innotescat, qualem i
scientia sanctorum[x] Malachias habuerit praeceptorem.

15 Puerum mente captum ex his, quos lunaticos vocan
inter confirmandum sacra unctione sanavit. Hoc ita notu
certumque fuit, ut illum mox constituerit ostiarium domu
suae, vixeritque idem puer incolumis in eo officii usque a
virilem aetatem.

20 Surdo auditum restituit, in quo idem mirabile quiddar
confessus est, quod cum sanctus utrique auriculae hin
inde digitos immisisset[y], duos quasi porcellos ex ipsis exir
senserit.

Pro his atque huiusmodi fama crebrescente, nome
25 grande adeptus est, ita ut ad eum Scoti Hiberniqu
confluerent, et tamquam unus omnium pater ab omnibu
coleretur.

Ad hunc ergo Malachias, accepta benedictione patri
Imarii et ab episcopo missus, cum prospere pervenisse
30 benigne a sene susceptus est. Qui annos aliquot cum e
mansit, ut per hanc temporis moram hauriret pleniu
de pectore veterano, sciens scriptum quia *in antiquis e*
sapientia[z].

Sed ne hoc quoque ad causam defuisse reor, quo
35 magnus ille Provisor universorum voluit servum suu
Malachiam in loco tam celebri notum fieri omnibu
qui erat omnibus profuturus. Nec enim poterat no
esse gratus, quibus notus fuisset. Denique unum interi

x. Sag. 10, 10 || y. cf. Mc 7, 33 || z. Job 12, 12

---

1. On voit que l'auteur, ici et ailleurs, distingue généralement ent
Écossais et Irlandais – ce qui n'est pas toujours le cas à son époque
auparavant (cf. notre introduction, p. 156).

2. Ces termes laissent entendre que l'auteur parle ici de l'abbé d
monastère des saints Pierre et Paul.

miracles. J'en mentionnerai deux à titre d'exemples, pour faire connaître à tous quel maître eut Malachie dans «la science des choses saintes[x]».

Un enfant était handicapé mental, du genre de ceux que l'on appelle lunatiques : Malch le guérit par la sainte onction pendant qu'il le confirmait. La chose fut si connue et certaine, que l'évêque fit bientôt de cet enfant le portier de sa maison, et que celui-ci vécut en bonne santé dans cet office jusqu'à l'âge d'homme.

A un sourd, Malch rendit l'ouïe, et le sourd, à ce propos, a confessé quelque chose d'étonnant : lorsque le saint lui mit les doigts dans les oreilles[y], il sentit sortir de celles-ci comme deux petits cochons.

De ces faits, et d'autres semblables, l'écho se répandit largement; grand fut le renom de l'évêque, si grand qu'affluaient auprès de lui Écossais et Irlandais[1], et tous le vénéraient comme leur unique père à tous.

Voilà donc l'homme vers lequel se rendit Malachie, avec la bénédiction de son père spirituel Imar[2] et le mandat de son évêque. Après un voyage facile, il trouva auprès du vieillard un accueil bienveillant. Il resta avec lui quelques années et profita de ce temps pour puiser largement dans le cœur de ce vétéran, sachant qu'il est écrit : «La sagesse se trouve chez les anciens[z].»

Mais je pense que ce long séjour avait aussi une autre raison : dans sa providence universelle, Dieu a voulu que son serviteur Malachie, dans un lieu si célèbre[3], fût connu de tous, lui qui était destiné à travailler au bien de tous. De fait, on ne pouvait pas le connaître sans s'attacher à lui. C'est alors qu'un événement survint, qui rendit évident

3. Plusieurs témoignages confirment la réputation de l'Église de Lismore, en ce qui concerne la discipline monastique et la sainteté.

accidit, per quod ex aliqua parte quod notum Deo erat in
40 illo, manifestum[a] fecit hominibus.

318 **9.** Inter regem australis Mumuniae, quae est Hiberniae pars, et germanum eius orta simultate, et fratre facto superiori, rex pulsus regno confugit ad episcopum Malchum. Non tamen ut ope illius regnum recuperaret; sed
5 magis princeps devotus *dedit locum irae*[b] et necessitatem in virtutem convertit, privatam eligens ducere vitam. Cumque episcopus regem suscipere debito honore pararet, abnuit ille, se malle, inquiens, tamquam unum ex illis esse pauperibus fratribus qui illi adhaererent, regium fastum
10 deponere, et communi paupertate fore contentum, exspectare potius Domini voluntatem, quam per vim recipere regnum, nec velle pro suo honore terreno *sanguinem humanum effundere*[c], qui contra *se clamet ad Deum de terra*[d]. Quo audito, exsultat episcopus et, admiratus devotionem,
15 satisfacit voto.

Quid plura? Traditur regi paupercula domus ad habitandum et Malachias in magistrum, ad victum panis cum sale et aqua. Porro ad delicias sufficiebat regi Malachiae praesentia, vita atque doctrina, ita ut diceret ei : *Quam*
20 *dulcia faucibus meis eloquia tua, super mel ori meo*[e]!

a. cf. Rom. 1, 19 || b. Rom. 12, 19 || c. Gen 9, 6 || d. Gen. 4, 10 || e. Ps. 118, 103

1. Au royaume du Munster méridional Cormac Mac Carthaig succède à son frère en 1124. De 1122 à 1124 Malachie vivait à Lismore, en tant que disciple de l'évêque Malch, et à cette époque Cormac est dans son royaume. Il semble donc que, sur ce point, saint Bernard fait une erreur dans la chronologie de son récit. C'est en 1127 que Cormac fut expulsé et que, peu après, la même année, il put retrouver son trône. Malachie, comme on peut le conclure du présent récit (cf. *infra,* IX, 18), revint au monastère de Lismore en 1127, l'année où il fut chassé de son monastère de Bangor. C'est vraisemblablement à ce moment qu'il y rencontre le roi Cormac.

– en partie du moins – à tous les hommes ce qui, en Malachie, n'était connu que de Dieu[a].

Conseiller spirituel du roi

9. Entre le roi du Munster méridional[1], qui forme une partie de l'Irlande, et son frère, un conflit éclata. Le frère eut le dessus, et le roi, chassé de son royaume, chercha refuge auprès de l'évêque Malch. Il ne vint pas, d'ailleurs, pour recouvrer par l'entremise de celui-ci son pouvoir royal; mais, en prince croyant, «il laissa agir la colère[b]» de Dieu, fit de nécessité vertu[2], et choisit de mener une simple vie privée. Comme l'évêque se préparait à recevoir le roi avec les honneurs qui lui étaient dus, celui-ci refusa : il préférait, dit-il, être accueilli comme l'un de ces pauvres frères qui vivaient en communauté avec l'évêque; il aimait mieux déposer le faste de la royauté, se contenter de la pauvreté commune, et attendre que se révèle la volonté de Dieu, plutôt que de reconquérir son royaume par la force; il ne voulait pas, pour son propre honneur terrestre, «répandre un sang humain[c]» qui «crierait vers Dieu de la terre»[d] contre lui. A ces paroles, l'évêque exulte, et, rempli d'admiration pour une foi si confiante, satisfait à ce vœu.

Bref, on donne au roi une humble maison comme gîte, Malachie en guise de maître, et pour nourriture du pain avec du sel et de l'eau. Au reste, pour faire les délices du roi, il suffisait de la présence de Malachie, de sa vie et de son enseignement, si bien qu'il pouvait lui dire : «Qu'elles sont douces à mon palais, tes paroles, plus que le miel à ma bouche[e]!»

2. Cette expression proverbiale se lit déjà chez saint Jérôme, *Adv. Rufinum*, 3, 2.

Ad haec *per singulas noctes lacrimis suis stratum suum rigabat*[f], sed et quotidiano aquae frigidae balneo male calentem exstinguebat in carne libidinem. Et orans rex, cum rege dicebat : *Vide humilitatem meam et laborem meum, et* 25 *dimitte universa delicta mea*[g]. Et non *amovit Deus orationem eius et misericordiam suam ab eo*[h]. Et *exaudita est oratio*[i] eius, etsi secus quam intenderet ipse. Nam is quidem sollicitus erat pro anima sua; sed vindex innocentiae Deus, hominibus ostendere volens *quoniam sunt reliquiae homini pacifico*[j], 319 30 parabat interim *facere iudicium iniuriam patienti*[k], quod ille penitus non sperabat.

Et *suscitavit Deus spiritum vicini regis*[1] : neque enim unum est Hibernia regnum, sed divisa in plura. Hic itaque videns quae facta sunt, *repletus est zelo*[m], et hinc quidem indignans 35 praedonum libertati, et insolentiae superborum, inde vero miserans regni desolationem et regis deiectionem, descendit ad cellulam pauperis : suadet reditum, sed non persuadet. Instat tamen, spondet opem, de effectu non diffidere monet; Deum affuturum promittit, *cui non poterunt* 40 *resistere omnes adversarii* eius[n]. Proponit etiam oppressionem pauperum patriaeque vastationem, et non proficit.

10. Ceterum, accedente mandato episcopi et Malachiae consilio, de quibus ille pendebat totus, vix tandem acquiescit. Sequitur rex regem et, iuxta verbum regis, *sicut fuerat voluntas in caelo*[o], tota facilitate pulsis praedonibus,

f. Ps. 6, 7 || g. Ps. 24, 18 || h. Ps. 65, 20 || i. Sir. 51, 15; Act. 10, 31 || j. Ps. 36, 37 || k. Ps. 102, 6 || l. I Chr. 5, 26 || m. Act. 5, 17 || n. Lc 21, 15 || o. I Macc. 3, 60

---

1. Le roi voisin : Conchobar Ua Briain (Conor O Brien), du Munster septentrional.

En outre, «chaque nuit il inondait sa couche de ses larmes[f]», et chaque jour il se plongeait dans l'eau froide pour éteindre en sa chair le feu mauvais de la sensualité. Dans sa prière, le roi faisait siennes ces paroles d'un autre roi : «Vois mon humiliation et ma peine, efface tous mes péchés[g].» Et «Dieu n'a pas écarté cette prière, ni éloigné de lui sa miséricorde[h]». La prière du roi fut exaucée[i], même si ce fut tout autrement qu'il ne le souhaitait. Car lui se souciait de son âme mais Dieu, le vengeur de l'innocence, voulait montrer aux hommes qu'il reste toujours un espoir «pour l'homme qui recherche la paix[j]»; il se préparait durant ce temps à «faire œuvre de justice envers celui qui subissait l'injustice[k]», alors que ce dernier ne l'espérait même pas.

«Dieu agit sur l'esprit d'un roi[l]» voisin[1] – c'est que l'Irlande, en effet, ne constitue pas un seul royaume, mais se répartit en plusieurs. Ce roi, donc, en voyant ce qui s'était passé, «fut rempli de colère[m]» : d'une part il s'indignait de voir la liberté dont jouissaient les usurpateurs, et l'insolence de ces orgueilleux; d'autre part, il se sentait pris de pitié face à la désolation qui affligeait le royaume et à l'abaissement du roi. Il descend donc jusqu'à la cellule du pauvre, veut le persuader de revenir, mais n'y parvient pas. Il insiste cependant, garantit son aide, assure qu'il n'y a pas à douter du succès de l'entreprise. Il promet le secours de Dieu, «à qui nul des adversaires» du roi «ne pourra résister[n]». Il expose même l'oppression qui pèse sur les pauvres, les ravages que subit la patrie. Rien n'y fait.

10. Finalement, sur l'ordre de l'évêque et les instances de Malachie cet homme, qui dépendait entièrement d'eux, donne à grand-peine son accord. Il suit le roi, et comme l'avait dit ce dernier, «selon la volonté céleste[o]», en toute facilité les usurpateurs sont chassés, notre homme est

5 reducitur homo in sua cum exsultatione suorum regnoqu
restituitur suo.

Dilexit ex tunc rex ille, et semper reveritus est Mala
chiam, eoque propensius, quo plenius in sancto viro dign
veneratione et amore compererat. Cuius enim tantar
10 meruit in sua adversitate familiaritatem, sanctitatem igno
rare non potuit. Propterea magis in sua prosperitat
perpetibus illum amicitiis devotisque colebat obsequiis, *e*
libenter audiebat eum, et audito eo multa faciebat[p].

Et de his satis. Verumtamen non fortuitu factum reor
15 quod ita iam tunc *magnificavit eum Dominus in conspect*
regum[q], sed *quia vas electionis sibi erat ille, portaturus nome*
suum coram regibus et principibus[r].

Quomodo per sacram oblationem mortuam sororem salvaverit

320 **V. 11.** Mortua est interim soror eius illa, quam praefa
sumus. Nec praetereundae visiones, quas vidit de ea. Huiu
siquidem sanctus carnalem exhorruerat vitam, et tant
zelo, ut se devoverit non visurum eam in carne viventem
5 At illa carne soluta, solutum est votum, et coepit videre i
spiritu, quam in corpore noluit.

Quadam nocte audivit per somnium vocem sibi dicent

p. Mc 6, 20 || q. Sir. 45, 2-3 (Lit.) || r. Act. 9, 15

---

1. ** Cf. *infra,* XXIX, 66, note *u* et note 1, p. 352.

2. * Cette vision pose une fois de plus la question de la légitimité d
la prière pour les morts en état de méchanceté : la réponse de Bernard e
plus positive que celle, contemporaine, de Pierre LOMBARD (Livre IV
Dist. XLV des *Sententiae in IV libris distinctae,* t. II, Grottaferrata 198
p. 524-525 et 531), et trouve écho dans les visions du Purgatoire a

éinstallé dans ses biens et rendu à son royaume, pour 'exultation des siens.

Depuis lors, ce roi ne cessa d'aimer et de vénérer Malachie d'une affection d'autant plus grande qu'il avait lécouvert plus profondément dans ce saint ce qui méritait mour et vénération. Dans le malheur il avait reçu de lui ant d'amitié, qu'il n'avait pu ignorer sa sainteté. Aussi, lans le bonheur revenu, l'entourait-il encore davantage de ontinuels signes d'amitié et de dévouement, « il l'écoutait olontiers, et agissait souvent selon son avis[p]. »

Mais en voilà assez sur ce sujet. Ce n'est pourtant pas un asard, à mon sens, si le Seigneur, dès ce moment-là « a nagnifié » Malachie « au regard des rois[q] [1] », « cet homme tait pour lui un vase d'élection, destiné à porter » son nom n présence des rois et des princes[r].

Comment, par la sainte oblation,
il aura sauvé sa sœur défunte

V. 11. La sœur de Malachie, dont nous avons parlé i-dessus, était morte entre-temps. Et nous ne pouvons nanquer de mentionner les visions que son frère eut à son ujet. Cette vie charnelle qu'elle menait, le saint l'avait rise en horreur; et si grande était son indignation, qu'il vait fait vœu de ne plus revoir sa sœur tant qu'elle lemeurerait vivante dans la chair. Une fois celle-ci libérée le la chair, Malachie fut libéré de son vœu et se mit à voir n esprit celle qu'il n'avait plus voulu revoir avec les yeux lu corps[2].

Une nuit, durant son sommeil, il entendit une voix lui

ernier tiers du XIIe siècle (voir Jacques LE GOFF, *La naissance du Purgatoire,* Paris, 1981, notamment p. 222-223).

sororem eius stare foras in atrio, et ecce per totos triginta dies nihil gustasse; qui evigilans cito intellexit, cuius escae inedia marceret. Et diligenter discusso numero dierum quem audierat, ipsum esse reperit, ex quo pro ea *panem de caelo vivum*[s] non obtulisset.

Tum ille qui sororis non animam oderat, sed peccatum beneficentiam, quam intermiserat, rursum adoritur. Neque id frustra : non multo post visa est illi pervenisse ad limen ecclesiae, necdum tamen posse intrare, apparere etiam in veste pulla. Cumque ille perseveraret, curans ne qua die fraudaretur solita stipe, secundo vidit eam in veste subcandida, admissam quidem intra ecclesiam, sed altare contingere non permitti. Tertio tandem visa est aggregari coetui candidatorum, et *in veste candida*[t].

Vides, lector, *quantum valeat deprecatio iusti assidua*[u]? Vere *regnum caelorum vim patitur, et violenti rapiunt illud*[v]. Nonne tibi videtur Malachiae oratio vicem quodammodo effractoris exhibuisse caelestibus portis, quando peccatrix mulier fraternis obtinuit armis, quod suis meritis negabatur[w]?

Hanc vim, Iesu bone, tu qui pateris, facis, validus et pius ad salvandum, *faciens misericordiam et potentiam in brachio tuo*[x], et in sacramento tuo servans sanctis qui in terra sunt[y] *usque in consummationem saeculi*[z]. Hoc plane sacramentum

s. Jn 6, 51 || t. II Macc. 11, 8 || u. Jac. 5, 16 || v. Matth. 11, 12
w. cf. Lc 7, 37 || x. Lc 1, 50-51 || y. cf. Ps. 15, 3 || z. Matth. 28, 2

disant que sa sœur se tenait dehors, sur le parvis; et voici qu'elle n'avait rien absorbé depuis trente jours pleins. En se réveillant, il comprit aussitôt de quelle nourriture elle manquait et se languissait. Réfléchissant attentivement au nombre de jours qu'il venait d'entendre, il découvrit qu'il s'agissait du temps pendant lequel il n'avait plus offert pour elle «le pain vivant venu du ciel[s]».

Alors lui, qui haïssait non l'âme de sa sœur, mais son péché, reprit cette pratique bienfaisante qu'il avait interrompue. Et ce ne fut pas en vain. Peu de temps après, elle lui apparut avec une robe sombre : elle avait atteint le seuil de l'église mais sans pouvoir y pénétrer. Et comme il persévérait avec le souci de ne la laisser manquer aucun jour de l'aumône accoutumée, il la vit une deuxième fois : en robe grise, elle était admise dans l'église, mais sans être autorisée à s'approcher de l'autel. Quand elle lui apparut pour la troisième fois, elle était du nombre des baptisés vêtus de blanc, elle-même «en robe d'une blancheur éclatante[t]».

Te rends-tu compte, lecteur, «de la valeur que possède la prière assidue du juste[u]»? Vraiment, «le Royaume de Dieu souffre violence, et ce sont les violents qui s'en emparent[v]». N'as-tu pas l'impression que la prière de Malachie s'en est prise aux portes du ciel un peu à la manière d'un cambrioleur, puisque cette femme, cette pécheresse, a obtenu par les armes de son frère ce qui était refusé à ses propres mérites[w]?

Cette violence, bon Jésus, tu la subis, mais c'est toi qui la mets en œuvre, toi si plein de force et de bonté pour sauver; «par ton bras tu la déploies dans ta miséricorde[x]» et ta puissance, et par ton sacrement tu la conserves aux saints qui sont sur la terre[y] «jusqu'à l'accomplissement des temps[z]». Oui vraiment, ce sacrement est puissant pour détruire les péchés, pour mettre en déroute les forces

potens peccata consumere, debellare obvias potestates, inferre caelis revertentes de terra.

De Benchorensi coenobio, quomodo restituit, et de quibusdam miraculis

321 **VI. 12.** Et Dominus quidem in regione illa sic praeparabat dilectum suum Malachiam ad gloriam nominis sui. Verum qui miserant eum, minime iam ferentes absentiam eius, missis epistolis revocant illum. Quo reddito suis, et
5 quidem instructiore de omnibus, quae oportebat, en opus a Deo paratum et servatum Malachiae.

Vir dives et potens, qui locum Benchor et possessiones eius tenebat, inspiratus a Deo, confestim in manu eius sua omnia dedit, et se quoque. Et is avunculus eius. Sed
10 Malachiae spiritus quam carnis propinquitas pluris fuit. Ipsum quoque locum Benchor, de quo cognominabatur, tradidit ei princeps, ut aedificaret ibi monasterium, vel potius reaedificaret. Nempe nobilissimum exstiterat ante sub primo patre Congello, multa millia monachorum
15 generans, multorum monasteriorum caput. Locus vere sanctus fecundusque sanctorum, copiosissime fructificans

1. Il s'agit de Celse et d'Imar.

2. Bangor (ou Benchor) en Ulster, très célèbre monastère, situé près de Down – et, aujourd'hui, de Belfast.

3. L'oncle de Malachie, frère de sa mère, était Muirchertach Ua h-Innrechtaig, mort en 1131. Il s'est donc fait moine sous l'autorité de son neveu.

4. Selon une antique légende, le nom gaélique de Bangor signifiait « Vallée des anges » (cf. JOCELIN, *Vie de saint Patrick*). Malachie, dont le

adverses, pour emporter au ciel ceux qui s'en reviennent de la terre.

Du monastère de Bangor : comment il le restaura; et de quelques miracles

Un monastère illustre à relever

VI. 12. C'est ainsi que le Seigneur, dans cette région, préparait son bien-aimé Malachie à glorifier son nom. Mais ceux qui l'avaient envoyé[1] là-bas, ne supportant plus son absence, lui écrivent pour le rappeler. Une fois de retour chez les siens, et certes plus instruit de tout ce qu'il lui fallait savoir, voici l'œuvre que Dieu lui avait préparée et réservée.

Un homme riche et puissant, à qui appartenaient le lieu-dit Bangor[2] et ses possessions, reçut de Dieu l'inspiration de remettre aussitôt entre les mains de Malachie tout ce qu'il possédait, en même temps que sa propre personne. Il s'agissait de son oncle[3]. Mais pour Malachie, les liens de parenté spirituels avaient plus de prix que les liens charnels. Ce lieu de Bangor, dont il portait le nom[4], son possesseur le lui remit pour y édifier, ou plutôt pour y reconstruire un monastère. Car il en avait déjà existé un auparavant, sous l'autorité d'un premier abbé, Congal[5]; des milliers d'hommes y avaient été engendrés à la vie monastique, et cette maison s'était trouvée à la tête d'une quantité de monastères. C'était là un lieu vraiment saint, une pépinière de saints, qui rapportait à Dieu une énorme

nom de baptême était Mael Maedoc, avait pris le nom de Malachie qui, en hébreu, signifie «mon ange» ou «mon envoyé», selon Mal. 3. 1.

5. Congal, ou Comgall, fonda ce monastère vers 559; il y mourut en 602.

Deo, ita ut unus ex filiis sanctae illius congregationis, nomine Luanus, centum solus monasteriorum fundator
322 exstitisse feratur. Quod idcirco dixerim, ut ex hoc uno
20 coniciat lector, quam ingens fuerit reliqua multitudo.

Denique ita Hiberniam Scotiamque repleverunt genimina eius, ut ea potissimum tempora Davidici illi versiculi praecinisse videantur : *Visitasti terram et inebriasti eam, multiplicasti locupletare eam. Flumen Dei repletum est aquis,*
25 *parasti cibum illorum, quoniam ita est praeparatio eius. Rivos eius inebrians, multiplica genimina eius; in stillicidiis eius laetabitur germinans*[a], et in hunc modum ceteri qui sequuntur.

Nec modo in praefatas, sed et in exteras etiam regiones, quasi inundatione facta, illa se sanctorum examina effude-
30 runt. E quibus ad has nostras gallicanas partes sanctus Columbanus ascendens, Luxoviense construxit monasterium, *factus* ibi *in gentem magnam*[b]. Aiunt tam magnam fuisse, ut succedentibus sibi vicissim choris, continuarentur sollemnia divinorum, ita ut ne momentum quidem
35 diei ac noctis vacaret a laudibus.

13. Haec de antiqua dicta sint Benchorensis monasterii gloria. Hoc olim destructum a piratis, ob insigne dignitatis antiquae, Malachias, veluti quemdam replantaturus paradisum, amplexus est, et quia *multa corpora sanctorum dormirent*[c]

a. Ps. 64, 10-11 || b. Gen. 12, 2 || c. Matth. 27, 52

---

1. Lua, ou Molua, fondateur du monastère de Lismore en Écosse, mourut en 592.

2. ** Au v. 11, à la place de *inebria* du Psautier Vulgate, Bernard écrit ici *inebrians* avec quelques mss. Vg et le Psautier romain. En fait, parmi les mss. utilisés pour la présente édition de *Mal V*, deux ont *inebria,* et deux autres omettent ce verset d'Écriture.

3. Saint Colomban, né vers 530, fut moine de Bangor; vers 590 il s'expatria et fonda trois monastères près de Luxeuil; expulsé de là, il

récolte, puisqu'un des fils de cette communauté, un certain Lua[1], avait à lui seul, dit-on, fondé une centaine de monastères. Si je rapporte cela, c'est pour que le lecteur puisse se faire une idée du nombre énorme des autres fondations.

Les filiales de ce monastère avaient rempli l'Irlande et l'Écosse, au point que cette époque-là, tout spécialement, semblait avoir été annoncée et célébrée dans ces versets par David : « Tu as visité la terre, tu l'as enivrée, tu as multiplié ses richesses. Le fleuve de Dieu est rempli d'eau. Tu as préparé leur nourriture; oui, ainsi tu l'as préparée. Enivre ses ruisseaux, multiplie ses récoltes : arrosée, la terre se réjouira de germer[a2] » – et toute la suite de ce passage.

Et ce n'est pas seulement dans les deux pays nommés ci-dessus, mais dans bien d'autres contrées étrangères que, telle une inondation, des groupes de saints s'étaient répandus. Saint Colomban en faisait partie, lui qui est parvenu jusqu'en nos régions de la Gaule[3]. Il construisit à Luxeuil un monastère où il est devenu « un grand peuple[b] ». Si grand, dit-on, que, dans la succession ininterrompue des chœurs des moines, la célébration de l'office divin était continue : à aucun moment du jour ou de la nuit ne s'arrêtait la louange.

13. Voilà ce qu'on peut dire de la gloire ancienne de Bangor. Et c'est ce monastère, détruit depuis lors par des pirates[4], que Malachie, à la fois par égard pour cette antique grandeur, et parce que « beaucoup de corps saints y reposaient[c] », entreprit de replanter, comme une sorte de

gagna l'Helvétie, où un de ses disciples, saint Gall, fonda le monastère qui porte son nom. Colomban poursuivit jusqu'en Italie, où il fonda le monastère de Bobbio; il y mourut en 615.

* Voir B. MERDRIGNAC, « Colomban », dans *Histoire des saints et de la sainteté chrétienne,* t. IV, sous la dir. de Pierre Riché, Paris 1986, 112-121.

4. Les Normands, en 824, ou lors d'un dernier raid en 958.

5 ibi. Nam ut taceam illa quae *in pace sepulta sunt*[d], ferunt nongentos simul una die a piratis occisos.

Erat quidem ingens illius loci possessio; sed Malachias, solo contentus loco sancto, totas possessiones et terras alteri cessit : siquidem a tempore quo destructum est
323 10 monasterium, non defuit qui illud teneret cum possessionibus suis. Nam et constituebantur per electionem etiam, et abbates appellabantur, servantes nomine, etsi non re, quod olim exstiterat.

Cumque suaderent multi non alienare possessiones, sed
15 totum simul retinere sibi, non acquievit paupertatis amator, sed fecit eligi iuxta morem qui eas teneret, loco, ut praediximus, retento sibi et suis. Et fortassis consultius, ut post apparuit, integrum retinuisset, si non magis suae prospexisset humilitati quam paci.

14. Itaque ex mandato patris Imarii assumptis se cum decem circiter fratribus, veniens ad locum, *coepit aedificare*[e]. Ubi die quadam, cum in securi ipse secaret, casu ex operariis unus, illo vibrante in aera securim, locum incaute
5 occupavit, quo ictus destinabatur : et cecidit super spinam

d. Sir. 44, 14 || e. Lc 14, 30

1. Les annales d'Irlande ne font mention nulle part de ce massacre. C'est en 958 que des pirates avaient tué l'abbé de Bangor. Saint Bernard tiendrait-il ce renseignement des compagnons de Malachie qui ont séjourné à Clairvaux?

2. Longtemps en Irlande les lois d'héritage faisaient des laïcs – quelquefois issus de la famille du fondateur du monastère – les héritiers des biens temporels de ce dernier.

* Saint Bernard évoque ici, très prudemment, la question délicate de l'abbatiat laïque et de l'avouerie, dont l'Irlande n'a pas le monopole en Occident. L'aristocratie d'ailleurs ne se contente pas des monastères : au début du XIIe siècle, il est normal en Irlande (pour Armagh, cf. X, 19) ou en Bretagne, et fréquent partout que les sièges épiscopaux se transmettent d'oncle à neveu (sinon de père en fils).

paradis. Car, pour ne rien dire de ceux qui y «avaient été ensevelis dans la paix[d]», on rapporte que les pirates en avaient tué neuf cents[1], en un seul jour.

Immenses étaient les possessions du monastère, mais Malachie, se contentant d'occuper seulement ce lieu saint, céda à quelqu'un d'autre toutes les propriétés et les terres. De fait, depuis la destruction du monastère, il n'avait pas manqué de se trouver quelqu'un pour l'occuper avec ses possessions. Ces propriétaires successifs étaient même établis par élection et portaient le titre d'abbé, conservant ainsi de nom, bien que fictivement, l'état de choses antérieur.

Beaucoup voulaient persuader Malachie de ne pas aliéner ces biens, mais d'en conserver l'intégrité. Lui, cependant, aimait trop la pauvreté pour accéder à un tel conseil. Il fit élire, selon la coutume, celui qui en aurait la propriété[2]. Il ne gardait, comme nous l'avons dit, que le lieu même, pour lui et les siens. Mais peut-être aurait-il été plus avisé de sa part, comme la suite l'a montré[3], de conserver toutes ces possessions, s'il n'avait pas recherché l'humilité de préférence à la paix.

Le premier miracle

14. Envoyé par Imar, son père spirituel, Malachie, accompagné d'une dizaine de frères, arriva donc sur les lieux et «se mit à bâtir[e]». Un jour qu'il était lui-même à manier la hache, et qu'il la brandissait en l'air, voici qu'un des ouvriers se plaça imprudemment à l'endroit où le coup allait porter : la hache tomba

3. Cf. *infra,* XXVIII, 61.

* On se souviendra que l'idée de pauvreté dans le monachisme du temps, fût-il réformé, s'accommode fort bien de la propriété foncière. Les moines se disent «pauvres»; pour le sens de *paupertas* dans la *Mal V,* cf. IV, 9; IX, 18; X, 21; XIV, 32.

dorsi eius, tanto utique impetu, quanto ille impingere valuit. Corruit ille; accurrere omnes, putantes aut percussum ad mortem, aut mortuum. Et *tunica* quidem *scissa a summo usque deorsum*[f]; homo vero illaesus inventus est, tam
10 modice et summatim perstricta cute, ut vix in superficie vestigium appareret. Stabat homo incolumis, quem securis prostraverat, intuentibus et stupentibus qui circumstabant. Unde et facti alacriores, promptiores exinde ad opus inventi sunt. Et *hoc initium signorum*[g] Malachiae.

15 Porro oratorium intra paucos dies consummatum est *de lignis* quidem *laevigatis*[h], sed apte firmiterque contextum, opus scoticum, pulchrum satis. Et exinde servitur Deo in eo, sicut in diebus antiquis, simili quidem devotione, etsi non pari numero.

20 Praefuit Malachias loco illi tempore aliquanto, patre Imario ita constituente, ipse rector, ipse regula fratrum. Legebant in vita eius quomodo conversarentur, et ipse ante illos *praeibat in iustitia et sanctitate coram Deo*[i], nisi quod praeter instituta communia, multa singulariter faciebat, in
324 25 quibus potius praeibat omnes, et aliorum nemo illum poterat ad tam ardua sequi.

Eo temporis et eo loci quidam infirmabatur, cui assistens diabolus et aperte loquens, suggerebat ne umquam crederet monitis Malachiae, sed, si intraret ad se, cultello eum
30 peteret et occideret. Quo cognito, qui illi ministrabant,

f. Matth. 27, 51; cf. Jn 19, 23 || g. Jn 2, 11 || h. Gen. 6, 14 || i. Lc 1, 76 et 75

1. *Scoti :* ici, selon l'usage ancien, le terme désigne les Irlandais. Sur l'art de bâtir en bois, chez les Irlandais, saint Bernard pouvait avoir été renseigné par les moines qu'il avait envoyés fonder l'abbaye de Mellifont.

2. Cf. *supra,* II, 5.

en plein sur sa colonne vertébrale, avec tout l'élan que Malachie avait pu donner à l'outil. L'homme s'écroula. Tous d'accourir, sûrs qu'il était mortellement blessé, ou même déjà mort. Or «sa tunique était bien déchirée du haut jusqu'en bas[f]», mais l'homme fut trouvé sans blessure, la peau si peu éraflée, et si superficiellement, que c'est à peine si l'on y voyait une trace. Il se tenait là, debout, sain et sauf, lui que la hache avait jeté à terre; et les autres, tout autour, le regardaient, stupéfaits. C'est alors avec une joie et une ardeur nouvelles qu'ils se remirent à l'ouvrage. «Ce fut là le début des signes[g]» opérés par Malachie.

Un abbé exemplaire

Au reste, la chapelle, en peu de jours, fut achevée, «faite de madriers tout juste équarris[h]», mais assemblés soigneusement et solidement : un travail d'Irlandais[1], qui n'est pas sans beauté. Dès lors, c'est là qu'on sert Dieu, comme aux jours anciens, avec une même ferveur, même si ce n'est pas en si grand nombre.

En ce lieu, pendant quelque temps, Malachie exerça l'autorité, ainsi que l'avait décidé son père spirituel, Imar[2]. Il était le supérieur et en personne la règle des frères. Eux lisaient dans sa vie comment se comporter et «lui marchait à leur tête, dans la justice et la sainteté devant Dieu[i]». Encore faut-il préciser qu'en dehors des exercices communs, il accomplissait personnellement beaucoup de choses où il les devançait tous largement, car nul d'entre eux n'aurait pu le suivre sur des pentes aussi abruptes.

A ce moment et en ce lieu, il y avait un homme malade : le diable le hantait et lui parlait ouvertement, lui suggérant de ne jamais se fier aux avis de Malachie, mais, si celui-ci paraissait en sa présence, de le recevoir à coups de couteau et de le tuer. En l'apprenant, ceux qui le soignaient – et que d'ailleurs le malade lui-même avait mis au fait – en

ipso infirmo prodente, verbum perferunt ad Malachiam praemunientes. At ille solita arma orationis arripiens impavidus hostem aggressus, et infirmitatem fugat, et daemonem.

Erat autem nomen viro Malchus. Frater est iste secundum carnem Christiani nostri, Mellifontis abbatis: ambo enim superstites adhuc sunt, sibi in spiritu modo germaniores. Nam ille, ut liberatus est, continuo non ingratus, loco eodem conversus ad Dominum, habitum simul animumque mutavit. Et cognovere fratres malignum invidere bonis eorum; et aedificati sunt, facti de reliquo cautiores.

VII. 15. Clericum, nomine Michaelem, dysenteria laborantem, et desperate mittens ei aliquid de mensa sua eodem loco sanavit. Secundo eumdem ipsum, gravissima infirmitate correptum, et corpore pariter curavit, et mente. Illico enim *adhaesit Deo*[j] et Malachiae servo eius, timens *ne deterius aliquid sibi contingeret*[k], si denuo ingratus tanto inveniretur et beneficio, et miraculo. Et nunc, ut audivimus, praeest cuidam monasterio, sito in partibus Scotiae : et hoc novissimum omnium quae ille fundavit. Pro huiusmodi augescebat in dies et opinio, et congregatio Malachiae, et grande ei nomen intus et foris, non

j. Ps. 72, 28 || k. Jn 5, 14

1. Ce Christian (Gille Criost Ua Conairche) accompagnait Malachie lors de son passage à Clairvaux, en 1139 (cf. *infra,* XVI, 19). Il y resta avec quelques frères, pour s'y initier à la vie cistercienne. Revenu en Irlande, il fut élu abbé de Mellifont. En 1152, il deviendra évêque de Lismore et légat du Siège apostolique pour l'Irlande. Cf. C. CONWAY, *The story of Mellifont,* Dublin 1958.

2. Remarque semblable in *Sup. Cant.,* S. 26, 4, où l'auteur parle de son propre frère, Gérard.

informent Malachie, pour le mettre en garde. Mais lui, muni de ses armes habituelles, la prière, s'attaque à l'ennemi sans trembler; il met en fuite la maladie, et avec elle le démon.

Cet homme se nommait Malch; c'est d'ailleurs le frère selon la chair de notre bien-aimé Christian[1], l'abbé de Mellifont. Tous deux sont encore en vie, d'autant plus frères maintenant qu'ils le sont spirituellement[2]. Car Malch, dès qu'il fut libéré, manifesta sa reconnaissance sans délai : il se convertit[3] au Seigneur à Bangor même, changeant de mode de vie en même temps que d'attitude intérieure. Les frères connurent ainsi que le Mauvais en voulait à leurs biens spirituels. Cela les édifia, en les rendant par ailleurs plus circonspects.

Un double miracle

VII. 15. Un clerc, du nom de Michel, souffrait de dysenterie : Malachie, en lui envoyant, contre tout espoir, quelque chose de sa table, lui rendit sur-le-champ la santé. Et une seconde fois, à l'occasion d'une très grave maladie, il le guérit en même temps dans son corps et dans son esprit. A l'instant même, celui-ci «s'attacha à Dieu[j]», et à Malachie son serviteur, dans la crainte «qu'il ne lui arrivât pire encore[k]», s'il se montrait à nouveau sans reconnaissance pour un si grand bienfait et un tel miracle. Actuellement, à ce que nous avons appris, cet homme est à la tête d'un monastère en Écosse, le dernier de tous ceux qu'a fondés Malachie[4].

Pour toutes ces raisons, la renommée de ce dernier, comme aussi sa communauté, croissait de jour en jour. Grand était son nom, au dedans et au dehors, sans dépasser

3. Cf. ci-dessus note 1, p. 196.

4. De ce monastère, l'auteur fait mention *infra,* XXX, 68. Son nom actuel est Soulseat, près de Cairngarroch, mais son nom cistercien était *Stagnum viride* («Étang verdoyant»).

tamen re grandius. Nempe ibi demorabatur etiam factu episcopus, quod locus esset vicinus civitati.

Quomodo ordinatus episcopus cogebat populos ad meliora, sed, destructa civitate, Ibracense monasterium construxit

VIII. 16. Vacabat tunc temporis episcopalis sedes, e iamdiu vacarat, Malachia nolente assentire : siquiden ipsum elegerant. Persistentibus tamen illis, tandem aliquando cessit, accedente ad vim faciendam mandatc magistri sui, necnon et metropolitani. Tricesimo ferm aetatis suae anno, Malachias, consecratus episcopus, introducitur Connereth : hoc enim nomen civitatis.

Cum autem coepisset pro officio suo agere, tunc intellexit homo Dei, non ad homines se, sed ad bestia destinatum. Nusquam adhuc tales expertus fuerat in quantacumque barbarie; nusquam repererat sic protervos ac mores, sic ferales ad ritus, sic ad fidem impios, ad lege barbaros, cervicosos ad disciplinam, spurcos ad vitam christiani nomine, re pagani. Non decimas, non primitia dare, non legitima inire coniugia, non facere confessiones paenitentias nec qui peteret, nec qui daret, penitus inveniri. Ministri altaris pauci admodum erant. Sed enim quid opus

1. Il s'agit assurément de Connor, bien que Bangor n'en soit pas tellement proche.

2. Connor, ou Connereth, tout au nord de l'Ulster. Ce siège épiscopal avait été fondé par saint Mac Nisse. Il incluait Bangor dans sa juridiction. Saint Bernard exagère ici, à son habitude, le mauvais état spirituel et moral de la population. Il n'en reste pas moins que Malachie eut fort à faire pour réformer ce qui devait l'être.

pour autant la réalité. C'est que Malachie, même une fois devenu évêque, continuait à demeurer en ce lieu, qui se trouvait tout proche de la cité[1].

Comment, une fois devenu évêque,
il entraînait son peuple à progresser,
mais comment, après la destruction de la cité,
il construisit le monastère d'Ibrack

Un évêque réformateur

VIII. 16. Le siège épiscopal[2] était alors vacant, et il l'était depuis longtemps puisque Malachie, qu'on y avait pourtant élu, refusait la charge. Devant l'insistance cependant de ceux qui l'avaient choisi, il finit tout de même par accepter, se rendant à la violence que lui faisait le commandement de son maître spirituel comme de son métropolitain. Malachie avait environ trente ans quand il fut consacré évêque et installé au siège de Connor – c'est le nom de la cité.

Mais dès qu'il commença à exercer son ministère, l'homme de Dieu comprit qu'il n'était pas envoyé à des êtres humains, mais à des bêtes. Jamais encore il n'en avait rencontré de pareils, dans quelque barbarie que ce soit, jamais il n'en avait trouvé d'aussi scandaleux par la conduite, d'aussi sauvages par les coutumes, d'aussi impies à l'égard de la foi, d'aussi barbares quant aux lois, d'aussi rebelles à la discipline, d'aussi répugnants par leur vie – chrétiens de nom, païens de fait. Les dîmes et les prémices, on ne s'en acquittait pas; les mariages légitimes, on n'en célébrait pas; la confession, on ne la pratiquait pas; les pénitences, nul ne se trouvait ni pour en demander, ni pour en imposer. Les ministres de l'autel n'étaient qu'en

plurium, ubi ipsa paucitas inter laicos propemodum otiosa vacaret? Non erat quod de suis fructificarent officiis in populo nequam. Nec enim in ecclesiis aut praedicantis vox, aut cantantis audiebatur.

Quid faceret athleta Domini? Aut cedendum turpiter, aut periculose certandum. Sed qui se pastorem et non mercenarium[l] agnoscebat, elegit stare quam fugere, paratus et *animam dare pro ovibus*[m], si oportuerit. Et quamquam omnes lupi et oves nullae, stetit *in medio luporum*[n] pastor intrepidus, omnimodis argumentosus, quomodo faceret oves de lupis. Monere communiter, secreto arguere, flere per singulos; nunc aspere, nunc leniter convenire, prout cuique expedire videbat. In quibus per haec minus profecisset, *cor contritum et humiliatum*[o] offerebat pro eis. Quoties noctes totas pervigiles duxit, extendens manus in oratione! Et cum venire ad ecclesiam nollent, *per vicos et plateas*[oo] occurrebat invitis et, *circuiens civitatem*[p], perquirebat anhelus quem Christo acquireret.

17. Sed et foris rura et oppida nihilominus saepius percurrebat cum sancto illo comitatu discipulorum suorum, qui numquam deerant lateri eius. Ibat et erogabat, vel ingratis, caelestis *tritici mensuram*[q]. Nec vehebatur

l. cf. Jn 10, 11-12 || m. Jn 10, 11 || n. Matth. 10, 16 || o. Ps. 50, 19 || oo. Lc 14, 21 || p. Cant. 3, 2 || q. Lc 12, 42

1. « Athlète du Seigneur » : l'expression est traditionnelle. Cf. IGNACE D'ANTIOCHE, *Ép. à Polycarpe,* 2, 3 ; AUGUSTIN, *Civ. Dei,* 14, 9 ; CASSIEN, *Inst.,* 5, 19. Elle remonte à saint Paul (I Cor. 9. 24 sq.).

2. Dans le même sens, cf. *Csi,* III, 6.

3. Prier les bras en croix est attesté comme une ancienne tradition monastique irlandaise par les pénitentiels de ce pays.

très petit nombre. Mais, de fait, était-il nécessaire d'en avoir davantage puisque, malgré leur petit nombre, ils restaient parmi les laïcs presque sans rien faire? Il n'y avait pas moyen que leur ministère porte des fruits dans ce peuple corrompu. Et, de fait, dans les églises on n'entendait ni la voix d'un prédicateur, ni celle d'un chantre.

Que devait faire l'athlète du Seigneur[1]? Reculer honteusement, ou combattre, à ses risques et périls? Mais celui qui se savait berger, et non ouvrier salarié[l], décida de tenir bon plutôt que de fuir; il était prêt même à «donner sa vie pour ses brebis[m]», s'il le fallait. Et bien qu'il eût affaire uniquement à des loups et point du tout à des brebis, ce berger courageux se tint «au milieu des loups[n]», s'ingéniant de toutes manières pour trouver le moyen de transformer les loups en brebis[2] : les avertir tous ensemble, les reprendre en privé, les supplier un à un avec larmes; les interpeller, tantôt avec rudesse, tantôt avec douceur, en fonction de ce qui semblait le mieux convenir à chacun. Et lorsque, auprès de certains, ces divers moyens restaient sans effet, le saint offrait pour eux son «cœur contrit et humilié[o]». Que de nuits il passa tout entières à veiller, les mains tendues dans la prière[3]! Et lorsqu'on refusait de venir à l'église, lui, «par les faubourgs et les places[oo]», courait au-devant de ces gens de mauvaise volonté; «à travers toute la cité[p]», il s'époumonait à chercher qui il pourrait gagner au Christ.

La réussite de la réforme

17. Mais c'est aussi au dehors qu'il se rendait souvent, parcourant campagnes et bourgs, avec la sainte escorte de ses disciples, lesquels ne manquaient jamais à ses côtés. Il allait, fournissant, même à ceux qui ne le désiraient pas «leur ration de froment[q]» du ciel. Ce n'est pas à cheval

5 equo, sed pedes ibat, et in hoc virum se apostolicum probans.

Iesu bone! Quanta passus est pro nomine tuo[r] bellator tuus a *filiis sceleratis*[s]! Quanta sustinuit ab his ipsis, quibus et pro quibus loquebatur bona tibi! Quis digne exprimat, 10 in quantis vexatus, quibus affectus sit contumeliis[t], quibus iniuriis lacessitus, quoties lassatus inedia, quoties afflictus *in frigore et nuditate*[u]?

Attamen *cum his qui oderunt pacem erat pacificus*[v], *instans* nihilominus *opportune, importune*[w]. *Blasphematus obsecrabat*[x], 15 iniuriatus opponebat scutum patientiae, et *vincebat in bono malum*[y]. Quidni vicisset? Perseveravit pulsans[z], et, secundum promissionem, tandem aliquando pulsanti apertum est. Quomodo poterat non sequi quod Veritas praenuntiaverat secuturum? *Dextera Domini fecit virtutem*[a], 20 *quia os Domini locutum est*[b] veritatem.

Cessit duritia, quievit barbaries, et *domus exasperans*[c] paulatim leniri coepit, paulatim correptionem admittere, recipere disciplinam. Fiunt de medio barbaricae leges, romanae introducuntur; recipiuntur ubique ecclesiasticae 25 consuetudines, contrariae reiciuntur; reaedificantur basilicae, ordinatur clerus in illis. Sacramentorum rite sollemnia

r. cf. Act. 9, 16 || s. Is. 1,4 || t. cf. I Thess. 2, 2 || u. II Cor. 11, 27 || v. Ps. 119, 7 || w. II Tim. 4, 2 || x. I Cor. 4, 13 || y. Rom. 12, 21 || z. cf. Matth. 7, 7 || a. Ps. 117, 16 || b. Is. 1, 20 et passim. || c. Éz. 2, 5 et passim

1. En référence avec la manière dont les apôtres suivaient Jésus, et avec les instructions que Jésus leur donne sur le style de leur mission cf. Matth. 10. 9 s.

* Ce sont là exactement les méthodes édictées par les légats romains dans la première moitié du XIIe siècle : rappel et diffusion du droit en usage dans l'Église de Rome, reprise en mains du clergé par de nouvelles promotions, encadrement renforcé des laïcs par la confession

mais à pied qu'il se déplaçait, donnant ainsi la preuve qu'il était un homme apostolique[1].

Bon Jésus! pour ton nom, que n'a pas souffert[r] ton combattant, de la part de ses «fils criminels[s]»! Que n'a-t-il supporté de la part de ceux à qui il parlait si bien et en faveur desquels il te parlait si bien! Qui pourrait exprimer de la manière qui convient toutes les vexations qu'il a endurées, les affronts dont il a souffert, les injures dont on le harcelait[t] – et chaque jour le poids des privations, la peine «du froid et de la nudité[u]»?

Pourtant, «avec ceux qui haïssaient la paix, il se montrait pacifique[v]», tout «en insistant auprès d'eux, à temps et à contre-temps[w]». «Maudit, il priait[x]»; injurié, il opposait le bouclier de la patience : il se montrait «vainqueur du mal par le bien[y]». Comment n'aurait-il pas remporté la victoire? Avec persévérance, il a frappé à la porte[z], et, conformément à la promesse, on a fini par ouvrir à celui qui frappait. Comment ce que la Vérité avait prédit aurait-il pu ne pas se produire? «La droite du Seigneur a déployé sa puissance[a]», «car la bouche du Seigneur a proclamé[b]» la vérité.

Oui, la dureté a cédé, la barbarie s'est apaisée, «cette maison de rebelles[c]» s'est mise peu à peu à s'adoucir, à accepter la critique, à accueillir la discipline. Les lois barbares sont abolies, et celles de Rome introduites; les coutumes ecclésiastiques sont partout reçues, et celles qui les contredisent sont rejetées. On rebâtit les basiliques, on y ordonne des clercs. La célébration des sacrements se fait

régulière et le mariage en public. LANFRANC DE CANTERBURY, qui revendiquait la primatie sur toute l'Angleterre et l'Irlande, était déjà intervenu en 1073-1074 auprès des rois de Dublin et de Munster à propos des coutumes matrimoniales et des ordinations : *The Letters of Lanfranc Archbishop of Canterbury*, éd. et trad. de H. Clover et M. Gibson, Oxford 1979, n° 9-10, p. 66-72.

celebrantur, confessiones fiunt, ad ecclesiam conveniun
plebes, concubinatus honestat celebritas nuptiarum.

Postremo sic mutata in melius omnia, ut hodie illi gent
30 conveniat quod Dominus per prophetam dicit : *Qui an non populus meus, nunc populus meus*[d].

327 **IX. 18.** Contingit post annos aliquot destrui civitaten a rege aquilonaris partis Hiberniae, quia *ab Aquilon panditur omne malum*[e]. Et forte malum illud bene utentibu bonum fuit. Quis scit enim, si tali flagello Deus deler
5 voluit mala antiqua populi sui? Istiusmodi Malachia necessitate compulsus, et ipse exiit cum turba discipulorun suorum. Nec otiosus exitus eius. Hac occasione monaste rium Ibracense constructum est, eunte illo Malachia cun
328 suis numero centum viginti fratribus.

10 Ibi occurrit ei Cormarcus rex. Ipse est, qui olim regn pulsus, sub cura Malachiae de misericordia Dei consola tionem accepit. Et locus ille situs in regno eius. Gavisus es rex viso[f] Malachia, se et sua omnia exponens ei et his qu

d. I Pierre 2, 10 || e. Jér. 1, 14 || f. cf. Lc 23, 8

---

1. ** Bien que la Vetus latina de Beuron ait publié ce passage aucune source à ce texte assez particulier (et unique chez Bernard) n'a p être trouvée.

2. Il s'agit ici du monastère de Bangor, non de la cité de Connor. L royaume de l'Ulster fut dévasté par le roi voisin, Conchobar Ma Lochlainn en 1127.

3. ** Ici et dans les trois autres citations qu'il en fait, Bernard ajout *omne* au texte biblique. Aucune source connue.

4. Où Malachie commence-t-il par se rendre avec ses disciples Probablement retourne-t-il à Lismore, où il avait déjà séjourné aupr de Malch, évêque et abbé.

5. Ce nom et l'identification du lieu font problème : s'agit-il de Uib

selon les rites, on se met à se confesser, les gens fréquentent l'église, la célébration du mariage vient mettre bon ordre au concubinage.

Bref, tout se met à tellement changer pour le meilleur, qu'aujourd'hui on pourrait appliquer à cette race la parole suivante, que le Seigneur prononce par son prophète : « Eux qui autrefois n'étaient pas mon peuple, et qui maintenant sont mon peuple[d 1]. »

Évêque en fuite, abbé fondateur

IX. **18.** Quelques années plus tard il arriva que la cité[2] fut détruite par le roi qui gouvernait le nord de l'Irlande; car « c'est du nord que se répand tout mal[e 3] ». Mais peut-être ce mal fut-il un bien pour ceux qui en firent bon usage. Qui sait, en effet, si Dieu, par ce fouet, n'a pas voulu détruire le mal ancien qui sévissait dans son peuple? Sous le coup de ce malheur, Malachie s'en alla, avec la foule de ses disciples[4]. Et même ce départ ne fut pas sans utilité. Car c'est à cette occasion que fut construit le monastère d'Ibrack[5] – lieu où s'était rendu Malachie, accompagné de 120 frères.

Là le roi Cormac[6] vint le visiter. C'est lui, qui, chassé autrefois de son royaume, avait reçu, par les soins de Malachie, la consolation de la miséricorde de Dieu. Or ce lieu était situé dans son royaume. Le roi, tout joyeux de revoir[f] Malachie, mit à sa disposition et à celle de ses

Rathach (Iveragh), dans l'actuelle province de Kerry (sud-ouest de l'Irlande)? Ce serait trop loin de la cité de Cashel, où résidait alors le roi Cormac, lequel, d'après le récit, pouvait facilement rejoindre Malachie et ses moines. Peut-être alors s'agit-il d'un lieu nommé Ui Braccain, situé à l'Est de Cashel. Pourtant on ne trouve par la suite aucun monastère en cette région : aurait-il été déplacé après le retour de Malachie en Ulster?

6. Cormac Mac Carthaig, roi du Munster méridional : voir à son sujet *supra,* IV, 9, et la note 1, p. 206.

cum eo erant, utpote non ingratus nec immemor beneficii.
15 Adducta incontinenti animalia multa ad usus fratrum, multa insuper in auro et argento ad sumptus aedificiorum pro regia liberalitate collata. Ipse quoque erat *intrans et exiens*[g] cum eis sedulus et officiosus, habitu quidem rex, sed animo discipulus Malachiae.

20 Et benedixit loco illi Dominus propter[h] Malachiam. Et in brevi factus est magnus rebus, possessionibus et personis. Ubi, velut de novo inchoans, legem et disciplinam, quam aliis imponebat, magis ipse portabat episcopus et magister. Ipse *in ordine vicis suae*[i], coquinae ministerio
25 inserviebat; ipse fratribus, cum recumberent, ministrabat. Inter succedentes sibi invicem fratres ad cantandum legendumve in ecclesia, non se praeteriri patiebatur, strenue implens et ipse officium loco suo, tamquam unus ex illis. Sanctae paupertatis non modo participem, sed et prin-
30 cipem se exhibebat, ipsius praecipue *super* omnes *abundantius aemulator exsistens*[j].

Quomodo praesignatus sit archiepiscopus futurus, ipsamque metropolim de pessima servitute horrendis signis liberatam alteri tradidit, suumque episcopatum in duo divisit

X. 19. Dum haec ita aguntur, contingit infirmari archiepiscopum Celsum : ipse est qui Malachiam in diaconem, presbyterum episcopumque ordinavit. Et cognoscens quia moreretur, fecit quasi testamentum, quatenus
5 Malachias deberet succedere sibi, quod nullus videretur

g. Act. 9, 28 || h. cf. Gen. 39, 5 || i. Lc 1, 8 || j. Gal. 1, 14

compagnons sa personne et tous ses biens ; plein de reconnaissance, il n'avait pas oublié la bonté qu'on lui avait manifestée. Il fit amener aussitôt quantité de bestiaux à l'usage des frères ; puis il y ajouta, avec une libéralité royale, quantité d'or et d'argent pour les frais de la construction. « Lui-même allait et venait[g] » avec eux, empressé et serviable, roi quant à l'habit, mais, de cœur, disciple de Malachie.

Et le Seigneur bénit ce lieu, à cause de[h] Malachie. En peu de temps le monastère devint important par ses biens, ses possessions, et ses habitants. Et là, comme s'il recommençait sa formation monastique, Malachie, tout maître et évêque qu'il était, portait plus que sa part de la règle et de la discipline qu'il imposait aux autres. Il prenait « à son tour[i] » le service de la cuisine ; il servait ses frères à table. Et parmi les frères qui se succédaient pour chanter ou lire à l'église, il ne supportait pas de se soustraire à ce service : comme l'un d'entre eux, à son tour, il remplissait son office, en le prenant à cœur. De la sainte pauvreté, non seulement il voulait sa part, mais encore la principale ; il s'en faisait très particulièrement et plus abondamment que quiconque, « le défenseur zélé[j] ».

Comment il fut désigné à l'avance comme archevêque ; [puis] comment il transmit à un autre sa métropole, libérée de la pire servitude par des signes terrifiants ; et comment il partagea en deux son évêché

Le siège primatial aux mains d'un clan

X. 19. Durant ces événements, il arriva que l'archevêque Celse tomba malade. C'est lui qui avait ordonné Malachie comme diacre, prêtre puis évêque. Se sachant tout proche de la mort, il fit une sorte de testament, en vertu duquel Malachie devait lui succéder,

dignior, qui episcoparetur in sede prima. Hoc praesentibus indixit, hoc mandavit absentibus, hoc specialiter ambobus Mumoniae regibus et maioribus terrae[k], sancti Patricii auctoritate praecepit.

Cuius reverentia et honore, tamquam apostoli illius gentis, qui totam patriam convertisset ad fidem, sedes illa, in qua et vivens praefuit, et mortuus requiescit, in tanta ab initio cunctis veneratione habetur, ut non modo episcopi et sacerdotes et qui de clero sunt, sed etiam regum ac principum universitas subiecta sit metropolitano in omni oboedientia, et unus ipse omnibus praesit.

Verum mos pessimus inoleverat quorumdam diabolica ambitione potentum, sedem sanctam obtentum iri hereditaria successione. Nec enim patiebantur episcopari, nisi qui essent de tribu et familia sua. Nec parum processerat exsecranda successio, decursis iam in hac malitia quasi generationibus quindecim. Et eousque firmaverat sibi ius pravum, immo omni morte puniendam iniuriam, *generatio mala et adultera*[l], ut etsi interdum defecissent clerici de sanguine illo, sed episcopi numquam. Denique iam octo

k. cf. Job 3, 14 || l. Matth. 12, 39

---

1. L'Église d'Armagh, fondée par saint Patrick au Ve siècle, remplissait pour toute l'Irlande le rôle de primatiale – ainsi traduisons-nous l'adjectif *metropolitanus*.

2. Les deux rois : Connor O Brien pour le Thomond (Munster du Nord) et Cormac Mac Carthy pour le Desmond (Munster du sud).

3. Dans l'Église d'Armagh, comme dans la plupart des Églises irlandaises les plus anciennes, cette tradition s'était enracinée depuis plusieurs générations. Toutefois saint Bernard confond ici abbés et évêques monastiques, sans se rendre compte qu'avant le synode de Rathbreasail (1111) aucun diocèse en Irlande n'est à proprement parler une réalité territoriale. Il s'agit en fait d'anciennes églises monastiques, dans lesquelles les abbés exerçaient une juridiction selon des lois et des coutumes propres à la nation irlandaise, et où l'évêque n'avait qu'un

car nul ne lui paraissait plus digne d'occuper le siège épiscopal de la primatiale[1]. Il l'exprima à ceux qui étaient présents autour de lui, le fit savoir aux absents, et en instruisit tout spécialement les deux rois du Munster[2] et les grands de ce pays[k], en se réclamant de l'autorité de saint Patrick.

En souvenir et en honneur de ce dernier, qui fut l'apôtre de ce peuple et convertit à la foi toute sa patrie, ce siège, qu'il avait occupé de son vivant, et où, mort, il reposait, est tenu par tous, depuis le commencement, en grande vénération. Et cette vénération est telle que non seulement les évêques, les prêtres et le clergé, mais aussi l'ensemble des rois et des nobles, sont soumis en toute obéissance à l'évêque métropolitain ; c'est lui le chef unique au-dessus de tous.

Mais une très mauvaise coutume s'était introduite[3], de par l'ambition diabolique de certains personnages puissants : le droit d'obtenir ce siège saint par succession héréditaire. Ces hommes, en effet, ne souffraient comme évêques que ceux qui appartenaient à leur clan et à leur famille. Or cette manière détestable de se succéder dans l'épiscopat n'était pas récente : ce mal sévissait depuis une quinzaine de générations[4]. Cette « race mauvaise et adultère[l] » n'avait fait que s'affermir dans ce droit perverti – ou plutôt dans cette injustice tout à fait digne de mort, tant et si bien que, pour ces gens, les clercs pouvaient parfois être d'un autre sang que le leur, mais les évêques jamais. En fin

pouvoir sacramentel, et à l'intérieur du monastère. La « mauvaise coutume » dont parle saint Bernard est celle qui s'était implantée à propos de la succession de ces abbés : dans beaucoup de lieux ils se succédaient l'un à l'autre selon le droit d'héritage en usage en Irlande.

4. Une génération n'équivaut pas ici à un espace de 20 ou 30 ans, car en deux siècles, de 925 à 1124, quinze abbés de la même famille – Celse étant le dernier – s'étaient succédé sur le siège d'Armagh.

exstiterant ante Celsum viri uxorati et absque ordinibus, litterati tamen.

Inde tota illa per universam Hiberniam, de qua multa superius diximus, dissolutio ecclesiasticae disciplinae, cen-
30 surae enervatio, religionis evacuatio; inde illa ubique, pro mansuetudine christiana, saeva subintroducta barbaries, immo paganismus quidam inductus sub nomine christiano.

Nam, quod inauditum est ab ipso christianitatis initio, sine ordine, sine ratione mutabantur et multiplicabantur
35 episcopi pro libitu metropolitani, ita ut unus episcopatus uno non esset contentus, sed singulae paene ecclesiae singulos haberent episcopos. Nec mirum. Nam quomodo tam morbidi capitis membra valerent?

20. Pro his Celsus atque huiusmodi malis populi sui vehementer dolens – erat enim vir bonus et timoratus[m] –, curavit omni modo habere sibi successorem Malachiam, quod per ipsum confideret posse explantari male radicatam
5 successionem, qui carus esset omnibus et quem omnes aemularentur, et *Dominus erat cum eo*[n]. Nec frustratus est a spe sua. Nam illo mortuo, substitutus est Malachias, non tamen mox, neque id facile. Ecce enim de *semine nequam*[o] qui occupet locum, Mauricius nomine. Is per quinquen-

m. cf. Lc 2, 25 || n. I Sam. 8, 14, etc. || o. Is. 1, 4

---

1. Il faut entendre ici l'Église locale comme correspondant à une petite agglomération. On sait que, longtemps, en Irlande, les évêques furent aux ordres des abbés, qui en créaient selon les besoins.

2. Maurice (ou Muirchertach Mac Domnaill) était membre de la famille qui détenait le siège d'Armagh depuis environ deux siècles par droit héréditaire. Au lendemain de la sépulture de Celse (5 avril 1129) i

de compte, ils étaient déjà huit, avant Celse, à s'être succédé sur ce siège, tout mariés qu'ils étaient, et sans avoir été ordonnés, et cependant des hommes cultivés.

C'est la raison pour laquelle, à travers toute l'Irlande – comme nous l'avons longuement exposé ci-dessus – la discipline ecclésiastique s'était complètement relâchée, le droit avait perdu toute rigueur, la religion avait été anéantie. Et c'est pour cela aussi qu'à la place de la bonté chrétienne, s'était introduite une cruelle barbarie, et même, tout bonnement, un paganisme, couvert du nom chrétien.

Car, chose inouïe depuis les débuts du christianisme, sans ordre et sans raison, on s'était mis à changer et à multiplier les évêques, au gré du métropolitain, si bien qu'à un évêché ne suffisait pas un seul évêque, mais qu'il y avait presque autant d'évêques que d'églises[1]. Quoi d'étonnant à cela? Quand la tête est si malade, comment les membres pourraient-ils être sains?

Faut-il prendre de force ce siège déjà occupé?

20. De tous ces malheurs qui frappaient son peuple, Celse s'affligeait profondément. C'était un homme bon et craignant Dieu[m] – aussi prit-il toutes dispositions pour avoir Malachie comme successeur. Il était sûr que, grâce à ce dernier, ce mode de succession, implanté pour de mauvaises raisons, pourrait être déraciné, puisque Malachie était aimé de tous, que tous le prenaient pour modèle, et que «le Seigneur était avec lui[n]». Son espoir ne fut pas vain. Car, après sa mort, Malachie prit sa place; non pas cependant immédiatement, ni sans difficulté. Il y avait en effet un homme, issu de cette «semence malfaisante[o]», pour occuper les lieux; il s'appelait Maurice[2]. Durant cinq ans, avec l'appui du

fut élevé à ce siège par les grands de la région. Il mourut le 17 septembre 1134.

10 nium, fretus potentia saeculari, incubavit ecclesiae, non episcopus, sed tyrannus.

Nam vota piorum magis in Malachia convenerant. Denique suadebant eum subire onus iuxta constitutionem Celsi; sed ille, qui omne sublime haud secus quam suum 15 praecipitium declinabat, bonam sibi videbatur nactus occasionem excusandi, quod per id temporis introitus eius pacificus esse non posset. Instabant tam sancto operi et 331 sollicitabant omnes, duo potissimum episcopi, Malchus et Gillebertus, quorum prior ipse est senior Lesmorensis, de 20 quo supra mentio facta est, alter, quem aiunt prima functum legatione Apostolicae Sedis per universam Hiberniam.

Qui triennio iam decurso in hac praesumptione Mauricii et Malachiae dissimulatione, non ferentes ultra ecclesiae 25 adulterium, dedecus Christi, convocatis episcopis et principibus terrae, uno spiritu adeunt Malachiam, parati vim facere. At ille renuere primum, praetendere siquidem difficultatem rei, nobilis illius prosapiae multitudinem, fortitudinem, ambitionem; multum esse ad se pauper-30 culum opponere se tot, tantis, talibus, taliter radicatis, qui iam annos ferme ducentos quasi *hereditate possedissent sanctuarium Dei*[p], et nunc quoque id praeoccupassent; non posse illos exstirpari, nec cum mortibus hominum quidem; sua non interesse, fundi humanum sanguinem occasione

p. Ps. 82, 13

---

1. Il s'agirait de Conor O Loughlin, roi d'Oriel, où Armagh était situé.

2. Malch : cf. *supra,* IV, 8, et note 3, p. 203.

3. Gilbert (Gilli Espuig), consacré en 1106 comme premier évêque de Limerick, sera choisi comme premier légat du Siège romain pour toute l'Irlande, jusqu'au jour où le pape désignera Malachie pour le remplacer (cf. *infra,* XVI, 38). En 1111, Gilbert préside, à titre de légat, le synode

pouvoir séculier[1], il mit le grappin sur l'Église, non comme évêque, mais comme tyran.

En réalité, les suffrages des hommes de piété convergeaient plutôt sur Malachie. Aussi le pressaient-ils de prendre la charge, comme l'avait décidé Celse. Mais lui, qui s'écartait de toute élévation comme s'il s'agissait d'un précipice, estimait avoir trouvé une bonne occasion de décliner l'offre, puisque les circonstances ne lui permettaient pas d'entrer en charge de manière pacifique. Tous le poussaient à une tâche si sainte et le pressaient d'accepter, deux évêques en particulier : Malch[2] et Gilbert[3]; le premier, dont il a été question ci-dessus, était chef de l'Église de Lismore; l'autre, dit-on, fut le premier à remplir la charge de légat du Siège apostolique dans toute l'Irlande.

Depuis trois ans déjà que Maurice s'impose et que Malachie se récuse, eux ne supportent plus davantage cet adultère de l'Église, ce déshonneur du Christ. Évêques et nobles du pays sont convoqués : unanimement, ils s'adressent à Malachie, prêts à lui faire violence. Et lui de refuser d'abord, et de mettre en avant la difficulté de la chose, comme aussi le nombre, la puissance et l'ambition de ce clan de haute naissance : quelle affaire ce serait pour lui, si humble, de s'en prendre à des gens si nombreux, si considérables, si sûrs d'eux-mêmes, si enracinés dans la place; à des gens qui possédaient depuis presque deux cents ans, quasiment «en héritage, le sanctuaire de Dieu[p]», et l'avaient actuellement encore occupé les premiers. Impossible de les en extirper, même en y sacrifiant des vies humaines. Or ce n'était pas son affaire

de Rathbreasail. Il reste de lui un traité, *De statu Ecclesiae* (*PL* 159, 995 ss.), qui pose les bases d'une réforme du clergé et du peuple chrétien. Il meurt en 1143.

sui; postremo iunctum se sponsae alteri, quam dimittere non liceret.

21. Verum illis e contra instantibus et clamantibus, quia *a Domino sermo egressus est*[q], sed et tota auctoritate iubentibus subire onus atque intentantibus anathema : « Ad mortem », inquit, « ducitis me ; sed oboedio spe martyrii, hac tamen condicione, ut si iuxta fidem vestram res in melius cedat, et vindicet sibi Deus suam hereditatem a diripientibus eam, tum demum, omnibus consummatis et ecclesia pacem habente, liceat mihi redire ad priorem sponsam meam et amicam, de qua rapior, paupertatem, et pro me illic alium substituere, qui tunc forte repertus idoneus fuerit. »

Nota, lector, virtutem viri et animi puritatem, nec honorem scilicet affectantis, nec formidantis mortem pro Christi nomine[r]. Quid hoc animo purius quidve fortius, ut se exponens periculo et labori, alteri fructum cedat ipsam in loco principatus securitatem et pacem ? Facit hoc, cum liberum sibi ex pacto retinet reditum ad paupertatem, pace et libertate ecclesiae restituta.

q. Gen. 24, 50 || r. cf. Act. 5, 41

---

1. Ce symbolisme de l'évêque, époux de son Église, revient à plusieurs reprises dans ce récit : X, 21 ; XV, 34. Il a son origine chez les Pères : cf. SÉVÈRE D'ANTIOCHE, *Hom.* 80 ; AMBROISE DE MILAN, *In Lucam,* II, 7. Il figure, au moins depuis le Xe siècle, dans les textes du Pontifical romain pour la consécration épiscopale. Cf. aussi M. SOT, *Gesta episcoporum, Gesta abbatum. Typologie des sources du Moyen Age occidental,* Turnhout, 1981.

* En raison même de cette symbolique, Bernard comme tous ses contemporains associe naturellement l'usurpateur supposé d'un siège épiscopal et l'adultère (le prédécesseur de Malachie, Maurice, est dit *incubator,* il occupe illégitimement le lit de l'Église) ; de la même façon, le

que de répandre le sang à son profit. Enfin il était lié à une autre épouse[1], qu'il ne lui était pas permis d'abandonner[2].

Les conditions posées par Malachie

21. Eux, au contraire, insistent et crient que c'est ici «une parole venue de Dieu[q]»; de toute leur autorité ils le somment d'assumer cette charge, sous menace d'anathème : “C'est à la mort que vous me conduisez, leur répond-il. J'obéis cependant, dans l'espoir du martyre. Mais à une condition : si, selon la confiance que vous exprimez, le projet réussit, et que Dieu reconquiert son héritage sur ceux qui l'ont mis au pillage, alors, une fois l'affaire terminée et la paix revenue dans l'Église, qu'il me soit permis de retourner à ma première épouse et amie à laquelle on m'arrache – je veux dire : à la pauvreté – et qu'à ma place, là-bas on installe un autre évêque, qu'on aura alors trouvé capable d'assumer ce ministère.”

Remarque, lecteur, la vertu de cet homme, sa pureté d'intention : il ne cherche pas les honneurs, ni ne craint la mort pour le nom du Christ[r]. Où trouver plus de pureté et de force que chez cet homme? Il s'expose au danger et aux tracas, et c'est pour en laisser à un autre tout le fruit : la sécurité et la paix revenues en ce siège primatial. C'est ce qu'il fait, lorsque, dans cet accord, il se réserve le libre retour à la pauvreté, une fois la paix et la liberté restituées à l'Église.

retour de la «barbarie» est-il considéré en X, 19 comme un odieux concubinage, *subintroducta*.

2. Le Concile de Nicée (325), dans ses canons 15 et 16, avait précisé le principe qu'un évêque resterait à la tête du diocèse où il aurait été nommé, et n'en changerait pas. Et saint Grégoire le Grand, par exemple, affirme à nouveau : «Quiconque aura une fois reçu l'ordre sacré dans telle Église n'a plus licence d'en partir» (*Ép.* 38, *PL* 77, 762). Le principe était resté très souvent lettre morte, mais on ne l'avait pas oublié pour autant.

Spondentibus illis, demum acquievit voluntati eorum,
20 vel potius Dei, a quo sibi iam olim praeostensum recordabatur quod de se modo dolebat fieri.

Nempe iam aegrotante Celso, apparuit Malachiae, et quidem longe posito et nescienti, mulier procerae staturae et reverendi vultus. Percunctanti quaenam esset, res-
25 ponsum est esse uxorem Celsi. Quae tradens ei virgam pastoralem, quam manu tenebat, disparuit. Paucis decursis diebus, Celsus moriens misit baculum suum Malachiae, tamquam sibi successuro, quem, ut vidit, agnovit ipsum esse, quem viderat. Huius praecipue recordatio visionis
30 terruit Malachiam, ne si, quod diu satis dissimularat, ultra renueret, divinae iam videretur resistere voluntati.

Verumtamen civitatem non intravit, quamdiu ille incubator vixit, ne hac occasione contingeret mori quemquam ex his quibus vitam magis ministraturus veniebat. Ita per
35 biennium – nam id temporis supervixit ille –, agens extra urbem, strenue in universa provincia opus episcopale exercuit.

XI. 22. Illo igitur celeri morte facto de medio, rursum Nigellus quidam, immo vere nigerrimus, sedem praeripuit. Et in hoc animae suae Mauricius adhuc vivens providerat, ut hunc haberet heredem, in quo qui damnandus exibat,
5 operibus adicere damnationis persisteret. Erat enim et ipse ex damnata progenie, cognatus Mauricii.

1. Écho de BOÈCE, *Consolatio philosophiae,* I, Pr. 1.

2. Il s'agit de l'Église dont Celse est l'évêque. Sur ce symbolisme, cf. *supra,* X, 20 et *infra,* XII,24, note 2, p. 248 s..

3. L'usurpateur est Maurice, dont il a été question *supra,* X, 20 (et la note).

4. Nigellus (ou Niall), fils d'Aed, choisi par la noblesse de la région, en 1134, pour remplacer Maurice. En latin *nigellus* signifie effectivement «brun» ou «noir». Niall était cousin de Maurice et frère de Celse.

* Sur les acceptions du mot *cognatus,* voir Anita GUERREAU-JALABERT, dans *Archivum latinitatis Medii Aevi,* 1988.

On lui fit cette promesse; alors seulement il se rendit à leur volonté – ou plutôt à celle de Dieu, car il se souvint que naguère Dieu lui avait montré d'avance ces événements dont maintenant il souffrait.

Un présage

De fait, alors que Celse était déjà malade, Malachie, qui était au loin et ignorait la chose, avait eu la vision d'une femme de haute taille et dont le visage inspirait le respect[1]. Comme il s'inquiétait de savoir qui elle était, il lui fut répondu qu'elle était l'épouse[2] de Celse. Elle lui transmit le bâton pastoral qu'elle tenait en main et disparut. Quelques jours après, Celse, mourant, envoya son bâton à Malachie, comme à celui qui devait lui succéder. Or, en le voyant, ce dernier reconnut le bâton dont il avait eu la vision. C'est principalement le souvenir de cette vision qui inspira à Malachie la peur, s'il continuait à refuser cette charge qu'il avait écartée assez longtemps, de paraître finalement résister à la volonté même de Dieu.

Pourtant il n'entra pas dans la cité tant que vécut l'usurpateur[3]. Ceci pour éviter toute occasion risquant d'entraîner mort d'homme parmi ceux dont il était venu plutôt servir la vie. Il en fut ainsi durant deux ans : c'est le temps que vécut encore cet homme. Se tenant hors de la ville, Malachie exerça activement son ministère épiscopal dans l'ensemble de la province.

La tension finit par éclater

XI. 22. Ce Maurice ayant donc été frappé d'une mort rapide, à nouveau un certain Nigell[4] – oui noir, et vraiment très noir – s'empara du siège. Cela, Maurice, de son vivant, avait mis tous ses soins à le prévoir : il voulait pour successeur cet homme-là, grâce auquel, après son départ pour la damnation, il continuerait son œuvre de damnation. Nigell, en effet, appartenait lui-même à cette lignée maudite; c'était un proche parent de Maurice.

Ceterum rex et episcopi et fideles terrae nihilominus convenerunt, ut introducerent Malachiam. Et ecce *concilium malignantium*[s] ex adverso. Quidam de filiis Belial promptus

333 10 ad *malitiam, potens in iniquitate*[t], sciens locum ubi pariter convenire[u] decrevissent, multis aggregatis sibi, latenter vicinum occupat collem eminentem e regione unde illis tractantibus alia, repentino impetu super incautos irruerent et *interficerent innocentes*[v]. Condixerant enim etiam regem

15 cum episcopo trucidare, ut non esset qui vindicaret sanguinem iustum[w].

Res innotuit Malachiae, et intrans ecclesiam, – erat enim prope –, elevatis manibus oravit ad Dominum : et ecce *nubes et caligo*[x], sed et *tenebrosa aqua in nubibus aeris*[y], *diem*

20 *verterunt in noctem*[z]. Fulgura quoque et tonitrua et horribilis *spiritus procellarum*[a] diem ultimum minitantur, vicinamque elementa intentant omnia mortem.

23. Et ut scias, lector, quod oratio Malachiae concusserit elementa, solos intercepit tempestas qui *quaerebant animam eius*[b], solos turbo tenebrosus involvit[c] qui paraverant opera tenebrarum[d].

5 Denique ipse qui princeps exstiterat tanti mali, fulmine percussus interiit cum tribus aliis : et fuere consortes mortis, qui fuerant participes sceleris. Quorum sequenti die inventa sunt corpora semiusta et putida, haerentia

s. Ps. 21, 17 || t. Ps. 51, 3 || u. cf. Jn 18, 2 || v. Ps. 9, 29 w. cf. Apoc. 19, 2 || x. Ps. 96, 2 || y. Ps. 17, 2 || z. Job 17, 12. || a. Ps 148, 8 || b. Ps. 37, 13 || c. cf. Job 3, 5-6 || d. Rom. 13, 12

---

1. Ce roi pourrait bien être Conchabar Ua Briain, du Munster méridional, qui, cette année-là, avait envahi l'Ulster. En accord avec le clergé du Munster et de l'Ulster, il aura appuyé par la force et les armes la cause de Malachie, contre Nigell et son parti.

2. Cf. VIRGILE, *Énéide,* I, 91. L'événement rappelle aussi l'orage

Néanmoins le roi[1], les évêques et les fidèles du pays se réunirent afin d'introniser Malachie. Or voici que ceux d'en face aussi se réunissent en «une assemblée de vauriens[s]». Un des fils de Bélial, prompt «au mal, puissant en fait d'injustice[t]», connaissait le lieu où les autres avaient décidé de se réunir[u]. Après s'être adjoint beaucoup de compagnons, il occupe secrètement une colline voisine qui dominait le lieu de la rencontre où se traitaient d'autres affaires. De là, ils se proposaient de fondre sur leurs adversaires pris au dépourvu et de «tuer des innocents[v]». Leur projet était de massacrer le roi avec l'évêque; ainsi n'y aurait-il personne pour venger le sang du juste[w].

Malachie fut mis au courant de la chose. Entrant dans une église, qui était proche, il éleva les mains et se mit à prier le Seigneur. Et voici que «des nuages, l'obscurité[x]», et même «une eau ténébreuse qui remplissait les nuées du ciel[y]», «changèrent le jour en nuit[z]». Éclairs, tonnerre, et «ouragan[a]» épouvantable font augurer que le dernier jour est arrivé, et «tous les éléments déchaînés laissent penser que la mort est proche[2]».

Les éléments naturels au service de Malachie

23. Et pour que tu saches bien, lecteur, que ce déchaînement des éléments était dû à la prière de Malachie, la tempête fondit sur ceux-là seulement «qui en voulaient à sa vie[b]», et le tourbillon de ténèbres enveloppa[c] ceux-là seuls qui préparaient «des œuvres de ténèbres[d]».

En effet, celui qui s'était constitué chef d'un si grand mal, mourut, frappé par la foudre, avec trois autres, associés dans la mort après l'avoir été dans le crime. Le lendemain, on trouva leurs corps à moitié brûlés et déjà

survenu à la prière de sainte Scholastique, GRÉGOIRE LE GRAND, *Dial.*, II, 33.

ramis arboreis, ubi quemque spiritus *elevans allisisset*[e]. Alii
10 quoque tres semivivi inventi sunt, ceteri omnes circumquaque dispersi. Illos autem, qui cum Malachia erant, quamvis proximos loco, tempestas omnino non tetigit, *nec quidquam molestiae intulit*[f].

In facto isto recens capimus experimentum veritatis
15 verbi illius, quia *oratio iusti penetrat caelos*[g]. Sed et novum antiqui exemplum miraculi, quo olim tota Aegypto versante in tenebris, solus Israel in lumine mansit, dicente Scriptura : *Ubicumque Israel erat, lux erat*[h].

Huc mihi accurrat et factum sancti Eliae, nunc quidem
20 ab extremis terrae nubes et pluvias educentis[i], nunc vero super blasphemos evocantis ignem de caelo[j]. Et modo de simili *clarificatus est Deus in servo suo*[k] Malachia.

334 **XII. 24.** Anno aetatis suae tricesimo octavo pauper Malachias, pulso incubatore, intravit Ardmacha, pontifex et metropolitanus totius Hiberniae. Rege vero ceterisque qui introduxerant eum, ad propria remeantibus, ipse
5 remanet in manu Dei[l], et remanent illi *foris pugnae, intus timores*[m]. Nam ecce viperea soboles[n], frendens et vociferans se exheredari, tota se intus et foris suscitat *adversus Dominum et adversus christum eius*[o].

Porro Nigellus, videns sibi imminere fugam, tulit secum
10 insignia quaedam sedis illius, textum scilicet Evange-

e. Ps. 101, 11 || f. Dan. 3, 50 || g. Sir. 35, 21 (Patr.) || h. Ex. 10, 23 || i. cf. III Rois 18, 45 || j. cf. IV Rois 1, 10 || k. Jn 13, 32 || l. cf. Sag. 3, 1 || m. II Cor. 7, 5 || n. cf. Matth. 3, 7 || o. Ps. 2, 2

1. ** Ce texte de *Sirach,* bien différent de la Vulgate, est cité identiquement en 7 autres endroits par Bernard; celui-ci, en outre, fait allusion 8 fois à « son » texte (emploi de *coelos*), alors que la Vulgate n'est représentée chez lui que par 3 allusions *(nubes)*. Bernard dépend sans grand doute d'un texte patristique, inconnu jusqu'ici.

2. D'après les *Annales* d'Irlande, Malachie occupe le siège d'Armagh en 1134. Il aurait à cette époque 40 ans.

décomposés ; ils étaient pris dans les branches d'un arbre où un souffle « ascendant les avait projetés[e] ». On en trouva trois autres à demi-morts, et le reste s'était dispersé dans toutes les directions. Quant aux partisans de Malachie, ils avaient beau s'être trouvés à proximité, la tempête ne les avait absolument pas touchés « et ne leur avait pas causé le moindre dommage[f] ».

Dans cet événement, nous trouvons une nouvelle preuve de la vérité qu'exprime cette parole : « La prière du juste pénètre les cieux[g 1]. » Mais nous y trouvons aussi la réédition d'un miracle ancien : celui du jour où toute l'Égypte se trouvait prise dans les ténèbres, et où Israël seul demeura dans la lumière, selon cette parole de l'Écriture : « Partout où se tenait Israël régnait la lumière[h]. »

Il convient de rappeler ici également le prodige du saint prophète Élie qui tantôt ramène des extrémités de la terre les nuages et la pluie[i] et tantôt appelle le feu du ciel sur les blasphémateurs[j]. De la même manière, « Dieu a été glorifié » en son serviteur[k] Malachie.

Une succession qui demeure contestée

XII. 24. C'est l'année de ses 38 ans que le pauvre Malachie, une fois l'usurpateur chassé, fit son entrée dans la cité d'Armagh, en pontife et métropolitain de toute l'Irlande[2]. Et comme le roi, et tous ceux qui ont appuyé cette entrée, sont retournés chez eux, lui demeure dans la main de Dieu[l], tandis que demeurent aussi pour lui « au dehors les combats et au dedans la crainte[m] ». Car voici que la race de vipères[n], grinçant des dents et hurlant qu'elle était chassée de son héritage, se soulève tout entière, dans la ville et au-dehors, « contre Dieu et contre son oint[o] ».

Nigell, se voyant contraint de fuir au plus vite, emporta quelques insignes de ce siège épiscopal : en particulier le volume des évangiles qui avait appartenu au bienheureux

liorum, qui fuit beati Patricii, baculumque auro tectum et gemmis pretiosissimis adornatum, quem nominant baculum Iesu, eo quod ipse Dominus, ut fert opinio, eum suis manibus tenuerit atque formaverit. Et haec summae digni-
15 tatis et venerationis in gente illa. Nempe notissima sunt celeberrimaque in populis, atque in ea reverentia apud omnes, ut qui illa habere visus fuerit, ipsum habeat episcopum *populus stultus et insipiens*[p].

Ibat homo gyrovagus, et alter satanas *circuibat terram et*
20 *perambulabat eam*[q], insignia sacra circumferens; quae ubique ostentans, ubique eorum gratia receptabatur, concilians sibi per haec animos omnium, et a Malachia, quosque potuisset, avertens. Haec ille.

25. Erat autem princeps quidam de potentioribus iniquae progeniei, quem rex, priusquam civitatem exiret, iurare coegerat pacem tenere episcopo, acceptis ab eo insuper obsidibus multis. Is post regis exitum nihilominus
5 civitatem ingressus, consilium habuit cum propinquis et amicis, *quomodo* sanctum *dolo tenerent et occiderent*[r]; *timebant*
335 *vero plebem*[s]. Et coniurantes in necem Malachiae, constituere locum et diem, et *traditor dedit eis signum*[t].

Ipso die cum vespertina iam sollemnia in ecclesia cele-
10 braret antistes cum universo clero et multitudine populi, mittit ad ipsum nequam ille in verbis pacificis[u], rogans

p. Deut. 32, 6 || q. Job 1, 7 || r. Mc 14, 1 || s. Lc 22, 2 || t. Mc 14, 44 || u. cf. I Macc. 7, 10

---

1. Ce volume, sous le nom de *Livre d'Armagh*, a été en réalité écrit en 807; il est conservé aujourd'hui dans la bibliothèque de Trinity College à Dublin. Cf. *Trésors d'Irlande*, Paris, 1982, n° 56, p. 180. Les anciens pénitentiels irlandais considéraient comme un péché de sortir de l'église le lectionnaire et tout autre objet réservé à la liturgie, ce qui montre bien que cela se faisait.

2. Transporté d'Armagh à Dublin par les Normands en 1176, ce

Patrick[1], et le bâton plaqué d'or et orné de pierres précieuses, qu'on appelle bâton de Jésus[2], parce que, à ce qu'on dit, le Seigneur lui-même l'aurait tenu et taillé de ses propres mains. Or ces objets sont, dans cette nation, extrêmement honorés et vénérés. Ils sont même si connus et célèbres parmi les gens et tenus par tous en si grande révérence que celui qu'on voit en leur possession est considéré comme l'évêque par «la population bornée et irréfléchie[p]».

L'homme allait en gyrovague; double de Satan, il parcourait la terre et s'y promenait[q], muni de ces insignes sacrés. Partout il les montrait, et partout, grâce à eux, il se faisait accueillir et se conciliait tous les esprits, détournant de Malachie tous ceux qu'il pouvait. Voilà ce qu'il faisait.

Malachie périra-t-il, victime d'un complot?

25. Or il y avait, parmi les chefs de cette race inique, un grand personnage que le roi, avant de quitter la cité, avait contraint de jurer qu'il resterait en paix avec l'évêque; il avait même exigé de lui beaucoup d'otages. Après le départ du roi[3], ce personnage n'en était pas moins entré dans la cité pour y tenir conseil avec ses proches et ses amis sur la manière de s'emparer du saint «par ruse, et de le tuer[r]». Mais «ils craignaient la foule[s]». S'étant donc juré d'assassiner Malachie, ils convinrent d'un lieu et d'un jour, et «le traître leur donna un signal[t]».

Le jour fixé, alors que l'évêque célébrait les vêpres à l'église avec tout le clergé et une foule de gens, cet homme de rien lui envoie un message en termes pacifiques[u], le

bâton pastoral sera brûlé en 1538 sur l'ordre du roi Henri VIII. On ne disait pas que le Christ l'avait ouvragé, mais qu'il l'avait remis à saint Patrick.

3. Il s'agirait de Conchobar Ua Briain qui, cette année-là, quitte l'Ulster et regagne son royaume.

quatenus ad se dignetur descendere, ut faciat pacem, respondentibus qui assistebant, ipsum potius ad episcopum debere venire, ecclesiam esse competentiorem locum firmandae pacis : siquidem praesenserant dolum. Subiungunt qui missi erant, hoc tutum non esse principi : timere capiti suo, nec se credere turbis, quae se ante hos dies causa episcopi propemodum interemissent. Contendentibus in hunc modum, illis quidem ut iret, istis vero ne iret. Episcopus cupidus pacis et mortis non timidus : « Sinite, inquit, fratres, sinite me imitari Magistrum meum. Sine causa sum christianus, si Christum non sequor. Forte flecto humilitate tyrannum ; et si non, vinco tamen exhibens ovi pastor, sacerdos laico, quod mihi ille debuerat. Vos quoque, quod in me est, non parum aedifico exemplo tali. Quid enim si contingat occidi ? *Non recuso mori*[v], ut vos vitae ex me teneatis exemplum. *Oportet episcopum*[w], ut ait episcoporum princeps, *non dominari in clero, sed formam fieri gregis*[x] : haud aliam sane formam, quam ab illo accepimus, qui *humiliavit semetipsum, factus oboediens usque ad mortem*[y]. Quis mihi det hanc relinquere filiis signatam sanguine meo ? Experimini certe, an sacerdos vester digne satis a Christo didicerit, mortem non timere pro Christo. »

Et surgens, coepit ire, flentibus cunctis et supplican-

v. Act. 25, 11 || w. I Tim. 3, 2 || x. I Pierre 5, 3 || y. Phil. 2, 8

priant de bien vouloir descendre chez lui pour faire la paix. Ceux qui entouraient Malachie répondent que c'est plutôt à cet homme de venir vers l'évêque, et que l'église est un lieu encore plus approprié pour sceller la paix. A vrai dire, ils avaient pressenti la ruse. Les émissaires répliquent que, dans ce cas, leur chef ne serait pas en sécurité : il craint pour sa vie et ne se fie pas à la foule qui, peu de jours auparavant, l'avait presque mis en pièces en prenant parti pour l'évêque. On s'oppose de la sorte, les uns disant que Malachie devait y aller, les autres qu'il ne devait pas le faire.

Alors l'évêque, dans son désir de paix et sans crainte de la mort, intervient : "Laissez-moi, frères, laissez-moi imiter mon Maître. C'est sans raison que je suis chrétien si je ne marche pas à la suite du Christ. Peut-être saurai-je fléchir le tyran par mon humilité; et sinon je serai au moins vainqueur en adoptant, moi le pasteur, à l'égard de la brebis, moi le prêtre, à l'égard du laïc, l'attitude de respect qu'il aurait dû avoir à mon égard. Et vous aussi, pour ce qui dépend de moi, je ne manquerai pas de vous édifier par un tel exemple. Qu'en sera-t-il, en effet, si finalement je suis tué? « Je ne refuse pas de mourir[v] » afin que vous teniez de moi un exemple de vie. Comme l'a dit le premier des évêques, « l'évêque n'a pas[w] à dominer sur ceux qui lui sont échus en partage, mais à se faire le modèle du troupeau[x] ». Et nous n'avons certes pas reçu d'autres modèle de la part de celui qui « s'est humilié lui-même, se faisant obéissant jusqu'à la mort[y] ». Qui me donnera de laisser à mes fils un tel modèle, signé de mon sang? Faites-en donc l'expérience : votre évêque a-t-il suffisamment bien appris du Christ à ne pas craindre la mort pour le Christ?"

Et, se dressant, il se mit en route, tandis que tous pleuraient et le suppliaient de ne pas chercher avidement à

35 tibus, ne tantum cuperet pro Christo mori, ut tantum Christi gregem desolatum relinqueret.

26. Verum ille totam *spem suam ponens in Domino*[z], tota alacritate perrexit, tribus tantum comitatus discipulis, paratis mori cum eo[a].

Qui ut calcato limine domus repente se medio intulit 5 armatorum, *scuto fidei*[b] ipse munitus, concidere facies omnium, quia *pavor irruit super eos*[c], ita ut dicere posset episcopus : *Qui tribulant me inimici mei, ipsi infirmati sunt et ceciderunt*[d]. *Hoc verbum verum est*[e]. Videres hostiam stantem, 336 carnifices ferro armatis manibus undique circumstantes; et 10 qui immolaret non erat. Putares stupere lacertos : sic non fuit qui extenderet manum[f].

Nam et is quoque, qui caput malitiae videbatur, assurgit ei potius quam insurgit. Ubi signum, o homo, quod dederas in mortem pontificis? Hoc magis honoris quam 15 mortis signum. Deferre est hoc, non mortem inferre. Res mira : pacem offerunt qui necem paraverant! Non est quod abnuat qui et vitae periculo quaesierat eam. Itaque facta est pax, et tam firma, ut ab illa die hostem sacerdos non modo pacatum habuerit, sed subditum, sed devotum.

20 Quo audito, fideles quique gavisi sunt, quod non modo *salvatus sit sanguis innoxius in die illa*[g], sed et nocentium multorum animae, Malachiae meritis, evaserint ad salutem.

Et apprehendit omnes circumquaque timor[h], audientes

z. Ps. 72, 28 || a. cf. Jn 11, 16 || b. Éphés. 6, 16 || c. Ex. 15, 16 || d. Ps. 26, 2 || e. Jn 4, 37 || f. cf. Jn 7, 30 || g. Dan. 13, 62 || h. cf. Lc 5, 26

1. Comme Jésus, lors de la Transfiguration, puis de son agonie à Gethsémani.

mourir pour le Christ, au point de laisser dans la désolation un si grand troupeau du Christ.

La victoire d'un homme désarmé

26. Mais lui, qui mettait «toute son espérance dans le Seigneur[z]», allait son chemin en toute hâte, accompagné seulement de trois disciples[1], prêts à mourir avec lui[a].

Dès qu'il eut franchi le seuil de la maison, il se trouva soudain au milieu d'hommes en armes, n'ayant lui-même pour toute défense que «le bouclier de la foi[b]». Leur visage à tous se décompose, car «la peur s'est abattue sur eux[c]», de sorte que l'évêque aurait pu dire : «Ce sont eux, mes ennemis, mes oppresseurs qui ont chancelé et succombé[d].» «Elle est vraie, cette parole[e].» Tu aurais pu voir la victime debout, et à l'entour les bourreaux, la main armée du fer. Mais pour immoler, il ne s'en trouvait pas un. Tu aurais cru que leurs bras étaient engourdis : il n'y en eut pas un pour étendre la main[f].

Même celui qui semblait la tête de cette machination se lève en sa présence, au lieu de s'élever contre lui. Qu'en est-il, ô homme, du signal que tu avais fixé pour la mort du pontife? Voilà un signe de respect plutôt qu'un signal de mort! C'est là montrer de la déférence et non point frapper de mort. Chose admirable : ils offrent la paix, alors qu'ils avaient préparé un meurtre! Ce n'est pas l'évêque qui la refuserait, lui qui l'avait cherchée au péril de sa vie. Voilà comment la paix se conclut, et si solide qu'à partir de ce jour l'évêque trouva en son ennemi un homme non seulement apaisé, mais soumis et dévoué.

A cette nouvelle les fidèles furent emplis de joie : «ce jour-là» non seulement «un sang innocent fut sauvé[g]», mais les âmes de beaucoup de coupables parvinrent au salut, grâce aux mérites de Malachie.

Tous alentour furent alors saisis de crainte[h] en appre-

quomodo duos inimicorum eius, qui viderentur ferociores
25 et fortiores in generatione sua, sic subita virtute prostravit
Deus : istum loquor, qui in manibus est, et eum de quo
superius dixi. Alterum enim terribiliter multatum in corpore, alterum misericorditer mutatum in corde, ambos
mirabiliter *comprehendit in consiliis quae cogitabant*[i].

27. His ita peractis, coepit iam in civitate episcopus tota
libertate disponere et ordinare de omnibus pertinentibus
ad ministerium suum, non tamen sine continuo discrimine
vitae suae. Nam etsi iam nemo qui palam noceret, ab
5 insidiantibus tamen nec locus satis tutus episcopo erat, nec
tempus feriatum. Et deputati sunt ei viri armati ad custodiam die ac nocte; sed ille magis *in Domino confidebat*[j].
Fuit vero consilium, praefatum schismaticum insequi,
eo quod seduceret multos[k] ex insignibus quae ferebat,
10 suadens omnibus se episcopum esse debere, et sic sollicitans plebes adversus Malachiam atque ecclesiae unitatem.
Et fecit sic; et sine difficultate ita in brevi universas saepivit
vias eius *per gratiam sibi a Domino datam*[l], et quam habebat
ad omnes, ut malignus ille coactus sit dare manus, reddere
15 insignia, et quiescere de reliquo in omni subiectione.
337 Ita Malachias, licet per multa pericula et labores, prospe-

i. Ps. 9, 23 || j. Ps. 10, 2 || k. cf. Matth. 24, 5 || l. Rom. 15, 15

1. Cf. *supra,* XI, 23.
2. L'évangéliaire et le bâton pastoral, cf. *supra,* XII, 24.

nant comment deux de ses ennemis, qui paraissaient particulièrement agressifs et puissants au sein de leur race, ont été si soudainement et si fortement abattus par Dieu : je pense à l'homme dont il vient d'être question, et à celui dont j'avais parlé précédemment. L'un fut frappé terriblement dans son corps[1], l'autre miséricordieusement changé dans son cœur, et tous deux, de façon étonnante, «furent pris au piège des projets qu'ils tramaient[i]».

Le risque de schisme est surmonté

27. Après ces événements, l'évêque, en toute liberté, se mit à ordonner et à organiser dans la cité tout ce qui relevait de son ministère, non sans ressentir cependant une menace continuelle sur sa propre vie. Car, même s'il ne se trouvait plus personne pour lui causer ouvertement des ennuis, il n'était pas de lieu où l'évêque fût vraiment en sécurité, ni de temps où il fût tranquille. On chargea des hommes armés de veiller sur lui jour et nuit. Mais «lui-même avait davantage confiance dans le Seigneur[j]».

Il fit par ailleurs le projet de poursuivre le schismatique dont il a été question plus haut, parce que cet homme séduisait beaucoup de gens[k] par les insignes qu'il portait[2] : il voulait convaincre tout le monde d'avoir à être leur évêque, et il appelait les populations à se dresser contre Malachie et contre l'unité de l'Église. Celui-ci passa donc aux actes : sans difficulté, et en peu de temps, il sut, «par la grâce reçue de Dieu[l]» et qu'il manifestait à l'égard de tous, obstruer toutes les voies de son adversaire; tant et si bien que le méchant se vit forcé de tendre la main, de rendre les insignes et de se tenir désormais tranquille en toute soumission.

Voilà donc comment Malachie, certes à travers toutes sortes de dangers et de peines, réussissait chaque jour

rabatur in dies et confortabatur magis ac magis[m], *abundans in spe* et *virtute Spiritus Sancti*[n].

XIII. 28. Nec modo malefactores, sed et detractores Malachiae corripuit Deus. Quidam, verbi gratia Machprulin, gratiam habens principum et potentum, etiam ipsius regis, quod esset adulator et garrulus, et potens in
5 lingua, favebat per omnia adversariis Malachiae et procaciter tuebatur partem eorum, sancto vero et praesenti resistebat in facie[o], et detrahebat absenti, irreverenter occurrens ei in omni loco, maximeque ubi celebrioribus illum sciret interesse conventibus. Sed cito digna linguae
10 procacis mercede donatus est. Intumuit et computruit lingua maledica, vermibus ex ea scatentibus[p] et diffluentibus toto ore blasphemo, quos per septem ferme dies incessanter vomens, tandem cum illis miseram exspuit animam.

29. Loquente coram aliquando Malachia et populum exhortante, mulier quaedam infelix ausa est interrumpere sermonem clamoribus improbis, non deferens sacerdoti et *Spiritui* qui *loquebatur*[q]. Erat autem de progenie impia, et
5 *spiritum* habens *in naribus*[r], blasphemias contumeliasque evomebat in sanctum, dicens hypocritam et invasorem alienae hereditatis, sed et calvitiei illius improperans[s]. At ille nihil *respondit ei*[t], sicut erat verecundus et mitis; sed

m. cf. Lc 1, 80 et Phil. 1, 9 || n. Rom. 15, 13 || o. cf. Gal. 2, 11 || p. cf. II Macc. 9, 9 || q. Act. 6, 10 || r. Is. 2, 22 || s. cf. IV Rois 2, 23-24 || t. Matth. 27, 12

---

1. Machprulin : ce nom semble ici déformé. On ne sait rien de ce personnage, sinon ce qu'en dit saint Bernard dans ce passage.

lavantage dans son entreprise et s'affermissait de mieux en nieux[m], «débordant de l'espérance» et «de la vertu du Saint-Esprit[n]».

La fin des adversaires

XIII. 28. Ce ne sont pas seulement les agresseurs de Malachie que Dieu a corrigés, mais aussi ses :alomniateurs. Un certain Machprulin[1] par exemple, qui ouissait de la bienveillance des chefs et des puissants, et nême du roi[2] en personne, parce qu'il était flatteur, bavard :t beau-parleur, soutenait par tous les moyens les adveraires de Malachie, et ne se gênait pas pour protéger leur oarti. Tout en résistant au saint ouvertement et de face[o], il e calomniait en son absence, le traitant avec grossièreté à :hacune de leurs rencontres, surtout quand il le savait au nilieu d'assemblées plus nombreuses. Mais il reçut sans arder le salaire que méritait sa langue impudente. Cette angue maudite se mit à enfler et à se putréfier, les vers y ourmillaient[p] et se répandaient dans toute cette bouche adonnée au blasphème; il les cracha durant presque sept ours sans discontinuer, et finit par vomir avec eux son âme nisérable.

29. Un jour que Malachie parlait en public pour xhorter le peuple, une malheureuse femme se permit l'interrompre son sermon par des cris effrontés, sans espect pour l'évêque et pour «l'Esprit qui parlait en lui[q]». Elle était de la race impie, abritait un mauvais «esprit dans es narines[r]» et vomissait contre le saint blasphèmes et njures, l'accusant d'être hypocrite, d'avoir envahi l'hériage d'autrui, et s'en prenant même à sa calvitie[s]. «Lui ne épondit rien[t]», tant il se montrait doux et modeste, mais

2. Ce roi pourrait être celui d'Airthera, dans le petit territoire duquel st située la cité d'Armagh.

Dominus respondit pro eo[u]. Versa illa in insaniam est Domino iudicante, et crebris vocibus clamitans se suffocar a Malachia, morte demum horrenda luit peccatum blasphe-miae. Sic misera assumens adversus Malachiam imprope-rium Elisaei, vere illum sibi alterum experta est Elisaeum

30. Porro quia, causa pestilentiae cuiusdam ortae ir civitate, multitudinem cleri et populi sollemniter cum reliquiis Sanctorum tunc foras eduxerat, ne hoc quidem praetereundum, quod, Malachia orante, pestilentia illicc conquievit.

Ex hoc iam, qui mutiret adversus eum, non fuit dicentibus qui de semine Chanaan sunt : «*Fugiamus* Mala chiam, *quia Dominus pugnat pro eo*[v].» At sero istud, qui zelus Domini, ubique occurrens eis, persecutus est eos usque ad internecionem[w]. Quomodo intra paucos dies *periit memoria eorum cum sonitu*[x]! *Quomodo facti sunt in desolationem, subito defecerunt, perierunt propter iniquitatem suam*[y]*!* Grande hodieque miraculum facit tam velox gene rationis illius deletio, his praesertim qui eorum noveran superbiam atque potentiam.

Multa quidem et alia signa fuere[z], quibus Deus glorifi cavit nomen suum, et servum suum inter sudores e pericula confortavit. Quis digne commemoret? Non tamen omnia praeterimus, etsi non sufficimus ad omnia. Propte seriem autem narrationis, ne impediatur, aliqua quae dic turi sumus, reservamus in finem.

u. cf. Is. 38, 14 || v. Ex. 14, 25 || w. cf. Deut. 7, 2 || x. Ps. 9, 7 || y. Ps 72, 19 || z. cf. Jn 20, 30

le Seigneur répondit à sa place[u]. Cette femme tomba dans la folie, de par le jugement de Dieu, et elle ne cessait de crier qu'elle était étranglée par Malachie. Enfin, d'une mort horrible, elle paya son péché de blasphème. Ainsi cette misérable, qui avait repris contre Malachie les imprécations adressées à Élisée, connut par expérience qu'elle avait vraiment en face d'elle un nouvel Élisée.

Une autorité enfin incontestée

30. D'autre part, comme la peste s'était déclarée dans la cité, l'évêque avait solennellement emmené au dehors, en procession, avec les reliques de saints, la multitude du clergé et du peuple : on ne saurait passer sous silence le fait qu'à la prière de Malachie, la peste immédiatement s'arrêta.

Dès lors il ne se trouva plus personne pour grogner contre lui, car ceux qui sont de la race de Canaan disaient : «Fuyons» Malachie, «car le Seigneur combat pour lui[v]». Mais trop tard : la colère du Seigneur, partout à l'œuvre contre eux, les poursuivit jusqu'à l'anéantissement[w]. Comme il fallut ensuite peu de jours pour que «leur souvenir périsse avec fracas[x]»! «Dans quelle désolation ils sont tombés, soudain disparus, perdus en raison de leur iniquité[y].» Cela demeure aujourd'hui encore un grand sujet d'étonnement que la suppression si rapide de cette race, et surtout pour ceux qui connaissaient leur orgueil et leur puissance.

Par beaucoup d'autres signes encore[z] Dieu glorifia son nom, et, au travers des sueurs et des dangers, il affermit son serviteur. Qui pourrait en perpétuer le souvenir comme il convient? Pourtant nous n'allons pas tous les omettre, même si nous sommes incapables de les rappeler tous. Mais pour ne pas troubler l'ordonnance du récit, nous réserverons pour la fin ceux que nous désirons évoquer.

XIV. 31. Igitur Malachias, intra triennium *reddita retributione superbis*[a] et libertate ecclesiae restituta, pulsa barbarie et reformatis ubique moribus christianae religionis, videns omnia in pace esse, coepit cogitare et de sua pace. Et memor propositi sui, constituit pro se Gelasium, virum bonum et dignum tali honore, conniventibus clero et populo, quin potius sustinentibus propter pactum. Nam alias durum visum omnino.

Quo consecrato regibusque ac principibus attentius commendato, ipse, clarus miraculis et triumphis, ad suam parochiam redit, non tamen Connereth. Et audi causam dignam relatu. Dioecesis illa duas fertur habuisse antiquitus episcopales sedes, et duos exstitisse episcopatus. Id visum melius Malachiae. Itaque quos ambitio conflavit in unum, Malachias revocavit in duos, partem alteri episcopo cedens, partem retinens sibi. Et propterea non venit Connereth, quod in ea iam episcopum ordinasset; sed Dunum se contulit, disterminans parochias, sicut in diebus antiquis.

O purum cor! O oculum columbinum[b]! Locum tradidit novo episcopo, qui videretur paratior, principalior haberetur; locum, in quo sederat ipse. Ubi sunt, qui de terminis

a. Ps. 93, 2 || b. cf. Cant. 1, 14

1. Gélase (Gille Mac Liag Mac Ruaidri) était abbé de Sainte-Colomb près de Derry. Les *Annales* fixent à l'année 1137 son passage de cett Église à celle de saint Patrick à Armagh. Le bref intérim de Malachie concentré sur ce dernier toutes les agressivités, si bien que Gélase ser accepté dès le début par tous comme le successeur de saint Patrick. I meurt en 1174.

2. *Parochia* signifie ici le diocèse, l'Église locale.

3. En 1134 Malachie avait été consacré comme évêque des deu sièges de Down et Connor. A son retour d'Armagh, en 1137, il n reprend que le siège de Down, laissant Connor à l'évêque qui l'avai remplacé et dont on ignore le nom. Il est difficile de penser que Conno

Retour de Malachie à son premier diocèse

XIV. 31. En trois ans «les orgueilleux avaient reçu leur salaire[a]», et la liberté avait été rendue à l'Église; la barbarie avait été chassée, et partout la pratique de la religion chrétienne avait été réformée. Aussi Malachie, voyant que tout était en paix, se mit à penser à sa propre paix. Se souvenant de l'engagement qu'il avait pris, il établit à sa place Gélase[1], un homme de bien, digne d'un tel honneur. La chose se fit avec l'approbation du clergé et du peuple, ou plutôt avec leur accord en raison de la convention passée. Car, par ailleurs, cela leur coûtait énormément.

Le nouvel évêque une fois consacré et recommandé très expressément au roi et aux nobles du pays, Malachie, dans la gloire de ses miracles et de ses triomphes, revient à son Église[2] – non pas pourtant à celle de Connor. En voici la raison, qui mérite d'être relatée. Ce diocèse, dit-on, comportait anciennement deux sièges épiscopaux et résultait de la fusion de deux évêchés. L'ancien état des choses parut meilleur à Malachie. Aussi ramena-t-il à deux parties ce que l'ambition avait fondu en un tout; il céda l'une à un autre évêque et se réserva la seconde. Et s'il ne vint pas à Connor, c'est qu'en cette cité il avait déjà ordonné un évêque. C'est donc à Down qu'il se rendit, redonnant aux deux Églises leurs limites, comme aux jours antiques[3].

Ô quel cœur pur, ô quel regard de colombe[b]! Il laissa au nouvel évêque le siège qui paraissait le mieux organisé et qui était tenu pour le plus important : le siège qu'il avait occupé autrefois. Où sont-ils, ceux qui font des procès pour des limites et qui, pour un seul hameau, se vouent mutuellement une haine définitive? Je ne sais s'il est

soit le siège principal, comme le dit saint Bernard. Et par ailleurs il faut noter que l'évêché de Down comprend le monastère de Bangor si cher au cœur de Malachie.

litigant, pro uno viculo perpetes ad invicem inimicitias exercentes? Nescio si quod genus hominum, magis quam
25 istos, antiquum vaticinium tangat : *Secuerunt praegnantes Galaad ad dilatandum terminos suos*[c]. Sed haec alias.

Quomodo, factus Dunensis episcopus, Edanum divinitus consecrat episcopum, Romam forte proficiscitur. Sycaro de illo prophetante, Claramvallem acceptans, dein, Romae legatione a papa Innocentio totius Hiberniae suscepta, revertitur patriam, interim abbatia Mellifontis et aliis multis mirabiliter patratis

32. Malachias, factus Dunensis episcopus, confestim more suo curavit adsciscere ad solatium sibi de filiis suis conventum regularium clericorum. Et ecce rursus accingitur, quasi novus Christi tiro, ad spirituale certamen;
5 rursus induitur arma potentia Deo[d], sanctae paupertatis humilitatem, rigorem disciplinae coenobialis, otium contemplandi, orandi assiduitatem, quae tamen omnia voto magis valuit diu tenere quam actu.

340 Etenim universi confluebant ad eum; nec modo
10 mediocres, sed et nobiles et potentes, illius se sapientiae et

c. Amos 1, 13 || d. cf. Éphés. 6, 11 et 10

1. ** Bernard cite 2 fois ce verset d'*Amos,* identiquement. Aucune source connue.

2. Cf. *infra,* XIX, 44.

3. Cf. *infra,* XVI, 37 : il s'agit d'un accueil spirituel, en réciprocité avec l'accueil que lui réserve Clairvaux. Le verbe veut aussi exprimer que Malachie « fait choix » de ce monastère, désirant y devenir moine. La prophétie de Sycar, on le verra, ne porte pas sur ce choix, ni sur le

d'autres hommes plus visés que ceux-là par l'antique prophétie : « Ils ont éventré les femmes enceintes de Galaad afin d'étendre leurs frontières[c1]. » Mais nous reviendrons là-dessus ailleurs[2].

Comment, évêque de Down, il est mené par Dieu à consacrer Aed comme évêque, puis comment, résolument, il se met en route pour Rome. Sur une prophétie de Sycar à son sujet, il adopte[3] Clairvaux, puis, chargé par le pape Innocent d'être son légat pour toute l'Irlande, il retourne dans sa patrie, non sans avoir, entre-temps, fondé merveilleusement l'Abbaye de Mellifont et plusieurs autres

Évêque de Down 32. Devenu l'évêque de Down, Malachie n'eut rien de plus pressé, selon son habitude, que de rassembler autour de lui, pour le soulager, certains de ses fils en une communauté de clercs réguliers. Et voici qu'il s'équipe, telle une nouvelle recrue du Christ, pour reprendre le combat spirituel. Il revêt à nouveau ces armes puissantes de par Dieu[d] que sont l'humilité de la sainte pauvreté, la rigueur de la discipline cénobitique, le loisir de la contemplation, l'assiduité à la prière, toutes choses qu'il dut pourtant garder longtemps sous forme de désir, à défaut de pouvoir les pratiquer.

De partout, en effet, on venait à lui : non seulement des hommes du peuple mais des nobles et des puissants accouraient et s'en remettaient à sa sagesse et à sa sainteté

passage à Clairvaux, mais – de manière énigmatique d'ailleurs – sur le fait que Malachie laissera des compagnons à Clairvaux en stage monastique.

sanctitati instruendos, corrigendos, regendos committere festinabant. Et ipse interdum ibat et *exibat seminare semen suum*[e], disponens et decernens tota auctoritate de rebus ecclesiasticis, tamquam ex apostolis unus. Et nemo illi
15 dicebat : *In qua potestate haec facis*[f]*?* videntibus cunctis signa et prodigia quae faciebat[g], et quia *ubi Spiritus, ibi libertas*[h]

XV. 33. Visum tamen sibi non tute satis actitari ista absque Sedis Apostolicae auctoritate, et Romam proficisci deliberat, maximeque quod metropolicae sedi deerat adhuc, et defuerat ab initio, pallii usus, quod est plenitudo
5 honoris. Et visum est bonum in oculis eius, si ecclesia, pro qua tantum laborarat, quem hactenus non habuerat, suo acquireret studio et labore.

Erat et altera metropolica sedes, quam de novo constituerat Celsus, primae tamen sedi et illius archiepiscopo
10 subdita, tamquam primati. Et huic quoque optabat nihilominus pallium Malachias, confirmarique auctoritate Sedis Apostolicae praerogativam, quam beneficio Celsi adipisci meruerat.

Innotescente proposito, displicuit fratribus, necnon et
15 magnatibus et populo terrae. Omnes enim intolerabilem

e. Lc 8, 5 || f. Matth. 21, 23 || g. cf. Act. 8, 6 et Jn 4, 48 || h. II Cor 3, 17

---

1. Il ne peut s'agir ici que d'une initiation à la vie monastique. Tout ce paragraphe d'ailleurs souligne que Malachie renonce, en quittant Armagh, à la dimension politique et juridictionnelle du siège primatial pour retrouver une vie nettement monastique et un ministère plus directement pastoral, dans lequel s'allient (selon la tradition irlandaise) les charges d'abbé et d'évêque.

2. En usage en tout cas dès le début du VIe siècle, cette sorte d'écharpe blanche marquée de croix est un signe d'honneur que le pape donne aux métropolitains, d'abord dans les provinces d'Italie, dès le

pour se faire instruire, corriger, conduire[1]. Lui-même allait et «venait pour semer sa semence[e]», prenant des dispositions et des décisions en matières ecclésiastiques avec une totale autorité, comme s'il était l'un des apôtres. Et personne ne lui disait : «Par quelle autorité fais-tu cela?[f]» car tous voyaient les signes et les prodiges qu'il accomplissait[g] – en effet, «là où est l'Esprit, là est la liberté[h]».

Projet d'aller jusqu'à Rome

XV. 33. Il lui semblait cependant que, sans l'autorité du Siège apostolique, il ne pouvait agir avec assez d'assurance. Aussi fait-il le projet de partir pour Rome, d'autant que le siège métropolitain ne bénéficiait pas – et depuis le début n'avait jamais bénéficié – de l'usage du *pallium*[2], qui marque la plénitude de l'honneur. Or il parut bon à ses yeux que l'Église pour laquelle il s'était tant dépensé reçût, par ses soins et sa peine, cet insigne qu'elle n'avait encore jamais eu.

Il y avait d'ailleurs un second siège métropolitain[3], que Celse venait d'instituer, mais qui demeurait soumis au premier siège et à son archevêque, en tant que primat. Pour ce siège aussi Malachie souhaitait néanmoins le *pallium* et la confirmation par le Siège apostolique de cette prérogative qu'il avait obtenue des bienfaits de Celse.

Ce projet déplut aux frères lorsqu'ils l'apprirent, comme aux grands et à la population du pays. Tous estimaient

VIIe siècle, pour symboliser leur communion et leur dépendance par rapport au Siège romain. L'origine de cet insigne serait à chercher du côté du vêtement officiel des grands personnages de l'Empire romain (cf. H. LECLERCQ, «Pallium», *DACL,* XIII, col. 931 s.).

3. Le synode de Rathbreasail, en 1111, avait reconnu deux sièges métropolitains : en plus de celui d'Armagh, celui de Cashel, pour les provinces méridionales du pays.

sibi iudicabant tam diutinam omnium pii parentis absentiam, et quod metuerent de morte ipsius.

34. Contigit interea mori germanum eius, nomine Christianum, virum bonum, plenum gratiae et virtutis[i]. Episcopus erat, illi quidem secundus in celebri opinione, sed vitae sanctimonia et iustitiae zelo forte non impar. 341 5 Huius decessus magis terruit universos et discessum Malachiae reddidit molestiorem. Dicebant autem nullo modo assentiendum unici peregrinationi patroni, ut non desoletur omnis terra[j], si duabus tantis columnis[k] sub uno momento temporis destituatur.

10 Ergo omnes pariter contradicunt. Et vim faciebant, cum ille divinam ultionem minatus est. Non tamen destitere illi, nisi missa sorte, prius Dei voluntas super hoc interrogaretur[l]. Prohibente illo, nihilominus mittunt; sed illa pro Malachiae parte ter respondisse inventa est. Nec enim 15 una contenti vice fuere, cupidi retinendi eum. Demum cedentes, dimittunt illum, non tamen sine *ploratu et ululatu multo*[m].

Sed ne quid imperfectum relinqueret, tractare coepit quomodo *defuncti fratris semen suscitaret*[n]. Et accersitis ad se 20 tribus discipulis suis, anxius aestuabat quisnam dignior ad hoc opus sive utilior videretur. Et diligenter intuitus singulos : «Tu, inquit, o Edane – sic enim vocabatur

i. cf. Jn 1, 14 || j. cf. Jér. 12, 11 || k. cf. Gal. 2, 9 || l. cf. Act. 1, 24-26 || m. Matth. 2, 18 || n. Deut. 25, 5

1. Christian (Gille Criost Ua Morgair), consacré en 1135 comme évêque de l'Église de Clogher (nord-ouest d'Armagh), mort en 1138 et enseveli à Armagh.

2. Aed (latin : Edanus : Aed Ua Ceallaig), consacré en 1138, et mort en 1182.

insupportable une absence aussi longue de la part d'un père si bon pour tous; et ils redoutaient sa mort.

La préparation du départ

34. Sur ces entrefaites, son frère, nommé Christian[1], vint à mourir; c'était un homme de bien, plein de grâce et de vertu[i]. Il était évêque, lui aussi, et si l'opinion des gens le mettait au second rang par rapport à son frère, il ne lui était peut-être pas inférieur par la sainteté de sa vie et son zèle pour la justice. Son décès augmenta la crainte de tous et rendit le départ de Malachie moins supportable encore. On disait qu'il ne fallait d'aucune manière consentir au pèlerinage de ce protecteur désormais unique, de peur que tout le pays ne se trouvât à l'abandon[j], s'il était privé, au même moment, de deux colonnes[k] si solides.

Ainsi, tous unanimement font opposition. Et l'on y mettait même de la violence, lorsque lui-même les menaça de la vengeance divine. Les autres cependant ne cédèrent pas avant de recourir aux sorts pour connaître la volonté de Dieu sur ce projet[l]. Malgré l'interdiction de leur évêque, ils recourent aux sorts. Mais à trois reprises la réponse se fit en faveur de Malachie. En effet, dans leur avidité à le retenir, ils ne s'étaient pas contentés d'un seul essai. Cédant enfin, ils le laissent partir, mais non sans «pleurs ni bien des gémissements[m]».

Lui, cependant, pour ne rien laisser inachevé, se mit à s'occuper des moyens «de susciter une postérité à son frère défunt[n]». De trois de ses disciples qu'il avait appelés auprès de lui, il se demandait anxieusement lequel serait le plus digne ou le plus utile pour cette œuvre. Les ayant regardés attentivement l'un après l'autre, “Toi, dit-il, toi Édan[2] – c'était le nom de l'un d'entre eux – prends cette

unus –, suscipe onus.» Illo cunctante et flente : «Ne timeas», ait. «Tu enim mihi a Domino designatus es, quia
25 anulum aureum, quo desponsandus es, iam nunc praevidi in digito tuo.» Acquievit ille, et Malachias, eo consecrato, proficiscitur.

35. Cumque egressus de Scotia, pervenisset Eboracum, sacerdos quidam, Sycarus nomine, intuitus eum agnovit[o]. Nec enim faciem eius viderat ante; sed cum haberet spiritum prophetiae, revelatum fuerat ei iam pridem de
5 illo. Et nunc incunctanter circumstantibus digito eum demonstrans : «*Hic est,* inquit, *de quo dixeram*[p], quia de Hibernia sanctus veniet pontifex, qui *scit cogitationes hominum*[q].» Sic *non potuit* latere *lucerna sub modio*[r], prodente eam per os Sycari Spiritu Sancto, qui illam accenderat. Nam et
342 10 multa secreta de esse suo suorumque dicta sunt ei a Sycaro, quae ita esse vel fuisse omnia recognovit.

Sed et sociis Malachiae percunctantibus de suo reditu, respondit Sycarus incunctanter – quod *post rei probavit eventus*[s] –, paucos videlicet admodum de numero illo cum
15 episcopo redituros. Illi, audito hoc, suspicati sunt mortem; sed Deus aliter adimplevit. Nempe rediens ab Urbe, quibusdam apud nos, quibusdam et in aliis locis ad discendam conversationis formam relictis, iuxta verbum Sycari, cum paucis admodum repatriavit. Haec de Sycaro.

o. cf. Jn 1, 42 || p. Jn 1, 30 || q. Ps. 93, 11 || r. Matth. 5, 14-15 || s. Gen. 41, 13

---

1. Sur l'évêque, époux de son Église, cf. *supra,* X, 20 et la note 1 de la p. 240.

2. Latinisation du vieux nom écossais Signers. Sycar était prêtre de la paroisse de Newbald, au diocèse d'York. Jocelin, dans la *Vie de saint Walthen,* ch. 2, en fait mention. Il est l'auteur, vers 1126-1130, de *Vie et vision d'Orm Simplex* (*AB,* LXXV (1957), p. 72 ss.).

3. *Conversationis forma :* la *métanoïa* des Pères du désert, la «conversion des mœurs» de la *Règle de saint Benoît,* 58, 17.

charge". Et comme celui-ci s'en défend en pleurant, il lui dit : "Sois sans crainte, car c'est toi que le Seigneur m'a désigné : l'anneau d'or, qui doit faire de toi l'époux de cette Église[1], dès maintenant je l'ai vu par avance à ton doigt." Édan accepta et Malachie, après l'avoir consacré, se met en route.

La rencontre du prophète Sycar

35. Sorti d'Écosse, il arrivait à York lorsqu'un prêtre du nom de Sycar[2], en l'apercevant, le reconnut[o]. Il n'avait jamais vu son visage auparavant, mais, comme il avait l'esprit de prophétie, une révélation lui avait été faite à son sujet. Alors, sans la moindre hésitation, il le désigne du doigt à ceux qui l'entouraient : "«Le voici, celui dont j'ai dit» que, tel un saint pontife, il viendrait d'Irlande et «connaîtrait les pensées des hommes[q]»." De la sorte, la lumière ne put rester cachée «sous le boisseau[r]», puisque, par la parole de Sycar, l'Esprit Saint la mettait en avant, après l'avoir lui-même allumée. Ce sont en outre maints secrets concernant son existence et celle des siens que Malachie s'entendit révéler, et de tous il reconnut la réalité, dans le présent ou dans le passé.

Par ailleurs, comme les compagnons de Malachie s'informaient de leur retour, Sycar, sans hésiter, leur répondit – «et cela s'est révélé vrai par la suite[s]» – que, du nombre qu'ils constituaient, ils seraient très peu à revenir avec l'évêque. Eux, à cette nouvelle, pensèrent que la mort en serait la raison; mais Dieu accomplit la chose autrement. Car, à leur retour de Rome, certains furent laissés chez nous, et certains en d'autres lieux, pour s'initier à cette forme de vie qu'est la vocation monastique[3]; si bien que, selon le mot de Sycar, Malachie ne regagna sa patrie qu'avec un très petit nombre d'entre eux. – Voilà pour ce qui est de Sycar.

36. In ipsa urbe Eboracensi, accessit ad eum vir nobilis secundum saeculum, Wallenus nomine, tunc prior in Kyrkeham regularium fratrum, nunc vero monachus et monachorum pater in Mailros, monasterio Ordinis nostri, 5 qui, devotus, Malachiae se orationibus satis humiliter commendavit. Is advertens multos habere episcopum socios et equos paucos – nam praeter ministros et clericos alios, quinque cum eo erant presbyteri, et equi nonnisi tres –, obtulit ei suum, quo ipse vehebatur, hoc solum 10 dolere se inquiens, quod esset runcinus dure portans. Et addit : « Libentius dedissem, si melior fuisset; sed si dignamini, ducite qualemcumque vobiscum. – Et ego, ait episcopus, eo libentius accipio, quo praedicas viliorem, quia non potest mihi vile esse, quidquid tam pretiosa 15 voluntas obtulerit. » Et conversus ad suos : « Hunc, inquit, sternite mihi, quia commodus satis et sufficiens erit in longum. »

Quo facto, ascendit, et primo quidem durum, ut erat, sentiens, postmodum, mira mutatione, valde commodum 20 sibi et suaviter ambulantem invenit. Et ne caderet super terram de sermone quem dixerat[t], usque ad nonum annum, quo mortuus est ipse, non defecit ei, factus optimus et pretiosissimus palefridus, quodque evidentius miraculum cernentibus fecit, de subnigro coepit albescere, et non 25 multo post vix inveniebatur albior illo.

t. cf. I Sam. 3, 19

---

1. Wallen (qui est peut-être une erreur pour Wallevus) ou Waltheof, fils de David Ier, roi d'Écosse, fut en 1134 prieur de Kirkham, une maison de clercs réguliers fondée en 1122. Il entra ensuite dans l'ordre cistercien et devint abbé de Melrose en 1149 : cf. D. BAKER, « Legend and reality : the case of Waldef of Melrose », dans *Studies in Church History*, 41, 1975.

2. Melrose ou Mailros, abbaye cistercienne fondée par David Ier, roi

Un cheval en cadeau

36. Dans cette même ville d'York, un homme vint à lui, un noble selon le monde, du nom de Wallen[1], qui avait été à Kyrckeham prieur de frères réguliers, mais qui maintenant est moine, et même père des moines de Mailros[2], un monastère de notre Ordre. Cet homme de foi se recommanda très humblement aux prières de Malachie. Remarquant que l'évêque avait de nombreux compagnons mais peu de chevaux – de fait, outre des diacres et d'autres clercs, il avait avec lui cinq prêtres, mais seulement trois chevaux – il lui offrit le sien, qu'il montait alors. Son seul regret, disait-il, c'est qu'il s'agissait d'une mauvaise rosse, qui secouait durement. Et il ajouta : "Je vous l'aurais donné plus volontiers, s'il avait été meilleur. Mais, si vous voulez bien, emmenez-le, tel qu'il est". – "Quant à moi, répond l'évêque, je l'accepte d'autant plus volontiers que tu insistes davantage sur son peu de valeur, car rien pour moi ne peut être sans valeur, de ce qui m'est offert avec une bienveillance d'un tel prix." Et se tournant vers les siens : "Sellez-le pour moi, car il me sera d'un bon secours et me rendra service longtemps."

Ceci fait, il y monta, et s'il commença par éprouver sa rudesse – comme c'était bien le cas – ensuite, grâce à un changement étonnant, il le trouva tout à fait satisfaisant et d'une allure agréable. Et pour que ne tombe à terre ni ne se perde rien de ce qu'il avait dit[t], durant neuf ans, jusqu'à sa mort, le cheval ne manqua pas de le servir, devenu le meilleur et le plus précieux des palefrois. En outre, miracle évident pour ceux qui ont des yeux pour voir : de gris, il commença à blanchir, et peu après on aurait eu de la peine à trouver plus blanc que lui.

d'Écosse, en 1136 avec des moines de Rielvaulx. Cf. F. SHARATT, *Écosse romane,* La Pierre-qui-Vire, 1985 (Zodiaque), p. 348-349.

343 **XVI. 37.** Mihi quoque in via hac datum est videre virum, et in eius visu et verbo refectus sum, et *delectatus sum sicut in omnibus divitiis*[u]. Et ego vicissim, peccator licet, *inveni gratiam in oculis* eius[v] ex tunc et deinceps usque ad
5 obitum ipsius, sicut in prooemio praefatus sum.

Ipse etiam, dignatus divertere Claramvallem, visis fratribus, compunctus est, et illi non mediocriter aedificati in praesentia et sermone eius. Et acceptans locum et nos, atque intimis visceribus colligens, valedixit nobis et abiit.
10 Qui transalpinans, cum venisset Iporiam civitatem Italiae, hospitis sui parvulum filium, qui *male habens moriturus erat*[w], continuo sanavit.

38. Erat tunc temporis in Sede Apostolica felicis memoriae secundus Innocentius papa, qui eum benigne suscepit, humane satis illi super longa peregrinatione compassus. Et primo quidem Malachias, quod altius infixerat animo, cum
5 multis lacrimis implorabat licere sibi vivere et mori in Claravalle, permissu et benedictione Summi Pontificis. Et petiit hoc, non oblitus ad quod venerat, sed affectus qua venerat desiderio Claraevallis. Non autem obtinuit, quod vir apostolicus lucris potius uberioribus occupandum
10 decerneret. Nec tamen omnino frustratus est a desiderio cordis sui[x], cui mori ibi, etsi non vivere, donatum est.

u. Ps. 118, 14 || v. I Sam. 16, 22 || w. Lc 7, 2 || x. cf. Ps. 77, 30

---

1. Saint Bernard rappelle ici l'amitié qui le lie à Malachie depuis 1139 – ou peut-être mars 1140 : la chronologie de ce premier voyage de Malachie est en discussion.

2. Innocent II, pape de 1130 à 1143, mais qui ne put entrer dans Rome qu'en 1138. En avril 1139 il présida le 2e Concile du Latran. En juillet de cette même année, dans la guerre contre Roger, roi de Sicile, il est fait prisonnier pendant quelques temps. Ce doit être la raison qui

Le passage à Clairvaux

XVI. 37. A moi aussi[1], durant ce voyage, il m'a été donné de voir cet homme, dont le visage et la parole ont refait mes forces – «j'y ai pris plaisir comme en toutes sortes de richesses[u]». Et en retour, moi aussi, tout pécheur que je suis, «j'ai trouvé grâce à» ses «yeux[v]», dès ce moment-là et ensuite jusqu'à sa mort, comme je l'ai déjà dit dans le préambule.

Lui-même a daigné faire le détour de Clairvaux : la vue des frères lui a point le cœur et ceux-ci ont trouvé une édification peu ordinaire dans sa présence et sa parole. C'est en adoptant ce lieu et nos personnes, et en les gardant au plus intime de lui-même, qu'il prit congé et s'en alla. Après avoir traversé les Alpes, il s'en vint à Ivrée, une ville d'Italie, et guérit aussitôt le fils de son hôte, un petit garçon «malade et sur le point de mourir[w]».

Le séjour à Rome

38. En ce temps-là, le pape Innocent II[2] d'heureuse mémoire occupait le Siège apostolique. Il reçut Malachie avec bienveillance et lui témoigna beaucoup de bonté, touché par le long voyage qu'il avait entrepris. Malachie commença par ce qui lui tenait le plus à cœur : avec force larmes il implora l'autorisation pour lui de vivre et de mourir à Clairvaux, avec la permission et la bénédiction du Pontife suprême. Et s'il fit cette demande, ce n'est pas qu'il eût oublié le but de sa venue, mais il avait été saisi, en passant à Clairvaux, par le désir d'y vivre. Il n'obtint pas ce qu'il souhaitait, car le successeur des apôtres avait décidé de lui confier des tâches plus fécondes. Pourtant il ne fut pas privé totalement de ce que désirait son cœur[x], puisque, à défaut de vivre à Clairvaux, il lui fut au moins donné d'y mourir.

retient Malachie dans le Nord de l'Italie, en attendant que le pape, revenu à Rome, puisse l'accueillir.

Mensem integrum fecit in Urbe, loca sancta perambulans et frequentans causa orationis. Cumque per id temporis saepe ac diligenter ab eo, et ab his qui cum eo erant,
15 Summus Pontifex inquisisset, esse patriae, mores gentis,
344 statum ecclesiarum, et quanta in terra Deus per eum operatus fuisset, paranti iam repatriare commisit vices suas, per universam Hiberniam legatum illum constituens. Significatum siquidem erat ei ab episcopo Gilleberto, qui,
20 ut supra memoravimus, tunc temporis legatus exstiterat, quod iam non posset prae senio et debilitate corporis villicare[y].

Post haec petit Malachias confirmari novae metropolis constitutionem, et utriusque sedis sibi pallia dari. Et
25 confirmationis quidem privilegium mox accepit : « De palliis autem oportet, ait Summus Pontifex, sollemnius agi. Convocatis episcopis et clericis et maioribus terrae, celebrabis generale concilium, et sic conniventia et communi voto universorum per honestas personas requiretis pal-
30 lium, et dabitur vobis. »

Deinde tollens mitram de capite suo, imposuit capiti eius, sed et stolam cum manipulo dedit illi, quibus uti inter offerendum solebat. Et salutatum in osculo pacis demisit eum, apostolica fultum benedictione et auctoritate.

y. cf. Lc 16, 2-3

---

1. Gilbert occupa ce poste de 1111 à 1140 (cf. *supra,* X, 20 et la note), et Malachie va le remplacer de 1140 à 1148.
2. Cf. *supra,* X, 20.
3. Cf. *supra,* XV, 32.
4. Il n'est plus question que d'un *pallium :* l'existence de deux Églises métropolitaines en Irlande pouvait exiger plus ample réflexion. Mais on ne voit pas d'emblée pourquoi le pape ne concède pas immédiatement au moins l'un des *pallium*. On peut noter cependant que l'archevêque de Cantorbéry, Théobald, qui avait assisté au Concile du Latran de 1139, a consacré en 1140 un certain Patrice comme évêque de Limerick

Il demeura un mois entier à Rome, passant d'un lieu saint à l'autre, et les fréquentant dans le but d'y prier. Durant ce temps, à maintes reprises et avec attention, le Pontife suprême l'avait questionné, lui et ceux qui l'accompagnaient, pour connaître l'état de leur patrie, le mode de vie de la population, la situation des Églises, et tout ce que Dieu, en ce pays, avait accompli par Malachie. Aussi, comme ce dernier se préparait à regagner sa patrie, le pape lui confia la charge de le représenter : il l'institua son légat pour l'ensemble de l'Irlande[1]. Effectivement, l'évêque Gilbert, dont nous avons parlé plus haut[2], et qui était légat à cette époque, lui avait fait savoir que son âge et l'état de ses forces physiques ne lui permettaient plus de remplir cette fonction[y].

Après cela Malachie demanda encore que soit confirmée l'institution de la nouvelle métropole et qu'un *pallium* lui soit octroyé pour chacun des deux sièges[3]. Le privilège de la confirmation, il l'obtint tout de suite, «mais pour ce qui est des *pallium,* dit le Pontife suprême, il faut procéder avec plus de solennité. Tu vas convoquer les évêques, les clercs et les grands du pays, pour célébrer un concile général; avec l'accord et selon le désir de tous, vous enverrez de dignes personnages chercher le *pallium,* et il vous sera donné[4].»

Prenant ensuite la mitre qu'il avait sur la tête, il la posa sur la tête de Malachie; il lui remit aussi l'étole et le manipule qu'il avait l'habitude d'utiliser durant l'offrande de la messe. Et l'ayant salué par un baiser de paix, il le congédia, muni de la bénédiction et de l'autorité apostoliques.

(sud-ouest de l'Irlande). Ainsi, contre la volonté de l'épiscopat de l'Irlande, entendait-il conserver une certaine juridiction sur l'Église irlandaise. Le don du *pallium,* conformément au vœu de Malachie, nécessitait donc au préalable la solution de ce conflit de juridiction. Sur le *pallium,* cf. *supra,* XV, 33 et la note.

39. Qui revertens per Claramvallem, suam secundam nobis largitus est benedictionem. Et alta suspiria trahens, quod non liceret sibi pro suo desiderio remanere : « Hos, 345 inquit, interim pro me, oro, ut retineatis qui a vobis discant 5 quod nos postmodum doceant. » Et infert : « Erunt nobis in semen, *et in semine* isto *benedicentur gentes*[z], et illae gentes, quae a diebus antiquis monachi quidem nomen audierunt, monachum non viderunt. » Et dimissis quattuor a latere suo, abiit, qui probati et digni inventi, monachi facti sunt.

10 Post aliquod tempus, cum iam sanctus esset in terra sua, *misit alios*, et *factum est* de *illis similiter*[a]. Quibus per aliquantum tempus instructis et eruditis corde in sapientia[b], dato eis in patrem sancto fratre Christiano, qui erat unus ex ipsis, emisimus eos, adiungentes de nostris, quanti 15 sufficerent ad numerum abbatiae. Quae concepit et peperit

z. Gen. 22, 18 || a. Matth. 21, 36 || b. cf. Ps. 89, 12

---

1. La question évoquée ci-dessus à propos de la vocation de Malachie (*supra,* II, 5, note 2, p. 192 s.) se repose ici avec plus d'acuité : comment comprendre la remarque de l'auteur sur l'absence de vie monastique en Irlande, alors qu'elle y a occupé de tout temps une place hors pair? Serait-ce que le rôle missionnaire et pastoral des abbayes irlandaises, et le fait qu'elles ne relevaient pas de la Règle de saint Benoît (pour ne pas dire des us cisterciens), leur enlèvent, aux yeux de saint Bernard, la qualité de monastères, pour en faire des communautés de clercs réguliers?

2. Saint Bernard omet la visite que Malachie, durant son voyage de retour, fait à l'abbaye des chanoines réguliers de Saint-Augustin en Arrouaise, et dont l'abbé, Gaultier, fait mention en ces termes : « Passant par chez nous, Malachie, de sainte mémoire, archevêque des Irlandais, après avoir examiné et approuvé nos coutumes, emporta en son pays d'Irlande nos livres et la description des usages tenus dans l'église *(usus ecclesiae)* ; il prescrivit alors à presque tous les clercs attachés aux sièges épiscopaux et à une multitude d'autres lieux, dans toute l'Irlande, de recevoir et d'observer notre règle *(ordo)*, notre genre de vie *(habitus)*, et surtout l'office que nous célébrons à l'église » (GAULTIER, manuscrit édité par Migne in *Ad Innocentii III Regesta, PL* 217, 67 s.).

Retour par Clairvaux

39. Repassant par Clairvaux, au retour, il nous accorda sa seconde bénédiction. Et avec de grands soupirs, puisqu'il ne lui était pas permis, malgré son désir, de rester avec nous, il nous dit : "Gardez ceux-ci pour le moment à ma place, je vous en prie ; et qu'ils apprennent de vous ce qu'ensuite ils auront à nous enseigner." Puis il ajoute : "Ils nous serviront de semence, «et par cette semence seront bénies les populations[z]», ces populations qui, depuis les jours anciens, ont bien entendu prononcer le terme de moine, mais n'en ont pas vu[1]." Et il s'en alla[2] en laissant quatre membres[3] de sa suite, qui, une fois éprouvés et jugés dignes, sont devenus moines[4].

Quelque temps après, alors que le saint avait déjà regagné son pays, «il en envoya d'autres», qui reçurent la même initiation[a]. Ils ont été pendant un certain temps instruits et formés de cœur à la sagesse[b5], on leur a donné pour père le saint frère Christian, l'un d'entre eux ; puis nous les avons renvoyés, en leur adjoignant quelques-uns des nôtres, en nombre suffisant[6] pour constituer une abbaye. Celle-ci conçut et enfanta cinq filles[7], et c'est ainsi

3. Parmi ces quatre, figure ce Christian dont il a été question ci-dessus (VI, 14 et note 1, p. 222). Il devint abbé de Mellifont, puis évêque de Lismore et légat du Siège apostolique.

4. Sur cette décision commune de saint Malachie et de saint Bernard, voir les quatre lettres de ce dernier *(infra)* qui s'y rapportent : *Ép.* 341, 356, 357, 545.

5. ** L'allusion au Ps. 89 est claire en se reportant à VgC *(eruditos corde)* tandis que, ici, VgN qui édite *compeditos* ne permettrait pas de saisir le rapport entre les mots de Bernard et ceux de la Bible.

6. Il fallait canoniquement une douzaine de moines profès pour ériger une abbaye.

7. Concernant la fondation de Mellifont, en 1142, cf. les *Ép.* 356 et 357 *infra.* Dix ans après, Mellifont a déjà cinq filiales : Bective, Baltinglass, Boyle, Monasteranenagh (ou Maigue), Inishlounaght (ou Shuri) dont l'abbé, Congan, est le destinataire de cet écrit.

filias quinque, et sic, multiplicato semine, augescit in dies numerus[c] monachorum, iuxta desiderium et vaticinium Malachiae.

Nunc iam repetamus ordinem narrationis.

XVII. 40. Malachias, profectus a nobis, prospere pervenit Scotiam. Et invenit David regem, qui adhuc hodie superest, in quodam castello suo, *cuius filius infirmabatur ad mortem*[d]. Ad quem ingressus, honorifice a rege susceptus et 5 humiliter exoratus ut *sanaret filium* suum[e], aqua, cui benedixit, aspersit iuvenem et, *intuens in eum*[f], ait : «*Confide, fili*[g] : non morieris hac vice.» Dixit hoc, et die sequenti dictum prophetae secuta est sanitas, sanitatem laetitia patris, clamor et strepitus totius exsultantis familiae. Exiit 10 sermo ad omnes : nec enim quod in domo regia et regis acciderat filio latere potuit. Et ecce ubique resultans *gratiarum actio et vox laudis*[h], tum pro salute domini, tum pro miraculi novitate. Henricus est iste; nam vivit adhuc 346 unicus patris sui, miles fortis et prudens, patrizans, ut 15 aiunt, in sectando iustitiam et amorem veri.

Et amavit uterque Malachiam, quamdiu vixit, tamquam qui illum a morte revocasset. *Rogabant eum manere* per *aliquos dies*[i]; sed ille declinans gloriam, moram non sustinuit, et mane carpebat iter.

c. cf. Act. 5, 14 || d. Jn 4, 46 et 11, 4 || e. Jn 4, 47 || f. Act. 3, 4 || g. Matth. 9, 2 || h. Is. 51, 3 || i. Act. 10, 48

---

1. David, qui régna sur l'Écosse de 1124 à 1152. De son fils aîné, Waltheof, il a été question ci-dessus (XV, 36).

2. Henri est célébré par Aelred de Rievaulx comme «l'honneur des jouvenceaux, la gloire des chevaliers, les délices des anciens, le fils du roi» *(Relatio de Standardo)*. Il est mort peu avant son père, en 1152. Ses

que, par multiplication de la semence, le nombre des moines y augmente[c] de jour en jour, comme le désirait et comme l'avait prédit Malachie.

Revenons-en maintenant au fil de notre récit.

Plusieurs miracles en Écosse

XVII. 40. Parti de chez nous, Malachie parvint sans encombre en Écosse. Il y trouva David[1], le roi qui règne aujourd'hui encore : il séjournait dans un château à lui, et «son fils était malade et près de la mort[d]». A son arrivée, Malachie fut accueilli avec honneur par le roi, qui l'implora humblement «de guérir son fils[e]». Avec de l'eau qu'il avait bénite, il aspergea le jeune homme, et, «fixant sur lui son regard[f]», il lui dit : "«Confiance, mon fils[g]», ce n'est pas cette fois que tu mourras." Voilà ce qu'il dit. Et le jour suivant la parole prononcée par le prophète eut pour effet la guérison de l'enfant, et sa guérison la joie du père, comme aussi les exclamations et l'enthousiasme bruyant de toute la famille. La nouvelle parvint à tous : l'événement survenu dans la maison du roi, et au fils du roi, ne put demeurer caché. Et voici qu'il suscita partout «l'action de grâce et un chant de louange[h]», tant pour le retour du maître à la santé que pour l'étrangeté du miracle. Le personnage se nomme Henri[2]; il vit encore, toujours fils unique de son père, chevalier courageux et avisé, et, comme on dit, digne émule de son père dans sa manière de poursuivre la justice et l'amour du vrai.

L'un et l'autre aimèrent Malachie tout le temps qu'il vécut, comme ayant arraché Henri à la mort. «Ils le prièrent de rester quelques jours[i]», mais lui, écartant cette gloire, ne se permit pas de prendre du retard; au matin, il se remettait en route.

deux fils, Malcolm IV et Guillaume Ier, se succéderont sur le trône de David.

20 Transeunti per villam, nomine Crugeldum, occurrit puella muta. Orante illo, *solutum est vinculum linguae eius, et loquebatur recte*[j].

Dehinc villam ingrediens, quam nominant ecclesiam sancti Michaelis, oblatam sibi mulierem phreneticam et 25 vinctam funibus, coram omni populo curat et, dimissa incolumi, proficiscitur.

Perveniens vero ad portum Lapasperi, transitum ibi per aliquot dies praestolabatur; sed mora minime transiit otiosa. Construitur interim de virgis in saepem textis 30 oratorium, ipso iubente, ipso operante pariter. Consummatum circumdedit vallo, atque interiacens spatium in coemeterium benedixit. Sane merita benedicentis miracula satis declarant, quae usque hodie ibi actitari feruntur.

41. Inde est, quod de finitimis locis infirmos et male habentes illo portare consueverunt, et sanantur multi[k]. Mulier totis dissoluta membris, plaustro vecta illuc, pedibus suis remeavit domum, una dumtaxat nocte non 5 frustra in loco sancto praestolata misericordiam Domini.

Alia quaedam ibidem *pernoctabat in oratione*[l]; quam forte reperiens solam homo barbarus, accensus libidine et sui minime compos, irruit rabiosus in eam. Conversa illa et tremefacta, suspiciens advertit hominem plenum diabolico

j. Mc 7, 35 || k. cf. Matth. 4, 24 || l. Lc 6, 12

---

1. Cruggleton (Crugeldum), dans le district de Sorby et le comté de Wigtown.

2. Kirk Mochrun : *ecclesiae sancti Michaelis.*

3. Cairngarroch : en latin *Lapasperus,* corruption de *Lapis asper,* «pierre rude», qui traduit Carn garbh.

4. Cet acte ne pouvait canoniquement revenir qu'à l'évêque du lieu. Peut-être Malachie en a-t-il reçu permission.

Passant par un village du nom de Cruggleton[1], il rencontra une jeune fille muette. A sa prière, «le lien de sa langue se délia, et elle parlait correctement[j]».

Comme il entre ensuite dans un autre village qu'on appelle Kirk Mochrun[2], on lui amène une femme atteinte de frénésie, et liée de cordes; devant tout le monde il la guérit, puis, l'ayant renvoyée parfaitement remise, il continue son chemin.

Construction et bénédiction d'une chapelle

Parvenant alors au port de Cairngarroch[3], il dut attendre quelques jours de pouvoir s'embarquer. Mais ce délai ne fut point du tout un temps mort. De branches assemblées en forme d'abri, on construit une chapelle, sous les ordres du saint, et avec sa collaboration. Il fit entourer l'ensemble d'une palissade et il bénit cet espace destiné à devenir un cimetière[4]. Et vraiment, la valeur de celui qui prononça cette bénédiction se manifeste largement en effet : on cite les miracles qui s'accomplissent en ce lieu aujourd'hui encore.

La puissance miraculeuse de cette bénédiction

41. C'est pourquoi, des contrées voisines on a pris l'habitude d'y apporter infirmes et malades, et beaucoup sont guéris[k]. Une femme notamment, dont les membres étaient tout disloqués, y fut amenée sur un chariot, et elle s'en retourna chez elle à pied : ce n'est pas en vain que, le temps simplement d'une nuit, elle avait attendu en ce saint lieu la miséricorde du Seigneur.

Une autre, en ce même endroit, «passait la nuit en prière[l]». Un homme, un barbare, par hasard la trouva seule; brûlant de convoitise et dénué de toute maîtrise de soi, il s'élance sur elle comme un forcené. S'étant retournée, toute tremblante, elle avise cet homme rempli

10 spiritu et : «Heus tu, inquit, miser, quid agis? Considera ubi es, revertere haec sancta, defer Deo, defer servo eius Malachiae, parce et tibi ipsi.» Non destitit ille, furiis agitatus iniquis. Et ecce, quod horribile dictu est, venenatum et tumidum animal, quod bufonem vocant, visum
347 15 est reptans exire deinter femora mulieris. Quid plura? Terrefactus resilit homo et, datis saltibus, festinus oratorio exsilit. Ille confusus abscessit, et illa intacta remansit, magno quidem et Dei miraculo, et merito Malachiae. Et pulchre operi foedo et abominando foedum intervenit
20 et abominabile monstrum. Non prorsus aliter decuit bestialem exstingui libidinem, quam per frigidissimum vermem, nec aliter temerarium frenari ausum, frustrari conatum, quam per vilem inutilemque bestiolam.

Et haec loco isto sufficiant pauca de pluribus; nunc iam
25 reliqua prosequamur.

Quantus et qualis in vita et moribus et miraculis existiterit, etiam mortuis suscitatis

XVIII. 42. Ascendit Malachias navem et, prospere navigans, applicuit monasterio suo Benchorensi, ut primi filii primam reciperent gratiam. Quid animi putas gessisse illos, sano de via tam longa recepto patre, et illo patre? Nec
5 mirum, si se tota in gaudium effuderunt viscera eorum in

1. De ce retour de Malachie à Bangor, les *Annales* d'Irlande ne disent rien, mais celles dites «Tigernaci», pour 1140, notent : «Mael m'Aedoic O Morgair do teidhecht ó Róim», Malachie s'en revint de Rome.

d'un esprit diabolique : "Eh! toi, misérable, que fais-tu? Considère l'endroit où tu es, respecte ce saint lieu, par égard pour Dieu, par égard aussi pour son serviteur Malachie; aie pitié de toi-même." Mais lui ne renonça pas, tout agité d'une rage mauvaise. Alors voici – quelle horreur rien qu'à le dire! – une bête venimeuse et enflée, qu'on appelle crapaud, apparut, qui sortait en rampant d'entre les cuisses de la femme. Bref, terrifié, l'homme fait un saut en arrière, et en quelques bonds, sort bien vite de la chapelle. Il s'en alla, dans la confusion, et elle demeura indemne – ceci en vérité grâce à un grand miracle de Dieu non moins qu'au grand mérite de Malachie. Merveilleusement, par une créature dégoûtante et affreuse il arrêta un monstre dégoûtant et affreux. Rien ne convenait mieux, pour éteindre une convoitise bestiale, qu'un animal rampant et bien froid; rien ne pouvait mieux freiner une détermination coupable, ni mieux mettre fin à cette entreprise, qu'une bestiole vile et inutile.

Que ces quelques faits, parmi tant d'autres, suffisent pour le moment. Passons maintenant à la suite.

Quelle grandeur et quelle qualité il a manifestées dans sa manière d'être et de vivre, et dans ses miracles, allant jusqu'à ressusciter des morts

Le retour du légat

XVIII. 42. Malachie s'embarqua, et après une navigation facile, il aborda à son monastère de Bangor[1], pour que ses premiers fils reçoivent sa première grâce. Imagine dans quel esprit ils accueillent leur père qui s'en revient sain et sauf d'un si long voyage – et quel père! Rien d'étonnant si, à son retour, leur cœur se répand tout entier dans la joie, puisque

reditu eius, quando et exteris circumquaque gentibus incredibilem mox laetitiam velox rumor invexit. Denique de civitatibus, et castellis, et vicis occurrunt ei et, quocumque divertat, suscipitur *exsultatione universae terrae*[m].

10 Verumtamen non sapit honor. Opus exercetur legationis : multis in locis celebrantur conventus multi, ne qua regio seu portio regionis legationis fructu et utilitate fraudetur. *Seminatur super omnes aquas*[n] : *non est qui se abscondat ab*[o] opera sollicitudinis eius. Non sexus, non 15 aetas, non condicio, non professio reputatur. Ubique 348 semen spargitur salutare, ubique intonat tuba caelestis. Ubique discurrit, ubique irrumpit, evaginato gladio linguae *ad faciendam vindictam in nationibus, increpationes in populis*[p]. Terror eius super facientes mala[q]. Clamat *iniquis :* 20 *« Nolite inique agere », et delinquentibus : « Nolite exaltare cornu*[r]*. »*

Religio ubique plantatur, propagatur, fovetur. *Oculi eius super*[s] eos, et cura eius ad necessitates eorum. In conciliis, quae passim celebrantur, repetuntur antiquae 25 traditiones, quas tamen bonas fuisse constiterit, abolitas vero negligentia sacerdotum. Nec modo vetera instaurantur : cuduntur et nova; et quaecumque promulgaverit, tamquam caelitus edita acceptantur, tenentur, scripto mandantur ad memoriam posterorum. Quidni caelitus 30 missa crederentur, quae tot caelestia confirmant miracula?

m. Ps. 47, 3 || n. Is. 32, 20 || o. Ps. 18, 7 || p. Ps. 149, 7 || q. Ps. 33, 17 || r. Ps. 74, 5 || s. Ps. 65, 7

1. De ces nombreux synodes il ne reste pas trace dans les documents.

la rumeur, rapide, soulève, même à l'extérieur, dans les populations d'alentour, une joie incroyable. Aussi accourt-on vers lui des cités, des châteaux et des bourgs; et, où qu'il s'arrête, il est reçu dans « l'exultation de toute la terre[m] ».

Ce n'est pourtant pas l'honneur dont il recherche le goût. Il remplit sa misssion de légat : en beaucoup d'endroits se tiennent nombre d'assemblées[1], pour qu'aucune région ni partie de région ne soit frustrée du fruit et de l'utilité de cette mission apostolique. Il « sème sur toutes les eaux[n] », « nul n'échappe[o] » au déploiement de sa sollicitude; il ne tient compte ni du sexe, ni de l'âge, ni de la condition sociale, ni de la profession[2]. Et partout se répand la semence du salut, partout aussi retentit la trompette céleste. Il se rend en tout lieu, en tout lieu il donne l'assaut, dégainant l'épée de la parole « pour exercer la vengeance contre les nations, le châtiment sur les peuples[p] ». Il est la terreur « de ceux qui font le mal[q] ». Il crie « aux arrogants : Pas d'arrogance; et aux transgresseurs : Ne levez pas votre corne[r]. »

La religion, en tout lieu, est plantée, bouturée et cultivée. « Les yeux du légat sont sur eux[s] »; il prend en souci leurs besoins. Dans les conciles qu'il rassemble ici ou là, il rappelle les antiques traditions, qui, malgré la valeur de leurs fondements, se trouvent abolies de par la négligence des évêques. Mais il ne se contente pas d'en restaurer d'anciennes, il en forge aussi de nouvelles. Et tout ce qu'il promulgue est reçu comme venant du ciel : on s'y tient, on le fixe par écrit pour que la postérité s'en souvienne. Comment ne pas croire que tout cela est envoyé du ciel, alors que tant de miracles célestes le confirment?

2. Sur cette absence de préjugé social, cf. *infra,* de saint Bernard, *MalS* 3.

Et ut fidem dictis faciam, perstringam nonnulla paucis. Quis enim cuncta enumeret? Quamquam libentius, fateor, imitandis immorer quam admirandis.

XIX. 43. Et meo quidem iudicio primum et maximum miraculum, quod dedit, ipse erat. Ut enim taceam interiorem hominem eius, cuius pulchritudinem, fortitudinem, puritatem satis indicabant mores ipsius et vita, ipsum
5 exteriorem ita uno semper modo, ipsoque modestissimo et decentissimo gessit, ut nil prorsus appareret in eo, quod posset offendere intuentes.

Et quidem *qui non offendit in verbo, ille perfectus est vir*[t]. At vero in Malachia quis umquam, etiamsi curiosius obser-
10 varit, deprehendit otiosum, non dico verbum, sed nutum? Quis manum pedemve moventem frustra? Immo quid non aedificans in eius incessu, aspectu, habitu, vultu? Denique vultus hilaritatem nec fuscavit maeror, nec levigavit risus. Totum in eo disciplinatum, totum insigne virtutis, perfec-

t. Jac. 3, 2

---

1. Ce titre, inaugurant la deuxième partie, est de notre initiative. Mais le paragraphe qui suit le justifie pleinement. Après une partie chronologique, nous abordons maintenant un portrait de Malachie, puis l'illustration de sa sainteté dans toutes sortes de miracles. Cette deuxième partie coïncide avec les § 43 à 66. Un même thème en signale le début et la fin : admirer et imiter. L'auteur le dit, dans ce § 42 : à défaut de pouvoir être imités, les miracles de saint Malachie attestent en lui l'homme évangélique qui, lui, se propose à notre admiration et à notre imitation. Ce sera aussi la conclusion de l'auteur au § 66 : on trouve en Malachie non seulement de quoi admirer, mais aussi de quoi imiter.

II. L'HOMME DE DIEU[1]

Et pour confirmer ces dires, je rapporterai quelques faits en peu de mots. Comment, en effet, les énumérer tous? Encore que je préférerais, je l'avoue, m'attarder à ce qu'on peut imiter chez lui, plutôt qu'à ce qu'on doit seulement admirer.

Portrait de l'homme de Dieu

XIX. 43. Et, à vrai dire, je pense que le premier et le plus grand des miracles offerts par cet homme, c'est ce qu'il fut lui-même[2]. Pour ne rien dire de son être intérieur, dont la beauté, la force et la pureté éclataient tellement dans sa vie et son attitude, son être extérieur se présentait toujours avec tant d'égalité, de modestie et de dignité, que rien en lui n'aurait pu choquer ceux qui le regardaient.

Il est certes bien vrai que «celui qui ne commet pas d'écart de langage est un homme parfait[t]». Mais, en ce qui concerne Malachie, même en l'observant avec plus d'attention, qui jamais a surpris en lui je ne dis pas même une parole, mais simplement un geste oiseux? ou un mouvement inutile de la main ou du pied? Plus encore : qui n'a pas été édifié par sa démarche, son allure, sa tenue, son expression? Ni l'ombre de la tristesse ni le manque de sérieux du rire ne venaient altérer la joie de son visage[3]. Tout en lui n'était que maîtrise, rayonnement de vertu,

2. Même remarque, à propos de saint Bernard, in *Vita prima,* 3, 1. Ce paragraphe 43 révèle un certain parallélisme avec un passage du récit de Gerlac de Milevsko (en Bohême) de la vie de Godescalch, *Continuatio annalium Vincentii Pragensis, MGH, Scriptores,* XVII, 700, 23-36.

3. Cf. aussi, de saint Bernard, le *MalS,* 4.

15 tionis forma. Per omnia serius, sed non austerus. Remissus interdum, dissolutus numquam. Negligens nihil, etsi pro tempore multa dissimulans. Quietus saepe, sed minime aliquando otiosus.

A die primo conversionis suae usque ad extremum vitae, 20 sine proprio vixit. Non servos, non ancillas, non villas vel 349 viculos, non denique quidquam redituum ecclesiasticorum saeculariumve, vel in ipso habuit episcopatu. Mensae episcopali nihil prorsus constitutum vel assignatum, unde episcopus viveret. Nec enim vel domum propriam habuit. 25 Erat autem paene incessanter circuiens parochias omnes, *Evangelio* serviens et *de Evangelio vivens*[u], *sicut constituit* ei *Dominus*[v] : *Dignus est,* inquiens, *operarius mercede sua*[w]. Nisi quod frequentius ipsum *Evangelium sine sumptu ponens*[x], de laboribus suis suorumque ferebat, unde se et eos, qui 30 secum laborabant, in opere ministerii sustentaret[y].

Porro si interdum quiescere oporteret, in sanctis hoc faciebat locis, quae ipse per Hiberniam sparserat universam; apud quos vero moram facere libuisset, illorum se conformavit moribus et observantiis, communi contentus 35 vita et mensa. Non fuit in victu, non fuit in vestitu[z], in quo potuisset Malachias dignosci inter ceteros fratres : in tantum, cum maior esset, humiliavit se in omnibus.

44. Denique cum exiret ad praedicandum, cum peditibus pedes et ipse ibat, episcopus et legatus. Forma apostolica haec, et inde magis mira in Malachia, quo rara

u. I Cor. 9, 14 || v. Matth. 27, 10 || w. Lc 10, 7 || x. I Cor. 9, 18 || y. cf. Phil. 4, 3 || z. cf. I Tim. 6, 8 (Patr.)

1. Ou «tous les diocèses» *(omnes parochias),* si l'on pense ici au légat plus qu'à l'évêque.

2. ** Cf. *supra,* Préambule, p. 176, note 2.

3. Le fait d'aller à pied est pour saint Bernard un signe très notable de conformité aux apôtres : cf. *supra,* VIII, 17 et note 1, p. 228.

modèle de perfection. En toutes choses il était sérieux, mais pas austère. Détendu à l'occasion, mais jamais relâché. Sans aucune négligence, mais capable de fermer les yeux, un temps, sur certaines choses. Souvent tranquille, mais jamais le moins du monde oisif.

Dès le jour de son entrée dans la vie monastique, et jusqu'à sa mort, il vécut sans rien posséder en propre : même comme évêque il n'eut ni serviteurs, ni servantes, ni fermes, ni domaines, ni le moindre revenu ecclésiastique ou séculier. Aucune mense épiscopale n'était prévue ni constituée, sur laquelle il aurait pu vivre. Il n'eut même pas de maison à lui, car il était presque continuellement à parcourir toutes les paroisses[1], «au service de l'évangile et vivant de l'évangile[u]», «comme l'a établi le Seigneur[v]» en disant : «L'ouvrier mérite son salaire[w].» A moins que – ce qui arrivait le plus souvent – «il ne proposât l'évangile sans aucune contrepartie matérielle[x]»; c'était alors par son travail et celui des siens qu'il avait de quoi subvenir à ses besoins et à ceux de ses collaborateurs dans l'œuvre du ministère[y].

Et entre-temps, s'il lui fallait prendre quelque repos, il le faisait dans ces lieux saints qu'il avait lui-même semés à travers toute l'Irlande. Mais chez les moines où il avait choisi de faire halte, il se conformait à leurs coutumes et à leurs observances, et se contentait de la vie et de la table communes. Ce ne fut jamais par le couvert ou le vêtement[z2] qu'on aurait pu distinguer Malachie parmi tous les frères, tellement lui, tout supérieur qu'il était, s'abaissait au rang de tous.

Un modèle d'évêque apostolique

44. En outre, lorsqu'il s'en allait prêcher, c'est à pied, comme ses compagnons, qu'il se déplaçait, lui, évêque et légat. C'est la manière de faire des apôtres[3], d'autant plus admirable, dans le cas de

nimis in aliis. Verus profecto apostolorum heres est iste
5 qui talia agit. Sed advertere est, quomodo dividat heredi
tatem cum fratribus suis[a], aeque nepotibus apostolorum
Illi *dominantur in clero*[b]; iste, *dum esset liber ex omnibus*
omnium se servum fecit[c]. Illi aut non evangelizantes mandu
cant, aut evangelizant ut manducent; Malachias, imitan
10 Paulum, manducat, ut evangelizet. Illi fastum et *quaestum*
aestimant pietatem[d]; Malachias hereditate vindicat sibi opu
et onus. Illi felices se credunt, si *dilataverint terminos suos*[e]
Malachias in dilatanda caritate gloriatur. Illi *congregant i*
horrea[f] et dolia replent, unde onerent mensas; Malachia
15 colligit in deserta et solitudines, unde impleat caelos. Illi
cum accipiant decimas, et primitias, et oblationes, insupe
et de Caesaris beneficio telonea, et tributa, et alios reditu
infinitos, *solliciti sunt* nihilominus *quid manducent*[g] et qui
bibant; Malachias nihil horum habens, multos tamen
350 20 locupletat[h] de promptuario fidei.

Illis nec cupiditatis, nec sollicitudinis ullus est finis
Malachias, cupiens nihil, non novit tamen cogitare de
crastino[i]. Illi a pauperibus exigunt, quod dent divitibus
iste sollicitat divites pro pauperibus sustentandis. Illi
25 marsupia vacuant subditorum; iste pro peccatis eorum
altaria cumulat votis hostiisque pacificis. Illi alta palati
erigunt, turres ac moenia ad caelos levant; Malachias

a. cf. Lc 12, 13 || b. I Pierre 5, 3 || c. I Cor. 9, 19 || d. I Tim. 6, 5
e. Ex. 34, 24 || f. Matth. 6, 26 || g. Matth. 6, 25 || h. cf. II Cor. 6, 10
i. cf. Matth. 6, 34

1. La remarque pourrait concerner l'esprit de collégialité épiscopal qui habitait Malachie. Elle peut aussi être ironique.
2. Même remarque in *Dil,* VII, 17.
3. Ce thème s'annonce déjà dans le préambule du présent écrit, *supra,* XIV, 31.

Malachie, qu'elle est plus rare chez les autres évêques. Assurément, celui qui agit de la sorte se montre un véritable héritier des apôtres. Mais remarque bien sa manière de partager l'héritage avec ses frères[a], qui sont également descendants des apôtres[1]. Eux font «les seigneurs à l'égard de ceux qui leur sont échus en partage[b]»; lui, «tout en étant libre à l'égard de tous», s'est «fait le serviteur de tous[c]». Ceux-là mangent sans évangéliser, ou évangélisent pour manger; Malachie, lui, à l'exemple de Paul, mange pour évangéliser[2]. Ceux-là ramènent la piété à une occasion de faste et à «une source de profit[d]»; Malachie, lui, ne réclame de l'héritage que le travail et la charge. Ceux-là se croient heureux s'ils sont parvenus à «élargir leur territoire[e][3]»; Malachie, lui, se glorifie s'il a pu élargir les dimensions de l'amour. Ceux-là «amassent dans les greniers[f]» et remplissent des tonneaux, de quoi charger leur table; Malachie, lui, rassemble dans la solitude des déserts de quoi remplir le ciel. Ceux-là encaissent dîmes, prémices et oblations, sans compter les bénéfices accordés par César : taxes, impôts et revenus divers à l'infini, et pourtant ils n'en sont pas moins «tout soucieux de ce qu'ils vont manger[g]» et boire; Malachie, lui, ne possédant rien de tout cela, en enrichit beaucoup[h], puisant dans le grenier de la foi.

Chez ceux-là la cupidité est sans limite, autant que l'inquiétude; Malachie, lui, qui est sans désir, ne connaît pourtant pas le souci du lendemain[i]. Ceux-là réclament aux pauvres de quoi donner aux riches; lui, demande aux riches les moyens d'aider les pauvres. Ceux-là vident la bourse de leurs ouailles; lui, pour leurs péchés, couvre les autels[4] de vœux et d'offrandes pacifiques. Ceux-là érigent de hauts palais, élevant vers le ciel tours et murailles. Malachie, «qui

4. L'expression *altare cumulare* se trouve dans la secrète de la messe pour la Nativité de saint Jean-Baptiste, au *Missel romain*.

non habens ubi caput reclinet[j], *opus facit evangelistae*[k]. Illi equos ascendunt cum turba hominum gratis manducan-
30 tium panem, et non suum; Malachias saeptus sanctorum fratrum collegio, pedes circuit, portans *panes angelorum*[l], quibus *satiet animas esurientes*[m]. Illi plebes ne agnoscunt quidem; iste erudit. Illi potentes et tyrannos honorant; iste punit.

35 O virum apostolicum, quem tot et talia nobilitant signa apostolatus sui! Quid ergo mirum, si mira est operatus, sic mirabilis ipse? Immo vero non ipse, sed Deus in ipso. Alioquin *Tu es Deus,* inquit, *qui facis mirabilia*[n].

XX. 45. Erat mulier in civitate Culratim, daemonium habens. Vocatus est Malachias : orat pro addicta, urget invasorem; exit, sed, nondum exsaturata nequitia eius, miseram invadit mulierculam, quae forte prope assisteret.
5 Et Malachias : «Non ad hoc, inquit, tibi illam tuli, ut hanc pervaderes; exi et ab ea[o].» Paret, sed repetit priorem. Qua denuo pulsus, recurrit in alteram. Ita per aliquod spatium alternatim vexabat illas, hinc inde refugiens. Tunc sanctus indignans sibi illudi a daemone colligensque spiritum
10 infremuit et, totis viribus fidei facto impetu in adversarium, ab utraque fugavit, et quidem non minus vexatum his, quas vexaverat ipse.

j. Lc 9, 58 || k. II Tim. 4, 5 || l. Ps. 77, 25 || m. Ps. 106, 9 || n. Ps 76, 15 || o. cf. Mc 9, 24

1. *Plebes : plebs* au sens de peuple laïque, distingué des clercs
2. Jeu de mots : *mirum, mira, admirabilis.*
3. Ou Cowlrath (Culratim en latin) : au nord-est de la ville de Derry

n'a pas de lieu où reposer la tête[j]», «fait œuvre d'évangéliste[k]». Ceux-là se déplacent à cheval, escortés d'une foule de gens, qui mangent sans y avoir droit, un pain qui n'est pas à eux; lui, entouré d'une communauté de frères pleins de sainteté, voyage à pied, portant «le pain des anges[l]», dont peuvent «se rassasier les âmes affamées[m]». Ceux-là ne connaissent pas même leur peuple[1] : lui, instruit le sien. Ceux-là honorent potentats et tyrans; lui les punit.

Ô quel homme apostolique, que viennent ennoblir les signes si nombreux et si considérables de son apostolat! Quoi d'étonnant s'il a opéré des merveilles, lui, un homme à ce point admirable[2]? Ou plutôt non : pas lui, mais Dieu en lui. D'ailleurs il est dit : «Tu es le Dieu qui fais des merveilles[n].»

Malachie chasse un démon

XX. 45. Il y avait dans la cité de Coleraine[3] une femme possédée d'un démon. Appelé au secours, Malachie prie pour la captive, il menace celui qui l'a envahie. Celui-ci s'en va, mais sa perversité n'était pas épuisée; il prend possession d'une pauvre femme qui par hasard se trouvait à proximité. Malachie de lui dire : "Non, je ne t'ai pas enlevé celle-ci pour que tu t'installes en celle-là. Sors d'elle aussi[o]." Le démon obéit, mais reprend possession de la première. Puis, chassé à nouveau, il revient à la seconde. Et ainsi de suite, durant un bon moment; il les tourmentait alternativement, fuyant de l'une à l'autre. Alors le saint, furieux de voir le démon se jouer de lui, rassembla son esprit, et frémissant intérieurement, il se lança contre l'adversaire avec toutes les forces de sa foi et le chassa des deux femmes, lesquelles le malmenaient autant qu'il les avait malmenées.

dans le nord de l'Ulster, où se trouvait un monastère fondé, dit-on, par saint Patrick lui-même.

Ceterum quod moram fecit sancto, non putes, lector, fuisse virtutis eius, sed dispensationis divinae, ut videlicet
15 ex hoc manifestior fieret et maligni praesentia, et victoria Malachiae. Denique audi quid alibi fecerit, non autem per praesentiam suam. Et utique potuit praesens, quod absens valuit.

351 **46.** In regione Li aquilonaris partis Hiberniae, iacebat in domo infirmus, nec dubium quin daemonum maleficio. Nam quadam nocte audivit eos loquentes, dicente altero ad alterum : « Vide ne miser iste hypocritae illius stratum
5 stramenve contingat, *et* sic *effugiat manus*[p] nostras. » Cognovit homo quod Malachiam loquerentur, quem non multo ante in eadem domo meminerat pernoctasse – et adhuc stramen in loco –, sumptaque fiducia, et quo potuit conatu, coepit repere debilis corpore, sed fide fortis. Et
10 ecce in aere clamor et vociferatio : « Prohibe eum, prohibe ; retine eum, retine : amittimus praedam. » Verum is quem portabat fides et desiderium evadendi, quanto plus clamabat illi, tanto magis genibus manibusque nitens, ad remedium festinabat. Et perveniens ascendit lectulum,
15 volutatur in stramine, audit ululatum plangentium : « Heu, heu ! Ipsi nos prodidimus, decepti sumus, evasit ! » Et dicto citius recessit ab eo daemonum terror et horror quem patiebatur, et omnis pariter aegritudo.

p. II Cor. 11, 33

---

1. Fir Li (ou Li, comme écrit saint Bernard) : région qui comprend Coleraine, et s'étend au sud de cette cité.

2. Cf. WALFRID STRABON, *Vie de saint Gall,* ch. VII, qui rapporte un semblable dialogue entre le démon de l'eau et celui de la montagne. * L'hagiographie et les recueils d'exempla fourmillent de récits sur la veille ardente des démons au chevet des mourants : voir Frédéric C. TUBACH, *Index Exemplorum A. Handbook of medieval religious tales,*

Mais ce délai imposé au saint par le démon, ne l'impute pas, lecteur, à la puissance de ce dernier. C'est Dieu qui l'a ainsi permis, afin de rendre plus évidentes et la présence du Malin et la victoire de Malachie. Enfin écoute ce que ce dernier a fait ailleurs, mais non plus par sa présence. Effectivement, ce qu'il a pu accomplir en étant présent, absent il en était capable aussi.

Même absent, le saint expulse les démons

46. Dans la région de Fir Li[1], au nord de l'Irlande, un infirme gisait dans sa maison; impossible de mettre en doute que ce fût là un maléfice des démons. Car, une nuit, cet homme les avait entendu parler et se dire l'un à l'autre : "Attention, il ne faut pas que ce malheureux vienne toucher la couche ou la paillasse de cet hypocrite, et n'échappe ainsi à nos mains[p]." L'homme comprit qu'ils parlaient de Malachie, lequel – il s'en souvint – avait passé la nuit dans cette même maison peu de temps auparavant; son lit y était encore dressé. Alors l'homme, reprenant confiance et rassemblant toutes ses énergies, se mit à ramper, faible physiquement, mais fort dans la foi. Or voici, l'air retentit d'un cri, d'un hurlement : "Empêche-le, empêche-le; retiens-le, retiens-le; notre proie nous échappe!" Mais celui que soulevaient sa foi et son désir d'être libéré, plus le cri s'élevait, plus il redoublait d'effort pour avancer sur les genoux et les mains, se hâtant vers son remède. Il parvient au but, se hisse sur le lit, se roule sur la paillasse, et perçoit la clameur de leurs lamentations : "Hélas, hélas! nous nous sommes trahis, nous nous sommes laissé duper : il nous a échappé!" Et, à ces mots, cette terreur et cette horreur des démons, dont il souffrait, le quittèrent aussitôt, et en même temps toute sa maladie[2].

Helsinki, 1969 (Folklore Fellows Communications 204), «Devils at deathbed», p. 440.

In Lesmor civitate homo a daemonio vexatus per
20 Malachiam liberatus est.

Item transeunti aliquando per Laginiam, oblatus illi infans habens daemonium, sanus relatus est. In regione eadem ligatam funibus phreneticam solvi iussit, et in aqua, quam benedixit, lavari. Lota est et sanata est.

25 Alteram quoque in Saballo regione Ulidiae, membra propria dentibus laniantem, orando et tangendo curavit.

Amentem hominem, multa praedicentem futura, amici et propinqui adducunt ad Dei hominem, vinctum funibus et fortiter, quod fortem ad nocendum rabies ipsa fecisset et
30 terribilem valde. Orat Malachias, et incontinenti aeger sanatur et solvitur. Factum est hoc loco quodam, cuius nomen tacemus, quod nimis barbarum sonet, sicut et alia multa.

352 Alio tempore, in praefata civitate Lesmor, puellam
35 mutam parentes eius in media platea offerunt transeunti, cum multa supplicatione rogantes, ut ei subvenire dignetur. Stat Malachias et, facta oratione, tangens digito linguam eius, sputum misit in os, et loquentem dimisit.

XXI. 47. Exiens de quadam ecclesia, obvium habuit hominem cum uxore sua, quae non poterat loqui. Rogatus, ut eius misereatur, stat in porta, populo circumstante, et, data benedictione super eam, iubet Dominicam dicere
5 orationem. Dixit illa, et populus benedixit Dominum.

1. Laighin (Lagina en latin, Leinster en anglais) : province orientale de l'Irlande.

2. Saul (Saball) : juste à l'est de Down. C'est là que saint Patrick aurait abordé et commencé sa mission d'évangélisation.

Autres exorcismes Dans la cité de Lismore un homme harcelé par un démon fut libéré par Malachie.

De même, comme il passait un jour par Laighin[1], on lui amena un enfant possédé d'un démon : il le rendit guéri. Dans la même région, il donna l'ordre de délier de ses cordes une frénétique, et de la laver dans l'eau qu'il venait de bénir. Lavée, elle fut guérie.

Une autre femme encore, à Saul[2], en Ulster, se déchirait les membres avec les dents; il la guérit en priant et en la touchant.

Un homme insensé, capable de prédire beaucoup d'événements à venir, est amené par ses amis et ses proches à l'homme de Dieu, lié de cordes, et solidement, tant la rage l'avait rendu fort pour faire le mal et vraiment terrible. Malachie prie, et sur-le-champ, le malade est guéri et débarrassé de ses liens. L'événement eut lieu dans un endroit dont nous tairons le nom : il a comme beaucoup d'autres, une sonorité trop barbare.

Diverses guérisons de muets Une autre fois, dans la cité déjà nommée de Lismore, une jeune fille muette lui est présentée par ses parents au milieu d'une place, au moment où il passe; avec de grandes supplications, ils lui demandent de bien vouloir lui venir en aide. Malachie s'arrête; et, après avoir prié, touche sa langue du doigt, lui met de la salive dans la bouche, et la laisse repartir : elle parlait.

XXI. 47. Comme il sortait d'une église, un homme vint à sa rencontre, avec sa femme qui ne pouvait parler. Prié d'avoir compassion d'elle, Malachie s'arrête sur le porche, et, entouré du peuple, il fait sur elle une bénédiction et lui commande de prononcer l'Oraison dominicale. Elle la récita, et le peuple bénit le Seigneur.

In civitate, cui nomen Oenthreb, decumbens lectulo quidam iam dies duodecim privatus linguae officio, ad iussionem visitantis se sancti, loquelam recuperat, eucharistiam sumit et, ita munitus, extremum in bona confes-
10 sione efflavit spiritum. O *oliva fructifera in domo Dei*[q]! O oleum iucunditatis, ungens et lucens! Et splendore miraculi illustravit sanos, et suavitate beneficii unxit infirmum, cui mox morituro salutarem confitendi et communicandi obtinuit facultatem.
15 Intravit ad eum quidam de nobilibus, *habens* ei *aliquid dicere*[r]. Qui inter loquendum, fide plenus, tres iuncos pie furatus de lectulo, quo ille sedebat, tulit secum, et multa Deus de furto pietatis est operatus, fide illius, et praesulis sanctitate.

20 Forte venerat in civitatem nomine Cluenvania. Et cum sederet ad mensam, ingressus vir nobilis de civitate ipsa, humiliter supplicat pro *uxore praegnante*[s], quae iam sollemne omne praeterisset *tempus pariendi*[t], *ita ut mirarentur omnes*[u]; et nemo, qui aliud quam vitae periculum crederet
25 imminere. Rogat et cum eo Nehemias, episcopus illius civitatis, qui iuxta eum sedebat; rogant et ceteri, quotquot aderant simul discumbentes. Tum ille : «Compatior ei, inquit, quod bona mulier sit et pudica.» Et porrigens viro poculum, cui benedixerat : «Vade, inquit, da illi bibere,
30 sciens eam, sumpto benedictionis potu, et sine mora, et

q. Ps. 51, 10 || r. Lc 7, 40 || s. Lc 2, 5 || t. Lc 1, 57 || u. Mc 2, 12

1. Ou Oentraich, Oenthreb selon saint Bernard : sud de Connor.
2. Même expression dans le *MalS,* 8.
3. Cloyne (Cluain Uama; en latin Cluenvania), sur la côte sud, à l'est de Cork.
4. Néhémie (ou Gille na Naomh Ua Muirchertaig), évêque de Cloyne, mort en 1149.

Dans la cité nommée Antrim[1], un homme était alité, privé depuis douze jours de l'usage de sa langue. Sur l'ordre du saint venu le visiter, il retrouve la parole, reçoit l'eucharistie, et, ainsi fortifié, il rendit le dernier souffle au cours d'une bonne confession. Ô quel «olivier fécond dans la maison de Dieu[q]»! Ô quelle huile de joie, pour oindre et éclairer[2]! Par la splendeur du miracle, Malachie a illuminé les gens en bonne santé, et par la douceur du bienfait, il a oint le malade, en obtenant pour ce dernier, qui était à l'article de la mort, la possibilité salutaire de se confesser et de communier.

Quelqu'un d'une noble famille, qui avait quelque chose à lui dire, lui rendit visite[r]. Tout en parlant, ce personnage, rempli de foi, s'empara furtivement – dans une pieuse intention – de trois tiges de jonc arrachées au lit où Malachie était assis; il les emporta avec lui, et par l'entremise de ce larcin, commis par piété, accomplit beaucoup de choses, grâce à la foi de l'homme en question et à la sainteté de l'évêque.

Heureux accouchements

Il était venu par hasard dans une ville nommée Cloyne[3]. Et, comme il prenait place pour le repas, un homme entra, un notable de la cité, qui le supplie humblement en faveur de «son épouse enceinte[s]» : elle avait déjà dépassé le délai où normalement, elle aurait dû accoucher[t], «si bien que tous s'en étonnaient[u]», et personne ne prévoyait autre chose pour elle que le risque d'y laisser sa vie. A cette demande se joint aussi Néhémie[4], l'évêque de cette cité, qui était à table à côté de Malachie. Et tous ceux qui se trouvent attablés avec eux le prient pareillement. Et Malachie de répondre : “J'ai compassion d'elle, car c'est une femme bonne et chaste.” Tendant alors au mari une coupe qu'il venait de bénir, “Va, lui dit-il, donne-lui à boire, et sache que, dès qu'elle aura bu de cette boisson de

sine periculo parituram.» Factum est quod praecepit, et nocte ipsa subsecutum est quod promisit.

Sedebat in campo cum comite Ulydiae aliqua tractans, et
353 multitudo copiosa[v] circa eos. Venit mulier gravida, et vere
35 gravis. Indicat se contra omnes naturae leges retinere partum iam quindecim mensibus et diebus viginti. Compassus Malachias super novo et inaudito incommodo, orat, et mulier parit. Et qui aderant laetati sunt et mirati sunt. Omnes enim viderunt in qua facilitate et velocitate loco
40 eodem enixa sit et triste negati partus miraculum miraculo commutatum iucundiori.

XXII. 48. Accidit ibidem quiddam pari quidem miraculo, sed sorte dispari. Vidit hominem qui publice tenere diceretur concubinam fratris, et hic erat miles, minister comitis. Et publice conveniens incestuosum, alterum ei
5 Ioannem exhibuit : «*Non licet tibi,* inquiens, *concubinam habere fratris tui*[w].» At ille alterum ipsi nihilominus Herodem redhibens, non modo non audivit eum, sed et superbe respondit, et coram omnibus iurat[x] numquam se dimissurum. Tum commotus Malachias, sicut erat pro
10 iustitia vehementer zelans : «Et Deus, inquit, te ab illa separet vel invitum.»

Parvipendens ille, ex instanti abiit indignabundus. Offendensque mulierem non longe a turba constituta loco, vi oppressit eam, sicut erat Satanae totus, cui paulo

v. cf. Lc 6, 17 || w. Mc 6, 18 || x. cf. Mc 6, 22-23

1. Avant l'occupation normande, l'Irlande ne connaît pas le titre féodal de comte. Il doit s'agir de quelque roi de l'Ulster.

bénédiction, sans retard et sans risque, elle accouchera." On fit ce qu'il avait prescrit, et, la nuit même, l'événement qu'il avait promis se produisit.

Il était assis dans un champ, en compagnie du comte[1] d'Ulster avec lequel il traitait quelque affaire, et une foule nombreuse les entourait[v]. S'avance une femme enceinte, et vraiment grosse : contre toutes les lois de la nature, explique-t-elle, elle est enceinte depuis quinze mois et vingt jours. Saisi de pitié devant un malheur aussi inaccoutumé et inouï, Malachie prie, et la femme accouche. Tous ceux qui étaient là sont dans la joie et l'admiration. Tous, en effet, ont pu voir avec quelle facilité et quelle rapidité, sur place, elle mit au monde son enfant, et comment le triste miracle d'un accouchement impossible a été changé en un miracle combien plus heureux.

Un infâme livré à Satan

XXII. 48. Survint en ce même lieu un miracle aussi grand, mais dont les suites furent bien différentes. Malachie vit un homme dont on disait qu'il s'affichait publiquement avec la concubine de son frère; et il était chevalier, ministre du comte. Rencontrant publiquement l'incestueux, il se conduisit à son égard comme un nouveau Jean-Baptiste : «Il ne t'est pas permis, lui dit-il, d'avoir la concubine de ton frère[w].» Mais l'homme, reprenant pour sa part le rôle d'Hérode, non content de ne pas écouter, répondit avec suffisance et jura devant tous[x] que jamais il ne s'en séparerait. Malachie alors, bouleversé, tant est violent en lui le zèle pour la justice, lui rétorque : "C'est Dieu qui te séparera d'elle – et même contre ton gré."

Sans prendre cette parole au sérieux, l'homme s'en alla sur-le-champ, gonflé d'indignation. Rencontrant alors une femme non loin de la population établie en ce lieu, il lui fit violence, comme s'il était tout entier au pouvoir de Satan,

15 ante traditus[y] fuerat. Nec latuit flagitium. Ancilla, quae dominam comitabatur, recurrens domum – nempe haud procul aberat loco –, nuntiat anhela quid mali acciderit. Ad quam vocem germani illius, qui domi erant, zelantes sororis stuprum, tota illo festinantia pervolant, pudicitiae 20 hostem, ipso in loco et opere sceleris deprehensum, multis confossum vulneribus interimunt.

Necdum conventus solutus erat, cum ecce armiger illius quod evenerat nuntiavit. *Et mirati sunt universi*[z], quod sententia Malachiae tam celerem habuisset effectum. 25 Timuerunt quique flagitiosi audito hoc verbo – nam multi erant in terra –, et territi purgati sunt, *lavantes manus suas in sanguine peccatoris*[a].

XXIII. 49. Diarmitium comitem, multo iam tempore 354 decumbentem lecto, duriter quidem increpans quod malus homo esset, immoderatius *serviens ventri*[b] et gulae, benedicta aspersum aqua sine mora surgere fecit, et ita 5 valentem, ut illico equum ascenderet, et utique praeter spem suam ipsius et suorum.

In urbe Caselensi venit homo ante eum cum filio paralytico, rogans illum sanari[c]. Qui orans breviter : « Vade, inquit, filius tuus sanabitur[d] ». It, et crastino redit

y. cf. I Cor. 5, 5 || z. Lc 1, 63 || a. Ps. 57, 11 || b. Rom. 16, 18 || c. cf. Matth. 8, 6 et Jn 4, 47 || d. cf. Jn 4, 50 et Matth. 8, 13

1. Cette expression hébraïque reçoit ici une interprétation chrétienne : le sang versé du pécheur a une action purifiante – plus ou moins dérivée de celle du sang du Christ – quand sa punition sert de leçon à d'autres.

2. Diarmitius : on ne sait rien d'autre de ce personnage. S'agirait-il de Dermitio Mac Murchada, roi du Leinster (ou Laighin) de 1125 à 1171, au secours de qui les Normands seraient entrés en 1169-1170?

auquel il venait d'être livré[y]. Ce crime ne passa pas inaperçu. Une servante, qui accompagnait la dame, revient en courant à la maison – laquelle n'était pas très éloignée – et, hors d'haleine, elle annonce le méfait qui vient d'arriver. A cette nouvelle, les frères de cette femme, qui se trouvent chez eux, furieux du viol de leur sœur, se précipitent sur place; et à l'endroit même de l'attentat, ils prennent sur le fait l'ennemi de la pudeur, le criblent de coups et le tuent.

L'assemblée autour de l'évêque ne s'était pas encore séparée, et voici l'écuyer de cet homme qui racontait l'événement. « Tous furent frappés d'étonnement[z] » devant l'effet si prompt qu'avait eu la sentence de Malachie. Ils eurent peur, en apprenant cela, tous les débauchés – qui étaient nombreux dans le pays – et, terrorisés, ils se purifièrent, « lavant leurs mains dans le sang du pécheur[a 1] ».

Guérisons de paralysés

XXIII. 49. Le comte Diarmitius[2] était depuis longtemps alité. Tout en lui reprochant durement d'être un homme mauvais, et sans la moindre mesure « de servir son ventre[b] » et sa bouche, Malachie l'aspergea d'eau bénite et sans délai le fit lever, en si bonne forme que l'homme monta aussitôt à cheval : c'était plus qu'il n'en espérait, lui et les siens.

Dans la cité de Cashel[3], un homme s'avance à sa rencontre avec son fils paralysé, en lui demandant de guérir ce dernier[c]. Après une brève prière, Malachie lui dit : “Va, ton fils guérira[d].” Il s'en va, mais revient le lendemain avec

3. Cashel (Caseleus, en latin), primitivement cité royale pour l'ensemble du Munster, et érigée en Église cathédrale et métropolitaine par le Synode de Rathbreasail, en 1111.

10 cum filio, sed minime sanato. Tum surgens Malachias et stans super eum, diutius oravit[e], et ille sanatus est. Et conversus ad patrem : « Offer », inquit, « illum Deo ». Annuit homo, sed non tenuit, et post aliquot annos ille iam iuvenis recidit in idipsum, sine dubio propter inoboedien-
15 tiam patris et pacti transgressionem.

Alius quidam, veniens de longinquo, cum esset Malachias in finibus Mumuniae, attulit ad eum filium, pedum penitus officio destitutum. Percunctatus quonam modo illi id accidisset : « Ut suspicor, inquit, daemonum mali-
20 gnitate ». Et addit : « Ludenti in prato ipsi, ni fallor, immisere soporem, evigilansque puerulus sic se invenit. » Haec dicens, cum lacrimis precem fundit, afflagitat opem. Misertus eius oravit Malachias, iubens aegrum interim dormire ibidem super solum. Dormivit, et surrexit sanus.
25 Hunc ipse, quia de longe venerat, aliquamdiu in comitatu suo retinuit, et erat *ambulans cum eo*[f].

50. In monasterio Benchorensi pauper quidam fratrum eleemosynis sustentabatur, et erat quotidianam accipiens stipem, aliquid officii factitans in pistrino. Is claudus ab annis duodecim, humi manibus repens, post se trahebat
5 pedes emortuos, quem die quadam ante cellam suam Malachias maestum et maerentem inveniens, causam percunctatur. Et ille : « Vides, inquit, quam ex longo misellus afflicter et *manus Domini super* me[g]; et ecce, ad cumulum

e. cf. III Rois 17, 21 || f. Mc 1, 18 || g. Act. 13, 11

1. Comme « oblat », précisément, selon la coutume d'« offrir » des enfants au monastère, qui les instruisait. Par la suite, ils devenaient moines, ou pouvaient retourner à la vie séculière.

son fils, qui n'était pas guéri. Malachie alors se lève et, debout au-dessus de lui, prie plus longuement[e], et l'enfant est guéri. Se tournant vers le père, "Offre-le à Dieu[1]", lui dit-il. L'homme donna son accord, mais sans tenir sa promesse. Et quelques années plus tard, le fils, devenu un jeune homme, retomba dans la même infirmité, en raison assurément de la désobéissance du père, qui n'avait pas tenu son engagement.

Un autre, venant de loin, alors que Malachie se trouvait dans le territoire du Munster, lui apporta son fils, privé complètement de l'usage de ses pieds. A l'évêque qui s'enquiert de la manière dont cela s'est produit, le père répond : "Je soupçonne que c'est dû à la méchanceté des démons." Et il ajoute : "Comme l'enfant jouait dans un pré, ceux-ci, si je ne me trompe, lui envoyèrent un profond sommeil, et, à son réveil, il se trouvait dans cet état." Ce disant, tout en larmes, il se met à prier et à implorer son aide. Saisi de pitié pour lui, Malachie, après avoir prié, ordonna de faire dormir le malade en cet endroit, à même le sol. Il s'endormit et se releva guéri. Comme il venait de loin, l'évêque le retint quelque temps en sa compagnie, et lui marchait à sa suite[f].

Un pauvre remis sur pied

50. Dans le monastère de Bangor, un pauvre vivait des aumônes des frères; il recevait son petit salaire quotidien pour les menus services qu'il rendait à la boulangerie. Perclus depuis douze ans, il se traînait sur les mains, et tirait derrière lui ses pieds complètement inertes. Un jour Malachie, le trouvant devant sa cellule, accablé de chagrin et en larmes, lui demande la raison de sa peine. Et lui de répondre : "Tu vois depuis combien de temps je suis affligé de cette misère, depuis quand «la main du Seigneur est sur» moi[g]; or voilà que, pour comble de tourment, les

aerumnae, homines qui misereri debuerant, irrident me
10 potius, miseriam exprobrantes.»

Quem ubi audivit, pietate motus *suspexit in caelum*[h], manus pariter levans. Facta autem brevi oratione, ipse intravit cellam, et ille surrexit. Et *stans super pedes* suos[i], mirabatur, si vere esset quod erat paene somnium suspica-
15 tus[j]. Coepit tamen se pedetentim movere; neque enim
355 posse ire satis credebat. Tandem *quasi* e *gravi somno evigilans*[k], cognoscit misericordiam Domini super se; firmiter graditur, et in pistrinum revertitur, *exsiliens* et exsultans, *et laudans* Deum[l]. Viso eo, qui ante viderant et cognoverant,
20 repleti sunt stupore et extasi[m], *phantasma putantes*[n].

Virum item hydropicum orando sanavit, qui illico remansit in monasterio, pastor ovium factus.

51. Civitas Hiberniae, nomine Corcagia, vacabat episcopo. Tractatum est de electione : dissensere partes, quibusque, ut assolet, praesulem volentibus constituere suum, non Dei. Venit illuc Malachias, audita dissensione. Convo-
5 cato clero et populo, etiam corda et vota discordantium unire curavit. Et persuasis illis totum negotium sibi debere credi, cui potissimum sollicitudo incumberet illius, sicut et aliarum per Hiberniam ecclesiarum[o], incontinenti nominat eis, non quempiam de nobilibus terrae, sed

h. Mc 7, 34 || i. Act. 26, 16 || j. cf. Act. 12, 9 || k. Gen. 45, 26 || l. Act. 3, 8 || m. cf. Act. 3, 10 || n. Mc 6, 49 || o. cf. II Cor. 11, 28

1. Corcagia, en latin : cette cité comprenait un monastère célèbre fondé au VIe siècle par saint Finbarra. Le Synode de Rathbreasail, en 1111, érigea cette cité en siège cathédral, mais on ne sait presque rien des premiers évêques, et l'on ignore la raison pour laquelle le siège est

hommes, au lieu d'être compatissants, se moquent de moi et me reprochent mon malheur".

A ces mots, dans un élan de bonté, Malachie «leva les yeux vers le ciel[h]», élevant aussi les mains. Puis, après une brève prière, lui-même rentra dans sa cellule, et l'autre se dressa. Debout sur ses pieds[i], il se demandait avec stupéfaction si c'était bien réel, car il avait presque l'impression de rêver[j]. Il commença pourtant à faire un pas, puis un autre : de fait, il ne croyait pas pouvoir vraiment marcher. Enfin, «comme s'il émergeait d'un profond sommeil[k]», il prend conscience de la miséricorde du Seigneur à son égard; sa démarche s'affermit, et il retourne à la boulangerie, «sautant, exultant et louant Dieu[l]». En le voyant entrer, ceux qui l'avaient vu auparavant et qui le connaissaient, furent saisis de stupeur et demeurèrent interdits[m] : «ils croyaient voir un fantôme[n]».

La prière de Malachie guérit aussi un hydropique qui, aussitôt, resta au monastère, comme berger des moutons.

Un homme guéri en vue de l'épiscopat

51. Une cité d'Irlande, Cork[1], se trouvait sans évêque. L'élection était en tractation entre des partis rivaux, chacun, comme il arrive souvent, voulant placer son candidat, non celui de Dieu. Arriva Malachie, qui avait eu vent du dissentiment. Ayant convoqué le clergé et le peuple, il s'efforça de faire l'unité entre les cœurs et les désirs des partis en discorde. Il les persuada de lui confier toute l'affaire, puisque c'était à lui en tout premier lieu qu'incombait le souci de leur Église comme des autres Églises[o], à travers l'Irlande entière. Aussitôt il choisit pour eux non pas quelque membre de la

vacant au temps de Malachie. En 1140 mourut Domnal Ua Sealbaig, *erenacus* ou abbé de Cork; mais rien ne prouve qu'il fût évêque, ni que Malachie ait passé dans cette cité peu après, la même année.

10 magis quemdam hominem pauperem, quem sciret sanctum et doctum; et *hic* erat *alienigena*[p].

Quaeritur ille : nuntiatur decumbere lecto, et ita debilis, ut nullo pacto exeat, nisi in manibus portatus ministrantium. Et Malachias : « Surgat, inquit, in nomine Domini :
15 ego praecipio[q]; oboedientia salvum faciet eum. »

Quid faceret ille? Parere volebat, sed imparatum se sentiebat, quod, etsi possit ire, episcopari reformidabat. Ita cum voluntate oboediendi, pugnante gemino hoste, pondere languoris et metu oneris, vicit illa tamen, data sibi in
20 adiutorium spe salutis[r].

356 Itaque conatur, movet sese, tentat vires, invenit se solito fortiorem. Crescit pariter fides cum viribus et, rursum facta fortior fides, dat vicissim viribus incrementum. Iam surgere per se valet, iam meliuscule gradi, iam nec sentire in
25 ambulando lassitudinem; demum expeditus et alacer pervenire ad Malachiam sine hominis adiutorio. Qui assumens eum, misit in cathedram, clero et populo collaudante.

Hoc ita in pace factum est, quia nec illi ausi sunt Malachiae voluntati in aliquo obviare, *videntes signum quod*
30 *fecerat*[s], nec ille parere dubitavit, tam evidenti argumento factus securior de Domini voluntate.

52. *Mulier* quaedam *fluxum sanguinis patiebatur*[t], et haec nobilis, carissima Malachiae, plus tamen ob morum quam generis nobilitatem. Quae ex toto deficiens, nimirum cum

p. Lc 17, 18 || q. cf. Act. 16, 18 et 3, 6 || r. cf. Ps. 93, 22 || s. Jn 2, 23 || t. Matth. 9, 20

1. Il s'agit de Gille Aedha Ua Muigin, qui participa au Synode de Kells, en 1152, en tant qu'évêque de Cork. Natif de Cong (Connacia), au sud de Mayo, il avait été moine à Errew (nord-ouest de l'Irlande, entre Mayo et Killall) – ce en quoi il est étranger non à l'Irlande, mais au Munster méridional. Il mourra en 1172.

noblesse du pays, mais un homme pauvre, dont il sait la sainteté et la culture. Et il s'agissait d'un étranger[p1].

On va le chercher, et l'on s'en revient annoncer qu'il est au lit, si faible qu'il n'est pas question pour lui de sortir, sinon porté sur les bras par des serviteurs. Alors Malachie de s'écrier : "Qu'il se lève, au nom du Seigneur. C'est moi qui l'ordonne[q] : l'obéissance le guérira."

Que pouvait faire cet homme ? Il désirait obéir, mais ne se sentait pas prêt, car, même en état de se déplacer, il aurait redouté de devenir évêque. Ainsi, sa volonté d'obéir était combattue par un double ennemi : le poids de sa langueur et la crainte face au fardeau du ministère. C'est pourtant l'obéissance qui l'emporta, avec l'aide que lui apportait l'espoir du salut[r].

Ainsi donc l'homme fait un effort, remue ses membres, essaie ses forces, et se trouve plus vaillant que d'habitude. Sa foi grandit en même temps que ses forces, et, devenue plus ferme, elle produit en retour une recrudescence des forces physiques. Le voici déjà capable de se lever seul, déjà en état de marcher un peu mieux, déjà prêt à circuler sans ressentir de fatigue. Enfin le voici qui, d'un pas léger et vif, arrive jusqu'à Malachie, sans l'aide de personne. Malachie l'accueillit et le conduisit jusqu'au siège épiscopal, aux applaudissements du clergé et du peuple.

Voilà comment l'affaire s'est réglée dans la paix : ils n'osèrent pas, «à la vue du signe qu'il avait accompli[s]», opposer le moindre obstacle à la décision de Malachie, et l'homme désigné n'hésita pas à obéir. Un argument aussi évident le rendait sûr de faire ainsi la volonté du Seigneur.

Guérison d'une agonisante

52. «Une femme souffrait d'hémorragies[t]» – elle était noble, très chère à Malachie, plus d'ailleurs pour la noblesse de sa vie que pour celle de sa naissance.

sanguine exhaustis viribus, iam posita in extremis, misit ad
5 Dei hominem ut, quod supererat, animae subveniret, qui se iam non esset visurus in corpore. Audiens Malachias, moleste tulit, quod mulier virtutis foret, et vita eius fructuosa opere et exemplo.

Et videns se non posse satis accurrere tempestive, accito
10 Malcho, quod iuvenis esset et expeditus – ipse est, cuius supra meminimus, frater Christiani abbatis : « Accelera, inquit, fer illi tria poma haec, super quae *nomen Domini invocavi*[u]. Confido in ipso quod ubi ex eis gustaverit, non gustabit mortem, priusquam nos videat, etsi tardiuscule
15 secuturos[v]. »

Festinat Malchus secundum mandatum, et veniens intrat ad morituram, alterum se exhibens puerum Elisaei, nisi quod huius efficacior opera fuit[w]. Iubet missam sibi a Malachia benedictionem accipere et gustare, si quo modo
20 valuerit. At illa exhilarata, audito nomine Malachiae, ut oboedire possit, nutu significat paulisper velle se erigi : nam verbo non poterat. Erigitur, gustat ; gustato confortata est, loquitur et gratias agit.

Et *immisit Dominus soporem in*[x] eam, et suavissime
25 requievit in eo, cuius usu diu caruerat, sicut et esu. Stetit interim sanguis, et post modicum expergefacta, sanam se reperit, nisi quod longa inedia et sanguinis minutione

u. Ps. 114, 4 || v. cf. Matth. 16, 28 || w. cf. IV Rois 4, 29-31 || x. Gen. 2, 21

1. Malch : cf. *supra,* VI, 14.

Comme elle défaillait complètement, perdant évidemment ses forces avec son sang, et qu'elle était déjà à toute extrémité, elle envoya dire à l'homme de Dieu qu'il ne lui restait plus qu'à secourir son âme, car il ne la reverrait plus dans son corps. A cette nouvelle, Malachie fut ému, car il s'agissait d'une femme vertueuse, dont la vie portait du fruit en actes et en exemple.

Voyant qu'il ne pouvait pas arriver à temps, il appelle Malch parce qu'il était jeune et alerte – nous en avons parlé plus haut, c'était le frère de l'abbé Christian[1] – "Dépêche-toi, lui dit-il, de lui apporter ces trois pommes sur lesquelles «j'ai invoqué le nom du Seigneur[u]». J'ai cette confiance que lorsqu'elle en aura goûté, elle ne goûtera pas la mort avant de nous avoir revus, même si nous te suivons avec un certain retard[v]."

Malch se hâte, comme il en a reçu l'ordre; il arrive, entre auprès de celle qui est sur le point de mourir, et se présente, tel un nouveau serviteur d'Élisée – à ceci près que son intervention sera plus efficace[w]. Il demande à la femme d'accepter de goûter, dans la mesure du possible, les fruits bénis que lui envoyait Malachie. Elle s'illumine d'un sourire en entendant prononcer le nom de Malachie; et, pour pouvoir obéir, elle demande par signes qu'on veuille bien la relever quelque peu – car elle ne pouvait pas le demander par des mots. On la soulève, elle goûte de ces fruits; ce qu'elle mange, la réconforte : elle se met à parler et à rendre grâce.

«Le Seigneur alors envoya sur» elle «un profond sommeil[x]», dans lequel elle reposa pour son plus grand bien, car elle manquait depuis longtemps de repos, autant que de nourriture. Le sang arrêta aussitôt de couler, et, se réveillant au bout d'un moment, elle se trouva guérie, même si sa longue diète et ses hémorragies la laissaient encore faible. Il ne lui manquait, pour achever sa guérison,

adhuc debilis erat. Si quominus, die sequenti desideratus Malachiae adventus aspectusque perfecit.

357 **XXIV. 53.** Habitabat vir nobilis in vicinia Benchorensis monasterii, cuius uxor cum infirmaretur ad mortem[y], rogatus Malachias ut descenderet, priusquam moreretur, infirmam uncturus oleo[z]. Descendit et intravit ad eam, quo
5 viso, exsultat illa, spe animata salutis. Et cum pararet ungere eam, visum est omnibus differendum potius usque mane. Erat enim vespera. Acquievit Malachias et, data benedictione super aegram, exivit cum his qui secum erant.

At vero post modicum subito *clamor factus est*[a], planctus
10 et strepitus multus per totam domum; siquidem insonuit quod mortua esset. Accurrit Malachias, tumultu audito, et *secuti sunt eum discipuli eius*[b]. Et accedens ad lectum, ut certo exspirasse comperit, consternatus est animo, sibi imputans quod fraudata gratia sacramenti obierit. Et elevatis in
15 caelum manibus : «*Obsecro,* Domine, inquit, *insipienter egi*[c]. Ego, ego peccavi, qui distuli; non ista, quae voluit[d].» Haec dicens, contestatus est in audientia omnium, nullam se recepturum consolationem, nullam daturum requiem spiritui suo, nisi, quam tulerat, liceret restituere gratiam.
20 Et stans super eam[e], *tota nocte* laborabat[f] in gemitu suo, et pro oleo sancto, largo imbre lacrimarum perfundens mortuam, vicem illi unctionis, quam poterat, exhibebat. Ipse quidem sic, ad suos autem : «*Vigilate,* inquit, *et orate*[g].» Itaque illi in psalmis, ille in lacrimis, noctem
25 duxere pervigilem[h]. Et mane facto, exaudivit Dominus

y. cf. Jn 4, 47 et 11, 4 || z. cf. Jac. 5, 14 || a. Matth. 25, 6 || b. Matth. 8, 23 || c. I Chr. 21, 8 || d. cf. II Sam. 24, 17 || e. cf. III Rois 17, 21 || f. Lc 5, 5 || g. Matth. 26, 41 || h. cf. Ps. 6, 7

1. La suite montre qu'il s'agit ici de l'onction des malades.

que de voir, le lendemain, son désir se réaliser par la venue de Malachie en personne.

Résurrection d'une morte

XXIV. 53. Dans le voisinage du monastère de Bangor habitait un homme de haut rang dont la femme était malade et se mourait. Il pria Malachie de descendre avant qu'elle ne mourût[y] pour oindre d'huile la malade[z]. Il descendit et entra auprès d'elle; et celle-ci, en le voyant, exulte, animée par l'espoir de la guérison. Comme il se préparait à l'oindre, tous estimèrent qu'il valait mieux attendre jusqu'au matin. C'était en effet le soir. Malachie fut d'accord et, après avoir donné sa bénédiction à la malade, il s'en alla, avec ceux qui l'accompagnaient.

Mais peu après «un cri soudain retentit[a]», des plaintes et un grand vacarme dans toute la maison : on criait qu'elle était morte. Malachie accourut au bruit de ce tumulte, «suivi de ses disciples[b]». Approchant du lit, il comprit qu'elle avait bel et bien expiré, et il en fut profondément consterné, se reprochant de l'avoir laissé s'en aller privée de la grâce du sacrement[1]. Les mains levées vers le ciel, il dit : "Je t'en supplie, Seigneur, j'ai agi en insensé[c]. C'est moi qui ai péché et qui ai remis à plus tard; ce n'est pas elle qui l'a voulu[d]." Ce disant, il s'engagea devant tous ceux qui l'écoutaient à ne pas recevoir de consolation, à ne pas donner de repos à son esprit, s'il ne lui était permis de restituer à cette femme la grâce qu'il lui avait ravie.

Se tenant penché au-dessus d'elle[e], il peina «toute la nuit[f]» à gémir, et, au lieu d'huile sainte, c'est une abondante pluie de larmes qu'il répandait sur la morte; en fait d'onction, il lui offrait celle qui était en son pouvoir. Telle fut sa part. Quant aux siens, il leur avait dit : «Veillez et priez[g]». C'est pourquoi ils veillèrent toute la nuit, eux dans les psaumes, lui dans les larmes[h]. Et, au matin, le Seigneur exauça son saint, car «l'Esprit du Seigneur avait intercédé»

sanctum suum, quia Spiritus Domini erat *postulans pro eo*, qui postulat pro sanctis *gemitibus inenarrabilibus*[i].

Quid plura? Aperit oculos quae mortua fuerat[j] et, ut solent qui *de gravi somno* evigilant[k], fricans sibi manibus
30 frontem et tempora, super lectum se erigit et, agnito Malachia, inclinans devote salutat eum. Et verso *luctu in gaudium*[l], *stupor apprehendit omnes*[m], et qui viderunt, et qui audierunt.

Sed et Malachias, gratias agens, benedixit Dominum. Et
35 unxit eam nihilominus, sciens in hoc sacramento remitti
358 peccata, et quod oratio fidei salvet infirmum[n]. Post haec abiit, et illa convaluit et, vivens incolumis tempore aliquanto, ut gloria Domini manifestaretur in ea[o], peracta paenitentia quam sibi Malachias iniunxerat, in bona confes-
40 sione iterum obdormivit et migravit ad Dominum.

XXV. 54. Fuit item mulier cui spiritus iracundiae et furoris in tantum dominaretur, ut non solum *vicini et cognati*[p] fugerent consortium eius, sed filii quoque ipsius vix sustinerent habitare cum ea. Clamor et rancor et
5 *tempestas valida*[q] ubicumque fuisset. Audax et ardens et praeceps, metuenda lingua et manu, importabilis omnibus, et invisa.

Dolentes filii tum pro illa, tum pro seipsis, trahunt illam ad praesentiam Malachiae, lacrimabilem cum fletu queri-
10 moniam deponentes. Vir autem sanctus, et periculum matris, et incommodum miserans filiorum, seorsum advocat illam, fueritne confessa aliquando peccata sua,

i. Rom. 8, 26 || j. cf. Act. 9, 40 || k. cf. Gen. 45, 26 || l. Jn 16, 20 || m. Lc 5, 26 || n. cf. Jac. 5, 14-15 || o. cf. Jn 2, 11 et 9, 3 || p. Lc 1, 58 || q. Ps. 49, 3

1. On trouve un récit dont les circonstances sont très semblables, GRÉGOIRE LE GRAND, *Dial.*, II, I-III, *SC* 260, p. 338-340.
* Voir TUBACH, *o.c.*, n° 1 188.

en sa faveur, lui qui intercède pour les saints «par des gémissements ineffables[i]».

Qu'advient-il? Elle ouvre les yeux, elle qui était morte[j], et, à la manière habituelle de ceux qui s'éveillent «d'un profond sommeil[k]», elle se frotte le front et les tempes avec les mains, s'assied sur son lit, et, reconnaissant Malachie, le salue en s'inclinant avec respect. Le deuil se change en joie[l], «la stupeur les saisit tous[m]» : ceux qui ont vu la chose et ceux qui l'ont entendue.

Malachie, lui, rendit grâce et bénit le Seigneur. Il ne renonça pas, pour autant, à oindre d'huile cette femme, sachant que, par ce sacrement, les péchés sont remis et que la prière de la foi sauve le malade[n]. Ensuite il s'en alla; quant à elle, elle se rétablit, et vécut en bonne santé tout un temps pour que la gloire du Seigneur se manifestât en elle[o]. Puis, après avoir achevé la pénitence que Malachie lui avait prescrite, elle s'endormit à nouveau, après avoir fait une bonne confession et émigra auprès du Seigneur[1].

Une femme guérie de la colère

XXV. 54. Il y avait aussi une femme, qu'un esprit d'emportement et de fureur dominait tellement, que non seulement «ses voisins et ses proches[p]» fuyaient sa présence, mais que ses fils eux-mêmes supportaient à peine d'habiter avec elle. Ce n'étaient que cris, revendications et «tempêtes violentes[q]». Prompte, enflammée, emportée, d'une langue et d'une main aussi redoutables l'une que l'autre, elle était pour tous insupportable, et même odieuse.

Ses fils, affligés pour elle non moins que pour eux-mêmes, la traînent en présence de Malachie, et déversent devant lui leurs plaintes et leurs larmes. Le saint homme, ému de pitié devant le danger où se trouve la mère et l'épreuve qui pèse sur les fils, la fait venir à part et lui demande avec sollicitude si elle a, un jour, confessé ses

sollicite percunctatur. Respondit : « Nequaquam. » « Confitere », inquit. Paret. Et ille iniungens paenitentiam confi-
15 tenti oransque super eam[r], ut Dominus omnipotens det ei Spiritum mansuetudinis, in nomine Domini Iesu ne ultra irascatur iubet. Sequitur tanta mansuetudo, ut pateat omnibus non esse aliud, quam admirabilem *mutationem dexterae Excelsi*[s]. Fertur adhuc hodie vivere, et tantae esse
20 patientiae et lenitatis, ut quae omnes exasperare solebat, nullis modo exasperari damnis, contumeliis, afflictionibus queat.

Si licet et me, iuxta Apostolum, abundare in sensu meo[t], accipiat quisque ut volet : ego istud superiori suscitatae
25 miraculo mortuae censeo praeferendum, quod exterior quidem ibi, hic vero interior revixerit homo.

Et nunc curramus ad reliqua.

55. Vir secundum saeculum honorabilis, secundum Deum timoratus, veniens ad Malachiam, questus est ei super *sterilitate animae suae*[u], supplicans ut sibi obtineret ab omnipotente Deo gratiam lacrimarum. Et subridens Mala-
5 chias, quod gratum haberet in homine saeculari desiderium spirituale, suam maxillam maxillae illius quasi blandiendo
359 coniungens : « *Fiat,* inquit, *tibi sicut* petisti[v]. » Tantos exinde et paene continuos *exitus aquarum deduxerunt oculi* eius[w], ut illud Scripturae ei posse aptari videretur : *Fons*
10 *hortorum, puteus aquarum viventium*[x].

r. Jac. 5, 14 || s. Ps. 76, 11 || t. cf. Rom. 14, 5 ; II Cor. 12, 1 et 4 || u. Ps. 34, 12 || v. Matth. 15, 28 || w. Ps. 118, 136 || x. Cant. 4, 15

1. ** Bien que Bernard renvoie formellement à « l'Apôtre », il s'agit ici d'un amalgame assez disparate des mots ou du sens des 3 versets indiqués.

33. Même remarque de la part de GRÉGOIRE LE GRAND : le miracle

péchés. – “Jamais”, répond-elle. “Confesse-toi”, lui dit-il. Elle obéit. A la suite de la confession, il lui prescrit une pénitence et prie sur elle[r] pour que le Seigneur lui donne l'Esprit de la bienveillance; puis il lui enjoint, au nom du Seigneur Jésus, de ne plus se mettre en colère désormais. Il s'ensuit une telle douceur en elle, que tous ne peuvent y voir qu'une miraculeuse «transformation, due à la droite du Très-Haut[s]». On dit qu'elle vit encore aujourd'hui; et si grande est sa patience, si grande sa douceur, que cette femme, qui ne cessait d'exaspérer tout le monde, ne saurait plus, d'aucune manière, s'irriter pour quelque tort, affront ou malheur que ce fût.

Pour ma part, s'il m'est permis, comme dit l'Apôtre, de m'en tenir à ma conviction[t1] – et que chacun le prenne comme il voudra –, j'estime que ce miracle l'emporte sur le précédent, celui de la morte ressuscitée; car, dans le premier, c'est l'être extérieur qui s'est mis à revivre, mais ici c'est l'être intérieur[2].

Et maintenant, courons à d'autres récits.

Une guérison spirituelle

55. Un homme d'un rang honorable aux yeux du monde et rempli de la crainte de Dieu, vient trouver Malachie pour se plaindre à lui de «la stérilité de son âme[u]», et le supplier d'obtenir pour lui, de Dieu tout puissant, la grâce des larmes. Malachie sourit, heureux de rencontrer ce désir spirituel chez un laïc et, comme pour le caresser, il approche sa joue de la sienne et lui dit : «Qu'il t'advienne selon ta demande[v].» Alors, de tels «ruissellements jaillirent» presque sans arrêt «de ses yeux[w]» qu'on aurait pu, semble-t-il, lui appliquer ce passage de l'Écriture : «Source des jardins, puits d'eaux vives[x].»

est plus grand de sauver une âme que de ressusciter un mort (*Dial.*, II, I-III, *SC* 260, p. 340).

Est insula maris in Hibernia, ab olim fecunda piscium, et mare ibi piscosum valde. Peccatis, ut creditur, habitantium adempta copia solita, *quae multos habebat filios, infirmata est*[y], et a tanta funditus sui commoditate emarcuit.

15 Dolentibus accolis et iacturam gravem populis aegre ferentibus, revelatum est cuidam mulieri precibus Malachiae posse afferri remedium, idque notum factum est omnibus[z], ipsa prodente. Nutu Dei contigit adesse Malachiam. Dum enim circuiret et repleret Evangelio 20 regionem, divertit illuc, ut et ipsis eamdem gratiam impertiret[a].

At barbari, quibus erat maior cura de piscibus, omni instantia flagitant, ut potius respicere dignetur super sterilitatem insulae suae. Qui cum responderet se minime ad 25 hoc venisse, hominum magis quam piscium desiderare capturam[b], videns tamen fidem eorum, flexis *in littore genibus, oravit*[c] ad Dominum ut, licet indignis, indultum olim beneficium tanta fide repetentibus non negaret.

Ascendit oratio, ascendit et piscium multitudo, et forte 30 uberior quam in diebus antiquis[d], et ipsa populo terrae perseverans usque in hodiernum diem. Quid mirum si *oratio iusti,* quae *penetrat caelos*[e], penetravit profundum maris, unde has piscium copias evocaret?

56. Venerunt aliquando tres episcopi in villam Fochairt, quem dicunt locum nativitatis Brigidae virginis, et quartus

y. I Sam. 2, 5 || z. Act. 1, 19 || a. cf. Rom. 1, 11 || b. cf. Lc 5, 9-10 || c. Act. 21, 5 || d. cf. Lc 5, 6 || e. Sir. 35, 21 (Patr.)

---

1. ** Cf. *supra,* XI.23, note 1, p. 246.
2. Proche de Dundalk, sud-est de l'Ulster. L'église paroissiale y est aujourd'hui dédiée à sainte Brigide.

Une pêche miraculeuse

Il est une île d'Irlande où le poisson autrefois abondait et où la mer permettait une pêche fructueuse. Du fait, croit-on, des péchés de ses habitants, elle fut privée de sa richesse coutumière; «elle, qui avait de nombreux fils, s'affaiblit[y]» et perdit complètement l'avantage de ses eaux si fécondes.

Comme les habitants se lamentaient et que la population était fortement touchée par cette grave perte, il fut révélé à une femme que les prières de Malachie pourraient apporter un remède à leur malheur, et elle fit en sorte que «cela fût connu de tous[z]». Par le vouloir de Dieu, il advint que Malachie passa par là. En effet, alors qu'il parcourait la région pour la remplir de l'évangile, il fit un détour par cette île pour leur communiquer la même grâce[a].

Mais en barbares qu'ils étaient, leur souci concernant le poisson passait avant le reste : ils le pressent très instamment de bien vouloir s'intéresser plutôt au manque de ressource de leur île. Il leur répondit qu'il n'était pas venu pour cela, et qu'il avait pour désir de prendre des hommes plutôt que des poissons[b]. Pourtant, en voyant leur foi, il s'agenouilla sur le rivage[c] et pria le Seigneur de ne pas leur refuser, malgré leur indignité, ce bienfait qui leur était naguère accordé et qu'ils demandaient maintenant avec une si grande foi.

Sa prière monta, et monta aussi une quantité de poisson peut-être plus abondante qu'autrefois[d], et qui s'est perpétuée pour la population du pays jusqu'à ce jour. Quoi d'étonnant si «la prière du juste, qui pénètre les cieux[e1]», a pénétré aussi la profondeur de la mer, pour en faire remonter ces masses de poissons.

Une autre pêche miraculeuse

56. Arrivèrent un jour trois évêques dans le bourg de Fochairt[2], dont on dit qu'il est le lieu de nais-

erat Malachias. Ad quem presbyter qui hospitio susceperat eos : « Quid faciam, inquit, quod pisces non habeo? » Quo
5 respondente, ut quaereret a piscatoribus : « Biennium est, ait, quod non inveniuntur pisces in flumine; unde et
360 piscatores prorsus diffisi, etiam arti suae renuntiaverunt. » Et ille : « Praecipe, inquit, laxari retia in nomine Domini[f]. »

Factum est, et capti sunt salmones duodecim. Secundo
10 miserunt, et captis totidem, inopinatum inferunt mensis et ferculum et miraculum. Et ut clare liqueat Malachiae meritis hoc datum fuisse, aliis quoque duobus sequentibus annis eadem nihilominus sterilitas perduravit.

Quomodo correptus sit clericus qui non credebat in sacramento altaris esse veritatem corporis, et desperatos pares ab eo reformatos

XXVI. 57. Fuit quidam clericus in Lesmor, probabilis, ut fertur, vitae, sed fidei non ita. Is, sciolus in oculis suis, praesumpsit dicere in eucharistia esse tantummodo sacra-

f. cf. Lc 5, 5

1. Il ne semble pas que sainte Brigide soit native de Fochairt, mais de l'Offaly, au nord-ouest de Kildare. Très jeune elle refusa le mariage au nom d'un vœu de virginité, et entra dans la vie religieuse. En collaboration avec un ermite, elle fonda l'Église monastique de Kildare – monastère double : d'hommes, dont l'ermite devint abbé et évêque, et de femmes, réunis par l'usage d'une unique chapelle. La vie de sainte Brigide, écrite au VIIe siècle, la présente comme le modèle de la femme irlandaise, de la sainte chrétienne, femme forte, qui laissa le souvenir de

sance de la vierge Brigide[1]; et Malachie les accompagnait. Le prêtre, qui les avait reçus dans la maison des hôtes, dit à ce dernier : "Que faire? Je n'ai pas de poisson." Et comme Malachie lui répond de s'en procurer chez les pêcheurs, le prêtre explique : "Cela fait deux ans qu'on ne trouve plus de poisson dans le fleuve[2], aussi les pêcheurs sont-ils près de désespérer, et ont même renoncé à leur métier." Et lui : "Commmande-leur, dit-il, de jeter leur filet au nom du Seigneur[f]."

C'est ce qu'on fit, et l'on ramena douze saumons. On recommença, et l'on en prit autant. Miracle inespéré, plat inattendu servi à table! En outre, pour qu'il apparût clairement que cet événement était dû aux mérites de Malachie, durant les deux années suivantes ces eaux n'en continuèrent pas moins à ne fournir aucun poisson.

Comment fut puni un clerc qui ne croyait pas à la présence de la réalité du corps du Christ dans le sacrement de l'autel; et comment Malachie raffermit ses confrères qui manquaient d'espérance[3]

Un cas d'hérésie

XXVI. 57. Il y avait à Lismore un clerc dont la vie, dit-on, était estimable, mais non la foi. S'estimant savant, il eut la prétention d'affirmer que dans l'eucharistie ne se trouvait

tournées missionnaires et caritatives qu'elle faisait dans un chariot à travers la région avoisinante. Aux côtés de saint Patrick et de saint Colmcille, elle figure parmi les trois patrons de l'Irlande (cf. l'article que lui consacre J. RYAN, *New Catholic Encyclopedia,* New York 1967). * La *Vie de sainte Brigide* est très fréquemment reproduite dans les légendiers hagiographiques du continent à la date du 1er février.

2. Il pourrait s'agir de Kilcurry River.

3. *desperatos pares ab eo reformatos :* il s'agit d'au moins un évêque, qui désespère de ramener la paix dans une contrée, et que Malachie ne laisse pas en repos dans son découragement.

mentum et non rem sacramenti, id est solam sanctifica-
5 tionem et non corporis veritatem.

Super quo a Malachia secreto et saepe conventus, sed incassum, vocatus ad medium est, seorsum tamen a laicis, ut, si fieri posset, sanaretur et non confunderetur. Itaque in conventu clericorum data facultas homini est pro sua
10 sententia respondendi[g]. Cumque totis ingenii viribus, quo non mediocriter callebat, asserere et defendere conaretur errorem, Malachia contra disputante et convincente, iudicio omnium superatus, de conventu confusus quidem exiit, sed non correctus. Dicebat autem se non ratione
15 victum, sed episcopi pressum auctoritate. « Et tu, inquit, o Malachia, sine causa me hodie confudisti, adversus profecto veritatem locutus, et contra tuam ipsius conscientiam. » Maestus Malachias pro homine sic indurato, sed magis fidei dolens iniuriam, timens periculum, ecclesiam
20 convocat, errantem publice arguit, publice monet[h] ut resipiscat. Suadentibus hoc ipsum episcopis et universo clero, cum non acquiesceret, contumaci anathema dicunt, haereticum protestantes.

361 Nec sic evigilans : « Omnes, inquit, favetis homini
25 potius quam veritati; ego personam non accipio, ut deseram veritatem. » Ad hoc verbum substomachans sanctus : « Deus, inquit, fateri te veritatem faciat, vel ex necessitate. » Quo respondente : « Amen », solvitur conventus.

30 Tali ille inustus cauterio, fugam meditatur, infamis

g. cf. Matth. 18, 16-17 || h. cf. Lév. 19, 17

1. Voir, dans notre introduction, le paragraphe sur l'eucharistie, p. 160 ss..

que le sacrement, non la réalité sacramentelle, autrement dit, qu'elle consistait seulement dans la sanctification, non dans la vérité du corps[1].

A ce sujet, Malachie l'avait souvent repris en secret, mais sans succès. Il le fit alors comparaître, mais à l'écart des laïcs, de manière, si possible, à le guérir plutôt qu'à le couvrir de confusion. Ainsi, dans une assemblée de clercs, on offrit à cet homme la possibilité de s'expliquer sur son affirmation[g]. Avec toutes les ressources de son intelligence, dont il usait avec une maîtrise loin d'être médiocre, il s'efforça de fonder et de défendre son erreur. Dans sa dispute avec Malachie, qui s'opposait à lui et le réfutait, il fut vaincu au jugement de tous. Il quitta l'assemblée, certes confondu, mais sans être revenu de son erreur. Il se disait vaincu non par la raison, mais par le poids de l'autorité de l'évêque. "Et toi, Malachie, ajoutait-il, c'est sans motif que tu m'as confondu aujourd'hui ; tu as certainement parlé contre la vérité, et même contre ta propre conscience." Malheureux de voir cet homme ainsi buté, mais plus encore attristé et anxieux devant le danger qui menaçait la foi, Malachie convoque l'Église, le convainc publiquement d'erreur, et publiquement aussi l'avertit[h] d'avoir à se repentir. Les évêques, et tout le clergé, après avoir essayé de le persuader eux aussi, mais sans obtenir son accord, prononcent alors l'anathème sur le récalcitrant, en le proclamant hérétique.

Cela même ne lui ayant pas ouvert les yeux, il répond : "Vous tous, vous prenez parti pour un homme plutôt que pour la vérité. En ce qui me concerne, je ne fais pas acception de personnes, au point d'abandonner la vérité." A ces mots Malachie, qui commence à s'énerver, rétorque : "Que Dieu te fasse avouer la vérité, serait-ce en t'y forçant." – "Amen", répond l'autre ; sur quoi l'assemblée est congédiée.

L'homme, ainsi brûlé comme au fer rouge, projette de

atque inhonorus fore non sustinens. Et continuo sua tollens exibat, cum ecce subita correptus infirmitate, sistit gradum, viribusque deficiens, eodem loco iactat se super solum anhelus et fessus. Forte incidens in id loci vaga-
35 bundus insanus quidam, offendit hominem, quidnam ibi agat percunctatur. Respondet gravi se infirmitate teneri, et neque procedere, neque redire valentem. Et ille : « Infirmitas ista haud alia, inquit, quam ipsa mors est. » *Hoc autem non dixit a semetipso*[i], sed pulchre Deus per insanum
40 corripuit eum, qui sanis acquiescere noluit consiliis sensatorum.

Et addit : « Revertere domum, ego te iuvabo. » Denique ipso duce revertitur in civitatem; redit *ad cor*[j], et ad misericordiam Domini. Eadem hora accitur episcopus,
45 agnoscitur veritas, abicitur error. Confessus reatum absolvitur, petit viaticum, datur reconciliatio, et uno paene momento perfidia ore abdicatur et morte diluitur. Ita mirantibus cunctis, sub omni celeritate completus est sermo Malachiae, et Scripturae pariter dicentis quia *vexatio*
50 dat *intellectum auditui*[k].

XXVII. 58. Inter populos quarumdam regionum orta aliquando gravis discordia est. Interpellatur Malachias de componenda pace inter eos, et cum esset alias impeditus, iniungit negotium hoc uni episcoporum. Illo excusante et
5 dicente Malachiam, non se, quaesitum, se contemptum iri, frustra fatigari nolle : « Vade, inquit, et *Dominus erit tecum*[l]. » Et ille : « Acquiesco, sed si me non audierint, scito

i. Jn 11, 51 || j. Is. 46, 8 || k. Is. 28,19 || l. I Chr. 22, 16

s'enfuir, car il ne supporte pas d'être décrié et déshonoré. Rassemblant aussitôt ses affaires, il s'en allait, lorsqu'un soudain malaise l'envahit : il s'arrête, abandonné par ses forces, et, sur place, s'affaisse à même la terre, haletant et épuisé. Par hasard un vagabond, un fou, passait par là ; il se heurte à lui et lui demande ce qu'il fait là. L'autre répond qu'il est en proie à un malaise, qui ne lui permet ni d'aller plus loin, ni de revenir sur ses pas. Et le fou de s'écrier : "Cette faiblesse, ce n'est rien d'autre que la mort." « Il ne dit pas cela de lui-même[i] » : c'est Dieu, de belle manière, qui, par cet insensé, reprenait celui qui n'avait pas voulu acquiescer aux sages conseils d'hommes sensés.

"Retourne chez toi, je vais t'aider", ajoute le vagabond. Et, de fait, sous sa conduite, notre homme retourne dans la cité. En même temps il revient à son cœur[j] et à la miséricorde de Dieu. Sur l'heure il fait venir l'évêque, reconnaît la vérité, abjure son erreur. Après avoir confessé sa faute, il reçoit l'absolution, demande le viatique, se voit accorder la réconciliation ; et, presque au même moment son hérésie est rejetée de sa bouche et effacée par la mort. Si bien que tous sont saisis d'étonnement car, dans le plus bref délai, s'est accomplie la parole de Malachie, et pareillement celle de l'Écriture, qui affirme que le tourment fait comprendre ce qu'on a entendu[k].

Une première mission de réconciliation

XXVII. 58. Entre les habitants de deux régions éclate un jour un grave désaccord. On fait appel à Malachie, pour qu'il rétablisse entre eux la paix ; mais comme il était occupé ailleurs, il remet l'affaire à un autre évêque. Celui-ci s'excuse, en expliquant que c'est à Malachie et non à lui qu'on s'est adressé : il ne tient pas à s'attirer le mépris ni à se fatiguer pour rien. "Va, reprend Malachie, « et le Seigneur sera avec toi[l] »." Et l'autre de répondre : "J'accepte, mais s'ils ne m'écoutent

me ad tuam paternitatem appellaturum. » Subridens Malachias : « Fiat », inquit.

Tunc episcopus, convocatis partibus, dictat forman pacis : acquiescunt, reconciliantur ad invicem ; fide hinc inde data, stabilitur pax, et sic dimisit eos.

At pars una videns hostes factos securos, imparatos esse quippe qui pace facta mali nihil suspicarentur, loquebantu mutuo, et dicebat homo ad proximum suum : « Quic voluimus facere ? Victoria prae manibus est, et *ultio d inimicis*[m]. » Et coepere insequi illos : innotuit episcopo quod fiebat et accurrens convenit ducem eorum supe iniquitate et dolo, sed spretus ab illo est. Invocavi nomen Malachiae adversus eum, et nihili pendit ; irri densque episcopum : « Putasne, inquit, propter te amitter debeamus malefactores nostros, quos *Deus tradidit in manu nostras*[n] ? » Et recordatus verbi sui episcopus, quoc habuerat cum Malachia, flens et eiulans, verso vultu ac monasterium eius : « Ubi es, ait, homo Dei ? Ubi es ? Nonn hoc est, pater mi, quod tibi dicebam ? Heu, heu, veni, u facerem bonum et non malum, et ecce per me omnes, illi in corpore, isti in anima pereunt ! » Multa in hunc modun loquebatur, lamentans et plangens, et quasi praesenten sollicitans et compellans Malachiam adversus malignantes

At interim impii, cum quibus fecerant pacem, insequ non desistebant ad perdendum eos, et ecce *spiritus menda in ore* quorumdam virorum, qui eos *deciperet*[o]. Et occurre runt illis in via viri, nuntiantes factam irruptionem in terra

m. I Sam. 18, 25 || n. Jug. 3, 28 || o. III Rois 22, 22

pas, sache que je ferai appel à ta paternité." – "D'accord", dit Malachie avec un sourire.

L'évêque alors, après convocation des parties, propose des conditions de paix : on les accepte et l'on se réconcilie; de part et d'autre on échange des serments, la paix s'affermit, l'évêque les congédie.

Mais comme dans l'un des camps on voyait les adversaires tranquillisés, désarmés, ne se garder de rien, ni rien soupçonner, puisque la paix était faite, on se mit à parler, et les gens se disaient entre eux : "Qu'avons-nous fait? La victoire est à portée de main, et la chance de nous venger de nos ennemis[m]." Et ils commencèrent à traquer ces derniers. L'évêque, mis au courant de ce qui se passait, accourut et accusa leur chef d'injustice et de mauvaise foi, mais il n'en reçut que du mépris. Il se référa devant lui au nom de Malachie, mais sans résultat. L'autre, se moquant de l'évêque, lui répondit : "Tu t'imagines qu'à cause de toi nous devrions laisser échapper ceux qui nous ont fait du mal, alors que «Dieu les a livrés entre nos mains[n]»?" L'évêque, se souvenant de l'entretien qu'il avait eu avec Malachie, pleurant et gémissant, s'écria, le visage tourné vers le monastère de celui-ci : "Où es-tu, homme de Dieu? Où es-tu? N'arrive-t-il pas, mon père, précisément ce que e t'avais dit? Hélas, hélas, j'étais venu pour établir le bien, non le mal; or voilà qu'à cause de moi tous périssent, les uns dans leur corps, les autres dans leur âme." Il se épandait en paroles de ce genre, en plaintes et en gémissements, s'adressant à Malachie comme s'il était présent, pour l'obliger à s'en prendre à ces méchants.

Mais, durant ce temps, les impies avec lesquels s'était onclue la paix, ne renonçaient pas à poursuivre leurs dversaires dans le dessein de les anéantir : or voici qu'«un sprit de mensonge» se mit à parler par la bouche de ertains pour les tromper[o]. Des hommes les accostèrent ur le chemin pour leur annoncer que des ennemis raz-

ipsorum ab adversariis, in ore gladii consumi omnia e diripi bona eorum, uxores quoque ac liberos[p] tolli e abduci.

His auditis, reversi sunt festinanter. Sequebantur ultim primos, quo irent aut quid acciderit nescientes. Nec enin omnes audierant viros loquentes. Cumque venissent e invenissent nihil eorum quae nuntiata erant, confusi sunt deprehensi in malitia sua. Et cognoverunt spiritui erroris[q] se traditos propter nuntium Malachiae quem deceperunt e nomen ipsius quod spreverunt.

Porro episcopus audiens frustratos proditores in iniqui tate sua quam cogitaverant, cum gaudio remeavit ac Malachiam, referens omnia per ordinem, quae accideran sibi.

59. Sciens Malachias eiusmodi occasione pacem ess turbatam, nactus opportunum tempus, pacem per seme inter ipsos denuo reformare curavit, et firmare refor matam, datis et receptis altrinsecus fide et iuramento Verum illi, quibus ante pax fracta fuit, iniuriae memores neglecto pacto et praecepto Malachiae, tractaverunt de vic reddenda. Et *congregati* omnes *in unum*[r], ibant ut imparato praeoccuparent, *redderentque in caput eorum malum*[s], quod sibi ipsi facere cogitassent.

Et magno flumine, quod intererat, facillime transvadato fluviolo, quem non procul ab illo offendere, retenti sunt

p. cf. Esther 3, 13 || q. cf. I Jn 4, 6 || r. Jn 11, 52 || s. Éz. 22, 3

ziaient leurs terres, passaient tout au fil de l'épée, pillaient leurs biens, emmenaient en captivité leurs femmes et leurs enfants[p].

A cette nouvelle ils s'en revinrent en hâte. Les derniers suivaient les premiers, sans savoir où ils couraient ni ce qui était arrivé. En effet, tous n'avaient pas entendu les messagers. A leur arrivée, ne trouvant rien de ce qui avait été annoncé, ils furent dans la confusion, pris à leur propre méchanceté. Et ils comprirent qu'ils avaient été livrés à un esprit d'erreur[q], du fait qu'ils avaient trompé l'envoyé de Malachie et méprisé le nom de ce dernier.

Alors l'évêque, en apprenant que ces traîtres avaient été trompés dans le projet criminel qu'ils avaient fomenté, revint, plein de joie, vers Malachie, et lui rapporta, de manière circonstanciée, tout ce qui s'était passé.

Une seconde mission de réconciliation

59. Malachie, conscient que ces événements étaient de nature à ruiner l'accord, trouva un moment favorable et s'efforça par lui-même de fonder sur de nouvelles bases la paix entre les deux camps et d'affermir celle-ci par un échange de promesses et de serments. Mais ceux qui avaient subi la rupture du traité se souvenaient de l'agression commise contre eux; négligeant le parti recommandé par Malachie, ils décidèrent de se livrer à des représailles; se rassemblant tous[r], ils se mirent en route pour surprendre leurs adversaires désarmés et «faire retomber sur leur tête le mal[s]» que ceux-ci avaient projeté.

Le large fleuve qui séparait les régions adverses, ils le passèrent à gué très facilement; mais un petit cours d'eau qu'ils rencontrèrent à proximité les arrêta. En fait, ce

Neque enim iam fluviolus, sed plane fluvius ingens appa
ruit, ubique sui transire volentibus transitum negans
Mirari omnes tantum nunc esse, tantillum antehac fuiss
scientes, et loqui inter se : « Unde inundatio haec ? Ae
serenus est, imbres non sunt, nec proxime fuisse memi
nimus. Et si multum pluisset, quis nostrum umquam
hactenus meminit in quantacumque illuvie ita intumuisse
ut operiret terram, sata et prata pervaderet ? *Digitus Dei est*
iste, et Dominus saepit vias nostras propter sanctum suum
Malachiam, cuius sumus praevaricati pactum, transgress
mandatum. »

Ita et hi, infecto negotio, ad sua aeque confusi repedave
runt. *Divulgatum est verbum*[u] per universam regionem, e
benedicebant Deum, *qui comprehendit sapientes in astutia sua*
et, *confringens cornua peccatorum*[w], *sublimavit cornu christi sui*

60. Aliquis de nobilibus, infensus regi, reconciliatus es
per manum Malachiae. Nec enim regi satis fidebat ille, u
pacem cum eo faceret, nisi mediante Malachia, aut quem
rex aeque revereretur. Nec immerito, ut post apparuit
Nam factum securum, et minime iam caventem sib
captum trusit in vincula, odio antiquo captus plus ipse
Requiritur homo a suis de *manu mediatoris*[y] ; nec enim aliu
amici exspectare quam mortem.

t. Ex. 8, 19 || u. Matth. 28, 15 || v. I Cor. 3, 19 || w. Ps. 74, 11
x. I Sam. 2, 10 || y. Gal. 3, 19

n'était plus un ruisseau qui leur apparut, mais un fleuve immense qui partout refusait le passage à ceux qui voulaient le traverser. Tous alors de s'étonner qu'il soit maintenant si considérable, alors qu'ils le connaissaient auparavant comme de peu d'importance. Ils se dirent entre eux : "Quelle est la cause de ce débordement? Le temps est beau, il ne pleut pas, et nous n'avons pas souvenir qu'il ait plu récemment. D'ailleurs, même s'il avait beaucoup plu, qui d'entre nous se souvient qu'une inondation, si grande soit-elle, ait jamais gonflé cette rivière au point qu'elle recouvre le pays et envahisse champs et prairies? «C'est là le doigt de Dieu[t]», et le Seigneur barre nos routes en raison de son saint serviteur Malachie, dont nous avons trahi l'accord et transgressé le commandement."

C'est ainsi que ces gens, laissant là leur projet, s'en revinrent chez eux, confondus à leur tour. «Le bruit s'en répandit[u]» dans toute la région, et l'on bénissait Dieu, «qui prend les sages à leur propre astuce[v]», et qui, «brisant les cornes des pécheurs[w]», «a exalté la corne de son oint[x]».

Une médiation qui tourne à la grève de la faim

60. Un noble, en conflit avec son roi, fut réconcilié avec ce dernier par les soins de Malachie. Mais il ne se fiait pas suffisamment au roi pour faire la paix avec lui, si Malachie ne s'entremettait, ou quelqu'un pour qui le roi aurait un même respect. Et ce n'était pas à tort, comme la suite l'a montré.

Car, redevenu confiant et cessant de se tenir sur ses gardes, il fut pris et jeté en prison par le roi, qui était, quant à lui, prisonnier plus encore de sa haine ancienne. Les gens de cet homme vinrent le réclamer «à l'autorité du médiateur[y]», car ses amis ne s'attendaient à rien d'autre qu'à sa mise à mort.

Quid faceret Malachias? Non est quod possit, nisi ut
10 recurrat ad suum illud solitum unicumque refugium. Congregato exercitu forti nimis[z], turba magna discipulorum suorum, adit hominem, requirit vinctum; negatur. Et Malachias : «Inique, inquit, agis contra Dominum, et
364 contra me, et contra teipsum, pactum praevaricans; si
15 dissimulas tu, sed non ego[a]. Credidit se homo fidei meae : si contingat mori, ego prodidi eum, ego *reus sanguinis*[b] eius. Quid tibi visum est me proditorem, te praevaricatorem constituere? Noveris me, donec liberetur, nihil gustaturum, sed neque istos.»

20 Sic locutus, intrat ecclesiam, Deum omnipotentem suis suorumque anxiis gemitibus interpellat, ut iniuste addictum dignetur eripere *de manu* praevaricatoris et *iniqui*[c]. Et ea die cum nocte sequenti in ieiunio et oratione perstiterunt. Perlatum ad regem quid fieret, et magis inde
25 induratum est cor eius[d], unde emolliri debuerat.

Init fugam, veritus, homo carnalis, ne si prope remaneret, orationis non posset sustinere virtutem. Quasi vero vel absconditum non inveniat, vel non perveniat ad remotum : «Tu metas, miser, *ponis orationibus sanctorum*[e]?
30 Non est oratio iacta sagitta, *ut fugias a facie arcus*[f]? *Quo ibis a Spiritu* Dei, qui eam portat, *et quo a facie* eius *fugies*[g]? Denique fugientem insequitur, invenit latitantem : *erisque caecus* et *non videns*[h], ut melius videas et intelligas, quoniam *durum est tibi contra stimulum calcitrare*[i]. Denique senti vel
35 nunc, quia *sagittae potentis acutae*[j] pervenerunt ad te, quae, etsi resilierunt a corde, quia saxeum est, sed non ab oculis.

z. cf. I Macc. 1, 4 || a. cf. Gal. 2, 13-14 || b. Ex. 22, 2 || c. cf. Ps. 70, 4 || d. Ex. 7, 22 || e. Apoc. 8, 2 || f. Ps. 59, 6 || g. Ps. 138, 7 || h. Act. 13, 11 || i. Act. 9, 4 || j. Ps. 119, 4

Que devait faire Malachie? Il n'avait d'autre possibilité que de recourir à son unique et habituel refuge. Il rassemble une très forte armée[z] : la grande foule de ses disciples, se rend chez le roi et réclame le prisonnier. Il n'obtient qu'un refus. Alors Malachie de s'écrier : "C'est une injustice que tu commets contre le Seigneur, contre moi, et contre toi-même, en violant ton accord. Si tu es parjure, ce n'est pas mon cas[a]. Cet homme a cru à mon engagement; s'il lui arrive d'être tué, c'est moi qui l'aurai trahi, moi qui serai responsable de son sang[b]. Comment as-tu pu faire de moi un traître, de toi un renégat? Sache-le bien : tant qu'il ne sera pas libéré, je ne toucherai à aucune nourriture, et ceux-ci non plus."

Ce disant, il pénètre dans l'église, et, par des gémissements angoissés, il en appelle, lui et les siens, au Dieu tout-puissant, pour qu'il veuille bien arracher «aux mains du renégat et de l'injuste[c]» celui qu'on a enchaîné injustement. Et ce jour-là, puis la nuit suivante, ils demeurèrent dans le jeûne et la prière. On rapporta ce fait au roi, et cela, qui aurait dû adoucir son cœur, ne fit que l'endurcir davantage[d].

Il prit la fuite, dans la crainte de ne pouvoir, en homme charnel, résister à la force de cette prière, comme si, caché, il demeurerait introuvable, parti au loin, il serait inatteignable! "Tu prétends, misérable, poser des limites aux «prières des saints[e]»? La prière n'est-elle pas une flèche lancée? Pourrais-tu alors chercher «refuge loin de l'arc[f]»? «Où iras-tu, loin de l'Esprit de Dieu» qui la porte, et où fuiras-tu «loin de sa face[g]»? De fait, elle poursuit le fuyard, elle trouve celui qui se dissimule : «tu vas devenir aveugle, tu ne verras plus[h]», de manière à mieux voir et comprendre qu'«il est dur pour toi de regimber contre l'aiguillon[i]». Ressens donc maintenant que «les flèches aiguës du Puissant[j]» sont parvenues jusqu'à toi, et que si elles ont rebondi contre ton cœur, puisqu'il est dur comme la roche,

Utinam per fenestras saltem oculorum perveniant usque ad cor[k], et *vexatio det intellectum* caecitati[l]!»

Cernere erat Saulum denuo ad manus trahi et duci ad 40 Ananiam[m], ad ovem scilicet lupum, ut refunderet praedam. Refudit, et recepit visum, quod Malachias usque adeo ovis esset, ut sit misertus et lupo.

Diligenter ex his adverte, lector, cum quibus habitatio Malachiae, quales principes et quales populi. Quomodo 45 non et is *frater fuit draconum et socius struthionum*[n]? Et ideo *dedit* ei Dominus *virtutem calcandi super serpentes et scorpiones*[o], *alligare reges eorum in compedibus et nobiles eorum in manicis ferreis*[p].

Audi denique quid sequatur.

k. cf. Jér. 9, 21 (Patr.) || l. Is. 28, 19 || m. cf. Act. 9, 8 s. || n. Job 30, 29 || o. Lc 10, 19 || p. Ps. 149, 8

1. ** «Par les fenêtres»; ces deux mots si banals se réfèrent à *Jérémie* 9, 21. Avec plusieurs Pères, Bernard écrit (2 citations, 14 allusions) : «la mort entre *(intrat, intravit)* par (nos) fenêtres.» Son exégèse est constante : ces fenêtres sont celles du corps, des cinq sens (*SCt* 35, 2 = I 250, 6; *Conv* 7 = IV 79, 11; II pP 6 5 = V 212, 9 [avec *iaculis,* traits, parallèle aux flèches de Mal V]; Sent. 98 = VI-2 161, 7-10, etc.), parmi lesquels vue et ouïe sont les sens «supérieurs» (*SCt* 28, 5 et 7-8 = I 195, 18 et 197, 1-21), l'ouïe étant elle-même supérieure à la vue ici-bas, dans l'économie du salut (I 197, 22-25; cf. II *Ann 1* = V 30, 9). Tous ces passages de Bernard évoquent les théories philosophiques de son siècle sur l'âme et la connaissance par les sens, ainsi que le donné théologique; les termes qu'il emploie ici et là se recoupent, si bien que l'allusion à Jérémie devient imperceptible tout en restant certaine. Ce qui «entre», c'est, dans beaucoup de textes, la mort, la souffrance, le péché; c'est aussi l'épreuve salutaire (ici); c'est encore la voix et la lumière de Dieu (*PlA* 2 = IV 328, 5); le Verbe incarné lui-même a fait ces «expériences» (*SCt* 56, 1 et 57, 4 = II 114-115 et 122, 5-7). Ici, Bernard enchaîne avec un texte d'*Isaïe* qu'il adapte à son propos au point de remplacer «ouïe» par «cécité».

elles n'ont pas manqué tes yeux. Puissent-elles, même si c'est par les fenêtres de tes yeux, parvenir jusqu'à ton cœur[k 1] et «puisse cette épreuve donner l'intelligence[l]» à celui qui est devenu aveugle!"

Il fallait voir ce nouveau Saul emmené à son tour par la main et conduit près d'Ananie[m], lui, le loup, près de la brebis, pour relâcher sa proie. Il la relâcha et recouvra la vue, car Malachie était à ce point une brebis, qu'il eut pitié même du loup.

A partir de ces faits, considère attentivement, lecteur, avec qui Malachie cohabitait : avec quels princes, avec quelles populations. Comment ne pas penser qu'il fut, lui aussi, «le frère des dragons et le compagnon des autruches[n 2]»? C'est pourquoi le Seigneur «lui donna la force de fouler aux pieds serpents et scorpions[o]», «de lier de chaînes leurs rois et d'entraves de fer leurs nobles[p]»[3]. Écoute maintenant la suite.

2. L'autruche est symbole de cruauté parce qu'elle cache ses œufs dans le sable et abandonne ainsi sa progéniture; cf. *Lm* 4. 3.

3. * Ce n'est pas un hasard, quand bien même la *Vita* serait destinée aux irlandais, que saint Bernard s'arrête dans ces chapitres 58-60 aux miracles de réconciliation. Ces récits *de pace componenda* sont plus fréquents à partir de l'an mil, ils étayent en effet la propagande ecclésiastique de la paix. Et Bernard dépense une énergie considérable dans les années 1140 à défendre la paix, brandit ses menaces contre le roi, contre le comte de Nevers, contre tous les ennemis de ses amis. Cf. T. RENNA, «St. Bernard's ideal of peace in its historical perspective, 750-1150», dans *Res publica litterarum* (Lawrence) 5, 1982, 189-195.

De praeostenso oratorio lapideo in illa terra ab illo primum aedificato, thesauro invento

365 **XXVIII. 61.** Is, cui Benchorensis monasterii cesserat possessiones, ingratus beneficio, ex tunc et deinceps insolentissime semper se habuit adversus eum et suos, in omnibus infestus, ubique insidians detrahensque actibus 5 eius. At non impune hoc. Erat illi unicus filius, qui, imitator patris, audens aliquid et ipse in Malachiam, eodem anno mortuus est.

Mortuus autem sic. Visum est Malachiae debere construi in Benchor oratorium lapideum, instar eorum quae in aliis 10 regionibus exstructa conspexerat. Et cum coepisset iacere fundamenta, indigenae quidem omnes mirati sunt, quod in terra illa necdum eiusmodi aedificia invenirentur. Verum ille nequam, sicut erat praesumptuosus et insolens, non miratus est, sed indignatus. Ex qua indignatione *concepit* 15 *dolorem et peperit iniquitatem*[q].

Et factus susurro in populis, nunc secreto detrahere, nunc blasphemare palam, notare levitatem, novitatem horrere, sumptus exaggerare. Istiusmodi venenatis sermonibus sollicitans et inducens multos ad prohibendum : 20 « Sequimini me, inquit, et quod nonnisi per nos fieri debet, contra nos fieri non sinamus. »

Itaque cum pluribus, quos suadere valuit, descendit ad

q. Ps. 7, 15

---

1. Même si la tradition irlandaise était de bâtir en bois, les églises en particulier, il en existait tout de même plusieurs en pierre, à cette époque ; celle de Bangor n'est donc pas aussi exceptionnelle que le laisse entendre le présent récit.

La chapelle de pierre, qui lui apparut d'avance, et qu'il fut le premier à construire dans ce pays, grâce à la découverte d'un trésor

Victoire sur un traditionalisme agressif

XXVIII. 61. L'homme à qui Malachie avait cédé les possessions du monastère de Bangor se montra sans reconnaissance pour ce bienfait : dès le début et par la suite, il se conduisit avec beaucoup d'insolence envers Malachie et les siens, hostile en tout et partout occupé à machiner contre eux des ruses et à leur faire du tort. Mais pas impunément. Il avait un fils unique, à l'image de son père, qui se permit, lui aussi, d'attaquer Malachie : il mourut dans l'année.

Voici comment il mourut. Malachie avait décidé de construire à Bangor une chapelle de pierre[1], comme celles qu'il avait vues édifiées dans d'autres contrées. Et tandis qu'il se mettait à en poser les fondements, tous les habitants de la région furent dans l'admiration, car dans ce pays on ne connaissait pas encore d'édifice de cette sorte. Mais ce vaurien, prétentieux et insolent comme il l'était, au lieu d'admirer avec les autres, s'indigna au contraire. Et de cette indignation, «il conçut le tourment et engendra le méfait[q]».

Il se mit à murmurer parmi les gens, tantôt pour critiquer en secret, tantôt pour dire du mal ouvertement, dénonçant le projet comme une vanité, refusant avec horreur cette nouveauté, dont il exagérait le coût. Par des paroles empoisonnées de ce genre, il incitait beaucoup de gens à s'opposer au projet. “Suivez-moi, leur dit-il; et ce qui ne devrait pas se faire sans nous, empêchons que cela se fasse malgré nous.”

Ainsi, à la tête d'un groupe qu'il avait réussi à convaincre, il descendit sur les lieux; ils y trouvèrent

locum, repertum convenit hominem Dei, primus ipse *dux verbi*[r], qui erat principium mali :

«O bone vir, quid tibi visum est nostris hanc inducere regionibus novitatem? Scoti sumus, non Galli. Quaenam levitas haec? Quid opus erat opere tam superfluo, tam superbo? Unde tibi *pauperi et inopi*[s] *sumptus ad perficiendum*[t]? Quis perfectum videbit? Quid istud praesumptionis, inchoare quod non queas, non dico, perficere, sed nec videre perfectum, quamquam amentis magis est quam praesumentis, conari quod modum excedit, vincit vires, superat facultates? Cessa, cessa, desine a vesania hac; alioquin nos non sinimus, non sustinemus.»

Hoc dixit, prodens quid vellet, non quid posset considerans. Nam de quibus praesumebat et secum adduxerat, viso viro, mutati sunt, et iam non ibant cum eo.

62. Ad quem vir sanctus, tota libertate utens : «Miser, inquit, opus, quod inchoatum vides et invides, sine dubio perficietur; perfectum videbunt multi. Tu vero, quia non vis, non videbis; et quod non vis, morieris : attendito tibi, ne *in peccato tuo moriaris*[u].»

Ita est : ille mortuus est et opus completum est; sed ille non vidit, qui, ut praefati sumus, anno eodem mortuus est.

Interim pater, audito mox quid de filio vir sanctus praedixisset, sciens verbum eius *vivum et efficax*[v] esse : «Interfecit, inquit, filium meum.» Et instigante diabolo

r. Act. 14, 12 || s. Ps. 71, 13 || t. Lc 14, 28 || u. Jn 8, 21 || v. Hébr 4, 12

l'homme de Dieu, l'entourèrent, et celui qui était à l'origine du mal se fit aussi «leur porte-parole[r]» :

"Ô brave homme, qu'est-ce qui te prend d'introduire cette nouveauté dans nos régions? Nous sommes des Irlandais, pas des Gaulois. Qu'est-ce que cette vanité? Qu'est-il besoin d'une construction aussi superflue, aussi orgueilleuse? Où trouveras-tu, «pauvre comme tu l'es, et sans ressources[s]», «les moyens d'achever» cet ouvrage[t]? Et qui verra jamais son achèvement? Qu'est-ce que cette présomption à commencer ce que tu ne saurais – je ne dis pas achever, mais même voir achevé? Bien qu'on se montre encore plus fou que présomptueux à vouloir réaliser quelque chose qui dépasse la mesure, qui est au-dessus de ses forces, qui excède les possibilités. Cesse donc, oui, cesse; renonce à cette stupidité, sinon nous nous y opposerons, nous ne la supporterons pas."

Voilà en quels termes il parla, révélant ce qu'il voulait, sans considérer ce qu'il pouvait réellement. Car les gens sur qui il comptait et qu'il avait amenés avec lui, à la vue de Malachie, changèrent d'opinion et renonçaient déjà à le suivre.

62. Sur quoi le saint, avec une totale liberté, lui répondit : "Malheureux, l'entreprise que tu vois commencée, et à laquelle tu portes envie, sera sans nul doute achevée; beaucoup en verront l'achèvement. Toi, par contre, tu ne le verras pas, puisque ce serait contre ton gré; mais contre ton gré, tu mourras. Prends garde à toi, pour ne pas «mourir dans ton péché[u]»."

C'est bien ce qui se réalisa : il mourut, et la construction fut achevée. Mais il ne la vit pas, puisque, comme nous l'avons dit plus haut, il mourut dans l'année.

Quant au père, apprenant bientôt ce que le saint homme avait prédit de son fils, et sachant qu'il s'agissait là d'«une parole vivante et efficace[v]», s'écria : "Il a mis à mort mon

tanto furore exarsit in illum, ut coram duce et maioribus Ulidiae falsitatis et mendacii arguere non vereretur hominem, qui veracissimus esset, veritatis et discipulus, et amator; et convicium intulit, simiam appellans. Et Mala-
15 chias quidem, doctus *non reddere maledictum pro maledicto*[w], *obmutuit et non aperuit os suum*[x], dum *consisteret peccator adversus* eum[y]. Sed non Dominus oblitus sermonis sui, quem dixerat[z] : *Mihi vindictam, ego retribuam*[a].

Eadem die domum reversus homo, luit linguae effrenis
20 temeritatem, ipso ultore, quo instigatore laxarat. Arreptum in ignem proicit daemon; sed mox manibus assistentium extractus est, adustus tamen corporis parte, et mente captus. Et dum insaniret, vocatus Malachias venit reperitque maledicum spumantia ora torquentem, horrendis
25 vocibus et motibus terrentem omnia, ac toto corpore
367 agitatum, vix posse teneri a pluribus, et orans pro inimico vir totius perfectionis, exauditus est, sed ex parte. Nam illico quidem, sancto orante, ille aperuit oculos et sensum recepit. Relictus est autem ei spiritus Domini malus, qui
30 eum colaphizet[b], *ut discat non blasphemare*[c].

Credimus eum vivere usque adhuc, et usque ad haec tempora luere peccatum grande, quod peccavit in sanctum; certis temporibus tamen ferunt lunaticum esse.

Porro praedictae possessiones, cum iam pro sui imbecil-
35 litate et inutilitate eas tenere non valuit, in pace ad locum, cuius exstiterant, redierunt. Nec renuit Malachias post multam demum vexationem, pacis obtentu.

w. I Pierre 3, 9 || x. Ps. 38, 10 || y. Ps. 38, 2 || z. cf. Jn 15, 20 || a. Rom. 12, 19 || b. cf. I Sam. 16, 15 et II Cor. 12, 7 || c. I Tim. 1, 20

fils !" Et, poussé par le diable, il s'enflamma d'une si grande fureur qu'il ne craignit pas, devant le chef et les grands de l'Ulster, d'accuser de fausseté et de mensonge un homme absolument intègre, disciple passionné de la vérité ; il le couvrait d'injures, et le traitait de singe.

Pour ce qui est de Malachie, instruit à « ne pas rendre insulte pour insulte[w] », « il se tut, il n'ouvrit pas la bouche[x] », « tant que le pécheur se dressa contre » lui[y]. Mais le Seigneur n'oubliait pas, lui, la parole qu'il avait prononcée[z] : « A moi la puniton, à moi la rétribution[a]. »

Le jour même, en rentrant à sa maison, cet homme expia la témérité de sa langue incontrôlée : le vengeur fut celui-là même qui l'avait amené à dépasser toute limite. Le démon s'en empara et le poussa dans le feu ; il en fut bientôt retiré par les mains de ceux qui se trouvaient là, mais il avait tout de même le corps partiellement brûlé, et l'esprit égaré. Et comme il était saisi d'une folie furieuse, Malachie, appelé, vint et trouva le calomniateur torturé, et la bouche écumante, terrifiant tout son entourage par ses vociférations et ses soubresauts, le corps agité de partout ; c'est à peine si, à plusieurs, on pouvait le tenir. Priant pour son ennemi, l'homme de toute perfection fut exaucé, mais en partie seulement. Car, sur-le-champ, à la prière du saint, l'homme ouvrit les yeux et recouvra la raison. Mais il lui resta un mauvais esprit venu du Seigneur, qui le souffletait[b] pour lui « apprendre à ne pas blasphémer[c] ».

Nous croyons qu'il vit encore à présent, et que jusqu'à maintenant il continue d'expier l'énorme péché qu'il a commis à l'égard du saint. On rapporte même qu'à certains moments il devient lunatique.

Par ailleurs, les propriétés en question, que sa faiblesse et son incapacité ne lui permettaient plus de garder, firent retour dans la paix au domaine dont elles provenaient. Et Malachie ne les refusa plus, après tant d'histoires, et dans l'intérêt de la paix.

63. Sed iam ad opus aedificii, quod Malachias aggressus est, sermo recurrat. Et quidem non erat Malachiae, non dico unde perficeret[d], sed unde faceret quidquam. *Erat* autem *cor eius fiduciam habens in Domino*[e]. Dominus vero 5 providit ut, etsi non *speranti in pecuniae thesauris*[f], pecunia non deesset. Quis enim alius fecit, ut thesaurus eo loci reponeretur, repositus non reperiretur usque ad tempus et opus Malachiae? Invenit Dei famulus in Dei marsupio, quod defuit suo. Merito quidem. Quid enim iustius, ut cui 10 pro Deo non erat proprium, cum Deo iniret consortium, et marsupium unum esset amborum? Fideli denique homini totus mundus divitiarum est. Et quid ille, nisi quoddam marsupium Dei? Denique ait : *Meus est orbis terrae et plenitudo eius*[g]. Inde est quod Malachias repertos argenteos 15 multos non reposuit, sed exposuit.

Nam totum munus Dei in Dei opus iubet expendi. Non suas, non suorum considerat necessitates; sed *iactat cogitatum* suum *in Domino*[h], ad quem utique recurrendum non dubitat, quoties necessitas postularit.

20 Nec dubium Dei opus esse, quod Deo revelante Malachias praevidit. Contulerat primum cum fratribus de opere illo, et multi prae inopia minus libenter assentiebant. Inde

d. cf. Lc 14, 28 || e. Dan. 13, 35 || f. Sir. 31, 8 || g. Ps. 49, 12 || h. Ps. 54, 23 (Lit.)

---

1. Jeu de mots : *non reposuit sed exposuit.*

* La découverte opportune de trésors à l'occasion des restaurations ou constructions d'églises est un lieu-commun révélateur du goût archéologique aux XIe-XIIe siècles. Voir par exemple le récit de Raoul Glaber au milieu du XIe siècle sur la trouvaille d'Orléans, lors de la restauration de la cathédrale vers l'an mil, dans Georges DUBY. *L'An mil,* Paris, 1974, p. 200.

2. ** Ce texte du Psautier romain se chante dans 4 pièces liturgiques

Une œuvre de foi et d'obéissance

63. Mais il faut revenir à ce travail de construction entrepris par Malachie. Au vrai, Malachie ne disposait de rien, je ne dis pas même pour achever[d], mais simplement pour commencer quoi que ce soit. Pourtant «son cœur était rempli de confiance dans le Seigneur[e]». Et c'est le Seigneur qui prit des dispositions pour que l'argent ne manquât point à celui qui, cependant, «ne comptait pas sur des trésors[f]». Qui d'autre, en effet, fit en sorte qu'un trésor reposât en cet endroit, et qu'il y reposât sans qu'on le trouvât jusqu'au temps où Malachie entreprendrait cet ouvrage? Le familier de Dieu a trouvé dans la bourse de Dieu ce qui manquait dans la sienne. Et à juste titre, vraiment. Quoi de plus juste, en effet, que celui qui pour Dieu ne possédait plus rien, devînt l'associé de Dieu, et que leur bourse à tous deux, fût commune? A l'homme de foi le monde entier appartient à titre de richesse. Et ce monde, qu'est-il, sinon, en quelque sorte, la bourse de Dieu? «A moi le monde et sa plénitude[g]», dit-il en effet. Voilà pourquoi cette quantité d'argent trouvée, Malachie ne la mit pas en dépôt mais en disposa[1]. En effet, cette munificence de Dieu, il ordonne de la dépenser tout entière pour l'œuvre de Dieu. Il n'a d'attention ni pour ses propres besoins ni pour ceux des siens; mais «il jette dans le Seigneur son souci[h2]», sans douter de pouvoir faire appel à lui chaque fois que le besoin s'en ferait sentir.

Il n'en faut pas douter : c'est l'œuvre même de Dieu que, par une révélation de Dieu, Malachie avait discernée d'avance. Il avait commencé par discuter de cette entreprise avec ses frères, et plusieurs, en raison du manque de ressources, n'avaient pas donné volontiers leur accord.

– dont l'Introït *Cum clamarem* du 10e dimanche après la Pentecôte.

anxius dubiusque quid ageret, coepit inter orandum vehementer inquirere, quidnam foret voluntas Dei. Et die 25 quadam de via regrediens, cum iam loco appropiaret, 368 prospexit eminus : et ecce oratorium apparuit magnum lapideum et pulchrum valde. Et intuens diligenter situm, formam et compositionem, cum fiducia arripit opus, prius quidem indicata visione senioribus fratribus, paucis tamen. 30 Sane totum quod attente notavit de loco, et modo, et qualitate, tanta diligentia observavit ut, peracto opere, factum viso simillimum appareret, ac si et sibi cum Moyse dictum audierit : « *Vide*, ut *omnia facias secundum exemplar quod tibi ostensum est in monte*[i]. »

35 Eodem visionis genere id quoque, quod in Saballino situm est, antequam fieret, praeostensum est illi, non modo oratorium, sed et monasterium totum.

Quod in spiritu et virtute Eliae multa praedixit et fecit,
et de diacono indigne ad altare accedente,
et de columba ad missam visa,
sanctorum memoriis praelustratis quid viderit

XXIX. 64. Transeunte illo per quamdam civitatem, et multitudine magna concurrente ad eum[j], casu vidit iuvenem inter alios videndi se curiosum. Ascenderat lapidem et, stans super summos articulos, extento collo, 5 oculis et animo intendens in eum[k], quemdam illi de novo Zacchaeum exhibebat[l]. Nec latuit Malachiam, Spiritu

i. Hébr. 8, 5 || j. cf. Mc 3, 8; 6, 33 || k. cf. Lc 4, 20 || l. cf. Lc 19, 1-4

1. Saul (ou Saball) : cf. *supra*, XX, 46 et note 2, p. 296.

Aussi, inquiet et hésitant sur ce qu'il allait faire, il se mit, dans la prière, à chercher âprement quelle était la volonté de Dieu. Or un jour, revenant d'un voyage, et s'approchant déjà du lieu en question, il le regarda de loin : voici que la chapelle lui apparut, grande, toute en pierre, et très belle. Il en considéra soigneusement l'emplacement, la forme et la disposition ; puis, avec confiance, il s'attaqua au projet après s'être ouvert de cette vision aux frères les plus âgés, en petit nombre cependant. Et vraiment, tout ce qu'il avait retenu attentivement du lieu, des modalités et de la qualité de l'édifice entrevu, il le mit en œuvre avec tant de précision que la réalisation lui apparut tout à fait semblable à la vision. C'est comme si, avec Moïse, il s'était entendu dire : « Vois, tu feras tout d'après le modèle qui t'a été montré sur la montagne[i]. »

C'est dans une vision du même genre que, sur le site de Saul[1], lui était apparu, avant qu'il ne fût bâti, non seulement la chapelle, mais le monastère tout entier.

Comment il prédit et accomplit beaucoup de choses
dans l'esprit et par la puissance d'Élie ;
d'un diacre qui se présenta indignement à l'autel ;
la colombe apparue à la messe ;
la vision qu'il eut en parcourant les mémoires des saints

Prophète, Malachie discerne une vocation

XXIX. 64. Comme il traversait une cité et qu'une grande foule s'était rassemblée à cause de lui[j], il remarqua par hasard un jeune homme qui, parmi d'autres, se montrait curieux de le voir[k]. Il était monté sur une pierre et, dressé sur la pointe des pieds, le cou tendu, les yeux et l'esprit fixés sur lui, il lui fit l'effet d'un nouveau Zachée[l]. Malachie ne manqua pas

Sancto quidem revelante, vere illum venisse *in spiritu et virtute* Zacchaei[m]. Dissimulavit tunc tamen, tacitusque pertransiit. Ceterum in hospitio nocte ipsa narravit fra-
10 tribus quomodo illum vidisset et quid praevidisset de illo.

Die autem tertia, en ille cum viro quodam nobili, domino suo, qui, aperiens votum et desiderium iuvenis, rogabat ut a se commendatum recipere dignaretur et habere de cetero inter suos. Et Malachias agnoscens eum :
15 «Non est opus, inquit, ut quem iam Deus commendavit, homo commendet[n].» Apprehensumque manu sua tradidit
369 abbati Congano nostro, et ille fratribus. Ipse vero iuvenis, adhuc, ni fallor, vivens, primus conversus laicus Suriensis monasterii, testimonium habet ab omnibus, quod sancte
20 conversetur inter fratres secundum ordinem cisterciensem.

Et cognoverunt discipuli etiam in hoc Malachiam *prophetiae spiritum*[o] habuisse; non solum autem, sed et in eo quod subiuncturi sumus.

65. Cum sacramenta offerret et appropiasset ei diaconus, facturus aliquid pro officio suo, intuitus eum sacerdos, ingemuit, quod sensisset penes illum latere quod non conveniret. Peracto sacrificio, secreto percunctatus de
5 conscientia, *confessus est et non negavit*[p] illusum sibi per somnium nocte ipsa. Cui iniungens paenitentiam : «Non

m. Lc 1, 17 || n. cf. II Cor. 10, 18 || o. Apoc. 19, 10 || p. Jn 1, 20

---

1. L'abbé auquel saint Bernard adresse cet écrit, et qui était alors l'abbé de Shuri (ou Inishlounaght); cf. *supra,* le préambule, et note 1, p. 180.

2. Cf. J. CASSIEN, *Inst.,* 2, 13, 1; 6, 11; GRÉGOIRE LE GRAND, *Ép.* 11, 56; AMBROISE, *In Psalm.* 37. 33.

de se rendre compte, par une révélation de l'Esprit Saint assurément, que ce jeune homme était bel et bien venu «dans l'esprit et avec la puissance[m]» de Zachée. Il n'en fit rien paraître cependant, et passa en gardant le silence. Mais le soir même, à l'hôtellerie, il raconta à ses frères comment il l'avait remarqué, et ce qu'il avait vu d'avance à son sujet.

Le surlendemain, le voici qui se présente en compagnie d'un personnage de haute naissance, son seigneur; ce dernier, exprimant le vœu et le désir du jeune homme, demandait qu'on veuille bien accueillir celui-ci sur sa recommandation et le recevoir à l'avenir parmi les frères. Malachie, en le reconnaissant, répondit : "Nul besoin qu'un homme recommande celui que Dieu a déjà recommandé[n]." Le prenant par la main, il le conduisit à notre cher abbé Congan[1], et celui-ci le confia aux frères. Ce jeune homme, qui vit encore, si je ne me trompe, fut le premier laïc à devenir convers dans le monastère de Shuri; tous rendent témoignage à la vie sainte qu'il mène parmi les frères, dans le cadre de l'Ordre cistercien.

Et par cet événement, les disciples de Malachie reconnurent que ce dernier avait «l'esprit de prophétie[o]». Mais ce fait n'est pas unique : nous allons en ajouter d'autres, dans le même sens.

L'indignité d'un diacre démasquée

65. Alors qu'il offrait les mystères, et que le diacre s'approchait de lui pour accomplir un des actes de son office, l'évêque, en le regardant, se prit à gémir, car il percevait au fond de cet homme quelque chose de caché qui ne convenait pas. Le sacrifice achevé, il s'enquit secrètement auprès de lui de l'état de sa conscience; et le diacre «confessa, il ne nia pas[p]», que, la nuit même, il avait été victime d'une illusion durant son sommeil[2]. En lui prescrivant une pénitence, Malachie lui

debueras, inquit, hodie ministrasse, sed verecunde te subtrahere sacris, et deferre tantis tamque divinis mysteriis, ut hac humilitate purgatus, dignius exinde ministrares.»

10 Item alia vice, sacrificante illo et orante hora sacrificii, ea quidem sanctitate et puritate cordis qua solitus erat, adstanti diacono visa est columba intrare per fenestram in claritate magna. Ea sacerdos perfunditur totus, ea subobscurior basilica tota refulget. Columba vero, aliquandiu 15 circumvolitans, tandem residet super crucem ante faciem sacerdotis.

Obstupuit diaconus, et pavens tum pro luminis, tum pro volucris novitate, quod illa sit rara avis in terra, *cecidit super faciem suam*[q] et, vix palpitans, sese erigere ausus est, vel 20 quando officii sui necessitas postulavit.

Post missam seorsum conventus a Malachia, sub periculo vitae iubetur nullatenus secretum prodere quod vidisset, quoad viveret ipse.

Aliquando cum in Ardmacha esset cum quodam coepis- 25 copo suo, de nocte surgens, coepit memorias sanctorum, quae in coemeterio sancti Patricii multae sunt, orando 370 lustrare; et ecce unum de altaribus subito ardere conspiciunt. Ambo enim viderunt visionem hanc magnam, et ambo mirati sunt. At Malachias, intelligens signum esse 30 magni meriti illius vel illorum, quorum sub altari illo

q. II Sam. 1, 2

1. PERSE, *Sat.*, I, 46, devenu proverbial. Cf. ISAAC DE L'ÉTOILE, *Sermons*, 17, 18, *SC* 130.
** Cf. JUVÉNAL, *Satires*, 6, 165.

2. *Memoria :* monument funéraire, et souvent, plus particulièrement, lieu contenant les reliques d'un martyr ou d'un saint. Au-dessus pouvait s'élever un autel (cf. H. LECLERCQ, «Memoria», *DACL*, XI, col. 296 ss.).

dit : “Tu n’aurais pas dû accomplir aujourd’hui ton ministère; mais il aurait fallu t’écarter avec prudence de ces réalités sacrées et respecter de si grands et si divins mystères afin d’être purifié par cette humilité et de remplir ensuite ton service plus dignement.”

Apparition d’une colombe lumineuse

De même, une autre fois, comme il célébrait le sacrifice, et qu’il priait à l’heure de l’offrande avec cette sainteté et cette pureté de cœur qui lui étaient coutumières, le diacre qui l’assistait vit entrer par la fenêtre une colombe environnée d’une grande clarté. L’évêque fut tout entier inondé par cette lumière, tandis que toute la basilique, généralement assez obscure, se mettait à resplendir. Quant à la colombe, après avoir volé un moment en tous sens, elle finit pas se poser sur la croix, juste en face de l’évêque.

Frappé de stupeur, et tout tremblant devant l’étrangeté de cette lumière, l’étrangeté aussi de ce volatile – car « un tel oiseau est rare sur notre terre[1] » –, le diacre « tomba sur sa face[q] »; c’est à peine si, le cœur battant, il osa se relever, même quand l’exigea l’exercice de son ministère.

Après la messe, Malachie le prit à part et lui enjoignit, s’il voulait rester en vie, de ne trahir absolument rien du secret qu’il avait vu tant que lui, Malachie, serait en vie.

Un autel tout en feu

Un jour qu’il se trouvait à Armagh, il se leva de nuit avec un de ses frères dans l’épiscopat, et se mit, en priant, à visiter toutes les mémoires[2] des saints, qui sont nombreuses dans le cimetière de saint Patrick. Or voici qu’ils voient soudain un des autels s’enflammer. Ils furent deux à être témoins de cette grand vision, deux à être saisis d’étonnement. Mais Malachie comprit que ce signe était dû au grand mérite du ou des saints, dont le corps reposait

corpora requiescerent, currens et se mediis immergens flammis, expansis brachiis, sacram amplexatus est aram.

Quid ibi fecerit quidve senserit, nemo qui sciat, sed quod, amplius solito, caelesti igne succensus, ex illo igne 35 exierit, fratrum qui cum eo tunc erant, reor neminem esse qui nesciat.

Quod in paucis de pluribus vere vir apostolicus omni antiquorum genere miraculorum adornatus, dum Romam reverteretur, apud Claramvallem, die qua optaverat et praedixerat, obdormivit in Domino, semper vivens ad interpellandum pro nobis

66. Haec dicta sint, pauca quidem de pluribus, sed multa pro tempore. Non enim signorum tempora haec, secundum illud : *Signa nostra non vidimus; iam non est propheta*[r]. Unde satis apparet, Malachias meus quatenus in 5 meritis fuit, qui tam multus in signis exstitit, et in raritate tanta.

Quo enim antiquorum genere miraculorum Malachias non claruit? Si bene advertimus pauca ipsa quae dicta sunt, non prophetia defuit illi, non revelatio, non ultio 10 impiorum, non *gratia sanitatum*[s], non mutatio mentium, non denique mortuorum suscitatio. Per *omnia benedictus*

r. Ps. 73, 9 || s. I Cor. 12, 9

1. On ne trouve pas formellement cette prédiction dans la bouche de Malachie, mais c'est bien ainsi que Bernard interprétera le vœu de son ami.

sous cet autel; il courut et se plongea au milieu des flammes; les bras tendus, il embrassa le saint autel. Ce qu'il fit à cette occasion, ou ce qu'il ressentit, il n'est personne qui puisse le savoir. Mais que, au sortir de ce feu, il ait été enflammé du feu céleste plus encore que d'habitude, aucun des frères qui étaient alors avec lui ne l'ignore, j'en suis bien sûr.

Comment, en résumé, cet homme vraiment apostolique resplendissait des miracles antiques les plus divers; sur le chemin de Rome, c'est à Clairvaux, le jour qu'il avait désiré et prédit[1], *qu'il s'endormit dans le Seigneur, lui toujours vivant et prêt à intercéder pour nous.*

De quel genre de miracles cette vie aurait-elle manqué?

66. Les miracles qui viennent d'être relatés représentent quelques exemples parmi beaucoup d'autres; ils sont cependant déjà nombreux pour notre époque. Car ce siècle, qui est le nôtre, n'est pas un temps de signes, conformément à cette parole : «Nos signes, nous ne les voyons pas, il n'est plus de prophète[r]». Aussi apparaît-il suffisamment à quel point mon cher Malachie fut un homme de grande valeur spirituelle, lui dont l'existence a été si riche en signes, au milieu d'une si grande rareté.

De quel genre de miracles antiques Malachie n'a-t-il pas resplendi? Si nous observons attentivement les quelques-uns qui ont été rapportés, il ne lui manque ni la prophétie, ni la révélation, ni la punition infligée aux impies, ni «la grâce des guérisons[s]», ni la capacité de transformer les esprits, ni enfin celle de ressusciter les morts. En tout cela

Deus[t], qui sic *amavit et ornavit eum*, qui et *magnificavit eum in conspectu regum et dedit ei coronam gloriae*[u]. Amor probatur in meritis, ornatus in signis, magnificatio in ultione inimi-
15 corum, glorificatio in praemiorum retributione.

Habes, diligens lector, in Malachia meo quid mireris,
371 habes et quid imiteris. Nunc iam quid tibi ex his sperandum sit studiosus attende. Nam finis horum pretiosa mors est[v].

t. Rom. 9, 5 || u. Sir. 45, 2-3; 47, 7 (Lit.) || v. cf. Rom. 6, 21 et Ps. 115, 15

1. ** Texte composite (tiré de *Sir.* 45, 2-3; 47, 7. etc.), qui se trouve dans plusieurs pièces liturgiques du Commun des Confesseurs Pontifes, en particulier au R./ *Iustum deduxit.*

Dieu a été béni[t], lui qui a tellement «aimé cet homme, qui l'a paré de dons, qui l'a magnifié aussi en présence des rois et lui a donné une couronne de gloire[u] [1]». Or cet amour a sa preuve dans la valeur spirituelle du personnage, cette parure dans les signes qu'il a accomplis, cette magnificence dans la punition de ses ennemis, cette gloire dans la récompense qu'il a reçue.

Tu trouves[2], lecteur attentif, oui tu trouves en mon cher Malachie de quoi admirer, mais aussi de quoi imiter. Et maintenant fais bien attention à ce qu'il te faut espérer, à partir d'une telle existence. Car l'aboutissement de cette vie fut une mort précieuse[v].

2. Ce paragraphe fait la jonction entre la 2e et la 3e partie. Le portrait de l'homme de Dieu et l'évocation de sa puissance spirituelle devaient susciter l'admiration, et si possible l'imitation. Maintenant le récit de sa mort, vers laquelle le saint marche consciemment et qu'il transforme en passage auprès de Dieu, a pour but de faire naître et de fonder notre espérance. Cela justifie le titre dont nous faisons précéder la 3e partie.

XXX. 67. Percunctatus aliquando, quonam in loco, si optio detur, extremum malit facere diem – de hoc siquidem fratres quaerebant inter se, quem sibi quisque delegeret[w] cunctatur et non respondet. Instantibus illis :
5 « Si hinc migro, inquit, nusquam libentius quam unde una cum nostro apostolo resurgere possim. » Dicebat autem sanctum Patricium. « Si peregrinari oportet, et ita permittit Deus, Claramvallem delegi. » Requisitus item de tempore, diem respondit sollemnem omnium de-
10 functorum.

Si simplex votum putatur, impletum est ; si prophetia, *ne iota praeteriit*[x]. *Sicut audivimus, sic vidimus*[y] de loco pariter et de die. Dicamus breviter, quo ordine istud quave occasione provenerit.

15 Aegre satis ferebat Hiberniam usque adhuc pallio caruisse, utpote aemulator sacramentorum, quorum ne uno quolibet gentem suam vellet omnino fraudari. Et recordatus sibi a papa Innocentio fuisse promissum, inde magis tristari, quod dum adhuc ille superfuit, non fuit
20 missum pro eo. Et nactus occasionem, quod papa Euge-

w. cf. Mc 9, 33 et Lc 22, 23 || x. Matth. 5, 18 || y. Ps. 47, 9

---

1. Armagh – Cf. *supra,* XXIX, 65.

2. La fixation de la commémoration des défunts au lendemain de la Toussaint, soit le 2 novembre, est une initiative de saint Odilon, abbé de Cluny. C'est en 998 qu'il institua cette fête pour tout l'Ordre clunisien. La coutume s'en généralisa assez vite, avec l'appui de plusieurs papes (cf. H. LECLERCQ, « Défunts », *DACL,* IV, col. 454.
* Cf. *Libers tramitis aevi Odilonis,* éd. Siegburg, 1980, (*Corpus Consuetudinum Monasticarum,* X), p. 186-187.

3. Le terme de *sacramentum,* on le voit, est susceptible d'un sens très large chez saint Bernard : le *pallium,* en effet, n'est qu'un symbole assez secondaire, mais qui, en exprimant une autorité, signifie du même coup un ministère d'unité et de communion dans une contrée, et entre celle-ci et l'Église de Rome.

III. LE PASSAGE A LA VIE

Lieu et date de sa mort : un vœu ou une prophétie?

XXX. 67. On le questionna un jour pour savoir dans quel lieu, si le choix lui en était donné, il aimerait passer son dernier jour – en effet, ses frères s'étaient demandé entre eux quel lieu chacun choisirait[w]. Mais à cette question, il ne donna pas de réponse. Comme ils insistaient, il finit par dire : "Si c'est d'ici que j'émigre, le lieu d'où je le ferais plus volontiers est celui d'où je pourrais ressusciter en même temps que notre apôtre[1]." Il entendait parler de saint Patrick. "Mais, ajouta-t-il, s'il faut que je sois à l'étranger, et si Dieu le permet ainsi, c'est Clairvaux que j'ai choisi". Questionné de même sur le temps qui aurait sa préférence, il répondit : "En la fête de tous les défunts[2]."

S'agissait-il d'un simple vœu? Il fut comblé. S'agissait-il d'une prophétie? Il n'y manqua «pas un iota[x].» «Ce que nous avons entendu, nous l'avons vu[y]» se réaliser, à propos du lieu comme de la date. Disons brièvement par quelle suite de circonstances cela s'est passé.

Malachie se fait déléguer auprès du pape

Il supportait péniblement que l'Irlande soit toujours privée du privilège du *pallium,* tant il était ardemment désireux des sacrements[3], et tant il aurait voulu que sa nation ne manquât d'aucun d'entre eux. Il se souvenait que le pape Innocent le lui avait promis[4], aussi s'attristait-il d'autant plus que ce *pallium* ne lui avait pas été envoyé de sa part avant sa mort. Une occasion se présenta : le pape Eugène[5] exerçait le pontificat

4. Cf. *supra,* XVI, 38.
5. Le pape Eugène III, ancien moine de Clairvaux, et élu en 1144, vint en France en 1147, et y resta jusqu'en mai 1148.

nius summam regiminis teneret et eo temporis usque in Franciam appropiasse nuntiaretur, opportunitatem requirendi se invenisse gavisus est. Praesumebat autem de illo, utique viro tali et de tali assumpto professione, magis vero, 25 quod suae Claraevallis spiritualis filius exstitisset, nec timeri apud illum se ullam sustinere difficultatem.

Itaque convocantur episcopi, concilium cogitur; tractata triduo, quae tempori imminerent, die quarto aperitur 372 consilium de pallio requirendo. Placet, sed si per alium 30 requiratur. Tamen quia brevior via, et ob hoc tolerabilior peregrinatio videretur, non fuit qui eius obviaret consilio et voluntati. Et Malachias, soluto concilio, arripit iter. Prosequuntur eum, qui convenerant fratres, usque ad littus, non multi tamen.

35 Ad quem unus illorum, Catholicus nomine, flebili voce et vultu : «Heu, tu abis, inquit, et in quanta paene quotidiana vexatione me deseris non ignoras, nec fers opem misertus mei! Si dignus ego qui patiar, fratres quid peccaverunt[z], qui vix diem noctemve ullam a tam labo- 40 riosa cura et custodia mei feriatam habere sinuntur?»

His verbis et lacrimis filii, flebat enim, paterna viscera concussa sunt, et amplexatus est eum blandiendo, impressoque pectori eius signo crucis : «Certus esto, inquit, te eiusmodi nil passurum, donec redeam.»

z. cf. II Sam. 24, 17

---

1. Le concile eut lieu en 1148, présidé par Malachie, à titre de légat du Siège apostolique, sur l'Ile de saint Patrick (Inis Padraig), sur la côte est de l'Irlande, au nord de l'actuelle Dublin.

2. Non pas à partir de l'île de saint Patrick, mais plutôt du monastère de Bangor, puisque le voyage jusqu'en Écosse ne durera qu'un jour.

suprême, et l'on annonça à ce moment-là qu'il s'était déplacé jusqu'en France. Malachie fut tout heureux de saisir cette occasion. Il attendait beaucoup de cet homme, de ses qualités personnelles et du fait qu'il s'était engagé dans la profession monastique, mais il comptait plus encore sur le fait que ce pape avait été fils spirituel de son cher Clairvaux; aussi ne redoutait-il aucune difficulté de sa part.

Voilà pourquoi les évêques sont convoqués et un concile réuni[1]. Durant trois jours on y traite de questions urgentes, et le quatrième le concile se consacre à la question du *pallium* à demander. On se déclare d'accord, mais pour autant qu'un autre que Malachie aille le solliciter. Pourtant, du fait que le chemin était plus court, ce qui rendait plus acceptable le voyage de Malachie, personne finalement ne s'opposa au projet et à la volonté de ce dernier. Le concile congédié, Malachie se met en route[2]. Les frères qui étaient venus avec lui l'accompagnent jusqu'au rivage, en petit nombre cependant.

Un épileptique guéri

S'adressant à lui, l'un d'eux, nommé Catholicus, des sanglots dans la voix et le visage tout en larmes, s'écria : "Hélas, tu t'en vas, et tu sais bien dans quel malheur presque quotidien tu me laisses, sans y apporter de remède, ni me prendre en pitié! Et si moi, je mérite cette souffrance, les frères, eux, en quoi ont-ils péché[z]? Or c'est à peine s'il leur est permis d'avoir un jour ou une nuit de répit sans la lourde peine de me prendre en charge et de veiller sur moi."

A ces paroles et à ces larmes d'un de ses fils, Malachie pleurait, lui aussi, son cœur paternel se brisait; il embrassa cet homme avec des gestes de tendresse et lui fit sur la poitrine le signe de la croix en disant : "Sois certain qu'il ne t'arrivera rien de tel jusqu'à mon retour."

45 Erat autem epilepticus et cadebat frequenter[a], ita ut interdum non semel, sed saepius pateretur in die. Hoc iam per sex annos morbo horrido laborabat; sed ad verbum Malachiae perfecte convaluit. Ab illa hora nil tale perpessus est, nil tale, ut credimus, deinceps perpessurus, quia 50 Malachias deinceps rediturus non est.

68. In ipso ascensu navis accedunt duo ex his, qui illi cariores erant, audentes et petentes aliquid ab eo. Quibus ille : « Quid vultis[b]? – Non dicimus, inquiunt, nisi spondeas te daturum. » Spondet. Et illi : « Volumus nobis certo 5 promitti a tua dignatione, te in Hiberniam incolumem reversurum. » Instare et ceteri omnes. Tum ille, parumper deliberans, paenitere primo quod se alligasset, qua exiret non inveniens. *Angustiae undique*[c], dum nil occurreret ab alterutro tutum periculo, voti videlicet aut promissi. 10 Visum est tandem id potius eligendum, quod inpraesentiarum plus urget, reliquum supernae committendum dis- 373 positioni. Annuit, tristis quidem, sed magis illos noluit contristare et, spondens eis, ut volunt, ascendit navem.

Et cum iam fere *medium* iter aequoreum peregissent, 15 subito *contrarius ventus*[d] navem repellit, et reducit in terram Hiberniae. Descendens de navi, in ipso portu in quadam sua ecclesia pernoctavit. Et laetus gratias egit divinae

a. cf. Mc 9, 21 || b. cf. Matth. 20, 20-21 || c. Dan. 13, 22 || d. Matth. 14, 24

Il s'agissait en fait d'un épileptique, qui tombait fréquemment[a], à tel point que, par moments, les crises survenaient une ou même plusieurs fois par jour. Cela faisait déjà six ans qu'il souffrait de cette affeuse maladie ; mais, sur la parole de Malachie, il fut complètement remis. Dès ce moment-là il n'eut plus à subir de crise, et, croyons-nous, il n'aura plus jamais à en subir, puisque jamais plus Malachie ne reviendra.

Une promesse imprudente...

68. Au moment où il s'embarque, deux de ceux qui lui étaient les plus chers s'approchent, s'enhardissant à lui faire une demande. "Que voulez-vous[b] ?" leur dit-il. – "Nous ne te le disons que si tu t'engages à nous exaucer." Il s'y engage. Eux alors de lui dire : "Nous voulons de ta révérence la promesse certaine que tu reviendras sain et sauf en Irlande." Et tous les autres insistent dans le même sens. Lui alors, réfléchissant un peu en lui-même, commence à se repentir de s'être ainsi lié et ne sait plus comment s'en sortir. « Partout c'était l'impasse[c] » : entre son vœu personnel et cette promesse, il était pris entre deux risques. Il crut finalement devoir choisir le parti le plus urgent pour le présent, et de s'en remettre pour le reste à l'initiative de Dieu. Il leur fait donc signe que oui – triste, en vérité, mais préférant ne pas les attrister eux, et tout en leur promettant ce qu'ils veulent, il monte dans le bateau.

... tenue de manière imprévue

Or, comme on avait déjà parcouru presque la moitié de la traversée, « un vent contraire[d] » repousse soudainement le navire et le ramène en terre d'Irlande. Descendant à terre, il passa la nuit dans le port même, à l'intérieur d'une de ses églises. Et, tout joyeux, il rendit grâce pour cette intervention de la divine Provi-

consilio providentiae, quo factum est, ut iam fecerit satis pro sua promissione. Mane vero intrans navem, ipsa die 20 prospero cursu transfretavit et venit in Scotiam.

Die tertia pervenit ad locum qui Viride Stagnum dicitur, quem fecerat praeparari ut ibi statueret abbatiam. Et relicto illic de filiis suis, fratribus nostris, monachorum conventu et abbate – nam secum ad hoc ipsum eos adduxerat –, 25 *valedicens* eis, *profectus est*[e].

69. Et cum transiret, occurrit ei rex David, a quo susceptus est cum gaudio et retentus per aliquot dies; multaque operatus placita Deo, inchoatum repetit iter. Et pertransiens Scotiam, in ipso introitu Angliae divertit ad 5 ecclesiam Gisiburnensem, ubi habitant viri religiosi, canonicam ducentes vitam, ab antiquo familiares ei pro sua religione et honestate.

Ibi adducta est ad eum puella patiens morbum quem cancrum vulgo appellant, ipso horrendum visu; et sanavit 10 eam. Nam ubi aqua, cui benedixit, aspersa sunt ulcerum loca, dolorem non sensit. Die vero sequenti vix ulcera apparebant.

Abiens inde, ad mare venit; sed negatur transitus. Causa, ni fallor, fuit orta simultas quaedam inter Summum 15 Pontificem et regem Angliae, quod rex nescio quid mali

e. Act. 20, 1

---

1. Sur cette abbaye cistercienne *(Stagnum viride),* fondée par Malachie, cf. *supra,* VII, 15, note 4, p. 223.

2. David Ier, roi d'Écosse (v. 1085-1153), entreprit la réforme de l'Église d'Écosse et introduisit l'ordre cistercien dans son pays; il y bénéficia très tôt d'une réputation de sainteté.

* Cf. G.W.S. Barrow, «Scottish Rulers and the Religious Orders

dence, puisqu'elle venait de faire en sorte que déjà fût accomplie sa promesse. Le matin, il se réembarqua, et le jour même, d'un voyage rapide, il accomplit la traversée et parvint en Écosse.

Le surlendemain, il arrivait au lieu-dit Soulseat, qu'il avait fait préparer en vue d'y établir une abbaye[1]. De ses fils, nos frères, il laissa là une communauté de moines et un abbé : il les avait, en effet, amenés avec lui dans ce but. Puis il prit congé d'eux et partit[e].

69. A son passage, le roi David[2] accourut à sa rencontre, l'accueillant avec joie et le retenant quelques jours. Malachie accomplit là beaucoup de ces œuvres qui plaisent à Dieu, puis il reprit la route. Il traversa l'Écosse, et, à son entrée en Angleterre, il fit un détour par l'Église de Guisborough[3], où demeurent des religieux de vie canoniale[4] qui lui étaient attachés depuis longtemps en raison de leur esprit religieux et de leur droiture.

Là on lui amena une jeune fille affligée de cette maladie qu'on appelle vulgairement un chancre, et ce dernier était affreux à voir. Il l'en guérit. Car dès qu'on aspergea, avec l'eau qu'il avait bénite, l'emplacement des ulcères, elle cessa de sentir la douleur. Et le lendemain, c'est à peine si les ulcères étaient encore visibles.

Un contretemps providentiel

Partant de là, il arrive à la mer. Mais on lui refuse le passage. La raison en était, si je ne me trompe, une tension entre le pontife suprême et le roi d'Angle-

1070-1153», dans *Transactions of the Royal Historical Society,* 5th series, 3, 1953, 77-100.

3. *Ecclesia Gisiburnensis :* dans le Comté septentrional d'York, où un prieuré de chanoines de saint Augustin avait été fondé en 1119 par Robert de Brus.

4. La vie selon les canons de saint Augustin se différencie ici de la vie monastique.

suspicaretur de bono illo homine, si transiret; nam neque alios episcopos transire sinebat.

Quod quidem impedimentum, etsi fuit contrarium Malachiae voluntati, sed non voto. Dolebat differri a
374 20 desiderio suo, nesciens magis per hoc impletum iri. Nam si incontinenti transisset, oportebat transire etiam Claramvallem, ut Summum Pontificem sequeretur. Iam enim abierat, et erat Romae aut prope Romam. Nunc vero, intercedente dilatione, factum est ut, tardius transfretans, ad locum et
25 horam sanctissimi sui obitus opportune occurreret.

XXXI. 70. Qui a nobis susceptus est tamquam verus ab Occidente veniens, *visitans nos Oriens ex alto*[f]. O quantum nostrae Claraevalli irradians sol ille claritatis adauxit! Quam iucundus ad eius introitum dies festus illuxit nobis!
5 *Haec dies, quam* dedit *Dominus, exsultatum et laetatum in ea*[g]!

Quam celer et saliens, tremulus licet ac debilis, mox ipse occurri! Quam laetus in oscula rui! Quam laetis brachiis missam caelitus mihi amplexatus sum gratiam! Quam alacri vultu et animo, mi Pater, *introduxi te in domum matris*

f. Lc 1, 78 || g. Ps. 117, 24

---

1. Étienne, qui était en mauvais termes avec David, roi d'Écosse. De là ses soupçons à l'égard de Malachie, qui avait séjourné chez ce dernier.

2. Le roi Étienne entendait empêcher Théobald, archevêque de Cantorbury, et d'autres évêques, de se rendre au Concile de Reims, tenu en mars 1148. Mais, selon toute vraisemblance, Malachie ne s'y rendait pas, et son cas était différent.

3. Eugène III avait quitté Clairvaux le 27 avril et arrivait déjà à Lausanne le 20 mai. Le 30 novembre toutefois il n'est pas encore à

terre[1], car le roi soupçonnait de je ne sais quelle mauvaise intention cet homme de bien, au cas où il ferait la traversée; d'ailleurs il ne laissait pas non plus passer les autres évêques[2].

Au vrai, cet obstacle, même s'il était contraire à la volonté de Malachie, ne le fut pas à son vœu. Il se désolait de voir reporté son désir, sans savoir qu'au contraire ce dernier trouverait ainsi sa réalisation. Car, s'il avait traversé la mer immédiatement, il lui aurait aussi fallu dépasser Clairvaux sans s'arrêter, afin de rejoindre le pontife suprême. Déjà, en effet, ce dernier s'en était retourné : il était à Rome, ou proche de Rome[3]. Au contraire, voici que ce contre-temps, en retardant la traversée de Malachie, le ferait arriver à point nommé dans le lieu et pour l'heure de sa très sainte mort.

L'arrivée de Malachie à Clairvaux

XXXI. 70. Celui que nous avons reçu, était, venant du couchant[4], comme le véritable «soleil levant qui nous visite d'en haut[f]»! Ô quelle abondance de clarté ce soleil a ajoutée à notre cher Clairvaux! Quel merveilleux jour de fête son arrivée a fait briller pour nous! «En ce jour» que nous a donné «le Seigneur, quelle exultation et quelle joie[g]!»

Avec quelle rapidité et quel élan, tout tremblant et faible que j'étais, je suis bientôt accouru moi-même! Avec quel bonheur je lui ai sauté au cou pour l'embrasser! De quels bras largement ouverts j'ai étreint cette grâce que le ciel m'envoyait! Avec quelle allégresse de visage et d'esprit, mon père, «t'ai-je introduit dans la maison de ma mère, et

Rome, mais à Viterbe. Sur ce point, saint Bernard n'est pas très précisément renseigné.

4. La géographie médiévale situait les Îles Britaniques à l'ouest de l'Espagne.

10 *meae et in cubiculum genitricis meae*[h]! Quam festivos deinde duxi te cum dies, sed paucos!

Quid vero ille vicissim nobis? Nempe hilarem, nempe affabilem peregrinus noster omnibus se praebebat, omnibus incredibiliter gratum. *Quam bonum et quam iucun-*
15 *dum*[i] agebat hospitem inter nos, nimirum quos videre venerat a finibus terrae, non auditurus Salomonem, sed exhibiturus! Denique audivimus sapientiam eius[j], tenuimus praesentiam eius, et tenemus.

Iam quattuor aut quinque dies huius nostrae sollemni-
20 tatis defluxerant, cum ecce, febre correptus, lecto decubuit; et nos cum illo omnes. *Extrema gaudii* nostri maeror *occupat*[k], moderatior tamen, quod lenior interim febris esse videretur. Videres discurrere fratres, dandi avidos vel accipiendi. Cui non dulce videre illum? Cui non dulcius
375 25 ministrare illi? Utrumque suave, utrumque salutare. Et humanitatis erat praebere obsequium, et profectus cuique sui, cum gratiam reportaret. Assistere omnes, omnes solliciti erant *circa frequens ministerium*[l] : medicamenta perquirere, adhibere fomenta, urgere saepius ad gustandum.
30 Ad quos ille : « Sine causa, inquit, haec; sed caritate vestri facio quidquid iniungitis. » Sciebat enim imminere tempus suae migrationis[m].

h. Cant. 3, 4 || i. Ps. 132, 1 || j. cf. Matth. 12, 42 || k. Prov. 14, 13 || l. Lc 10, 40 || m. cf. II Tim. 4, 5

1. C'est ainsi que, à travers la symbolique du *Cantique des cantiques*, saint Bernard désigne ce qu'il a de plus cher, son monastère de Clairvaux, qui est son lieu ecclésial, l'espace spirituel de sa vie en Dieu, de sa profession monastique, de sa charge abbatiale, la matrice de sa vie éternelle.

dans la chambre de celle qui m'a fait naître[h 1] »! Quels jours de fête j'ai ensuite passés avec toi – oui, mais si courts.

Et que nous a-t-il donné en retour? Souriant, affable, tel se montrait à tous notre pèlerin; pour tous il avait un charme incroyable. Quel hôte « bon et agréable[i] » il fut parmi nous – nous qu'il était venu voir des extrémités de la terre, non pas pour écouter Salomon, mais pour nous le faire rencontrer. Nous avons alors écouté sa sagesse[j], nous avons accueilli sa présence, et nous la gardons.

Il tombe malade Quatre ou cinq jours déjà de cette fête pour nous avaient passé, lorsque, atteint de fièvre, il s'alita. Et nous allions tous aussi mal que lui. A une joie extrême succède pour nous le chagrin[k], mais un chagrin assez modéré, car, entre-temps, la fièvre paraît se calmer. Il fallait voir le va-et-vient des frères, dans leur désir de donner et de recevoir. Qui n'avait de bonheur à le voir? Et plus encore de bonheur à le servir? Deux bonheurs doux, deux bonheurs salutaires. C'était bien un acte d'humanité que d'offrir ses services, mais aussi un profit pour chacun, à cause de la grâce qu'on en recevait en retour. Tous donc voulaient l'aider, tous étaient soucieux des « multiples soins[l] » à lui rendre : se mettre en quête de médicaments, apporter des réconfortants, l'inciter régulièrement à manger. "Cela est inutile, leur disait-il. Mais, par amour pour vous, je vais faire ce que vous exigez de moi." Il savait en effet que le temps pour lui d'émigrer était imminent[m 2].

2. Depuis un certain temps Malachie pressent la proximité de sa mort. Ici, il l'annonce. Saint Antoine en avait fait autant (cf. ATHANASE, *Vie d'Antoine,* 89, 2), de même saint Benoît (cf. GRÉGOIRE LE GRAND, *Dial.*, II, 37, *SC* 260, p. 242-244), et saint Martin (SULPICE SÉVÈRE, *Ép.* III, 6).

71. Cumque fratres, qui cum eo venerant, fidentius instarent, dicentes non oportere diffidere de vita – nec enim signa mortis in eo aliqua apparerent : «Oportet, inquit, hoc anno Malachiam exire de corpore.» Et infert :
5 «Ecce appropinquat dies, quem, ut optime nostis, optavi semper ipsum fore diem *resolutionis meae*[n]. *Scio cui credidi, et certus sum*[o]; non fraudabor reliquo desiderii mei[p], qui partem iam teneo. Qui me sua misericordia perduxit ad locum quem petii, terminum quem aeque volui non
10 negabit. Quod ad hoc corpusculum attinet, hic requies mea[q]; quod ad animam, Dominus providebit[r], qui salvos facit sperantes in se[s]. Nec parum spei repositum mihi in die illa, qua mortuis tanta a vivis beneficia impenduntur[t].» Nec longe aberat dies ipsa, cum talia loqueretur.
15 Interea iubet se sacro oleo ungi. Exeunte conventu fratrum ut sollemniter fieret, non sustinuit ut ad se ascenderent; ipse descendit ad eos. Iacebat quidem super solium in domo superiori.

Ungitur et, sumpto viatico, fratrum se orationibus et
20 fratres commendans Deo, ad lectum revertitur. Ex alto solio descendebat pedibus suis, et rursum nihilominus suis pedibus ascendebat, et dicebat mortem esse in ianuis. Quis hunc hominem crederet moriturum? Solus ipse et Deus id scire poterant. Non vultus pallidior, non macilen-
25 tior videbatur; non rugata frons, non reconditi oculi, non nares extenuatae, non contracta labia, non adusti dentes, non collum exesum et gracile, non curvi humeri, non caro

n. II Tim. 4, 6 || o. II Tim. 1, 12 || p. cf. Ps. 77, 30 || q. Ps. 131, 14 || r. Gen. 22, 8 || s. Ps. 16, 7 || t. cf. Job 19, 27 et II Tim. 4, 8

1. *Solium :* il s'agirait d'une galerie ouverte sur l'église, à l'étage du dortoir, d'où les malades prenaient part aux offices.

Il se prépare à la mort

71. Et comme les frères venus avec lui insistaient fidèlement auprès de lui pour affirmer qu'il ne devait pas perdre l'espoir de vivre – et il est de fait qu'aucun signe de la mort ne se laissait voir en lui –, il leur dit : "Il faut que cette année Malachie sorte de son corps." Il ajoute : "Voici qu'approche le jour dont j'ai toujours souhaité, vous le savez très bien, qu'il soit «celui de mon départ[n]». «Je sais en qui j'ai cru, et j'en ai la certitude[o]» : je ne serai pas frustré de ce qui manque encore à mon désir[p], puisque déjà j'en tiens une partie. Celui qui, par sa miséricorde, m'a conduit jusqu'en ce lieu, comme je le lui ai demandé, ne me refusera pas le terme que j'ai également souhaité. Pour ce qui est de mon pauvre corps, «ici sera mon repos[q]»; quant à mon âme, «le Seigneur y pourvoira[r]», lui qui sauve ceux dont l'espérance est en lui[s]. Immense est l'espérance que je place en ce jour où les morts reçoivent des vivants tant de bienfaits[t]." Et ce jour-là n'était pas loin d'arriver, lorsqu'il s'exprimait en ces termes.

Dans l'intervalle, il demande d'être oint de l'huile sainte. La communauté des frères allait sortir pour célébrer cet acte, mais il n'admit pas que ce soit eux qui montent vers lui; c'est lui qui descendit jusqu'à eux. De fait, il gisait à l'étage supérieur[1].

Après le rite de l'onction, il reçoit le viatique, se recommande aux prières des frères et remet ceux-ci à Dieu, puis il retourne à son lit. De l'étage, il était descendu à pied, et c'est encore à pied qu'il y remonta, tout en affirmant que la mort était aux portes.

Qui aurait pu penser que cet homme allait mourir? Lui seul, et Dieu, pouvaient le savoir. Son visage ne semblait ni plus pâle ni plus maigre; son front n'était pas ridé, ni ses yeux enfoncés; il n'avait ni le nez pincé, ni les lèvres serrées, ni les dents noircies; il n'avait pas non plus le cou décharné et grêle, ni les épaules voûtées, ni la chair émaciée

exinanita in corpore reliquo. Haec erat gratia corporis eius,
376 et haec *gloria vultus eius, quae* non *evacuatur*[u], ne in morte
30 quidem. Talis quoad vixit, talis et mortuus apparebat, viventi similior.

72. Cucurrimus usque huc; sed modo haeremus, quia Malachias *cursum consummavit*[v]. Stat ille, et nos pariter stamus cum eo. Alioquin quis libenter currat ad mortem? Praesertim tuam, Pater sancte, quis referre possit? Quis
5 velit audire? Attamen *dileximus nos in vita, in morte non separabimur*[w]. Fratres, non relinquamus in morte quem in vita prosecuti sumus. Ab ulteriori Scotia usque huc cucurrit ille ad mortem; *eamus et nos,* et *moriamur cum eo*[x].

Oportet, oportet dicere, quam cernere necesse fuit.
10 Adest Omnium Sanctorum clara ubique celebritas; sed iuxta veterem sententiam *musica in luctu importuna narratio est*[y]. Adsumus, canimus vel inviti. Flendo cantamus et cantando flemus. Malachias, etsi non cantat, non plorat tamen. Quid enim ploret, qui appropinquat ad gaudium?
15 *Nobis, qui relinquimur*[z], relinquitur luctus; solus Malachias festum facit. Quod enim non potest corpore, facit mente, sicut scriptum est : *Cogitatio hominis confitebitur tibi, et reliquiae cogitationis diem festum agent tibi*[a].

u. II Cor. 3, 7 || v. II Tim. 4, 7 || w. II Sam. 1, 23 (Lit.) || x. Jn 11, 16 || y. Sir. 22, 6 || z. I Thess. 4, 17 || a. Ps. 75, 11

---

1. Cette course qui reste comme en suspens signifie en même temps, dans une ambiguïté voulue, le cheminement du récit, qui hésite à continuer, et la démarche physique et spirituelle de saint Bernard, accourant au chevet de Malachie en train de mourir, et enfin la vie que saint Bernard menait en commun avec Malachie et qui est soudain privée de cette amitié.

2. ** Bernard utilise 5 fois ce texte; chaque fois, il se réfère à l'Antienne *Gloriosi principes* (au Benedictus, pendant l'octave des saints

dans le reste du corps. La grâce de son corps et «l'éclat de son visage» étaient de ceux qui ne s'effacent pas[u], même dans la mort. Ce qu'il fut, tant que dura sa vie, il en garda l'apparence une fois mort, pareil à un vivant.

Il célèbre encore la Fête de tous les saints

72. Nous avons couru jusque là, mais maintenant nous restons comme en suspens[1], car Malachie «a achevé sa course[v]». Il est arrêté; et nous, pareillement, nous sommes arrêtés avec lui. D'ailleurs, qui courrait de bon gré vers la mort? La tienne, en particulier, père saint, qui pourrait la rapporter? Et qui voudrait en entendre la nouvelle? Pourtant «nous nous sommes aimés dans la vie, et dans la mort nous ne serons pas séparés[w2]». Frères, n'abandonnons pas dans la mort celui que nous avons suivi dans la vie. Du fond de l'Irlande jusqu'ici il a couru, lui, vers la mort; «allons, nous aussi, et mourons avec lui[x]».

Il faut, oui il faut décrire ce à quoi nous avons dû assister. Voici que survient la Fête de tous les saints, célébrée en tout lieu. Mais, selon un antique proverbe, «la musique dans le deuil est comme un discours importun[y]» : nous sommes là, nous chantons, même si c'est à contrecœur. Nous chantons en pleurant et pleurons en chantant. Malachie, lui, même s'il ne chante pas, n'en pleure pas pour autant. Pourquoi pleurerait-il, en effet, alors qu'il approche de la joie? «Pour nous qui restons[z]», il ne reste que le deuil; seul Malachie célèbre la fête. Oui, ce dont son corps n'est plus capable, son esprit l'accomplit. C'est bien ce qui est écrit : «La pensée de l'homme te rendra gloire, et le reste de sa pensée célébrera pour toi un jour de fête[a].»

Pierre et Paul), laquelle comporte *dileximus* et *separati* – suivie en cela par Bernard – au lieu de *amabiles* et *divisi* dans Vg.

Deficiente illi corporis instrumento, silente organo oris,
20 officio vocis cessante, reliquum est ut mentis iubilo sollemnizet. Quidni sollemnizet Sanctis, qui Sanctorum ducitur ad sollemnitatem? Exhibet illis quod mox sibi debebitur. *Adhuc modicum*[b], et ipse unus ex illis est.

73. Sub noctis crepusculo, cum iam utcumque diei a nobis expleta celebritas foret, Malachias appropiaverat, non crepusculo, sed aurorae. Annon illi aurora, cui *nox praecessit, dies autem appropinquavit*[c]?

5 Itaque, febre invalescente, coepit ex intimis ardens per omne corpus erumpere sudor, ut quodammodo *transiens per ignem et aquam, educeretur in refrigerium*[d]. Iam desperatur de vita eius, iam quisque suum iudicium reprehendit, iam nulli dubium Malachiae sententiam praevalere.

377 10 Vocamur; adsumus. Et ille oculos levans in circumstantes : « *Desiderio desideravi,* inquit, *hoc pascha manducare apud vos*[e]. Gratias ago supernae pietati : *non sum fraudatus a desiderio meo*[f]. »

Vides hominem securum in morte et, necdum mortuum, 15 iam certum de vita? Nec mirum. Videns adesse noctem, quam exspectaverat, et in ipsa diescere sibi, quasi de nocte

b. Jn 7, 33 || c. Rom. 13, 12 || d. Ps. 65, 12 || e. Lc 22, 15 || f. Ps. 77, 30

---

1. *Refrigerium,* dans la langue des premiers siècles, a le sens concret de rafraîchissement, puis d'entretien, d'aide matérielle, mais aussi le sens moral et spirituel de réconfort, de soulagement. Le terme va bientôt désigner « le lieu du rafraîchissement », de la lumière et de la paix, comme dit l'ancien canon romain. Mais avant de symboliser la joie eschatologique – le ciel, le Royaume – le mot a pu désigner ce lieu d'attente des défunts qui ne sont pas morts martyrs, selon la conviction d'un certain nombre d'auteurs anciens, comme Tertullien. Au sens de bonheur céleste, le terme figure dans un grand nombre de textes épigraphiques, dès le IIe siècle. Enfin le mot a pu désigner une agape célébrée sur un tombeau, coutume antique que l'Église ancienne

Tandis que l'instrument qu'est son corps se montre déficient, que l'organe de sa bouche demeure silencieux, que le service de sa voix prend fin, il lui reste la jubilation de l'esprit pour exprimer la fête. Pourquoi ne ferait-il pas fête aux saints, lui qui est conduit vers la fête des saints? Il leur offre ce que bientôt on lui devra à lui. «Encore un peu de temps[b]», et lui-même sera l'un d'eux.

Ses derniers moments, ses ultimes paroles

73. A l'heure du crépuscule, alors que déjà s'achevait en quelque sorte pour nous la célébration du jour, Malachie, lui, s'était approché, non du crépuscule, mais de l'aurore. N'était-ce pas l'aurore pour lui, puisque pour lui la nuit était avancée, et que le jour était tout proche[c]?

C'est pourquoi, envahi par la fièvre, il se mit, brûlant intérieurement, à répandre une sueur par tout son corps – comme s'il «passait par le feu et par l'eau pour être conduit au lieu du rafraîchissement[d1]». Déjà on cesse d'espérer pour sa vie, déjà chacun change d'avis, et plus personne ne doute que l'opinion de Malachie va prévaloir.

On nous appelle, nous nous tenons là. Et lui, levant les yeux sur ceux qui l'entourent : "«D'un grand désir, dit-il, j'ai désiré manger cette pâque avec vous[e].» Je rends grâce à la bonté d'en haut : «Je n'ai pas été trompé dans mon désir[f].»"

Tu vois cet homme en paix dans la mort? et sans qu'il soit encore mort, tu le vois déjà certain de la vie? Rien d'étonnant : voyant arriver la nuit qu'il avait attendue, et

a bientôt supprimée comme paganisante et propice au désordre (cf. H. LECLERCQ, «Refrigerium», *DACL,* fasc. CLVs, col. 2 179 ss.).
* Voir aussi J. LE GOFF, *La naissance du Purgatoire,* Paris, 1981, p. 70 ss.

triumphans, videtur insultare tenebris et quodammodo loqui : « Iam non dicam : *Forsitan tenebrae conculcabunt me*, quia haec *nox illuminatio* mea *in deliciis meis*[g]. »

20 Et blande nos consolans : « Habete, inquit, curam mei ; ego vestri, si licuerit, non obliviscar. Licebit autem. Credidi in Deum, et *omnia possibilia credenti*[h]. Amavi Deum, amavi vos, et *caritas numquam excidit*[i]. »

Et suspiciens in caelum[j] : « Deus, inquit, *serva* eos *in* 25 *nomine tuo*[k] ; *non solum* autem, *sed et omnes qui per verbum meum* ac ministerium meum tuo se mancipavere servitio[l]. »

Deinde, imponens manus singulis et benedicens omnibus[m], pausatum ire iubet, *quia nondum venerat hora eius*[n].

74. Imus ; redimus circa medium noctis, nam ea hora *lux lucere in tenebris*[o] nuntiatur. Impletur domus, adest congregatio tota : abbates quoque multi qui convenerant. *Psalmis* et *hymnis* et *canticis spiritualibus*[p] prosequimur amicum 5 repatriantem.

Anno aetatis suae quinquagesimo quarto, loco et tempore quo praeelegit et praedixit, Malachias, episcopus et legatus Sanctae Apostolicae Sedis, velut e manibus nostris assumptus ab angelis, feliciter *obdormivit* in Domino[q].

10 Et vere obdormivit. Vultus placidus placidi exitus indicium fuit. Et quidem omnium oculi fixi in eum ;

g. Ps. 138, 11 || h. Mc 9, 22 || i. I Cor. 13, 8 || j. Mc 7, 34 || k. Jn 17, 11 || l. cf. Jn 17, 20 || m. cf. Mc 10, 16 et Lc 4, 40 || n. Jn 7, 30 || o. Jn 1, 5 || p. Col. 3, 16 || q. Act. 7, 60

---

1. Sur le retour à la Patrie, cf. *De consid.*, V, 2.
2. Cf. *supra*, XXX, 67.
3. ** Bernard, qui a tout au long associé la vie de Malachie à celles du Christ et de Paul et a souvent utilisé les *Actes* (3 fois plus souvent dans *Malachie* que dans l'ensemble de son œuvre), fait allusion à la mort

voyant en elle briller pour lui le jour, comme s'il triomphait de la nuit, il paraît insulter les ténèbres, et affirmer en quelque sorte : "Je ne dirai plus désormais : «les ténèbres vont peut-être me piétiner», car cette nuit est mon «illumination, pour mes délices[g].»"

Et doucement il nous console : "Ayez soin de moi, dit-il; et moi, s'il m'est permis, je ne vous oublierai pas. Oui, cela me sera permis. J'ai mis en Dieu ma foi, et «tout est possible à celui qui croit[h]». J'ai aimé Dieu, je vous ai aimés, et «l'amour ne passe jamais[i]»."

Puis, le regard levé vers le ciel[j], il ajoute : "Dieu, «garde-les en ton nom[k]»; et non seulement ceux-ci, mais tous ceux qui, par ma parole et mon ministère, se sont offerts à ton service[l]."

Il impose ensuite les mains à chacun et nous bénit tous[m]; puis il nous envoie prendre un peu de repos, car «son heure n'était pas encore venue[n].»

Sa mort, un passage à la vie

74. Nous partons, et vers minuit nous revenons, car c'est à cette heure-là que «la lumière», comme on le proclame, «a brillé dans les ténèbres[o]». La maison est pleine, toute la communauté est présente; beaucoup d'abbés aussi, qui s'étaient rassemblés. «Par des psaumes, des hymnes, des cantiques inspirés[p]», nous accompagnons l'ami qui retourne dans la Patrie[1].

En la 54e année de son âge, dans le lieu et au jour qu'il avait choisis et prédits[2], Malachie, évêque et légat du Saint Siège apostolique, comme élevé de nos mains par les anges, «s'endormit» heureusement dans le Seigneur[q][3].

Oui, vraiment, il s'endormit. Son visage paisible fut la preuve de son paisible départ. Les yeux de tous, bien sûr,

d'Étienne dans les *Actes* avec le texte Vg de son temps, qui comportait *in Domino*.

nemo tamen, qui quando exivit, advertere potuisset. Mortuus vivere et vivens mortuus putabatur; adeo nil intercidit, quod alterutrum disterminaret. Eadem vivacitas
15 vultus, serenitas eadem, qualis apparere solet in dormiente. Diceres mortem nil horum tulisse, magis auxisse plurimum.

Non est mutatus, sed ipse mutavit omnes. Mirum in modum luctus et gemitus omnium subito conquiescit :
20 mutatur in gaudium maeror, planctum cantus excludit.
378 Effertur, feruntur in caelum voces, infertur oratorio abbatum humeris. Vicit fides, triumphatur affectus, res in suum devenit statum; cuncta geruntur ex ordine, cuncta ex ratione procedunt.

75. Et revera quid rationis habet immoderatius plangere Malachiam, quasi non sit *pretiosa mors eius*[r], quasi non sit magis somnus quam mors, quasi non sit mortis portus et porta vitae? Malachias *amicus noster dormit*[s], et ego lugeam?
5 Luctus iste usu se, non ratione tuetur. Si Dominus *dedit dilecto suo somnum*[t], et talem somnum, in quo *hereditas domini, filii merces, fructus ventris*[u], quid horum videtur fletum indicere? Egone fleam illum, qui fletum evasit? Ille

r. Ps. 115, 5 || s. Jn 11, 11 || t. Ps. 126, 2 || u. Ps. 126, 3

---

1. Les termes d'«ordre» et de «raison» sont à comprendre à partir du début de la phrase : la foi, qui, dans le cas particulier, discerne le triomphe de la vie éternelle dans la mort de Malachie, entraîne son ordre propre, qui est spirituel mais aussi affectif, non moins que rituel. Tout s'*ordonne,* tout doit s'ordonner – sentiments, attitudes, gestes – en fonction du mystère de la foi qu'on vient de vivre : l'affliction est

étaient fixés sur lui, et pourtant personne n'aurait pu observer le moment où il partit. Mort, on l'aurait dit vivant, et vivant on l'aurait cru mort, si bien qu'aucun signe n'intervint pour indiquer le passage d'un état à l'autre. La même vivacité sur son visage, la même sérénité, semblables à celles qu'on montre habituellement dans le sommeil. On aurait dit que la mort n'avait rien ôté de tout cela – au contraire : qu'elle y avait beaucoup ajouté.

Non, il n'est pas changé, mais lui-même nous a tous changés. D'une manière étonnante, les pleurs et les gémissements de tous se calment subitement : le deuil se change en joie, la plainte se prolonge en chant. On le soulève de sa couche, les voix montent vers le ciel, des abbés l'emportent à la chapelle sur leurs épaules. La foi est victorieuse, elle triomphe des sentiments; les choses prennent leur juste place, tout se passe de manière ordonnée, tout s'organise conformément à la raison[1].

Comment pleurer un vivant?

75. Et vraiment, quelle raison y aurait-il à pleurer Malachie sans mesure, comme si sa mort n'était pas précieuse[r] pour nous, comme si elle n'était pas davantage un sommeil qu'une mort, comme si elle n'était pas le port de la mort et la porte de la vie? Malachie, «notre ami, est en train de dormir[s]», et moi, je me lamenterais? Une telle lamentation est conforme aux usages, mais non à la raison. Si le Seigneur, «à son bien-aimé, a donné le sommeil[t]», et un sommeil tel qu'en lui se réalise «l'héritage du Seigneur, des fils en récompense, le fruit du ventre[u]» – alors, qu'est-ce qui paraît, en tout cela, nécessiter des larmes? Vais-je pleurer, moi, celui qui a échappé aux pleurs? Il

vaincue. De même la foi, et son ordre, déterminent une raison, au sens objectif d'un argument, et au sens subjectif d'une adéquation de l'intelligence, puis du comportement, à la réalité. Cette raison, dans le cas particulier, c'est réellement de ne pas avoir à pleurer, et effectivement de ne pas pleurer outre mesure, puisque cette mort a été un passage vers la vie, donc une victoire et une joie.

tripudiat, ille triumphat, ille introductus est *in gaudium*
10 *Domini* sui[v]; et ego eum plangam? Cupio mihi haec, non illi invideo.

Interim parantur exsequiae, offertur pro eo sacrificium, consummantur ex more omnia cum summa devotione.

Stabat eminus puer, cui emortuum pendebat a latere
15 brachium, magis illi impedimento quam usui. Quo comperto, innui ut accederet et apprehensam aridam manum applicui ad manum episcopi, et vivificavit eam. Nempe vivebat in mortuo *gratia sanitatum*[w], et manus eius fuit mortuae manui quod mortuo homini Elisaeus[x]. Puer ille
20 de longe venerat, et manum quam pendentem attulerat, sanam in patriam reportavit.

Iam omnibus rite peractis, in ipso oratorio, *in quo sibi bene complacuit*[y] Malachias, traditur sepulturae, anno ab incarnatione Domini millesimo centesimo quadragesimo octavo,
25 quarto nonas novembris.

Tuum est, Iesu bone, depositum, quod nobis creditum est[z]; tuus thesaurus, qui reconditur penes nos. Servamus illum resignandum in tempore, quo reposcendum censueris : tantum ut absque contubernalibus suis non egre-
30 diatur, sed quem habuimus hospitem, habeamus ducem, tecum et cum ipso pariter regnaturi in saecula saeculorum. Amen.

v. Matth. 25, 21 || w. I Cor. 12, 9 || x. cf. IV Rois 13, 21 || y. Matth. 17, 5 || z. cf. I Tim. 1, 11 et II Tim. 1, 12

1. D'après la *Vita prima,* 4, 21, saint Bernard a alors utilisé la collecte pour la commémoration des saints évêques, tant il était sûr de la sainteté de Malachie, et de sa prochaine canonisation.

2. *quarto nonas novembris :* les nones de novembre tombent sur le 5 ; le quatrième jour avant (y compris le dernier jour) tombe sur le 2. Malachie est décédé le matin du 2 novembre 1148. Le chapitre général de Cîteaux de 1191, statut 60, a fixé sa fête le 3 novembre, en lui donnant la même solennité qu'à celle de saint Grégoire le Grand. On enterra

danse de bonheur, il triomphe, «il est introduit dans la joie de son Seigneur[v]» : et moi, je me lamenterais sur lui? Tout cela, je le désire pour moi : pour lui je ne vais pas le regretter!

Entre-temps, on prépare ses funérailles, on offre pour lui le sacrifice[1], et tout ce qui est d'usage, on l'accomplit à son égard avec la plus totale ferveur.

A quelque distance se tenait un enfant dont un bras, sans vie, pendait sur le côté, pour l'embarrasser plutôt que pour le servir. L'ayant aperçu, je lui fis signe d'approcher, je saisis la main desséchée et l'appliquai sur la main de l'évêque, qui lui rendit la vie. Car, dans ce mort, survivait «la grâce de guérison[w]», et sa main eut, pour cette main morte, le même rôle qu'Élisée à l'égard d'un mort[x]. Cet enfant était venu de loin, et sa main, qu'il avait amenée inerte, il la ramena guérie dans son pays.

Une fois achevés tous les rites, dans la chapelle même où Malachie se plaisait tant[y], il fut enseveli, en l'année 1148 de l'incarnation du Seigneur, le 2 novembre[2].

Il est à toi, bon Jésus, le dépôt qui nous a été confié[z]; il est à toi, le trésor enfoui parmi nous. Nous le conservons avec l'intention de le restituer quand tu jugeras bon de le réclamer. Seulement, qu'il ne sorte pas d'ici sans ses compagnons d'armes : nous l'avons eu pour hôte, puissions-nous l'avoir pour chef, afin de régner avec toi, comme aussi avec lui, pour les siècles des siècles. Amen.

saint Malachie dans le transept nord de l'église de Clairvaux. Il fut canonisé par Clément III le 6 juillet 1190. Lors de la Révolution, ses reliques furent mêlées à d'autres et transportées dans l'église de Ville-sous-la-Ferté; son chef, comme celui de saint Bernard, est vénéré dans la cathédrale de Troyes. Les prophéties qu'on lui prête à propos des papes sont un faux fabriqué vers 1585 (cf. *Vie des saints et des bienheureux selon l'ordre du calendrier,* par les Pères bénédictins de Paris, t. XI, novembre 1954, Paris, p. 116 et 117).

PIÈCES ANNEXES
A LA VIE DE S. MALACHIE

SERMO

IN TRANSITU SANCTI MALACHIAE EPISCOPI

417 **1.** De caelo vobis hodie, dilectissimi, copiosa quaedam est benedictio destinata, et fideliter eam non distribui, vobis quidem damnosum esset, mihi vero periculosum, cui nimirum haec dispensatio videtur esse commissa. Timeo
5 itaque damnum vestrum, timeo damnationem meam, si forte dicatur : *Parvuli petierunt panem, et non fuit qui porrigeret illis*[a].

Scio enim quam necessaria vobis sit e caelo veniens consolatio, quos constat illecebris carnalibus et oblecta-
10 mentis saecularibus viriliter abrenuntiasse. Nemo sane beneficii esse caelestis, et superno dubitet consilio diffinitum, ut episcopus Malachias hodie inter vos obdormiret et desideratam haberet inter vos sepulturam. Cum enim nec folium quidem arboris sine divino nutu cadat in
15 terram[b], quis tam hebes, ut non evidenter in huius beati viri adventu et transitu magnum prorsus consilium supernae pietatis advertat?

A finibus terrae, terram hic positurus advenit, alia

a. Lam. 4, 4 || b. Cf. Matth. 10, 29

---

1. Pour le texte latin, cf. *SBO*, t. V, p. 417 ss.

2. *Transitus* : le terme évoque la mort du saint comme son passage, sa pâque, de ce monde jusqu'auprès du Christ.

3. Le rôle du prédicateur est de rompre le pain de la Parole, et en même temps de faire discerner et de communiquer à l'assemblée la bénédiction de Dieu en montrant le sens spirituel de l'événement à l'occasion duquel on est rassemblé.

4. Cf. *MalV*, XXX, 67.

SERMON[1]

LORS DU PASSAGE[2] DE L'ÉVÊQUE SAINT MALACHIE VERS LA VIE

La mort de Malachie à Clairvaux : un événement providentiel

1. Aujourd'hui, du ciel, mes bien-aimés, une abondante bénédiction vous a été destinée, et, si je manquais de vous la transmettre en toute fidélité, ce serait pour vous un préjudice, certes, mais, pour moi un danger, puisque cette tâche m'a été confiée. Ma crainte, donc, c'est de vous causer un préjudice; ma crainte aussi, c'est de me faire condamner, si l'on venait à me dire : «Les petits enfants ont réclamé du pain, et personne ne leur en a apporté[a][3].»

Je sais, en effet, combien vous est nécessaire la consolation qui vient du ciel, à vous qui avez décidé vaillamment de renoncer aux séductions de la chair et aux plaisirs du monde. Que nul n'hésite à voir un bienfait du ciel dans l'événement survenu aujourd'hui, et un bienfait décidé par le conseil d'en haut : oui, aujourd'hui, l'évêque Malachie s'est endormi parmi vous et, comme il l'avait désiré, c'est parmi vous qu'il est enseveli[4]. Puisque, sans permission divine, il ne tombe pas à terre la moindre feuille d'arbre[b], qui serait assez stupide pour ne pas reconnaître avec évidence dans la venue parmi nous de cet homme bienheureux, puis, parmi nous aussi, de son passage vers la vie, le dessein parfaitement délibéré de la bonté de Dieu?

Des confins de la terre il est venu pour faire reposer ici sa dépouille terrestre[5]. Et l'on sait bien que, du fait de son

5. Litt. «la terre».

quidem occasione festinans, quamvis ob specialem erga
20 nos caritatem id plurimum desiderasse noscatur. Multa
quidem in itinere ipso impedimenta sustinuit, nec transfre-
418 tare permissus est, donec appropinquaret *tempus consummationis*[c] eius et *terminus qui non poterat praeteriri*[d]. Quem
quidem multis ad nos pervenientem laboribus, tamquam
25 angelum Dei pro reverentia sanctitatis suae suscepimus[e];
sed et nos ipse pro sua mansuetudine et humilitate altius
radicata, longe supra quam mereremur, devoto suscipiebat
affectu.

Paucos deinde apud nos dies fecit in incolumitate sua,
30 dum socios praestolaretur, qui dispersi in Anglia fuerant,
cum regis illius vana suspicio Dei hominem impediret.
Iamque omnibus ad eum collectis, ad Romanam, pro qua
venerat, curiam parabat iter, cum subito infirmitate praventus, sensit protinus ad caeleste magis sese palatium
35 evocari, *Deo melius aliquid providente pro nobis, ne* a *nobis*
egressus alibi *consummaretur*[f].

2. Nullum quidem in eo, non dico mortis, sed vel gravis
aegritudinis signum medicis apparebat; ille tamen, exhilaratus spiritu, aiebat omnimodis oportere, ut hoc anno
Malachias ab hac vita egrederetur. Laboratum est contra,
5 et devotis precibus apud Deum, et quibuscumque
potuimus modis; sed illius praevaluere merita, ut *desiderium*

c. Sir. 39, 34 || d. Job 14, 5 || e. Cf. Gal. 4, 14 || f. Hébr. 11, 40

---

1. *Suscipiebat* : même idée in *MalV*, sous-titre ancien de XIV, 32 (cf. note *ad loc.*).
2. Cf. *MalV*, XXX, 70.

amour tout particulier pour nous, c'était là son désir le plus cher, même si, en fait, il accourait ici pour une autre raison. Il rencontra toutes sortes d'ennuis en chemin, et il lui fut interdit de traverser la mer, jusqu'à ce que viennent pour lui «le temps de l'accomplissement[c]» et «le terme impossible à dépasser[d]». Celui qui nous arrivait au prix de tant de difficultés, nous l'avons accueilli comme un ange de Dieu[e], par égard pour sa sainteté. Mais, en retour, c'est à la mesure de la douceur et de l'humilité si profondément enracinées en lui, qu'il nous accueillait[1], nous aussi, avec un empressement et un élan d'affection dépassant de loin ce que nous méritons.

Par la suite, il ne vécut parmi nous que peu de jours en bonne santé : il attendait ses compagnons, qui s'étaient dispersés en Angleterre, lorsque le roi de ce pays, le suspectant à tort, retenait l'homme de Dieu[2]. Dès qu'ils furent réunis autour de lui, Malachie se préparait à rejoindre la curie romaine – c'est dans ce but qu'il était venu –, lorsqu'une maladie subite devança son projet. Il sentit qu'il était appelé à gagner plutôt, et sans tarder, le palais du ciel. Ainsi «Dieu avait en vue» quelque chose de meilleur pour nous; il ne voulut pas que son serviteur, en partant de chez nous, achevât sa vie ailleurs[f].

Un signe de la bienveillance de Dieu pour Clairvaux

2. Les médecins, il est vrai, ne discernaient en lui aucun symptôme je ne dis pas de la mort, mais même d'une maladie grave. Lui, cependant, tout rayonnant d'une joie spirituelle, ne cessait de redire que, cette année même, il faudrait que Malachie sortît de cette vie. On se donna beaucoup de peine pour s'opposer à cela, aussi bien par de fréquentes prières auprès de Dieu que par tous les moyens qui se trouvaient à notre disposition. Mais ce furent ses mérites

cordis *eius tribueretur ei et non fraudaretur voluntate labiorum suorum*[g].

Sic enim pro votis omnia ei concurrere, ut hunc maxime
10 locum, divina sibi inspirante clementia elegisset et hunc quoque ex longo optaret sepulturae habere diem, quo fidelium omnium generalis memoria celebratur. Sed et illud nostra haec gaudia merito cumulavit, quod fratrum nostrorum ossibus de priore coemeterio asportandis huc et
15 recondendis, eadem nobis dies auctore Deo fuisset electa.

Quae nimirum deportantibus nobis et ex more psallentibus, idem vir sanctus plurimum sese illo cantu delectari dicebat, et non multo post ipse quoque secutus est, somno suavissimo et felicissimo soporatus. Agimus itaque gratias
20 Deo super omnibus dispositionibus suis, quod indignos nos beatae mortis eius honorare praesentia, quod pauperes suos pretiosissimo corporis eius locupletare thesauro, quod infirmos nos tanta Ecclesiae suae voluit fulcire columna. Alterum siquidem e duobus signum istud, quod nobis in
25 bonum factum est, persuadet, quod aut placitus Deo sit locus, aut sibi placitum facere velit, ad quem tantae sanctitatis virum a finibus terrae moriturum sepeliendumque perduxit.

419 **3.** Ceterum populo illi affectuosius condolere, et eius quae tam miserabili Ecclesiae dirum hoc vulnus non pepercit inferre, crudelitatem mortis vehementius abhorrere, beati huius Patris caritas ipsa compellit. Dira profecto
5 et inexorabilis mors, quae tantam hominum multitudinem

g. Ps. 20, 3

---

1. Cf. *MalV*, XXX, 67.
2. Ce détail est original par rapport au récit de *MalV*, qui ne l'a pas repris. La reconstruction de Clairvaux avait commencé vers 1135 et s'acheva en 1149.

qui prévalurent : Dieu «lui accorda le désir de son cœur et ne lui refusa pas le souhait de ses lèvres[g].»

Ainsi toutes choses concoururent à exaucer ses vœux : c'est en effet ce lieu-ci que, sous l'inspiration de Dieu, il avait choisi plus que tout autre pour y être enseveli, et il désirait depuis longtemps que cela tombât sur le jour où l'on célèbre la mémoire de tous les fidèles défunts[1]. Et pour mettre le comble à notre joie, ce jour est précisément celui que Dieu nous avait fait choisir pour transférer du cimetière primitif les ossements de nos premiers frères, et les enterrer en ce lieu-ci[2].

Alors que nous les transportions en psalmodiant, comme c'est la coutume, ce saint homme disait toute la joie que lui causait ce chant. Et peu après, c'est lui qui prit le même chemin, en entrant dans un très paisible et très heureux sommeil. Aussi rendons-nous grâce à Dieu pour toutes les dispositions qu'il a mises en œuvre : dans notre indignité, il nous honore par cette mort bienheureuse survenue parmi nous ; dans notre pauvreté, il nous comble par le trésor combien précieux de ce corps ; dans notre faiblesse, il a voulu nous donner l'appui de cette colonne de son Église. Le second de ces signes, qui retombe sur nous en bienfait, nous persuade ou bien que ce lieu plaît à Dieu, ou alors que Dieu veut se le rendre cher, puisqu'il y a fait venir du bout de la terre un homme d'une telle sainteté pour y mourir et y être enseveli.

Terrible est la mort, aveugle et impitoyable

3. Pourtant l'amour même de ce bienheureux père m'entraîne à compatir avec d'autant plus de cœur à la peine de son peuple, et à détester avec plus de violence la cruauté de la mort – elle qui n'a pas épargné cette terrible blessure à une Église déjà si éprouvée. Terrible assurément, et inexorable est cette mort, qui a atteint une telle multitude d'hommes en en

unius percussione multavit : caeca et improvida, quae Malachiae ligavit linguam, impedivit gressus, dissolvit manus, oculos clausit.

Illos, inquam, devotos oculos, qui piissimis fletibus
10 divinam peccatoribus reconciliare gratiam consuevere; illas mundissimas manus, quae laboriosis et humilibus operibus exerceri semper amaverant, quae Dominici corporis hostiam salutarem pro peccatoribus toties offerebant et *sine ira et disceptatione*[h] in oratione levabantur in caelum,
15 quae infirmis multa beneficia praestítisse et signis variis effulsisse noscuntur; illos quoque *speciosos* gressus *evangelizantis pacem, avangelizantis bona*; illos *pedes*[i], qui toties fatigati sunt studio pietatis; vestigia illa, digna semper quae devotis osculis premerentur; sancta denique *labia* illa
20 *sacerdotis, quae custodiebant scientiam*[j]; *os iusti*, quod *sapientiam meditabatur, et linguam eius*, quae, *iudicium loquens*[k], immo et misericordiam, tantis mederi solebat vulneribus animarum.

Nec mirum, fratres, iniquam esse, quam generavit iniquitas; inconsideratam, quam seductio noscitur peperisse.
25 Nihil, inquam, mirum, si ferit sine discretione, quae venit ex praevaricatione, si sit crudelis et fatua, quae ex antiqui serpentis fallacia et mulieris insipientia prodiit.

Quid tamen causamur, quod Malachiam ausa sit atten-

h. I Tim. 2, 8 || i. Rm. 10, 15 || j. Mal. 2, 7 || k. Ps. 36, 30

---

1. Cf. dans notre introduction, le paragraphe sur l'eucharistie, p. 160 ss.
2. La *Vita prima*, IV, 21, ajoute que, à l'office des funérailles, saint Bernard baise avec ferveur les pieds de saint Malachie.

frappant un seul; aveugle et imprévoyante, cette mort, qui a paralysé la langue de Malachie, arrêté ses pas, déjoint ses mains, fermé ses yeux.

Tout ce qu'on perd en Malachie

Oui, j'évoque ces yeux exprimant l'offrande de la foi et si habitués, par leurs larmes très ferventes, à réconcilier la grâce de Dieu avec les pécheurs. Et j'évoque aussi ces mains très pures, qui ont toujours aimé se prêter à des travaux fatigants et humbles; elles ont présenté tant de fois, pour les pécheurs, l'offrande du corps du Seigneur, qui apporte le salut[1]; elles s'élevaient vers le ciel, «sans colère ni disputes», pour la prière[h]; et l'on sait tous les bienfaits qu'elles ont apportés aux malades, et de quels miracles de toute espèce elles ont resplendi. Et j'évoque encore «les pas admirables de celui qui annonçait la bonne nouvelle de la paix, la bonne nouvelle du bonheur»; ces pieds[i] qui n'ont cessé de se fatiguer, entraînés par le zèle de la piété; ces pieds qui mériteraient d'être sans cesse couverts de baisers fervents[2]. Enfin j'évoque ces saintes «lèvres du prêtre, qui gardaient le savoir[j]», «cette bouche du juste, qui méditait la sagesse, et sa langue qui, en prononçant le jugement[k]» – la miséricorde plutôt –, ne manquait jamais de porter remède à tant de blessures des âmes.

La mort prise à son propre jeu

Non, rien d'étonnant, frères, que soit inique celle que l'iniquité a enfantée, que soit irréfléchie celle qu'a mise au monde, on le sait, la séduction. Rien d'étonnant, dis-je, si elle frappe sans discernement, elle qui a pour origine la transgression; et si elle est cruelle et insensée, puisqu'elle provient de la tromperie de l'antique serpent et de l'égarement de la femme.

Comment d'ailleurs se plaindre si elle a osé s'attaquer à

tare, fidele equidem membrum Christi, quando et ipsum
30 Malachiae pariter et omnium electorum caput furibunda pervasit? Pervasit utique immunem, sed non immunis evasit. Impegit in vitam mors, et inclusit intra se vita mortem, et *absorpta est mors* in *vita*[l]. Hamum[m] sibi devorans, inde teneri coepit, unde visa est tenuisse.

4. At fortasse quis dicat : Quomodo mors a capite superata videtur, quae tanta adhuc libertate saevit in membra? Si mors mortua[n], quomodo Malachiam occidit? Si victa, quomodo adhuc praevalet universis, et non *est*
420 5 *homo qui vivat et non videat mortem*[o]?

Victa plane mors, opus diaboli, et peccati poena; victum peccatum, causa mortis; victus et ipse malignus, et peccati auctor, et mortis. Nec modo victa sunt haec, sed et iudicata iam et damnata. Diffinita quidem, sed necdum promulgata
10 sententia est. Denique iam *diabolo ignis paratus*[p], et etsi nondum ille praecipitatus in ignem, modico adhuc tempore sinitur malignari[q]. Tamquam malleus caelestis Opificis factus est, *malleus universae terrae*[r] : terit electos ad eorum utilitatem reprobos conterit in eorum damna-
15 tionem.

Qualis ergo *paterfamilias*, tales et *domestici eius*[s], peccatum

l. I Cor. 15, 54; II Cor. 5, 4 || m. Cf. Job 40, 20 || n. Cf. Os. 13, 14 || o. Ps. 88, 49 || p. Matth. 25, 41 || q. Cf. Apoc. 12, 12 || r. Jér. 50, 23 || s. Matth. 10, 25

---

1. ** L'allusion à l'hameçon dans la gueule du Léviathan, ténue ici, est éclairée par celle qui se trouve – accompagnée des mêmes textes *I Cor.* 15, 54 et *Os.* 13, 14 – dans l'apostrophe à Gérard défunt : *SCt* 26, 11 (I 178, 18-27).

2. Cette métaphore est classique : cf. saint GRÉGOIRE LE GRAND, *Moral. in Job*, 35, 7.

3. Cette phrase, inspirée d'Osée 13, 4, reproduit une antienne des I[res] vêpres pour la fête de l'Exaltation de la croix.

Malachie, ce membre fidèle du Christ, puisque, dans sa furie, elle s'est emparée également de Celui-là même qui est la Tête de Malachie, comme aussi de tous les élus? Oui, elle s'est emparée de Celui qui était sans mal; mais, sans mal, elle ne s'en est pas sortie. La mort s'est ruée sur la vie, «la vie s'est refermée sur elle, et la mort s'est trouvée engloutie par la vie[l]». Avalant l'hameçon [m1], elle s'est peu à peu laissé prendre à ce qu'elle avait paru prendre[2].

La mort vaincue garde un pouvoir momentané

4. Quelqu'un dira peut-être : comment reconnaître que la mort a été vaincue par la Tête – le Christ –, puisqu'elle peut encore si librement se déchaîner contre les membres du Christ? Si la mort est morte [n3], comment a-t-elle tué Malachie? Si elle a été vaincue, comment triomphe-t-elle encore de tous, et comment peut-il se faire que «nul homme ne soit capable de vivre sans voir la mort[o]»?

Certes, la mort est vaincue comme œuvre du diable et punition du péché; vaincu aussi le péché, comme raison de la mort; et vaincu le Malin lui-même, auteur du péché et de la mort. Et non seulement ils ont été vaincus, mais déjà jugés et condamnés. La sentence est bien énoncée, mais point encore promulguée. Enfin «le feu est déjà prêt pour le diable[p]», bien que, dans ce feu, il n'ait pas encore été précipité, et qu'il lui soit permis de manigancer le mal pour peu de temps encore[q]. Il est devenu comme le marteau de l'Artisan céleste, «le marteau du monde entier[r]» : il broie les élus pour leur bien, il écrase les réprouvés pour leur condamnation.

Tel est le maître de maison, tels sont aussi ses domestiques [s4], à savoir le péché et la mort. Car, pour ce qui est du

4. Cette parole, qui concerne Jésus dans l'Évangile, est ici appliquée au diable.

scilicet et mors. Nam et peccatum, licet *simul cum Christo*[t] *cruci* ipisius non dubitetur *affixum*[u], adhuc tamen interim non regnare quidem, sed habitare etiam in ipso[v], dum
20 viveret, Apostolo permittebatur. Mentior si non ipse ait : *Iam non ego operor illud, sed quod habitat in me peccatum*[w].

Sic et mors ipsa minime quidem adhuc abesse cogitur, sed cogitur non obesse. Erit autem cum dicetur : *Ubi est, mors, victoria tua?*[x] Et ipsa siquidem *inimica novissima*
25 *destruetur*[y]. Nunc vero, moderante eo qui imperium habet vitae et mortis[z] et mare ipsum certis coercet litorum metis, mors ipsa dilectis Domini somnus refrigerii est, propheta attestante, qui ait : *Cum dederit dilectis suis somnum, ecce hereditas Domini*[a].

30 *Pessima* quidem *mors peccatorum*[b], quorum et nativitas mala, et vita peior; sed *pretiosa* est *mors sanctorum*[c]. Pretiosa plane, tamquam finis laborum, tamquam victoriae consummatio, tamquam vitae ianua et perfectae securitatis ingressus.

5. Congratulemur itaque, fratres, congratulemur ut dignum est, Patri nostro, quia et pium est defunctum plangere Malachiam, et pium magis Malachiae congaudere viventi. Numquid non vivit? Et beate. Nimirum visus est
5 oculis insipientium mori, ille autem est in pace[d]. Denique iam *concivis Sanctorum et domesticus Dei*[e], psallit pariter et

t. Rom. 6, 8 || u. Col. 2, 14 || v. Cf. Rom. 6, 12 || w. Rom. 7, 17 || x. I Cor. 15, 55 || y. I Cor. 15, 26 || z. Cf. Sag. 16, 13 || a. Ps. 126, 2-3 || b. Ps. 33, 22 || c. Ps. 115, 15 || d. Sag. 3, 2-3 || e. Éphés. 2, 19

---

1. Même idée en *MalV*, XXXI, 75.

2. ** Cf. Bréviaire cistercien, antienne de Benedictus pour la fête de S. Martin « *O quantus luctus* » : *et pium est gaudere Martino et pium est flere Martinum.*

3. C'était aussi l'antienne de communion à la messe pour la vigile de la Toussaint.

péché, même si l'on ne peut douter qu'il a été cloué «avec le Christ[t]» à sa croix[u], il gardait pourtant la permission, pour un temps, non pas certes de régner[v], mais tout de même d'habiter l'Apôtre lui-même, durant sa vie. Que je sois menteur si ce dernier n'a pas déclaré : «Ce n'est plus moi qui agis, mais le péché qui habite en moi[w].»

De même en est-il pour la mort : jusqu'à présent, rien ne l'oblige à s'éloigner de nous, mais elle est empêchée de nuire. Viendra le temps où il lui sera dit : «Où est-elle, ô mort, ta victoire?[x]» Et c'est elle, effectivement, «la dernière ennemie qui sera vaincue[y]». Pourtant, maintenant déjà, sous l'autorité de Celui qui commande à la vie et à la mort[z] et qui maintient la mer elle-même dans les limites précises de ses rivages, la mort, pour les bien-aimés du Seigneur, n'est qu'un sommeil dans le lieu du rafraîchissement. C'est ce qu'atteste le prophète : «Lorsqu'il aura donné le sommeil à ceux qu'il aime, voici l'héritage du Seigneur[a].»

«Terrible est la mort des pécheurs[b]», eux dont la naissance déjà était un mal, et la vie un mal pire encore. «Précieuse» au contraire, «la mort des saints[c].» Oui, précieuse parce qu'elle représente la fin de leurs peines, l'achèvement de leur victoire, la porte de la vie[1], l'entrée pour eux dans la parfaite tranquillité.

Par la mort, le saint entre dans la vie

5. Aussi, frères, réjouissons-nous, oui réjouissons-nous, comme il convient, avec notre père. Car si la piété consiste à pleurer sur la mort de Malachie, elle consiste bien plus encore à se réjouir avec lui de ce qu'il soit vivant[2]. N'est-il pas vrai qu'il vit? Oui, et même dans le bonheur. Évidemment, au regard des insensés il a paru mourir, mais lui, il est dans la paix[d3]. Devenu déjà «concitoyen des saints et familier de la maison de Dieu[e]», il psalmodie tout comme eux et rend grâce en

gratias agit dicens : *Transivimus per ignem et aquam, et eduxisti nos in refrigerium*[f]. Transivit plane viriliter, et feliciter pertransivit. Verus Hebraeus pascha celebravit in spiritu, et nobis transiens loquebatur : *Desiderio desideravi hoc pascha manducare* apud *vos*[g].

Transivit per ignem et aquam[h], quem nec tristia frangere, nec detinere mollia potuerunt. Est enim deorsum nos locus, quem sibi totum vindicat ignis, adeo ut ne minimam quidem aquae guttam de Lazari digito miser ille dives ibi habere potuerit[i]. Est et sursum *civitas Dei,* quam *laetificat fluminis impetus*[j], *voluptatis torrens*[k], *calix inebrians quam praeclarus*[l]. In hoc sane medio *boni et mali scientia*[m] continetur, et voluptatis et tribulationis hic capere est experimentum. Infelix Eva in has vicissitudines nos induxit. Hic plane dies et nox : nam et in inferno tantum nox, et in caelo tantum dies. Beata proinde anima, quae utrumque pertransit, nec voluptati inhaerens, nec deficiens in tribulatione.

6. Breviter vobis unum aliquod ex multis huius viri magnificis actibus arbitror referendum, in quo strenue satis et ignem et aquam noscitur pertransisse.

Magni illius Patricii, Hiberniensium Apostoli, sedem metropolitanam tyrannica sibi progenies, successionis ordine creans archiepiscopos, vindicabat, *hereditate possidens sanctuarium Dei*[n]. Rogatus itaque a fidelibus Malachias

f. Ps. 65, 12 || g. Lc 22, 15 || h. Ps. 65, 12 || i. Cf. Lc 16, 24.26 || j. Ps. 45, 5 || k. Ps. 35, 9 || l. Ps. 22, 5 || m. Gen. 2, 9 || n. Ps. 82, 13

---

1. Cf. *MalV*, XXXI, 73.
2. Cf. *MalV*, XXXI, 73.
3. ** Bernard se réfère au texte «corrompu» de la Vulgate : *torrente voluptatis*.

ces termes : « Nous avons passé par le feu et par l'eau, et tu nous a conduits au lieu du rafraîchissement[f1]. » Avec courage il a entrepris le passage, avec bonheur il a réussi la traversée. En véritable hébreu, il a célébré la pâque en esprit, et tout en entreprenant le passage, il nous disait : « D'un grand désir j'ai désiré manger cette pâque auprès de vous[g2]. »

« Il a passé par le feu et par l'eau[h] », lui que les tristesses n'ont pu briser, ni les facilités retenir. Au-dessous de nous, en effet, s'étend le lieu que le feu s'attribue tout entier, à tel point qu'il était impossible à la moindre goutte d'eau de parvenir, par le doigt de Lazare, jusqu'à ce malheureux riche[i]. Et au-dessus de nous se trouve « la cité de Dieu, que réjouit le cours puissant d'un fleuve[j] », « torrent de délices[k3] », « calice d'ivresse sans pareil[l] ». Entre deux se trouve « la connaissance du bien et du mal[m] », et c'est ici qu'on fait l'expérience de la tribulation et de la sensualité. Malheureuse Ève : elle nous a entraînés dans ces vicissitudes. Ici se rencontrent le jour et la nuit, alors qu'en enfer il n'y a que la nuit, et au ciel le jour seulement. Heureuse, par conséquent, l'âme qui a passé au travers de l'un et de l'autre : qui ne s'est pas laissé retenir par la sensualité et qui n'a pas défailli dans la tribulation.

Un exemple de la force de Malachie dans l'épreuve

6. Brièvement il me faut, je crois, vous rapporter l'une au moins des actions admirables de cet homme, vous dire en quoi on peut être sûr qu'il a passé avec courage par le feu et par l'eau.

Une engeance de tyrans s'était attribué le siège métropolitain de l'illustre Patrick, l'apôtre des Irlandais : elle créait les archevêques comme par droit de succession et avait mis la main « sur le sanctuaire de Dieu comme s'il était son héritage[n] ». Aussi, sollicité par les fidèles de s'opposer à de

noster, ut tantis sese malis opponeret, *animam suam in manibus suis*[o] ponens, accessit intrepidus, suscepit archiepis-
10 copatum, tradens sese discrimini manifesto, ut tanto crimini finem daret. Inter pericula rexit Ecclesiam, post pericula sibi continuo successorem alterum canonice ordinavit. Ea siquidem conditione susceperat, ut postquam, cessante persecutionis rabie, alter secure posset institui, ad
15 sedem propriam remeare permitteretur, ubi sine ecclesiasticis saecularibusve redditibus in congregationibus religiosis, quas ipse exstruxerat, degens inter eos tamquam unus eorum, usque ad hoc tempus vixit absque ulla proprietate.

Sic Dei hominem examinavit, non exinanivit tribula-
20 tionis incendium[p] : siquidem aurum erat. Sic nec illecebra tenuit aut resolvit, nec curiosus spectator in via substitit, propriae peregrinationis oblitus.

7. Quis vestrum, fratres, non vehementer eius imitari
422 cupiat sanctitatem, si id audeat vel sperare? Credo igitur libentius audituros, si dicere forte poterimus, quid sanctum fecerit Malachiam. Sed ne nostrum forsitan minus accepta-
5 bile testimonium videatur, Scripturam audite dicentem : *In fide et lenitate ipsius sanctum fecit illum*[q]. Fide calcabat mundum, Ioanne attestante qui ait : *Haec est victoria, quae vincit mundum, fides nostra*[r]. Nam *in spiritu lenitatis*[s] dura quaelibet et adversa aequo animo tolerabat.

o. Ps. 118, 109 || p. Cf. Ps. 16, 3 || q. Sir. 45, 4 || r. I Jn 5, 4 || s. Gal. 6, 1

1. Cf. *MalV*, X, 19 à XIII, 30.
2. Cf. *MalV*, XIV, 31.
3. Cf. *MalV*, XIV, 32; XIX, 44; etc.
4. Jeu de mots : *examinavit - non exinanivit*.
5. ** *dura et adversa...* : allusion à *RB* 58, 8 et 7, 35.

tels abus, notre cher Malachie, plaçant «sa vie entre ses mains[o]», accepta avec intrépidité : il assuma cette charge d'archevêque en se livrant à un péril évident en vue de mettre fin à un crime pareil. Au milieu des dangers il prit en mains la conduite de cette église[1]; puis, sitôt les dangers passés, il ordonna quelqu'un canoniquement pour lui succéder. De fait, il avait accepté la charge à condition de pouvoir retourner à son premier siège dès qu'il aurait mis fin à la rage de cette persécution et qu'il aurait pu, dans le calme et la paix, instituer quelqu'un d'autre à sa place[2]. Et c'est là que, sans revenus soit ecclésiastiques soit séculiers, il a vécu jusqu'à ce jour au sein des communautés religieuses qu'il avait lui-même fondées, s'insérant ainsi parmi les frères comme l'un d'entre eux, sans rien posséder en propre[3].

De la sorte, le feu de la tribulation a mis à l'épreuve l'homme de Dieu, sans le réduire à néant [p4] : oui, vraiment, c'était de l'or. Aucune séduction n'a pu le retenir ou le distraire; il ne s'est pas arrêté en chemin, comme un spectateur curieux qui oublie son propre voyage.

La sainteté : ne succomber ni au plaisir ni à l'adversité

7. Qui d'entre vous, frères, ne ressentirait un vif désir d'imiter sa sainteté, s'il osait seulement en avoir l'espoir? Vous nous écouteriez donc, je crois, d'autant plus volontiers, si nous pouvions dire ce qui fit de Malachie un saint. Mais, pour le cas où notre témoignage paraîtrait trop peu crédible, écoutez l'Écriture lorsqu'elle dit : «Dans la foi et la douceur Dieu l'a sanctifié[q].» C'est par la foi que Malachie piétinait le monde, conformément à cette affirmation de saint Jean : «Telle est la victoire qui triomphe du monde : notre foi[r].» Et c'est «dans un esprit de douceur[s]» que Malachie supportait d'une âme égale toutes les âpretés et les adversités de l'existence[5].

10 Hinc quidem post Christum fide calcabat maria, ne caperetur illecebris; inde *in patientia sua possidebat animam suam*[t], ne molestiis frangeretur. De his enim duobus habes in Psalmo *casuros a latere tuo mille et decem millia a dextris tuis*[u], quod multo plures prosperitatis fallaciae quam adver-
15 sitatis flagella deiciant.

Nemo itaque nostrum, carissimi, plana mollioris viae superficie delectatus, iter illud marinum sibi commodius arbitretur. Magnos hic campus montes habet, invisibiles quidem, sed eo ipso periculosiores. Laboriosior forte via
20 videtur inter ardua collium et aspera rupium; sed expertis longe securior, etiam et desiderabilior invenitur. Utrobique tamen laborem, utrobique periculum esse noverat qui dicebat : *Per arma iustitiae a dextris et* a *sinistris*[v], ut merito congratulemur eis, qui *transierunt per ignem et aquam*
25 *et in refrigerium sunt educti*[w].

Refrigerium vultis audire? Utinam id vobis alius loqueretur! Nam ego quod non gustavi eructuare non possum.

8. Videor tamen mihi hodie super hoc refrigerio Malachiam audire dicentem : *Convertere, anima mea, in requiem tuam, quia Dominus benefecit tibi, quia eripuit animam meam de morte,* et cetera[x]. In quibus verbis qui intelligam, paucis

t. Lc 21, 19 || u. Ps. 90, 7 || v. II Cor. 6, 7 || w. Ps. 65, 12 || x. Ps. 114, 7-8

---

1. Référence littérale à cette expression de l'Apôtre, qui parle effectivement des «armes de la droite et de la gauche», mais comme une manière habituelle pour désigner les armes offensives, brandies par la main droite, et d'autre part le bouclier, qu'on tenait de la main gauche.
2. Cf. *MalV*, XXXI, 73, et la note sur le *refrigerium*.

Voilà comment, à la suite du Christ, sa foi lui faisait fouler aux pieds la mer, pour ne pas se laisser prendre aux séductions. Et voilà comment « dans la patience il possédait son âme[t] », de manière à ne pas se laisser briser par les difficultés. A propos de ces deux tentations, tu lis dans un psaume qu'« il en tombera mille à ton côté et dix mille à ta droite[u] » ; c'est qu'ils sont beaucoup plus nombreux à se laisser prendre à la tromperie du bien-être qu'à tomber sous les fouets de l'adversité.

Aucun de nous, très chers, par goût pour la surface aplanie d'une vie facile ne doit penser que ce chemin marin lui sera plus aisé. Grandes sont les montagnes que comporte cette plaine ; elles sont invisibles, oui, mais d'autant plus dangereuses. La route qui passe entre des pentes abruptes et des falaises rocheuses semble peut-être plus laborieuse ; mais, pour ceux qui en font l'expérience, elle est infiniment plus sûre et se révèle plus souhaitable. Des deux côtés, cependant, il y a effort, des deux côtés il y a péril. Il le savait bien, celui qui parlait « des armes de la justice pour combattre à gauche et à droite[v] »[1]. Il est donc juste pour nous de féliciter ceux qui « ont passé par le feu et par l'eau et qui ont été conduits dans le lieu du rafraîchissement[w 2] ».

De ce rafraîchissement, vous désirez qu'on vous entretienne ? Puisse un autre vous en parler ! Car, pour ma part, je n'y ai point goûté et ne saurais vous en rapporter la saveur.

Le lieu de la fraîcheur : celui d'une pleine libération

8. Aujourd'hui pourtant, à propos de ce rafraîchissement, il me semble entendre Malachie s'écrier : « Reviens, mon âme, à ton repos, car le Seigneur t'a fait du bien ; oui, il a arraché mon âme à la mort[x]... » Le sens que je perçois dans ces mots, écoutez-le en bref, car effectivement, « déjà le jour

5 audite : siquidem *inclinata est iam dies*[y] et longius quam speraverim sermo processit, quod invitus avellar a paterni dulcedine nominis, et Malachiam silere lingua formidans, finem facere vereatur.

Mors animae, fratres mei, peccatum est, nisi forte excidit 10 vobis quod in propheta legistis : *Anima quae peccaverit, ipsa morietur*[z]. Triplex proinde congratulatio est hominis, ab omni peccato, et labore, et periculo liberati. Ex hoc siquidem nec peccatum in eo habitare dicitur, nec paeni- 423 tentiae luctus indicitur, nec ab ullo deinceps lapsu ei 15 praedicitur esse cavendum. Posuit Elias pallium[a] : non est quod timeat, non est quod tangi, nedum teneri ab adultera vereatur[b]. Currum conscendit; non est iam trepidare ne cadat : suaviter scandit, non laborans volatu proprio, sed celeri in vehiculo sedens.

20 Ad hoc nos refrigerium, dilectissimi, tota animi aviditate *curramus in odore unguentorum*[c] huius beati patris nostri, qui nostrum hodie torporem in ferventissimum desiderium visus est excitasse. Curramus, inquam, post eum, crebrius illi clamantes : *Trahe nos post te*[d], et affectu cordis, et 25 profectu conversationis devotas omnipotenti misericordiae gratias referentes, quod indignis servulis, quibus propria desunt merita, aliena saltem voluit suffragia non deesse.

y. Lc 24, 29 || z. Éz. 18, 4 || a. Cf. IV Rois 2, 8-12 || b. Cf. Gen. 39, 12-15 || c. Cant. 1, 3 || d. Cant. 1, 3

1. Manière typique chez saint Bernard de jouer avec l'Écriture : le thème du manteau l'amène à rapprocher, de manière allusive, deux événements, l'un concernant Élie, enlevé d'auprès d'Élisée, l'autre Joseph, s'arrachant aux élans de la femme de son maître.

est sur son déclin[y] » et ma parole se prolonge bien au-delà de ce que j'espérais ; c'est à contre-cœur que je devrai m'arracher à la douceur de prononcer le nom de ce père, et ma langue, redoutant de faire silence sur Malachie, n'ose mettre fin à mon discours.

La mort de l'âme, mes frères, c'est le péché, à moins peut-être que vous n'ayez oublié ce que vous avez lu chez le prophète : « L'âme qui a péché, c'est elle qui doit mourir[z]. » Triple, par conséquent, est la raison de se réjouir pour un homme, s'il est libéré de tout péché, de toute peine et de tout danger. Dès lors on n'a plus à lui dire que le péché habite en lui, ni à lui prescrire l'affliction de la pénitence, ni enfin à le rappeler à la vigilance à l'égard d'une faute.

Élie a laissé glisser son manteau[a] : il n'a plus à craindre d'être touché et moins encore à redouter d'être retenu par une adultère[b1]. Il est monté dans le char : il n'a plus à redouter la chute ; il s'élève agréablement, sans peiner comme s'il avait à voler par ses propres forces, mais assis dans un véhicule rapide.

Vers ce lieu du rafraîchisement, très chers, avec toute l'avidité de notre âme, « courons à l'odeur des parfums[c2] » de cet homme, notre père bienheureux, lui qui semble aujourd'hui avoir secoué notre assoupissement pour en faire un désir très brûlant. Oui, je le répète, courons derrière lui, sans cesser de lui crier : « Entraîne-nous à ta suite[d]. » Et dans l'élan de notre cœur, comme aussi par les progrès de notre vie, présentons à la miséricorde toute-puissante de ferventes actions de grâce : ses indignes serviteurs ont beau être dépourvus de tout mérite propre, elle n'a tout de même pas voulu les laisser manquer des prières d'un frère.

2. ** L'édition critique de la Vulgate omet *in odorem unguentorum tuorum*, que lisait Bernard ; de même, *infra, Ép.* 374, 4, n. t (avec le seul *odore*).

EPISTOLA CCCLXXIV

Consolatoria ad fratres Hiberniae de morte beati Malachiae

335 Religiosis fratribus qui in Hibernia sunt, et his maxime congregationibus quas beatae memoriae Malachias episcopus fundavit, frater Bernardus, Claraevallis vocatus abbas : Paracliti consolationem.

1. Si *habemus hic manentem civitatem*[a], copiosissimis iure lacrimis plangeremus talem nos amisisse concivem. Ceterum si *futuram* magis *inquirimus*[b], ut oportet, est quidem non modica doloris occasio tam necessario duce
5 destitui; debet tamen zelum temperare scientia[c] et dolorem spei fiducia delinire. Nec mirari quempiam decet, si gemitum extorquet affectus, si desolatio lacrimas exprimit; modum tamen adhibere necesse est, immo et non modice etiam consolari, intuentes, *non quae videntur, sed quae non*

a. Hébr. 13, 14 || b. Hébr. 13, 14 || c. Cf. Rom. 10, 2

---

1. Ces communautés : en tout cas le monastère de Mellifont, fondé conjointement par Malachie et Bernard, celui de Shuri (cf. *MalV*, XIX, 64) et une fondation de chanoines réguliers de l'Ordre d'Arrouaise (cf. *MalV*, XVI, 39, note 2, p. 276). La lettre date des jours qui suivent immédiatement le décès de Malachie, donc du début du mois de novembre 1148. Pour le texte latin, cf. *SBO*, t. VIII, p. 335-337.

* Les destinataires de cette lettre sont avant tous autres les Cisterciens de Mellifont; on peut à bon droit supposer qu'elle a été adressée aussi à Armagh, à Bangor, à *Ibracense* (Ballinskellig, Kerry?), où Malachie avait installé des chanoines réguliers.

2. *vocatus* : comme dans les lettres *infra,* l'expression rappelle Rm. 1, 1

ÉPÎTRE 374

Consolation aux frères d'Irlande
pour la mort du bienheureux Malachie

Aux religieux d'Irlande, et en particulier aux communautés[1] dont l'évêque Malachie, d'heureuse mémoire, fut le fondateur : frère Bernard, qu'on appelle[2] abbé de Clairvaux, souhaite la consolation de l'Esprit Paraclet.

Pleurer, mais aussi se réjouir.

1. Si «nous possédions ici-bas une cité permanente[a]», nous aurions à bon droit de quoi verser d'abondantes larmes de tristesse, pour avoir perdu un tel concitoyen. Et même si nous sommes, comme il convient, «en quête de la cité à venir[b]», se voir privé d'un chef à ce point nécessaire ne constitue certes pas un mince sujet de douleur. Pourtant la connaissance[3] doit en modérer la violence[c], et la confiance de l'espérance en adoucir la peine. Nul, assurément, ne doit s'étonner que l'élan du cœur nous arrache des gémissements, et que notre désolation s'exprime par des larmes. Mais ce doit être selon certaines limites, et même dans une consolation illimitée, par le fait que nous regardons «non pas aux réalités visibles, mais aux invisibles. Les visibles, en effet, ne

et 1 Co. 1, 1, où l'Apôtre insiste sur sa vocation. Mais ici, et en d'autres lettres, *vocatus* semble bien l'équivalent de *dictus* (cf. *Ep.* 536, 542, 543, etc.) : «qu'on appelle», «qu'on dit», avec peut-être une manière de laisser entendre par humilité, ou modestie quelque peu affectée, qu'il s'agit là d'un titre, d'un nom que l'auteur a conscience de porter indignement, et presque d'usurper.

3. *Scientia* : la connaissance de la foi ; c'est à peu près l'équivalent de la *ratio* dans *MalV*, XXXI, 74 (cf. note *ad loc.*).

10 *videntur. Quae enim videntur temporalia sunt; quae autem non videntur, aeterna*[d].

Primum quidem congratulandum est animae sanctae, ne nos arguat de inopia caritatis[e], dicens et ipse quod Dominus ad Apostolos ait : *Si diligeritis me, gauderetis utique,*
336 15 *quia vado ad Patrem*[f]. Praevenit nos ad *Patrem spirituum*[g] spiritus patris nostri; nec modo caritatis inopes, sed ingratitudinis etiam rei esse convincimur super omnibus, quae per eum nobis beneficia provenere, si non congratulamur ei qui de labore ad requiem, de periculo ad securi-
20 tatem, de *mundo transiit ad Patrem*[h]. Itaque et pium est Malachiam flere defunctum, et pium magis Malachiae congaudere viventi. Numquid non vivit? Utique, et beate. *Visus est oculis insipientium mori,* ille *autem* est *in pace*[i].

2. Dehinc etiam utilitatis propriae consideratio exsultandum nobis suggerit et laetandum, quod tam potens nos patronus ad caelestem curiam, tam fidelis praecesserit advocatus, cuius et ferventissima caritas oblivisci nequeat
5 filiorum, et probata sanctitas obtineat gratiam apud Deum. Quis enim nunc Malachiam sanctum aut minus posse prodesse, aut minus suos diligere audeat suspicari? Profecto cum diligeretur prius, certiora nunc suae dilectionis a Deo capit experimenta : et *cum dilexisset suos, in finem dilexit*
10 *eos*[j].

Absit autem ut tua nunc, o anima sancta, minus efficax aestimetur oratio, quando praesenti vividius supplicare est

d. II Cor. 4, 18 || e. Cf. Jn 16, 8 || f. Jn 14, 28 || g. Hébr. 12, 9 || h. Jn 13, 1 || i. Sag. 3, 2-3 || j. Jn 13, 1

---

1. Les quelques lignes qui précèdent sont une citation littérale de *MalT*, 5.

durent qu'un temps, les invisibles sont éternelles[d].»

Nous devons commencer par nous réjouir avec cette âme sainte, pour qu'elle n'ait pas à nous reprocher notre manque d'amour[e], en reprenant à notre endroit ces paroles que le Seigneur adressait à ses disciples : «Si vous m'aimiez, vous vous réjouiriez de ce que je vais au Père[f].» Il nous a précédés auprès du «Père des esprits[g]», l'esprit de notre père Malachie. Et nous ne manquerions pas seulement d'amour, mais nous serions reconnus coupables d'ingratitude si, face à tous les bienfaits qui nous sont venus par lui, nous refusions de nous réjouir avec lui, puisqu'il a passé du labeur au repos, du danger à la sécurité, «de ce monde au Père[h]». Il est donc conforme à la piété et de pleurer la mort de Malachie et plus encore de se réjouir avec Malachie puisqu'il est vivant. N'est-il pas vrai qu'il vit? Oui, et même dans le bonheur. «Aux yeux des insensés il a paru mourir, mais lui, il est dans la paix[i1].»

Malachie ne les oublie pas, saint Bernard non plus

2. Si donc nous considérons ce qui nous est utile, nous trouvons même une raison d'exulter et de nous réjouir à la pensée qu'un protecteur si puissant, un avocat si fidèle, nous a précédés à la cour du ciel. Son amour tellement fervent ne saurait oublier ses fils, et sa sainteté éprouvée nous obtiendra la grâce auprès de Dieu. Qui oserait, en effet, suspecter saint Malachie d'avoir maintenant moins de pouvoir pour venir en aide, ou de moins aimer les siens? Aimé de Dieu naguère, il reçoit maintenant de Dieu des preuves plus certaines encore de cet amour. Et comme «lui-même a aimé les siens, il les a aimés jusqu'au bout[j]».

Impossible, ô âme sainte, d'imaginer que ta prière soit maintenant moins efficace, alors qu'elle se fait supplication

maiestati, nec iam in fide ambulas, sed in specie regnas[k]. Absit ut imminuta, nedum exinanita tua illa tam operosa
15 caritas reputetur, cum ad fontem ipsum caritatis aeternae procumbis, pleno hauriens ore, cuius et ipsa prius stillicidia sitiebas.

Non potuit morti cedere caritas fortis ut mors, immo et morte fortior ipsa[l]. Nam et decedens non erat immemor
20 vestri, affectuosius vos commendans Deo[m], et nostram quoque exiguitatem solita illa sua mansuetudine et humilitate exorans, ut vestri non oblivisceremur. Unde et dignum duximus scribere vobis, ut sciatis nos et in spiritualibus, si quid nostra in his exiguitas per beati huius patris nostri
25 merita umquam potuerit, et in corporalibus, si quando forte opportunitas praeberetur, omnem vobis consolationem impendere tota devotione paratos.

337 **3.** Et nunc quoque, dilectissimi, Hibernensis Ecclesiae gravem hanc destitutionem toto miseramur affectu, et eo amplius vobis compatimur, quo nos amplius ex hoc novimus debitores. *Magnificavit* enim *Dominus facere nobis-*
5 *cum*[n], cum locum nostrum dignatus est beatae mortis eius honorare praesentia et pretiosissimo corporis eius locupletare thesauro. Nec molestum sit vobis quod apud nos habeat sepulturam, quando sic ordinavit Deus *secundum multitudinem misericordiae suae*[o], ut vos eum vivum habe-
10 retis, nobis habere liceret vel defunctum.

k. Cf. II Cor. 5, 7 || l. Cf. Cant. 8, 6 || m. Cf. Act. 20, 31-32 || n. Ps. 125, 3 || o. Ps. 105, 45

---

1. *affectuosius*. Cf. *MalV*, XXXI, 73.
2. Ce trait est original par rapport au récit de *MalV*, qui ne l'a pas retenu.
3. Cf. *MalV*, XXXI, 75. On perçoit, ici plus encore que dans *MalV*, le besoin qu'éprouve saint Bernard de se justifier et de justifier Clairvaux au sujet du privilège de conserver le corps du saint.

plus ardente en présence même de la majesté de Dieu, et que tu ne chemines plus dans la foi, mais que tu règnes dans le face à face[k]. Impossible de penser que ton amour si actif se soit épuisé ou ait seulement diminué, alors que tu es penché sur la source même de cet amour éternel, buvant à longs traits cette eau que tu désirais ardemment, quand elle ne coulait que goutte à goutte.

Non, l'amour n'a pu se laisser vaincre par la mort, lui qui est fort comme la mort, plus fort même que la mort[l]. Car, même en mourant, Malachie ne vous oubliait pas, il vous a recommandés à Dieu dans un grand élan du cœur[m1]; et en même temps, avec sa tendresse et son humilité coutumières, il s'adressait à nous, dans notre indignité, pour nous prier instamment de ne pas vous oublier[2]. Par conséquent, nous avons estimé juste de vous écrire pour vous faire savoir ceci : soit spirituellement, dans la mesure où notre pauvreté en serait capable, par les mérites de notre bienheureux père; soit physiquement, si l'occasion s'en présente, nous sommes prêts à nous dévouer totalement pour vous apporter tout le réconfort possible.

Vous l'avez eu vivant, nous l'avons mort

3. Et maintenant, très chers, avec un profond élan du cœur, nous ressentons la perte immense que vient d'éprouver l'Église d'Irlande, et nous compatissons à votre peine d'autant plus que nous nous savons davantage débiteurs à votre égard. « Dieu en effet a agi envers nous avec magnificence[n] », lorsqu'il a bien voulu que notre monastère reçoive l'honneur de cette mort bienheureuse et soit enrichi par le trésor si précieux de son corps[3]. Ne soyez pas fâchés qu'il ait sa sépulture chez nous, puisque c'est Dieu qui en a ainsi disposé « dans l'abondance de sa miséricorde[o] » : vous l'aviez vivant, et il nous est permis au moins de l'avoir mort.

Et nobis siquidem communis vobiscum pater ille erat, et est : nam et *in morte ipsius*[p] hoc nobis confirmatum est testamentum[q]. Quamobrem sicut nos, huius tanti patris gratia, universos vos, tamquam germanos fratres, totis 15 amplectimur visceribus caritatis, sic et de vobis idem sentire spiritalis ipsa cognatio persuadet.

4. Hortamur autem vos, fratres, ut beati huius patris nostri semper curetis sectari vestigia, eo studiosius quo vobis certius sancta eius conversatio diuturnis experimentis innotuit. In hoc enim veros vos eius filios esse 5 probabitis, si paterna viriliter instituta servetis, et, ut in eo vidistis et audistis ab eo *quemadmodum vos oporteat ambulare, sic ambuletis ut abundetis magis*[r] : siquidem *gloria patris, sapientia filiorum*[s].

Nam et nostram non mediocriter excutere, desidiam et 10 reverentiam incutere coepit praesens nobis tantae perfectionis exemplar. Atque utinam sic nos post se *trahat*, ut pertrahat in tam recenti virtutum eius odore avidius alacriusque *currentes*[t]!

Orantem pro nobis universitatem vestram Christus 15 custodiat.

p. Rom. 6, 3 || q. Cf. Hébr. 9, 16-17 || r. I Thess. 4, 1 || s. Prov. 13, 1 (Patr.) || t. Cant. 1, 3

---

1. ** Bernard utilise 11 fois ce verset, toujours avec *gloria*, à la place du *doctrina* de Vg; son texte, sauf minimes variantes, est : *Filius sapiens*

De fait, il était pour nous un père comme il l'était pour vous, et il l'est toujours, car jusque dans sa mort[p] il nous a confirmé ce testament[q]. Aussi, de même que, par la grâce de ce père si éminent, nous vous embrassons tous comme des frères avec un cœur empli d'amour, cette parenté spirituelle nous persuade que vous aurez à notre endroit un même sentiment.

Suivre les traces de celui qu'on veut honorer

4. Et voici notre exhortation, frères : ayez toujours à cœur de suivre les traces de ce bienheureux père qui nous est commun ; et faites-le avec d'autant plus de zèle que la sainteté de sa vie vous est mieux connue, au travers d'une longue expérience. Vous ferez la preuve que vous êtes ses fils véritables si vous gardez sans faiblir les règles que votre père a établies et si vous observez ce que vous avez vu en lui, ce que vous avez entendu de lui : «la manière dont il vous faut marcher, pour y faire encore des progrès[r]», car «la gloire du père, c'est la sagesse des fils[s1]».

Pour ce qui est de nous, sa présence et l'exemple d'une telle perfection se sont mis sérieusement à secouer notre paresse et à nous remplir de vénération. Puisse-t-il nous attirer à sa suite, de telle sorte que le parfum encore si proche de ses vertus nous entraîne à courir avec un désir et une ardeur renouvelés[t2].

Tandis que vous prierez pour nous, que le Christ vous ait tous sous sa garde.

gloria est patris (ici seulement : *sapientia filiorum*). La source de Bernard est peut-être l'homéliaire de Paul Diacre, au Commun des Confesseurs (homélie du Ps. Maxime : *PL* 57 418 C). Cf. *Recueil...*, III, p. 223.

2. Même citation dans *MalT*, 8.

SERMO

DE SANCTO MALACHIA

50 1. Liquet, dilectissimi, quod, *dum corpore* retinemur, *peregrinamur a Domino*[a], ac per hoc luctum magis quam gaudium, miserandum nobis indicit exsilium et conscientia delictorum. Quia tamen apostolico ore *gaudere cum gaudenti-*
5 *bus*[b] admonemur, in omnem nos suscitari laetitiam, tempus et causa requirit. Nam si vere, quod propheta sensit, *exsultent iusti in conspectu Dei*[c], exsultat sine dubio Malachias, *qui in diebus suis placuit Deo et inventus est iustus*[d].

In sanctitate et iustitia coram ipso[e] ministravit : placuit
10 ministerium, placuit et minister. Quidni placuerit? *Posuit sine sumptu Evangelium*[f], replevit Evangelio patriam, suorum maxime feralem edomuit barbariem Hibernorum, *levi iugo Christi*[g] in *gladio spiritus*[h] exteras subdidit nationes, usque ad extrema terrae restituens hereditatem suam illi[i].
15 O ministerium fructuosum! O ministrum fidelem!
51 Numquid non per ipsum Filio est paterna adimpleta

a. II Cor. 5, 6 || b. Rom. 12, 15 || c. Ps. 67, 4 || d. Sir. 44, 16 s.; 50, 1 (Lit.) || e. Lc 1, 75 || f. I Cor. 9, 18 || g. Matth. 11, 30 || h. Éphés. 6, 17 || i. Cf. Ps. 15, 5

---

1. Texte latin : cf. *SBO*, t. VI, p. 50 ss. Ce sermon, conservé à part de la grande collection des Sermons *per annum,* a été prêché pour un anniversaire – le premier peut-être – de la mort du saint Irlandais. Cf. *infra*, 7.

2. Cette phrase est un amalgame de Si 50, 1 et 44, 16 s. Cf. antienne *Ecce sacerdos* du commun des confesseurs pontifes.

SERMON

SUR SAINT MALACHIE[1]

Pleurer, mais bien davantage exulter

1. C'est évident, très chers : « tant que nous sommes retenus en ce corps, nous sommes en exil loin du Seigneur[a]. » Par conséquent, c'est plus au deuil qu'à la joie que nous invitent ce déplorable exil et la conscience de nos péchés. Pourtant l'Apôtre nous exhorte à « nous réjouir avec ceux qui sont dans la joie[b] » ; voici donc pour nous le moment et l'occasion de nous livrer à la joie la plus totale. Car si vraiment, comme le pense le prophète, « les justes exultent en présence de Dieu[c] », Malachie, sans aucun doute, exulte lui aussi, puisque, « durant les jours de sa vie, il a plu à Dieu et fut trouvé juste[d2] ».

Une vie qui a plu à Dieu

« Dans la sainteté et la justice », il a exercé son service « sous le regard de Dieu[e] », et Dieu a pris plaisir à ce service, non moins qu'au serviteur. Comment n'y aurait-il pas pris plaisir ? Cet homme « a offert l'évangile gratuitement[f] »[3], de cet évangile il a rempli sa patrie, et surtout il a dompté la sauvage barbarie des siens, les Irlandais. « Par le glaive de l'Esprit[h] » il a soumis « au joug léger » du Christ[g] des nations étrangères, et jusqu'aux confins de la terre il a rendu au Christ son héritage[i].

Ô quel ministère fécond ! ô quel ministre fidèle ! N'a-t-il pas exaucé la promesse que le Père faisait au Fils ? N'est-ce

3. Cf. *MalV*, XIX, 43.

promissio? Numquid non hunc olim intuebatur Pater, cum ad Filium loqueretur : *Dabo tibi gentes hereditatem tuam et possessionem tuam terminos terrae*[j]? Quam libens
20 Salvator recipiebat quod emerat, et emerat pretio sanguinis sui, ignominia crucis, horrore passionis! Quam libens de manibus Malachiae, pro eo quod gratis ministraret! Ergo in ministro quidem gratum munus gratuitum, in ministerio autem placita conversio peccatorum. Grata,
25 inquam, et placita in ministro simplicitas oculi, in ministerio salus populi.

2. Quamquam etsi ministerii quidem minor efficientia sequeretur, nihilominus tamen ad Malachiam et ad opera eius ille merito respexisset, cui amica puritas, cui familiaris simplicitas, cuius iustitiae est de intentione pensare opus et
5 de oculi qualitate totius aestimare corporis statum[k]. Nunc vero *magna opera Domini, exquisita in omnes voluntates*[l] et studia Malachiae : magna et multa, et bona valde, etsi pro bona castae intentionis origine meliora.

Quod opus pietatis praeteriit Malachiam? Pauper sibi,
10 sed dives pauperibus erat. Pater orphanorum, maritus viduarum[m], patronus exstitit oppressorum. *Hilaris dator*[n], petitor rarus, acceptor verecundus. Pacis reformandae inter discordantes fuit illi cura maxima et efficacia multa. Quis

j. Ps. 2, 8 || k. Cf. Matth. 6, 22 || l. Ps. 110, 2 || m. Cf. Ps. 67, 6 || n. II Cor. 9, 7

pas lui que le Père, un jour, avait en vue lorsqu'il disait au Fils : « Je te donnerai l'héritage des nations, je te soumettrai les confins de la terre[j] »? Avec quelle satisfaction le Sauveur recevait ainsi ce qu'il avait acheté, et acheté au prix de son sang, de l'ignominie de la croix, de l'horreur de sa Passion! Avec quelle satisfaction il recevait des mains de Malachie ce ministère en raison de sa gratuité. Oui, dans le ministre il appréciait cette gratuité du don, et dans le ministère il se plaisait à la conversion des pécheurs. Je veux dire que Dieu agréait et appréciait dans le ministre la simplicité du regard, et dans son ministère le salut du peuple.

Grandes et admirables, les œuvres de Dieu en son serviteur

2. D'ailleurs, même si ce ministère s'était montré moins efficace, c'est néanmoins à Malachie et à son œuvre que le Christ, en toute justice, aurait regardé. Car il est l'ami de la pureté, le compagnon de la simplicité, et sa justice consiste à juger l'œuvre sur les intentions et à apprécier l'état du corps entier d'après celui de l'œil[k]. Mais, en fait, « grandes ont été les œuvres du Seigneur, et admirables à travers tout ce qu'a voulu[l] » et recherché Malachie : oui, grandes, nombreuses, et très bonnes, même si la chaste intention où elles prenaient naissance les rendaient encore meilleures.

Quelle est, parmi les œuvres de la piété, celle que Malachie a négligée? Il s'est montré pauvre pour lui-même, riche pour les pauvres, il s'est dressé comme « le père des orphelins », le mari des veuves[m], le défenseur des opprimés. Il donnait avec joie[n], ne demandait que rarement, n'acceptait les dons qu'avec réserve. Ramener la paix au milieu des discordes fut son plus grand souci, avec de fréquents succès. Qui manifesta autant de bonté pour

aeque pius ad compatiendum, ad subveniendum promptus,
15 ad corripiendum liber?

Nam et zelans erat, nec deerat scientia, zeli ipsius moderatrix. Et quidem *infirmus infirmis*[o], sed nihilominus potentibus potens, superbis resistebat, tyrannos verberabat, regum magister ac principum.

20 Ipse est qui regi orando visum et malignanti tulit, et humiliato restituit. Ipse est qui pacis quam fecerat violatores, spiritui erroris traditos, frustratus est in malo quod facere cogitabant ac denuo coegit ad pacem, confusos
52 quidem et stupefactos in eo quod sibi contigerat. Ipse est
25 cui adversus alios, pacti aeque praevaricatores, rivus officiosissime affuit, miro modo obiectu sui evacuans molimina impiorum. Imbres non erant, non illuvies aquarum, non concursus nubium, non liquefactio nivium, cum subito factus est in fluvium magnum, qui rivulus erat :
30 et rivus ibat, et intumescebat inundans, et negans omnino transitum volentibus malignari.

3. *Quanta audivimus et cognovimus ea*[p] de zelo viri et ultione inimicorum, cum tamen esset *suavis et mitis et multae misericordiae omnibus*[q] necessitatem patientibus? Qui quasi unus omnium parens, vivebat omnibus et quasi *gallina*
5 *pullos suos*[r], sic fovebat omnes et *in velamento alarum suarum protegebat*[s]. Non sexus, non aetas, non conditio discernebatur, aut persona : deerat nemini, expanso omnibus

o. I Cor. 9, 22 || p. Ps. 77, 3 || q. Ps. 85, 5 || r. Matth. 23, 37 || s. Ps. 60, 5

1. Cf. *MalV*, XVIII, 42.
2. Cf. *MalV*, XXVII, 60.
3. Cf. *MalV*, XXVII, 58.
4. Cf. *MalV*, XXVII, 59.
5. «un père pour nous» : cf. *MalV*, XV, 33. La même chose est dite au sujet de Malch, *MalV*, IV, 8.
6. Cf. *MalV*, XVIII, 42.

compatir, de promptitude pour venir en aide, de liberté pour réprimander[1] ?

S'il était rempli de zèle, il ne manquait pas pour autant de connaissance, laquelle équilibre le zèle passionné. S'il se faisait « faible avec les faibles[o] », avec les forts néanmoins il se montrait fort, résistant aux orgueilleux et frappant les tyrans ; rois et princes trouvaient en lui un maître.

C'est lui qui, par sa prière, priva de la vue un roi pour sa perversité, et la lui rendit, une fois qu'il se fût humilié[2]. C'est lui aussi qui livra à un esprit d'erreur des hommes coupables d'avoir violé la paix qu'il venait d'établir ; il fit avorter le mal qu'ils avaient médité, puis à nouveau il les obligea à faire la paix, tout confus qu'ils étaient, et stupéfaits de ce qui leur était arrivé[3]. Et lorsque leurs adversaires, à leur tour, violèrent l'alliance établie, c'est lui encore qu'un ruisseau aida très complaisamment : obstacle qui anéantit merveilleusement tous les préparatifs des impies. Il n'y avait pourtant pas eu de pluie, les eaux n'avaient pas grossi, les nuages ne s'étaient pas amoncelés, les neiges n'avaient pas fondu : or soudain le ruisselet était devenu un large fleuve, au courant puissant, et dont les eaux gonflaient et débordaient, refusant tout passage à ceux qui préparaient de mauvais desseins[4].

Un être de bonté et de force

3. « Que n'avons-nous pas entendu et appris[p] », concernant le zèle de cet homme, et sa revanche contre ses ennemis... Et pourtant ce fut « un être de douceur et de tendresse : quelle n'était pas sa miséricorde pour tous ceux[q] » que le sort malmenait ! Il se montrait comme l'unique père de tous[5], tellement il vivait pour tous, et « à la manière d'une poule qui rassemble sa couvée[r] », il réconfortait chacun et « le protégeait sous l'abri de ses ailes[s] ». Sans distinction de sexe, d'âge, de rang, de condition sociale[6], il ne manquait à personne, mais ouvrait à tous le

gremio pietatis. *De quacumque tribulatione clamaretur ad eum*[t], propriam reputabat, nisi quod in sua patiens, in
10 aliena compatiens erat, plerumque et impatiens.

Nonnumquam siquidem repletus zelo, pro aliis in alios movebatur, ut, *eripiens inopes* et reprimens *fortes*[u], consuleret proinde omnibus in salutem. Itaque irascebatur, sed ne non irascendo peccaret, iuxta illud de psalmo : *Irasci-*
15 *mini, et nolite peccare*[v]. Non ira illi, sed ipse animo dominabatur. Erat suimet potis. Sane victor sui, ira superari non poterat. Ira eius in manu eius. Vocata veniebat, exiens, non erumpens; nutu, non impetu ferebatur. Non urebatur illa, sed utebatur. Magna illi, tam in hoc quam in cunctis
20 utriusque hominis sui motibus regendis vel cohibendis, censurae diligentia et circumspectio multa.

Non enim ita omnibus intendebat, ut se solum exponeret, solum curae exciperet generali. Erat et sui sollicitus. Seipsum custodiebat. Ita denique totus suus et totus
25 omnium erat, ut nec caritas a custodia sui, nec proprietas ab utilitate communi eum impedire vel retardare in aliquo videretur. Si videres hominem mediis immersum turbis et

t. Jonas 2, 3 (Lit.) || u. Ps. 34, 10 || v. Ps. 4, 5

---

1. ** Cf. Introït *«Salus populi»*, Liturgie cistercienne, jeudi après le 3e dim. de carême.

2. Jeu de mots : dans la même phrase on trouve les termes *patiens, compatiens, impatiens.*

3. Jeu de mots : *non urebatur illa sed utebatur.*

refuge de sa bonté. «Quel que soit le malheur du fond duquel on criait» vers lui [t][1], il le considérait comme le sien propre – à cette différence près que, pour lui-même, il endurait patiemment l'adversité, tandis qu'il souffrait de celle d'autrui, et ne pouvait le plus souvent la supporter[2].

Du bon usage de l'agressivité

Au vrai, il lui est arrivé, rempli d'impétuosité, de prendre la défense des uns contre les autres, «pour délivrer les faibles» et réprimer les forts[u], avec le souci de leur salut, aux uns et aux autres. Aussi se mettait-il en colère, mais sans laisser celle-ci l'entraîner à pécher, conformément à cette parole d'un psaume : «Irritez-vous, mais ne péchez pas[v].» La colère ne le dominait pas, c'est lui qui, intérieurement, la dominait. Il restait maître de lui. Oui, vraiment, victorieux de lui-même, il ne se laissait pas vaincre par la colère. Il la tenait bien en mains : à son appel elle arrivait, puis s'en retournait sans avoir éclaté. A son signal elle agissait, mais sans se livrer à sa propre fougue. Elle ne l'enflammait pas, c'est lui qui la pliait à son service[3]. Grande était chez lui l'attention, grande la vigilance pour se maîtriser, et canaliser non seulement son agressivité, mais tous les mouvements inhérents aux deux hommes que chacun porte en soi.

Un homme présent à soi et aux autres

De fait, l'attention qu'il avait pour tous ne l'entraînait pas à se poser seul en modèle ni à s'exclure, lui seul, du souci de tous. Oui, il se préoccupait aussi de lui-même, il veillait sur lui-même. Ainsi, tout entier à soi et tout entier à tous, il ne laissait pas l'amour du prochain le détourner de prendre garde à soi, ni la préoccupation de lui-même faire obstacle ou mettre un délai à son souci de l'utilité commune. Si tu voyais cet homme noyé dans la foule et occupé à tant d'affaires, tu

53 implicitum curis, diceres patriae natum, non sibi. Si videres hominem solum, secum habitantem, putares soli vivere
30 Deo et sibi.

4. Sine turbatione versabatur in turbis; sine otio tempus, quod otio dederat, transigebat. Quomodo otiosus, quando *exercebatur in iustificationibus*[w] Domini? Nam etsi habebat tempus liberum a necessitatibus plebium, non
5 tamen a sanctis meditationibus feriatum, non orandi studio, non ipso otio contemplandi.

Sermo illi in tempore otii aut serius, aut nullus. Aspectus aut officiosus, aut demissus, et cohibitus intra se. Nempe, quod non mediocri laudi ducitur inter *sapientes, oculus eius in*
10 *capite eius*[x], nusquam avolans, nisi cum virtuti paruisset.

Risus aut indicans caritatis, aut provocans : rarus tamen et ipse. Equidem interdum eductus, excussus numquam, qui ita nuntiaret cordis laetitiam, ut ori gratiam non minueret, sed augeret. Tam modestus, ut levitatis non
15 posset esse suspectus; tantillus tamen, ut hilarem vultum ab omni tristitiae naevo vel nebulo vindicare sufficeret.

w. Ps. 118, 23 || x. Eccl. 2, 14

---

1. ** Bernard parle de Malachie avec l'expression singulière «secum habitantem» que Grégoire le Grand emploie à propos de S. Benoît : *Dialogues,* II, 3, 5 et 7 (*SC*, 260, p. 142, l. 38 s. et p. 144, l. 60 s.); le diacre Pierre s'était lui-même enquis du sens de l'expression. – *Soli (vivere) Deo,* plus banal, se trouve dans les mêmes *Dialogues* (I, 8, 1 et II, Prol., 1; *Ibid.*, p. 70, l. 4 et p. 126, l. 13); Bernard l'emploie aussi dans III *Asc* 2 (V 132, 6).

2. *otium* : dans son sens monastique de temps libre pour vaquer à Dieu, en anticipation du repos éternel près de Dieu. Cf. par ex. J. LECLERCQ, *L'amour des Lettres et le désir de Dieu*, Paris, 1957, p. 67 s. * Voir aussi J. LECLERCQ, *Étude sur le vocabulaire monastique au Moyen Age,* Rome, 1961, (*Studia Anselmiana* 48). Tout ce sermon révèle une fois de plus l'attitude mesurée de saint Bernard à l'égard de l'activité dans le

disais qu'il n'existait que pour sa terre natale, et non point pour lui-même. Si tu le voyais seul, retiré en lui-même[1], tu pensais qu'il ne vivait que pour Dieu, et pour soi.

Un être intérieurement unifié

4. Il affrontait le tourbillon des activités, sans se laisser troubler; il ne passait pas dans l'oisiveté le temps consacré au loisir[2]. Comment parler d'oisiveté à ce propos, alors qu'« il s'exerçait à agir conformément aux commandements[w][3] » du Seigneur? Même s'il se conservait du temps libre, hors des affaires de son peuple, ce n'était pas un temps vide, un temps qui n'aurait pas été consacré à la méditation spirituelle, à l'assiduité dans la prière, et à ce loisir qu'est la contemplation.

Dans ces moments de repos il parlait de choses sérieuses, ou sinon gardait le silence. Il ne levait les yeux que pour accomplir un devoir; autrement, il les tenait baissés en un regard intérieur. Car – et voici un éloge dont les sages reconnaissent le prix – son regard restait à l'abri de ses paupières[x], sans voltiger de tous côtés, à moins que la vertu ne l'exigeât.

Son rire ne visait qu'à exprimer l'amour ou à le faire naître chez autrui, et encore il restait rare. Par ailleurs, il s'exprimait sur ses lèvres sans jamais éclater; ainsi annonçait-il la joie du cœur sans rien enlever, au contraire en ajoutant, à la grâce du visage. Si modeste était ce rire qu'on n'aurait pas pu le soupçonner de légèreté; et cependant, si retenu fût-il, il suffisait à effacer toute trace, toute ombre de tristesse sur son visage souriant[4].

siècle : voir sur ce point Caroline Walker BYNUM, *« Docere verbo et exemplo ». An aspect of twelfth-century spirituality,* Missoula Mont., 1979 (*Harvard Theological Studies* XXXI, p. 129 s.).

3. *justificationes* : trad. littérale de *dikaiômata* d'Ap. 19, 8 et du Ps. 118, *passim*.

4. Cf. *MalV*, XIX, 43.

O munus perfectum! O *holocaustum pingue*[y]! O obsequium gratum mente et manu! Quam *bonus odor Deo*[z] in orationibus otiosi! Quam bonus hominibus in sudoribus 20 occupati!

5. Pro huiusmodi ergo *dilectus a Deo et hominibus*[a], non immerito hodie Malachias in consortio angelorum recipitur, re adeptus quod nomine dicebatur. Et ante quidem angelus erat non minus puritate quam nomine; sed nunc 5 felicius gloriosi in eo interpretatio nominis adimpletur, quando pari cum angelis gloria et felicitate laetatur.

Laetemur et nos, dilectissimi, quod angelus noster ascendit ad cives suos, pro filiis captivitatis legatione 54 fungens, corda nobis concilians beatorum, vota illis inti- 10 mans miserorum. *Laetemur,* inquam, *et exsultemus*[b], quia caelestis illa curia ex nobis habet cui sit cura nostri, qui suis nos protegat meritis, quos informavit exemplis, miraculis confirmavit.

6. Sanctus pontifex, qui in spiritu humilitatis hostias pacificas[c] caelis frequenter invexerat, hodie per semet *introivit ad altare Dei*[d], ipse hostia et sacerdos. Migrante sacerdote, sacrificii ritus in melius mutatus est, fons lacri-

y. Ps. 19, 4 || z. II Cor. 2, 15 || a. Sir. 45, 1 || b. Ps. 117, 24 || c. Cf. Dan. 3, 39-40 || d. Ps. 42, 4

1. Cf. *Hymne pour S. Malachie,* str. 2 et 3, et l'allusion de *MalV*, VI, 12 (et note *ad loc.*). Malachie, en hébreu, a le sens de «mon ange».
2. Quelques manuscrits comportent ici une quinzaine de lignes empruntées à *MalT*, 5.
3. *cives* : cf. *Hymne,* str. 3.
4. * L'expression *in melius mutare* qualifie presque toujours aux XIe-XIIe siècles une œuvre de réforme religieuse, pensée comme un accomplissement typologique et souvent dans un contexte eschatolo-

O quel don parfait que cet homme! Quel «sacrifice généreux[y]»! Quel service agréable à Dieu il offrait, par l'esprit et les mains! Quel parfum il exhalait vers Dieu[z] dans le calme de la prière, et vers les hommes en peinant au travail!

Il a rejoint les anges

5. Voilà qui a fait de Malachie «le bien-aimé de Dieu et des hommes[a]», et c'est à bon droit qu'il est reçu aujourd'hui dans la compagnie des anges : il a atteint pour de bon ce que signifiait son nom[1]. Oui, auparavant il se manifestait comme un ange par la pureté non moins que par le nom; mais maintenant la signification de son nom glorieux s'accomplit plus heureusement encore en lui, puisqu'il jouit d'une gloire et d'une félicité égales à celles des anges[2].

Réjouissons-nous, à notre tour, bien-aimés, car notre ange est monté vers ses semblables[3], en remplissant un rôle d'ambassadeur pour les fils de la captivité : il nous concilie les cœurs des bienheureux et transmet à ces derniers les vœux des malheureux que nous sommes. «Réjouissons-nous, dis-je, et exultons[b]», car cette cour du ciel compte maintenant parmi ses membres l'un d'entre nous : il prend soin de nous, nous protège par ses mérites, après nous avoir façonnés par son exemple et affermis par ses miracles.

L'évêque, définitivement, est monté à l'autel

6. Ce saint pontife qui, dans un esprit d'humilité, a fait si souvent monter vers le ciel des offrandes de paix[c], s'est aujourd'hui avancé en personne «jusqu'à l'autel de Dieu[d]» : à lui seul l'offrande et le prêtre. Le célébrant ayant quitté ce monde, le rite s'est profondément amélioré[4]. La source des larmes s'est assé-

gique inspiré par Ap. 21, 1. Ici le prêtre s'est effacé, mais le sacrifice s'accomplit, transfiguré d'une perfection nouvelle.

5 marum siccatus est, holocaustum omne conditur[e] *in laetitia et exsultatione*[f].

Benedictus Dominus Deus Malachiae, qui tanti pontificis ministerio *visitavit plebem suam*[g] et nunc *assumpto eo in sanctam civitatem*[h], tantae recordatione suavitatis nostram
10 non desinit consolari captivitatem.

Exsultet in Domino *spiritus*[i] Malachiae, quod levatus pondere corporeae molis, nulla iam faeculenta vel terrena materia praegravatur[j], quominus, tota alacritate ac vivacitate corpoream omnem et incorpoream transiens crea-
15 turam, pergat totus in Deum et, *adhaerens* illi, *unus* cum eo *sit spiritus*[k] in aeternum.

7. *Domum* istam *decet sanctitudo*[l], in qua tantae frequentatur memoria sanctitatis.

Sancte Malachia, *serva* eam *in sanctitate et iustitia*[m], misertus nostri, qui inter tot et tantas miserias *memoriam*
5 *abundantiae suavitatis tuae eructamus*[n]. Magna est super te divinae dispensatio pietatis, qui te fecit parvum in oculis tuis[o], magnum in suis, qui magna fecit per te, salvans patriam tuam, *magna fecit tibi*[p], introducens in gloriam suam.

e. Cf. Lév. 2, 13 || f. Ps. 44, 16 || g. Lc 1, 68 || h. Matth. 4, 5 || i. Lc 1, 47 || j. Cf. Sag. 9, 15 || k. I Cor. 6, 17 || l. Ps. 92, 5 || m. Jn 16, 11 et Lc 1, 75 || n. Ps. 144, 7 || o. Cf. I Sam. 15, 17 || p. Lc 1, 49

---

1. ** Plusieurs mss de la Vulgate ont, comme Bernard, *Benedictus Dominus Deus*.
2. Cf. *Hymne*, str. 1.
3. ** Cette allusion-limite à la *Sagesse* fait partie des 35 emplois existant dans l'œuvre de Bernard.
4. ** Bernard emploie environ 55 fois ce texte, 35 fois avec *Deo*, 6 fois avec *Domino*, et le reste en allusions «neutres» (*Christo...*). Plusieurs Pères écrivent *Deo*; la Vulgate, pratiquement unanime, écrit

chée, l'holocauste entier est assaisonné[e] «de joie et d'exultation[f]».

«Béni soit le Seigneur, le Dieu» de Malachie, pour avoir «visité son peuple[g1]» à travers le ministère d'un tel pontife; et maintenant qu'il a recueilli son serviteur «dans la cité sainte[h]», il ne cesse de nous consoler, dans notre captivité, par le souvenir d'une si grande tendresse.

« Qu'il exulte dans le Seigneur, l'esprit[i]» de Malachie, car, allégé du poids de son corps[2], dégagé de tout ce qui est matière bourbeuse et terrestre[j3], il s'élève en toute légèreté et vivacité au delà de toute créature corporelle et incorporelle; il tend vers Dieu d'un seul mouvement, «s'attache à lui, et ne forme plus avec lui qu'un seul esprit[k4]» pour l'éternité.

Invocation à Malachie

7. A cette demeure où nous sommes «convient la sainteté[l]», puisqu'on y fait mémoire d'une si grande sainteté[5].

Saint Malachie, «conserve-la dans la sainteté et la justice[m]», et prends pitié de nous, qui rappelons au milieu de misères si grandes et si nombreuses «la mémoire de ton immense tendresse[n]». Grande fut la bonté que Dieu mit en œuvre pour toi, puisqu'elle te fit petit à tes propres yeux[o], et grand aux yeux de Dieu. Par toi elle a accompli de grandes choses en sauvant ta patrie; pour toi, elle «a accompli de grandes choses[p]», en t'introduisant dans sa gloire.

Domino. Avec quelques Pères, Bernard ajoute 13 fois *cum eo*. – Il lit dans ce verset l'union à Dieu - et l'union mystique - en liaison avec celles du Christ et de l'Église (*Éph.* 5, 29-31) et de l'homme et de la femme (*Gen.* 2, 24); jamais il ne voit là une indication d'unification intérieure de l'homme.

5. Idée semblable dans *MalT, 2 (in fine)*.

10 Festivitas tua, quae merito tuis virtutibus votiva impenditur, tuis nobis efficiatur meritis et precibus salutaris. *Gloria sanctitatis tuae*[q], quae a nobis frequentatur, continuatur ab angelis, sic erit nobis digne iucunda, si fuerit et fructuosa. Liceat nobis aliquas, te migrante, retinere reli-
15 quias de fructibus spiritus, quibus onustus ascendis, qui in tuo hodie tam delicioso convivio congregamur.

55 **8.** Esto nobis, quaesumus, alter Moyses vel alter Elias, impertiens et tu de tuo spiritu nobis[r] : ipsorum siquidem *in spiritu et virtute*[s] venisti. Vita tua, o Malachia, *lex vitae et disciplinae*[t]; mors tua, mortis portus et porta vitae;
5 memoria tua, dulcedo suavitatis et gratiae; praesentia tua, *corona gloriae in manu Domini Dei tui*[u].

O *oliva fructifera in domo Dei*[v]! O *oleum laetitiae*[w] ungens et lucens[x], fovens beneficiis, coruscans miraculis, fac nos eius, qua frueris, lucis suavitatisque participes! O odori-
10 ferum lilium, in aeternum ante Dominum germinans et florens, et spargens ubique vivificum *suavitatis odorem*[y], *cuius* apud nos *memoria in benedictione est*[z], apud superos praesentia in honore, da canentibus te tantae plenitudinis participio[a] non fraudari!

15 O *luminare magnum*[b] et *lux in tenebris lucens*[c], signorum

q. Ps. 144, 5 || r. Cf. Deut. 34, 9 et IV Rois 2, 9.15 || s. Lc 1, 17 || t. Sir. 45, 6 || u. Is. 62, 3 || v. Ps. 51, 10 || w. Ps. 44, 8 || x. Cf. Jn 5, 35 || y. Éphés. 5, 2 || z. Sir. 45, 1 || a. Cf. Jn 1, 16 || b. Gen. 1, 16 || c. Jn 1, 5

1. Le lien entre l'honneur des saints et leur imitation est traditionnel : cf. par exemple CLÉMENT DE ROME, *1 Cor.* V, VI, 1 ; et cette remarque de saint AMBROISE : «Imiter, c'est communiquer» (*Com. in Ep. in Rom.*, *PL* 17, 167).

2. Même expression dans *MalT*, 4 et *MalV*, XXXI, 75.

* Sur la typologie des fondateurs d'ordre et législateurs, on doit recourir à Dom G. PENCO, «San Benedetto nel ricordo del medio evo

Imiter pour honorer

La fête que nous célébrons à ta mémoire est consacrée, en toute justice, à honorer tes vertus : qu'elle serve aussi à notre salut, grâce à tes mérites et à tes prières. «La gloire de ta sainteté[q]», célébrée par nous dans une louange qui se continue parmi les anges, sera pour nous un juste motif de joie à la condition de porter du fruit en nous[1]. Qu'il nous soit permis, à la suite de ton départ, de retenir au moins quelques restes des fruits spirituels dont tu montes tout chargé, puisque nous sommes réunis aujourd'hui par ton festin de délices.

Invocation à Malachie (suite) : qu'il nous soit lumière

8. Nous t'en prions, sois pour nous un second Moïse, un second Élie, en nous communiquant, toi aussi, une part de ton esprit[r], puisque tu es venu «dans l'esprit et la vertu[s]» de ces deux hommes. Ta vie, ô Malachie, est «règle de vie et de maîtrise de soi[t]»; ta mort est le port de la mort et la porte de la vie[2]; ton souvenir est douceur et grâce; ta présence au ciel est «couronne de gloire dans la main du Seigneur, ton Dieu[u]». «Olivier fertile dans la maison de Dieu[v]!» «Huile d'onction de grâce[w]» et de lumière[x] – riche en bienfaits, éclatante de miracles : fais-nous participer à cette lumière, à ce bonheur dont tu jouis maintenant! Lis odoriférant, qui pousses à jamais devant le Seigneur, qui fleuris et répands en tout lieu «la douceur de son parfum[y]» vivifiant – lis «dont le souvenir parmi nous est en bénédiction[z]», et dont la présence est en honneur dans le ciel, donne à ceux qui te chantent de ne pas être privés d'une telle plénitude[a]!

O «grand luminaire[b]», «clarté qui brilles dans les

monastico», dans *Benedictina* 16, 1969, p. 173-183; voir aussi l'Introduction, *supra,* n. 2.

radiis et meritorum illuminans carcerem, *laetificans civitatem*[d], fuga de cordibus nostris virtutum splendoribus tenebras vitiorum ! O *stella matutina*[e], eo ceteris clarior, quo diei vicinior, similior Soli, dignare praeire nobis, ut et nos
20 *in lumine ambulemus*[f], quasi *filii lucis* et *non filii tenebrarum*[g] ! O aurora diescens super terram, sed superiores caeli plagas lux meridiana perlustrans, recipe nos in consortio luminis, quo illuminatus et late foris luces, et intus suaviter ardes, praestante Domino nostro Iesu Christo, qui cum Patre et
25 Spiritu Sancto regnat, Deus, per omnia saecula saeculorum. Amen.

d. Ps. 45, 5 || e. Apoc. 22, 16 || f. Ps. 88, 16 || g. Éphés. 5, 8 ; I Thess. 5, 5

ténèbres[c]», toi qui illumines notre prison par les rayons de tes signes et de tes mérites, et «qui réjouis la cité[d]», chasse loin de nos cœurs les ténèbres des vices par le resplendissement de tes vertus! «Étoile du matin[e]», plus brillante que toute autre puisque plus proche du jour et plus semblable au Soleil, daigne nous ouvrir le chemin, pour que «nous marchions, nous aussi, à ta lumière[f]», «en fils de lumière et non en fils des ténèbres[g]»! Aurore, qui n'es encore sur la terre que le point du jour, mais qui, là-haut, dans l'étendue des cieux, éblouis déjà comme en plein midi, reçois-nous au sein de la lumière dont tu es toi-même illuminé; tu la rayonnes au loin hors de toi, et, intérieurement, tu la laisses brûler doucement – par le secours de notre Seigneur Jésus-Christ, lui qui est Dieu et qui règne avec le Père et l'Esprit Saint pour tous les siècles des siècles. Amen.

EPITAPHIUM DE SANCTO MALACHIA

Scire cupis quisnam iacet hic? Domnus Malachias.
Haeres; quis fuerit quaerere pergis adhuc?
Hibernus patria, meritorum munere sanctus,
Celsus prodigiis, praesul honore fuit.
Accumulavit onus summae legatio sedis.
Romam ibat, sed ab hinc carpit ad astra viam.

1. SBO, t. III, p. 521. Sur les raisons de considérer ce texte comme authentique, cf. *ibid.*, p. 219.

ÉPITAPHE POUR SAINT MALACHIE[1]

Désires-tu savoir qui repose ici?
  Monseigneur Malachie.
Tu hésites : tu cherches encore à savoir
  qui il fut?
Irlandais de patrie,
  saint par la grâce de ses mérites,
Grand par ses prodiges,
  évêque pour ce qui est de l'honneur.
S'ajouta à cela la charge
  de légat du Saint Siège.
Il faisait route pour Rome, mais d'ici il prit
  la route des astres.

HYMNUS DE S. MALACHIA

I Nobilis signis, moribus suavis,
Meritis sanctus, inclytus triumphis,
Hodie carnis pondere levatus,
Migrat antistes.

II Nec vacat viro Malachiae nomen,
Angelum sonans : angelorum signat
Similem esse puritate vitae,
Gloriam parem.

III Angelus noster civium suorum
Redditus votis, sociatus choris,
Praeminet multis, coaequatur summis :
Merito quidem.

IV Sobrius victus, castitas perennis,
Fides, doctrina, animarum lucra,
Meritis parem, coetui permiscet
Apostolorum

V Opere vicem, animo virtutem
Tenuit horum, praesul et legatus,
Ac per hoc iure etiam honorem
Vindicat sibi.

1. *SBO*, t. III, p. 525 s. Sur l'authenticité probable de ce texte, cf. *ibid.*, p. 522 s.
2. Cf. *MalV*, XIX, 43 et *MalS*, 3.
3. Cf. *MalS*, 6.
4. Cf. *MalV*, VI, 12 et *MalS*, 5.
5. Cf. *MalS*, 5.

HYMNE POUR SAINT MALACHIE[1]

I Noble par ses miracles, doux dans son compor-
[tement[2],
saint par ses mérites, glorieux par ses triomphes,
aujourd'hui allégé du poids de la chair[3],
l'évêque passe au ciel.

II Ce n'est pas en vain que cet homme porte le nom [de
Malachie,
un nom qui désigne un ange[4], un nom signifiant
qu'il est semblable aux anges par la pureté de sa vie,
leur égal quant à la gloire.

III Notre ange, rendu aux vœux de ses semblables[5],
associé à leurs chœurs,
en devance beaucoup, égal aux plus grands :
à bon droit, assurément.

IV Sobre nourriture, chasteté continuelle,
foi, enseignement, souci de gagner les âmes,
en font, par les mérites, l'égal des apôtres
et l'associent à leur collège.

V En actes, il a rempli leur rôle, en esprit, imité leur
à titre d'évêque et de légat[6]; [vertu,
par là, à juste titre, il peut prétendre aussi
à leur honneur.

6. Cf. *MalV*, XVI, 38.

VI Signas si quaeras, quis referre queat?
Hoc tamen dico : manifestat satis
Mortua surgens quantus in hac parte
Fuit gloriae.

VII Christo regnanti sitne ulla nostri
Cura putamus, quos amavit prius,
Pauperes fovit, humiles spiritu,
Humilis ipse?

VIII Absit ab illo fonte pietatis,
Sorte levata, segnius manare;
Absit ut spernat miseros beatus,
Orphanos pater.

IX O Malachia, Claravallis tua,
Clarior tui corporis thesauro,
Postulat supplex, te tuente, frui
Pace perenni.

X Gloria Patri Filioque eius,
Gloria tibi, amborum Spiritus :
Una sit tibi, quia tres sunt unum,
Una maiestas.

1. Cf. *id.* XXIV, 53.
2. Cf. *MalT*, 8; *Ep.* 374, 2; *MalS*, 5.
3. Cf. *MalV*, XXXI, 75.

VI Es-tu en quête de ses miracles, qui peut les rap-
[porter?
Je mentionne pourtant celui-ci : la morte revenant à
[la vie[1]
atteste suffisamment ce que fut en ce domaine,
la grandeur de sa gloire.

VII Régnant avec le Christ, ne prendrait-il, pensons-nous,
aucun souci de nous, qu'il a aimés autrefois[2]?
Nous, ces pauvres, dont il a eu soin, ces humbles
[d'esprit,
lui-même si humble.

VIII Impossible que cette source de bonté
une fois sa destinée allégée, coule moins généreu-
[sement!
Impossible que le bienheureux méprise les mal-
[heureux,
le père ses orphelins.

IX O Malachie, ta Claire Vallée,
plus claire encore par le trésor de ton corps[3],
t'en supplie humblement : qu'elle jouisse par ton
[secours
d'une paix inaltérable!

X Gloire au Père et à son Fils,
gloire à toi, Esprit de l'un et de l'autre :
unique soit pour toi – puisque les trois ne font
[qu'un –
unique soit la majesté!

EPISTOLA CCCXLI

Ad Malachiam Hibernensium archiepiscopum

282 Venerabili domino et beatissimo patri Malachiae, Dei gratia Hibernensium archiepiscopo, Apostolicae Sedis legato, frater Bernardus, Claraevallis vocatus abbas : *invenire gratiam apud* Dominum[a].

1. Inter multiplices aestus et curas pectoris mei, prae multitudine quarum *anima mea turbata est valde*[b], fratres *de terra longinqua venientes*[c], ut serviant Domino, epistola tua, *et baculus tuus ipsa me consolata sunt*[d] : epistola in ostensione
5 bonae voluntatis, baculus ad sustentandum corpus infirmitatis, fratres qui Deo serviunt in spiritu humilitatis. Omnia suscepimus, omnia placent, *omnia* pariter *cooperantur in bonum*[e].

Quod autem voluistis duos de fratribus mitti vobis ad
10 praevidendum locum, communicato cum fratribus consilio, dignum duximus non eos separandos ab invicem, *donec* plenius in eis *formetur Christus*[f], donec ad integrum

a. Lc 1, 30 || b. Ps. 6, 4 || c. Jos. 9, 6 || d. Ps. 22, 4 || e. Rom. 8, 28 || f. Gal. 4, 19

---

1. Aux environs de 1140. Cf. *MalV*, XVI, 39, où l'on voit que saint Malachie et saint Bernard se mettent d'accord pour que des moines irlandais viennent se former à Clairvaux. Pour le texte latin cf. *SBO*, t. VIII, p. 282 s.

2. Tour à tour l'auteur tutoie et vouvoie son interlocuteur, et lui-même parle tantôt de soi en «je», tantôt en «nous». Nous respecterons cette diversité ; il semble plutôt que *tua* de *tua epistola* soit appelé par

ÉPÎTRE 341

A Malachie, archevêque des Irlandais[1]

Au vénérable seigneur et bienheureux père Malachie, par la grâce de Dieu archevêque des Irlandais, légat du Siège apostolique, frère Bernard, qu'on appelle abbé de Clairvaux, souhaite de «trouver grâce auprès de Dieu[a]».

1. Au milieu des multiples agitations et soucis de mon cœur, par l'abondance desquels «mon âme est toute bouleversée[b]», ces frères «qui arrivent d'un pays lointain[c]» pour servir le Seigneur, comme aussi ta lettre «et ton bâton sont là qui me consolent[d]»[2] : ta lettre qui manifeste tant de bienveillance, ce bâton pour soutenir mon corps affaibli, et ces frères qui servent Dieu en esprit d'humilité. Tout cela nous est parvenu, tout cela nous fait plaisir, de même «tout cela concourt au bien[e]».

Pour ce qui est de ton désir que deux des frères vous soient envoyés déterminer une implantation, il en a été question au conseil, avec les frères, et nous avons estimé qu'il ne convenait pas de les séparer les uns des autres[3], jusqu'à ce que le Christ soit plus pleinement «formé en

«baculus *tuus*», de même que le «me» n'apparaît que dans la citation.

3. Qu'il s'agisse d'hommes laissés ou envoyés à Clairvaux par Malachie, ou de moines de Clairvaux destinés à fonder en Irlande, saint Bernard refuse d'en envoyer deux en éclaireurs, en trop petit nombre, et insuffisamment formés. Témoignage du soin mis à la formation des fondateurs. – Il fallait 12 moines pour constituer une fondation : cf. *Exorde de Cîteaux,* IX, 4 et *Petit Exorde,* XV, 13, qu'on peut consulter de façon pratique dans *Cîteaux. Documents primitifs,* Texte latin, traduction française par F. DE PLACE, G. GHISLAIN et F.-C. CHRISTOPHE, Cîteaux, 1988, p. 48 et 126.

doceantur *proeliari proelia Domini*[g]. Cum igitur fuerint in schola Sancti Spiritus eruditi, cum *induti virtute ex alto*[h], 283 15 tunc demum ad patrem filii revertentur, ut *cantent canticum Domini,* non iam *in terra aliena*[i], sed in sua.

2. Vos autem interim, iuxta sapientiam datam vobis a Domino[j], secundum habitudinem locorum quae vidistis apud nos, praevidete et praeparate eis locum a tumultibus saeculi separatum. *Tempus enim prope est*[k] in quo vobis, 5 operante Dei gratia, novos de veteribus homines[l] producemus. *Sit nomen Domini benedictum in saecula*[m], de cuius munere venit ut communes habeam filios vobiscum, quos vestra praedicatio *plantavit,* nostra exhortatio *rigavit, Deus autem incrementum dedit*[n].

10 Sanctitatem vestram rogamus ut verbum Domini praedicetis, *ad dandam scientiam salutis plebis eius*[o]. Duplex enim vobis incumbit necessitas, et ex officio legationis, et episcopali negotio. De cetero quoniam *in multis offendimus omnes*[p], et inter homines saeculi frequenter positi multum 15 de pulvere mundi contrahimus, vestris et vestrorum orationibus me commendo, ut in fonte misericordiae suae nos lavare et emaculare dignetur ipse fons pietatis Iesus Christus, qui dixit Petro : *Nisi lavero te, non habebis partem mecum*[q]. Sed et hoc ipsum, non solum precibus, verum

g. I Sam. 25, 28 || h. Lc 24, 49 || i. Ps. 136, 4 || j. Cf. II Pierre 3, 15 || k. Apoc. 1, 3 || l. Cf. Éphés. 4, 22.24 || m. Ps. 112, 2 (Lit.) || n. I Cor. 3, 6 (Lit.) || o. Lc 1, 77 || p. Jac. 3, 2 || q. Jn 13, 8

---

1. *Locus* : ce terme revient deux fois dans cette phrase. Il peut signifier le monastère (cf. A. DIMIER, *Revue Mabillon,* 58 (1972), p. 133 ss.). Il désigne ici d'abord les lieux réguliers, puis, plus généralement, le lieu géographique prévu pour la fondation du monastère.
2. ** Antienne *« Sit nomen »* aux Vêpres des dimanches ordinaires.

eux[f] » et qu'ils aient appris plus complètement à « combattre les combats du Seigneur[g] ». Lors donc qu'ils auront été instruits à l'école du Saint-Esprit et « revêtus de la force d'en haut[h] », les fils reviendront vers leur père pour « chanter le cantique du Seigneur » non plus « sur une terre étrangère[i] », mais sur leur propre terre.

2. Quant à vous, pendant ce temps, avec la sagesse qui vous a été donnée par le Seigneur[j], et selon la disposition des lieux que vous avez pu observer chez nous, prévoyez et préparez pour eux un endroit[1] à l'abri des vacarmes du monde. « Le temps est proche[k] », en effet, où, la grâce de Dieu agissant, nous pourrons vous présenter des hommes nouveaux – d'anciens qu'ils étaient[l]. « Que le nom du Seigneur soit béni à jamais[m] »[2] : sa générosité me donne d'avoir en commun avec vous des fils ; votre prédication les « a plantés », notre exhortation les a arrosés, « mais c'est Dieu qui donne la croissance[n] »[3].

Nous en prions votre Sainteté : prêchez la parole du Seigneur « pour apporter à son peuple la connaissance du salut[o] ». Ce devoir vous incombe à un double titre : de par votre fonction de légat, et de par votre charge épiscopale.

Au reste, puisque « tous nous commettons des écarts à maintes reprises[p] », et que, amenés bien souvent à frayer avec les hommes de ce monde, nous sommes très souvent souillés de sa poussière, je me recommande à vos prières et à celles des vôtres : veuille cette source de bonté qu'est Jésus Christ nous laver et nous purifier dans la source de sa miséricorde, lui qui a dit à Pierre : « Si je ne te lave, tu n'auras pas de part avec moi[q]. » D'ailleurs, cela, je le requiers non seulement sous forme de supplique, mais

3. ** Cf. Antienne *« Ego plantavi »* des Vêpres et Laudes de la Conversion et de la Commémoraison de S. Paul, avec *autem* à la place de *sed.* Seul emploi par Bernard.

20 etiam quasi ex debito requiro, cum *ego clamem ad Dominum*[r] pro vobis, si quid possit peccatoris oratio. In Domino valete.

r. Ps. 87, 14

quasiment comme un dû, «moi qui crie vers le Seigneur[r]» en votre faveur – pour autant que la prière d'un pécheur ait quelque pouvoir. Portez-vous bien dans le Seigneur.

EPISTOLA CCCLVI

Ad Malachiam Hiberneniae archiepiscopum

300 Malachiae Dei gratia episcopo, Sedis Apostolicae legato, frater Bernardus, Claraevallis vocatus abbas : si quid potest peccatoris oratio, et si quid pauperis devotio prodest.

Fecimus quod praecepit sanctitas vestra, et si non ut dignum, profecto ut possibile pro tempore fuit. Tanta apud nos ubique malitia grassatur, ut vix id tantillum, quod factum est, fieri licuerit.

5 Misimus tam exiguum seminis quod videtis, ad seminandam vel modicam partem agri illius, in quem verus Isaac quondam exierat ad meditandum, cum primum adducta est ei Rebecca per puerum Abraham, perenni coniugio feliciter copulanda[a].

10 Nec contemnendum semen, de quo illud in partibus vestris experimur impletum hoc tempore : *Nisi Dominus Sabaoth reliquisset nobis semen, quasi Sodoma fuissemus et sicut Gomorrha similes essemus*[b]. Itaque *ego* seminavi, *rigate* vos, et *Deus incrementum dabit*[c].

a. Cf. Gen. 24, 63-65 || b. Is. 1, 9; cf. Rom. 9, 29 || c. I Cor. 3, 6

---

1. 1141. Cette lettre et la suivante reçoivent leur éclairage de *MalV*, XVI, 39, et, à leur tour, elles complètent le récit. Pour le texte latin, cf. *SBO*, t. VIII, p. 300.
2. Le terme et le thème figurent aussi in *MalV*, XVI, 39.
3. Il s'agit de moines envoyés pour fonder Mellifont.
4. Si Isaac est qualifié de *verus,* et son mariage de *perennis,* c'est qu'il est considéré ici en tant que type du Christ, comme Rébecca l'est de l'Église. Le champ alors signifie aussi l'Église, mais sous son angle plus

ÉPÎTRE 356

A Malachie, archevêque d'Irlande[1]

A Malachie, évêque par la grâce de Dieu, et légat du Siège apostolique, frère Bernard, qu'on appelle abbé de Clairvaux – si la prière d'un pécheur et la ferveur d'un pauvre peuvent être de quelque utilité.

Nous avons réalisé ce que votre Sainteté nous avait demandé, non pas, peut-être, comme la chose l'aurait mérité, mais en tout cas dans la mesure du possible en fonction du temps dont nous disposions. En si grand nombre, les ennuis nous assaillent de toutes parts : à peine nous ont-ils laissé la possibilité de faire ce que nous avons fait – aussi modeste que cela puisse être.

La semence[2] que nous vous avons envoyée[3] est en bien petite quantité, comme vous le constatez. Elle ne pourra ensemencer qu'une étroite parcelle de ce champ où le véritable Isaac s'était autrefois retiré pour méditer, lorsqu'il rencontra Rebecca pour la première fois; le serviteur d'Abraham la lui amena pour qu'il s'unisse à elle avec bonheur dans un mariage éternel[a4].

Qu'on ne la méprise pourtant pas, cette semence : à son propos, nous assistons actuellement, dans vos régions, à la réalisation de cette parole prophétique : « Si le Seigneur Sabaoth ne nous avait laissé une semence, nous serions devenus comme Sodome, nous ressemblerions à Gomorrhe[b]. » Ainsi, moi, j'ai semé; à vous d'arroser. Et Dieu donnera la croissance[c].

historique, plus inachevé : l'Église telle qu'elle se développe par la mission, par les fondations monastiques, par toutes les formes du ministère.

15 Sanctos omnes qui apud vos sunt, per vos salutamus, humiliter ipsorum nos et vestris sanctis orationibus commendantes. Valete.

1. On retiendra de cette lettre que saint Bernard s'excuse de ne pas envoyer davantage de moines de Clairvaux, conformément à la demande de Malachie; mais il lui fait aussi remarquer que ce petit nombre n'est

Par vous, nous saluons tous les saints qui sont auprès de vous. A leurs saintes prières, et aux vôtres, nous nous recommandons humblement. Salut[1].

pas rien : en lui s'accomplit une promesse de Dieu, en lui se cache une espérance pour l'Église d'Irlande. Mais il dépend de Malachie de faire en sorte que l'espérance se réalise.

EPISTOLA CCCLVII

Ad eumdem

301 Amantissimo patri et domino reverendissimo Malachiae, Dei gratia episcopo, sanctae et Apostolicae Sedis legato, suus frater Bernardus, Claraevallis vocatus abbas : salutem et qualescumque nostras orationes.

1. *Quam dulcia faucibus meis eloquia tua*[a], domine pater, quam iucunda tuae memoria sanctitatis[b]! Si quid affectionis, si quid devotionis, si quid animi in nobis est, totum sine dubio sibi vindicat tuae dilectionis caritas. Nec opus
5 est verborum multitudine, ubi multum viget affectus. Confido enim quod *testimonium* perhibeat *spiritui tuo Spiritus quem habes a Deo*[c], tuum esse modicum id quod sumus. Tu quoque, pater amantissime et desideratissime[d], *ne tradas oblivioni animam pauperis,* caritatis nexibus adhaerentem tibi,
10 et *animam pauperis tui ne obliviscaris in finem*[e].

Neque enim quasi de novo commendamus nos tibi[f], cum in multo iam tempore gloriemur in Domino[g], quod *invenire* meruit parvitas nostra *gratiam in oculis*[h] sanctitatis tuae; sed oramus ut dilectio, iam non nova, novis quotidie
15 proficiat incrementis.

Filios nostros, immo et vestros, tanto obnixius commen-

a. Ps. 118, 103 || b. Ps. 29, 5 || c. Rom. 8, 16 || d. Cf. Phil. 4, 1 || e. Ps. 73, 19 || f. Cf. II Cor. 5, 12 || g. Cf. Rom. 5, 11 || h. Gen. 18, 3

---

1. 1142. Prolongement de la lettre précédente : celle-ci passe du style

ÉPÎTRE 357[1]

Au même

A ce père très aimé, ce seigneur très vénéré qu'est Malachie, évêque par la grâce de Dieu, légat du Siège apostolique, frère Bernard, qu'on appelle abbé de Clairvaux : salut avec l'assurance de nos prières – quelle qu'en soit la valeur.

1. «Quelle douceur dans ma bouche, tes paroles[a]», seigneur et père, et quelle joie que le souvenir de ta Sainteté[b] ! Ce qu'il peut y avoir en nous d'élan du cœur, d'amitié fervente, de bonne volonté : tout cela, sans aucun doute, ton amour si affectueux peut le réclamer comme son bien. Et point n'est besoin d'amonceler les paroles, là où l'élan du cœur se déploie avec tant de force. J'en suis bien sûr, en effet, «l'Esprit que tu as reçu de Dieu en rend témoignage à ton esprit[c]» : si peu que je sois, je t'appartiens tout entier. De ton côté, père très aimé et très désiré[d], «ne laisse pas tomber dans l'oubli l'âme d'un pauvre» qui tient à toi par les liens de l'amour – oui, «l'âme de ce pauvre qui est tien, ne l'oublie pas pour toujours[e]».

Non pas que nous nous recommandions auprès de toi comme si c'était la première fois[f], puisque depuis longtemps déjà nous nous glorifions dans le Seigneur[g] d'avoir pu, malgré notre petitesse, «trouver grâce aux yeux[h]» de ta Sainteté. Mais notre prière, c'est que ton affection, qui n'est pas nouvelle, ne cesse de connaître chaque jour de nouveaux accroissements.

Ce sont nos fils – ou plutôt les vôtres – que nous vous

affectif et biblique à celui d'une lettre d'affaire. Pour le texte latin, cf. *SBO*, t. VIII, p. 301 s.

damus vobis, quanto amplius remoti sunt a nobis. Vos scitis quoniam tota post Deum fiducia nostra fuit ut
302 mitteremus eos, quoniam sanctitatis vestrae precibus non
20 acquiescere illicitum videbatur. Facite quod vos decet, ut totis visceribus caritatis amplectamini eos et foveatis. Nequaquam occasione aliqua circa eos sollicitudo et diligentia tepescat, et pereat quod *plantavit dextera tua*[i].

2. Iam quidem quia bene proficit domus, et ex vestris litteris, et ex fratrum nostrorum relatione didicimus : multiplicatur tam in temporalibus quam in spiritualibus. Unde et congratulamur plurimum, et toto animo gratias
5 agimus Deo et paternae sollicitudini vestrae. Et quoniam multa adhuc opus est vigilantia, tamquam in loco novo et in terra tam insueta, immo et inexperta monasticae religionis, obsecramus in Domino ne retrahatis manum vestram, sed quod bene incoepistis, optime perficiatis[j].
10 De fratribus nostris qui redierunt a loco illo, nobis bene placuisset si remansissent. Et fortasse nonnullam occasionem praebuerunt eis fratrum, *qui de terra sunt*[k], minus disciplinati mores, in eo maxime quod minus facile eorum consiliis acquiescere videntur in his rebus, quarum prius
15 fuerant inexperti.

3. Carissimum filium nostrum Christianum et vestrum remisimus ad vos, quantum potuimus instructum plenius in his quae ad Ordinem pertinent, et de cetero circa observantias eius sollicitiorem futurum, ut speramus. Nec

i. Ps. 79, 16 || j. Cf. Phil. 1, 6 || k. Jn 3, 31

---

1. A ce sujet, cf. notre introduction p. 158.
2. Cf. à ce sujet *MalV*, XVI, 39 : Christian O'Conarchy, moine irlandais formé à Clairvaux, et devenu par la suite évêque de Lismore.

recommandons avec d'autant plus d'insistance qu'ils sont plus éloignés de nous. Vous le savez vous-même, pour les envoyer, toute notre confiance, après Dieu, reposait sur la conviction que voici : ne pas accéder aux vœux de votre Sainteté nous eût paru un péché. Faites donc tout le nécessaire pour leur ouvrir les entrailles de votre charité et les entourer de votre protection. Que jamais, en aucune circonstance, votre sollicitude à leur égard, et votre empressement, ne viennent à s'attiédir, et que ne périsse pas ce que «ta droite a planté[i]».

2. Au vrai, votre maison déjà prospère bien, comme vos lettres et la relation de nos frères nous l'ont appris; au temporel, non moins que sur le plan spirituel, elle se développe. Nous nous en réjouissons infiniment, et, de tout cœur, nous rendons grâce à Dieu, comme aussi à votre sollicitude de père. Mais il y faut encore beaucoup d'attention, comme le réclame une fondation nouvelle dans un pays si peu accoutumé à cela, si profondément étranger encore à l'état monastique[1]. Aussi nous vous en prions instamment dans le Seigneur, ne retirez pas votre main, mais achevez pour le mieux ce que vous avez si bien commencé[j].

En ce qui concerne ceux de nos frères, revenus de cette fondation, nous aurions bien aimé qu'ils y restent. Mais peut-être ont-ils trouvé certaines raisons de partir dans l'attitude des frères de votre pays[k], qui sont moins disciplinés dans leur vie, et qui surtout paraissent accepter difficilement des conseils en des domaines qui leur étaient jusqu'ici étrangers.

3. Nous vous avons renvoyé Christian[2], notre fils très cher, et le vôtre : aussi bien que nous le pouvions, il a été instruit pleinement de ce qui concerne notre Ordre; qu'il ait d'autant plus de soin à en respecter les observances :

5 miremini, quod non plures cum eo misimus fratres, quoniam nec idoneos invenimus fratres, qui facile acquiescerent, nec invitos cogere consilium fuit.

Dilectissimus frater noster Robertus precibus nostris acquievit etiam hac vice, tamquam filium oboedientiae.
10 Vestrum erit, iuvare eum, ut possit iam in aedificiis et in ceteris necessariis promoveri domus vestra.

Illud quoque paternitati vestrae suggerimus, ut viris religiosis, et quos speratis utiles fore monasterio, persuadeatis quatenus ad eorum Ordinem veniant, quoniam haec
15 erit summa utilitas domus, et vobis facilius acquiescent.

Valeat sanctitas vestra, nostri semper memor in Christo.

1. *Ordo* : le terme, comme ci-dessus, signifie l'organisation et l'institution cistercienne, mais aussi l'ensemble de la vie monastique sous la Règle de saint Benoît, tout en gardant le sens concret de ce qui fait la vie commune d'un ensemble de moines dans un monastère.

2. On peut comprendre, à partir de cette lettre, que des frères de Clairvaux sont revenus à Clairvaux après un échec dû à une mésentente

c'est ce qui nous reste à espérer. Ne vous étonnez pas si nous n'envoyons pas davantage de frères avec lui : nous n'en avons pas trouvé qui conviennent et qui acceptent de bon gré, et il ne semblait pas adéquat d'en forcer malgré eux.

Notre très aimé frère Robert, sur nos prières, a accepté une fois encore, en fils obéissant, de venir à vous. Il vous incombera de l'aider pour que votre maison puisse progresser, dans ses bâtiments déjà, non moins que dans tout ce qui lui est nécessaire.

Par ailleurs, voici ce que nous suggérons à votre Paternité : persuadez des hommes religieux, sur qui vous comptez pour être utiles à ce monastère, de venir rejoindre leur communauté[1] : ce sera pour le plus grand bien de cette maison, et ils vous obéiront d'autant mieux[2].

Que votre Sainteté se porte bien et se souvienne toujours de nous dans le Christ.

avec ceux du pays (§ 2); il en est tout de même resté quelques-uns (§ 1). Christian, laissé en stage à Clairvaux par Malachie, revient, accompagné d'un seul cistercien, Robert, qui n'en est pas à son premier voyage (§ 3). C'est évidemment trop peu, et Malachie devra étoffer la fondation, mais avec des vocations sûres (§ 3).

EPISTOLA DXLV

Epistola confraternitatis ad Malachiam legatum Hiberniae

512 Magno sacerdoti et summo amico suo Malachiae, Apostolicae Sedis legato, frater Bernardus, Claraevallis vocatus abbas : salutem et orationem.

Licet longe sitis a nobis, non tamen ab animo nostro longe estis, quia locorum vel temporum incommoda sanctus amor ignorat. Vasto siquidem mari distinguimur, sed coniungimur caritate. Caritas enim in sacrario dilec-
5 tionis amplectitur, quam nec Oceanus, *nec aquae multae poterunt extinguere, nec illam flumina obruere*[a]. In hac ergo semper vobiscum sum, per hanc vos semper mecum estis. Quomodo enim non diligerem in Christo Domino eum cui scientia ad doctrinam, vita ad conscientiam, mores ad
10 exemplum plenissime, ut audivimus, suffragantur?

Super omnia autem coniunxit me vobis filiorum et fratrum nostrorum, qui nuper ad partes illas perrexerunt, benigna susceptio, quos fovetis, quos diligitis, quos efficaciter iuvatis. Licet enim de domo nostra specialiter non
513
15 exstiterint, tamen de filia domus nostrae non minus dilecti,

a. Cant. 8, 7

---

1. Pas antérieure à 1145, probablement. Pour le texte latin, cf. *SBO*, t. VIII, p. 512 s.

Cf. à ce sujet Dom J. Leclercq, «Deux épîtres de saint Bernard et de son secrétaire», *Recueil d'études sur saint Bernard et ses écrits,* II, Rome 1966 (Storia e Letteratura, 104), p. 313. Cette lettre fut publiée pour la première fois en 1955, elle s'apparente à une autre lettre de confraternité,

ÉPÎTRE 545[1]

Épître de confraternité, adressée à Malachie, légat d'Irlande

A ce grand prêtre et très grand ami qu'est pour lui Malachie, légat du Siège apostolique, frère Bernard, qu'on appelle abbé de Clairvaux : salut et prière.

Bien que vous soyez éloigné de nous, vous n'êtes pourtant pas loin de notre cœur, car un saint amour ignore les obstacles des lieux et du temps. Séparés, il est vrai, par une vaste mer, nous sommes unis par la charité. Celle-ci rassemble, en effet, les êtres dans le sanctuaire d'une dilection telle que «ni l'océan ni les grandes eaux ne peuvent l'éteindre, pas plus que les fleuves ne sauraient la renverser[a]». En elle, donc, je suis toujours avec vous, de même que, par elle, vous êtes toujours avec moi. Comment n'aimerais-je pas, dans le Christ Seigneur, celui chez qui – comme nous l'avons entendu dire – la connaissance favorise très pleinement l'enseignement, la vie la conscience, les principes moraux une attitude exemplaire.

Mais, par dessus tout, ce qui m'a uni à vous, c'est l'accueil bienveillant que vous avez réservé à nos fils et frères arrivés récemment dans vos contrées[2]. Vous les soutenez, vous les aimez, vous les aidez de manière effective. Même s'ils ne sont pas précisément originaires de notre maison, mais d'une maison fille de la nôtre, nous ne

adressée à Dermot II, roi d'Irlande (*Ep.* 546). La main du secrétaire de saint Bernard, Nicolas de Clairvaux, s'y révèle, surtout dans l'exorde, et dans le schéma; mais l'auteur modérait la tendance de son secrétaire à la pédanterie.

2. Il semble s'agir des moines irlandais formés à Clairvaux et repartis dans leur pays pour rejoindre une fondation fille de cette abbaye, Mellifont.

quia *omnes*, et *longe* et *prope, unum sumus in Christo*[b], et hos et illos, qui de latere nostro ad vos venerint, vestrae paternitati specialius commendamus, supplicantes ut, quod bene coepistis, melius consummetis in Domino.

20 Et ut hoc libentius faciatis, participem vos facimus omnium bonorum quae fiunt et fient in Ordine nostro usque in sempiternum.

b. Gal. 3, 28 et Éphés. 2, 13

1. Les moines de Clairvaux partis en 1142 pour fonder Mellifont, et que les Irlandais ont rejoints.

les en aimons pas moins. Car «tous, lointains ou proches, nous ne faisons qu'un dans le Christ[b]», et ces moines-ci, comme les autres qui d'auprès de nous sont venus jusqu'à vous[1], nous les recommandons tout spécialement à votre Paternité, vous suppliant d'achever mieux encore, dans le Seigneur, ce que vous avez déjà si bien commencé.

Et pour que vous fassiez cela plus volontiers, nous vous rendons participant de toutes les bonnes œuvres qui s'accomplissent et s'accompliront dans notre Ordre, à perpétuité.

INDEX

Les chiffres des colonnes de droite renvoient à la numérotation des paragraphes en chiffres arabes sans tenir compte des chiffres romains.

Dans les index scripturaires, les chiffres en caractères droits correspondent à des citations littérales et les chiffres en italiques à des allusions bibliques.

ÉLOGE DE LA NOUVELLE CHEVALERIE

INDEX SCRIPTURAIRE

Index des noms de personnes

Index des noms de lieux

Index thématique

VIE DE SAINT MALACHIE ET ANNEXES

Index scripturaire

Index des noms de personnes

INDEX DES NOMS DE LIEUX

Index thématique

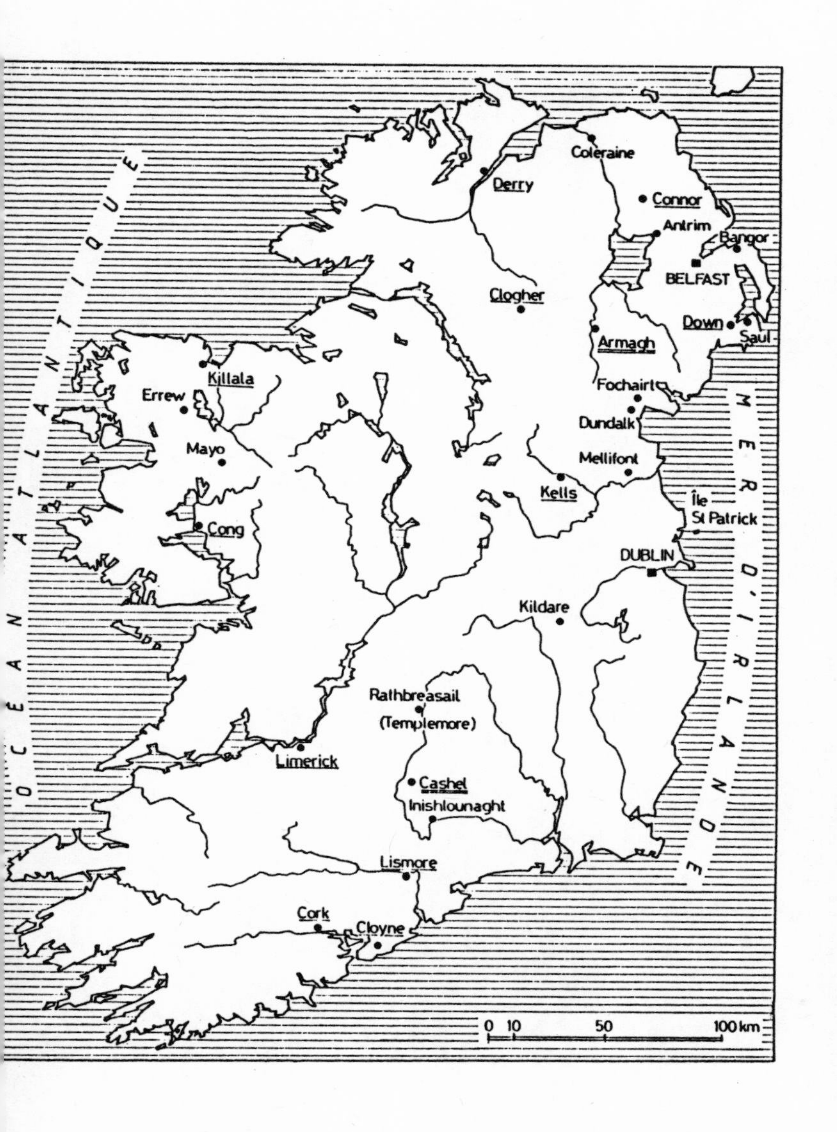
OCEAN ATLANTIQUE
MER D'IRLANDE
Coleraine
Derry
Connor
Antrim
Bangor
BELFAST
Clogher
Down
Saul
Armagh
Killala
Errew
Fochairt
Dundalk
Mayo
Mellifont
Kells
Île
St Patrick
Cong
DUBLIN
Kildare
Rathbreasail
(Templemore)
Limerick
Cashel
Inishlounaght
Lismore
Cork
Cloyne
0 10 50 100 km

TABLE DES MATIÈRES

SOURCES CHRÉTIENNES

Dans la liste qui suit, dite « liste alphabétique », tous les ouvrages sont rangés par nom d'auteur ancien, les numéros précisant pour chacun l'ordre de parution depuis le début de la collection. Pour une information plus complète, on peut se procurer deux autres listes au secrétariat de « Sources Chrétiennes »
29, rue du Plat, 69002 Lyon (France) – Tél. : 78.37.27.08 :

1. la « liste numérique », qui présente les volumes et leurs auteurs actuels d'après les dates de publication; elle indique les réimpressions et les ouvrages momentanément épuisés ou dont la réédition est préparée.
2. la « liste thématique », qui présente les volumes d'après les centres d'intérêt et les genres littéraires : exégèse, dogme, histoire, correspondance, apologétique, etc.

LISTE ALPHABÉTIQUE (1-367)

SOUS PRESSE

CÉSAIRE D'ARLES : **Œuvres monastiques.** Tome II : **Œuvres pour les moines.** A. de Vogüé, J. Courreau.

EUSÈBE DE CÉSARÉE : **Préparation évangélique,** livres VIII-X. É des Places.

PROCHAINES PUBLICATIONS

Actes de la Conférence de Carthage, tome IV. S. Lancel.

Les Apophtegmes des Pères. Tome I. J.-C. Guy.

ATHÉNAGORE : **Supplique au sujet des chrétiens** et **Traité de la Résurrection.** B. Pouderon.

BASILE DE CÉSARÉE : **Homélies morales.** Tome I. E. Rouillard, M.-L. Guillaumin.

BERNARD DE CLAIRVAUX : **Livre du libre arbitre.** F. Callerot. **Traité du précepte et de la dispense.** A. Lemaire et M. Standaert.

EUGIPPE, **Vie de saint Séverin.** P. Regerat.

GRÉGOIRE DE NAZIANZE : **Discours** 42-43. J. Bernardi.

GRÉGOIRE LE GRAND : **Lettres.** Tome I. P. Minard (†).

HERMIAS : **Moquerie des philosophes païens.** R.P. C. Hanson. (†).

JEAN DAMASCÈNE : **Écrits sur l'Islam.** R. Le Coz.

LACTANCE : **Institutions divines,** tome IV. P. Monat.

ORIGÈNE, **Commentaire sur le Cantique.** Tome I. L. Brésard.

Également aux Éditions du Cerf :

LES ŒUVRES DE PHILON D'ALEXANDRIE

publiées sous la direction de

R. ARNALDEZ, C. MONDÉSERT, J. POUILLOUX.

Texte original et traduction française.

1. **Introduction générale, De opificio mundi.** R. Arnaldez (1961).
2. **Legum allegoriae.** C. Mondésert (1962).
3. **De cherubim.** J. Gorez (1963).
4. **De sacrificiis Abelis et Caini.** A. Méasson (1966).
5. **Quod deterius potiori insidiari soleat.** I. Feuer (1965).
6. **De posteritate Caini.** R. Arnaldez (1972).

7-8. **De gigantibus. Quod Deus sit immutabilis.** A. Mosès (1963).

9. **De agricultura.** J. Pouilloux (1961).
10. **De plantatione.** J. Pouilloux (1963).

11-12. **De ebrietate. De sobrietate.** J. Gorez (1962).

13. **De confusione linguarum.** J.-G. Kahn (1963).
14. **De migratione Abrahami.** J. Cazeaux (1965).
15. **Quis rerum divinarum heres sit.** M. Harl (1966).
16. **De congressu eruditionis gratia.** M. Alexandre (1967).
17. **De fuga.** E. Starobinski-Safran (1970).
18. **De mutatione nominum.** R. Arnaldez (1964).
19. **De somniis.** P. Savinel (1962).
20. **De Abrahamo.** J. Gorez (1966).
21. **De Iosepho.** J. Laporte (1964).
22. **De vita Mosis.** R. Arnaldez, C. Mondésert, J. Pouilloux, P. Savinel (1967).
23. **De Decalogo.** V. Nikiprowetzky (1965).
24. **De specialibus legibus.** Livres I-II. S. Daniel (1975).
25. **De specialibus legibus.** Livres III-IV. A. Mosès (1970).
26. **De virtutibus.** R. Arnaldez, A.-M. Vérilhac, M.-R. Servel, P. Delobre (1962).
27. **De praemiis et poenis. De exsecrationibus.** A. Beckaert (1961).

28. **Quod omnis probus liber sit.** M. Petit (1974).
29. **De vita contemplativa.** F. Daumas et P. Miquel (1964).
30. **De aeternitate mundi.** R. Arnaldez et J. Pouilloux (1969).
31. **In Flaccum.** A. Pelletier (1967).
32. **Legatio ad Caium.** A. Pelletier (1972).
33. **Quaestiones in Genesim et in Exodum. Fragmenta greca.** F. Petit (1978).
34 A. **Quaestiones in Genesim,** I-II (e vers. armen.). C. Mercier (1979).
34 B. **Quaestiones in Genesim,** III-IV (e vers. armen.) Ch. Mercier et F. Petit (1984).
34 C. **Quaestiones in Exodum,** I-II (e vers. armen.) (en préparation).
35. **De Providentia,** I-II. M. Hadas-Lebel (1973).
36. **Alexander (De animalibus).** A. Terian (1988).
37. **Hypothetica.** M. Petit (en préparation).